MW00849960

Date: 12/29/21

SP FIC MARTINEZ
Martínez, María,
Presagio /

PALM BEACH COUNTY
LIBRARY SYSTEM
3650 SUMMIT BLVD.
WEST PALM BEACH, FL 33406

PRESAGIO

- ALMAS OSCURAS -

MARÍA MARTÍNEZ

PRESAGIO

- ALMAS OSCURAS -

TITANIA

Argentina • Chile • Colombia • España
Estados Unidos • México • Perú • Uruguay

1.ª edición Febrero 2021

Reservados todos los derechos. Queda rigurosamente prohibida, sin la autorización escrita de los titulares del *copyright*, bajo las sanciones establecidas en las leyes, la reproducción parcial o total de esta obra por cualquier medio o procedimiento, incluidos la reprografía y el tratamiento informático, así como la distribución de ejemplares mediante alquiler o préstamo público.

Copyright © 2021 *by* María Martínez
All Rights Reserved
© 2021 *by* Ediciones Urano, S.A.U.
Plaza de los Reyes Magos, 8, piso 1.º C y D – 28007 Madrid
www.titania.org
atencion@titania.org

ISBN: 978-84-17421-06-9
E-ISBN: 978-84-18259-52-4
Depósito legal: B-361-2021

Fotocomposición: Ediciones Urano, S.A.U.
Impreso por Romanyà Valls, S.A. – Verdaguer, 1 – 08786 Capellades (Barcelona)

Impreso en España – *Printed in Spain*

Nunca descansaría hasta tener la venganza y el trono en mis manos, y me desharía de cualquiera, dulce príncipe, que se interpusiera entre ellas y yo.

ROGER ZELAZNY

Prólogo

—Leinae.

—¿Sí?

—¿Estás segura? ¿De verdad es esto lo que quieres?

Leinae miró al hombre sentado a su lado y sonrió. El corazón se le encogía en el pecho cada vez que contemplaba su rostro. Alzó la mano y le acarició la mejilla.

—Es a ti a quien quiero.

—Pero ellos... Nosotros...

Acalló sus palabras con un dedo en los labios. Enredó la mano en su cabello color miel y lo atrajo hacia su regazo. Él apoyó la cabeza y cerró los ojos un momento. Leinae suspiró con la mirada perdida y comenzó a peinar con los dedos aquellos mechones suaves que se extendían sobre la falda de su vestido.

—No te preocupes por ellos —susurró.

—Pronto lo sabrán —dijo él. Ladeó el rostro para mirarla—. Mi alma ya está condenada, pero no podría soportar que la tuya corriera la misma suerte.

—El único peligro que corre mi alma es el de romperse en mil pedazos si me separo de ti. ¿Acaso ya no me amas?

—Soy completamente tuyo.

Leinae sonrió y le rozó la mejilla con un beso.

Él se puso en pie y la contempló un largo instante. El miedo atenazaba sus miembros.

Si la perdía...

Si algo le ocurría...

Nada ni nadie estaría a salvo de su ira.

—Iré a prepararlo todo. Esta noche nos casaremos.

Leinae no apartó sus ojos de él hasta que cruzó las puertas y estas se cerraron. Se tomó un instante para reunir el valor que necesitaba. Se levantó despacio y se giró.

—Hola, hermano.

De un rincón en penumbra, surgió un hombre. Era alto y esbelto, hermoso, y su piel destellaba con un leve halo que la hacía parecer traslúcida.

—He tenido que verlo con mis propios ojos para creerlo. ¿En verdad ese ser y tú...? ¿Por qué?

—Aún no encuentro las palabras para expresar lo que mi corazón siente.

—Tu corazón no puede albergar ese tipo de sentimientos. No fuimos creados para eso.

—Fuimos creados para amar.

—No de ese modo.

—¿Y por qué nos dio esta capacidad entonces? —preguntó Leinae con vehemencia.

El hombre la miró en silencio, mientras el halo que lo rodeaba cambiaba de color y se iba oscureciendo.

—Vendrás conmigo y otro ocupará tu lugar. O te juro que acabaré con él y toda su maldita progenie.

—No tienes poder para hacer eso, ni tampoco motivos. Él no ha abandonado el buen camino desde hace muchos siglos.

—Lo hará, está en su naturaleza.

—Tu odio no te permite ver más allá.

El hombre ignoró sus palabras y extendió el brazo hacia ella.

—Vamos.

—No iré contigo.

El hombre dio un paso hacia ella con los dientes apretados y un rictus amenazador en sus labios.

—No iré —repitió Leinae—. Sé que no puedes entenderlo. Piensas que he sucumbido a las mismas pasiones que condenaron a otros, pero no es así. No busques nada sucio ni indigno, no lo encontrarás. Entre estos muros solo hay amor y ambos sabemos lo poderoso que es ese sentimiento.

El enfado del hombre empezó a diluirse y el dolor ocupó su lugar. Apretó los párpados un momento. Cuando los abrió de nuevo, sus ojos solo transmitían una pena inmensa.

—Si te quedas, no podrás regresar.

—Lo sé —respondió ella con una sonrisa.

—Perderás a tu familia.

—Es mi decisión.

—Me perderás a mí. —Ella le sostuvo la mirada y asintió con un gesto tan leve que casi no se movió—. No hay nada que pueda decir para convencerte, ¿verdad?

—No.

Cerró el puño sobre su vientre un instante, antes de dejar que colgara inmóvil. Solo fue un segundo, pero él lo notó.

Dio un paso hacia ella y la miró con los ojos muy abiertos. Una miríada de emociones los iluminó.

—No es posible —susurró.

Leinae dio un paso atrás y se rodeó el estómago con los brazos.

—Lo es.

—¿Cómo?

—Solo ha ocurrido.

—Es una aberración —su voz restalló como un látigo y su rostro se transformó con una mueca de desprecio—. Desde este momento quedas expulsada. Dejarás de usar tu nombre y olvidarás que somos hermanos.

Los ojos de Leinae se llenaron de lágrimas. Las notó caer por sus mejillas como pequeñas gotas de lava ardiente. No se movió cuando lo sintió acercarse. Ni cuando sus labios le rozaron la frente con el más dulce de los besos.

—Tu secreto será mi secreto —susurró él contra su piel—. Adiós.

Leinae contempló a su hermano mientras se dirigía a la ventana abierta y saltaba a la oscuridad de la noche. Su llanto silencioso se volvió más amargo y las lágrimas cayeron en cascada. De repente, se quedó inmóvil. Poco a poco deslizó la mano hacia su vientre y la extendió. Una pequeña sonrisa iluminó su rostro.

¡Se había movido!

Si tanto quieren un monstruo, lo tendrán.

Alias Grace, MARGARET ATWOOD

1

Kate llenó de aire sus pulmones y contuvo la respiración. Luego empezó a contar: uno, dos, tres, cuatro... Continuó hasta que los primeros síntomas de asfixia la obligaron a soltarlo todo de golpe. No estaba funcionando y la sensación de ahogo no dejaba de crecer dentro de su pecho.

—¿Cuánto hace que conoce a ese chico? ¿Un mes? ¿Dos? —inquirió Jane en tono mordaz.

—Tres —respondió Kate.

Miró a su hermana y tuvo que morderse la lengua para no decir nada más.

—Es un buen chico —replicó Alice desde la pila, donde lavaba unas verduras.

—Puede que lo sea, pero no me parece razón suficiente para permitir que Kate se vaya con él a Europa.

—Solo serán un par de semanas.

—Dos semanas a miles de kilómetros con personas de las que no sabemos nada.

—¿Y cuál es la novedad? —preguntó Kate sin paciencia—. A ti nunca te ha interesado saber nada sobre la gente con la que me relaciono.

—Porque no hay que preocuparse por nadie de este pueblo.

—Vamos, que puedo salir con un psicópata, siempre que sea de Heaven Falls.

Jane entornó la mirada.

—Sabes que no es eso lo que quiero decir.

—Por favor, chicas, no discutáis —intervino Alice.

—Pues dile que no se meta en este asunto. Solo nos incumbe a ti y a mí, y tú estás de acuerdo con estas vacaciones, ¿verdad? —la cuestionó Kate.

Alice se volvió desde la pila mientras se secaba las manos con un paño.

—Por supuesto que sí. Ya eres mayor y quiero que conozcas mundo. Nunca has salido de aquí.

Kate miró de reojo a su hermana y sonrió para sí misma al ver que se estaba poniendo roja.

—¿Y quién va a ayudarte con la casa de huéspedes? Acaba de comenzar la temporada alta —repuso Jane.

—Martha y yo nos arreglaremos.

—O podrías quedarte tú y echarles una mano —propuso Kate con voz queda.

Jane hizo un ruidito ahogado con la garganta y sacudió la cabeza.

—No puedo quedarme, tengo trabajo en Boston. Vivo allí y... siempre estoy ocupada. No imaginas lo que supone trabajar en un periódico nacional. La presión, la responsabilidad... ¡Hay noticias todos los días! El mundo no va a detenerse por mí.

—Pues bien que te has bajado del mundo este fin de semana para boicotearme el viaje.

—Si crees que preocuparme por ti es boicotearte...

—¡Ya está bien! —gruñó Alice—. Jane, tu hermana no está haciendo nada que tú no hayas hecho antes. ¿O se te ha olvidado tu último verano antes de ir a la Universidad?

—Fuiste a Ámsterdam con tu entonces novio Paul —le recordó Kate.

Jane sonrió sin gracia y se cruzó de brazos.

—Veo que ya lo tenéis todo decidido y que mi opinión no cuenta.

—No es eso... —empezó a decir Alice. Inspiró hondo y lo dejó estar—. Kate, deberías subir y terminar de recoger tus cosas. Se hace tarde.

Kate le dedicó una sonrisa a su abuela y salió disparada de la cocina. Una vez en el vestíbulo, se asomó a la ventana. William y Bob, el prometido de su hermana, conversaban en el jardín. Parecían muy cómodos el uno con el otro y sonrió aliviada.

Subió a su habitación y le echó un vistazo a la maleta abierta sobre la cama. Hizo un repaso de todo lo que contenía y releyó de nuevo la lista de cosas que no debía olvidar.

«Ajo, crucifijos, agua bendita...».

Empezó a reír con un estúpido ataque de nervios. Necesitaba bromear para sacudirse la sensación de locura que la embargaba desde hacía días. Su vida había cambiado en tan poco tiempo y de una forma tan drástica, que aún le costaba creer que todo fuese real y que no había perdido la cabeza.

Pensó en su hermana y dejó de reír. Maldijo por lo bajo sin dejar de preguntarse qué problema tenía Jane con ella. Siempre se mostraba tan prepotente, fría y dura. Tan hostil. Y había sido así desde pequeñas. Desde que sus padres fallecieron.

En aquel entonces, Jane tenía trece años y dedicó todos sus esfuerzos a ignorar a Kate. Fingía de maravilla que no tenían nada en común. Nada que las uniera salvo unos genes de los que le era imposible desprenderse. Si no, esa parte también la habría desdeñado.

Kate sospechaba la verdad que se ocultaba tras ese comportamiento. Jane la culpaba de la muerte de sus padres. Y cuando las pesadillas asaltaban sus noches, devolviéndole los recuerdos de aquel día, ella también se sentía responsable. Todo lo que podría sentirse una niña pequeña que ha visto morir a sus padres.

Sonaron unos golpes en la puerta.

—Kate, soy Bob, vengo a ayudarte con el equipaje.

—Adelante, está abierta.

Bob empujó la puerta y se detuvo en el umbral unos segundos, antes de decidirse a entrar con las manos enfundadas en los bolsillos. Sonrió y ella le devolvió el gesto. Bob le caía bien.

—¿Has terminado?

—Sí, ya casi está —respondió ella al tiempo que cerraba su maleta.

Bob la miró y después paseó la vista por el cuarto.

—Me cae bien.

—¿Te refieres a William?

—Sí. Parece un buen tipo.

Kate bajó la maleta al suelo y se apartó el pelo de la cara con un soplido. Sonrió.

—Es genial.

Los labios de Bob se curvaron hacia arriba y se rascó la coronilla. Después sacó un sobre de su bolsillo. Se lo entregó. Kate frunció el ceño al tomarlo. Lo abrió y vio un montón de dinero.

—No puedo aceptarlo —susurró con las mejillas encendidas.

—Por supuesto que sí, y no pienso discutir contigo.

—Bob...

—Kate, no dudo de que puedas cuidarte tú sola, siempre lo has hecho. Pero si una vez allí las cosas no van como esperas, quiero que uses este dinero para comprar un billete de avión y regresar a casa lo antes posible, ¿de acuerdo?

—Tengo algo ahorrado, no tienes que preocuparte por mí.

—Hazlo por tu cuñado favorito. Al que ya le han salido muchas canas por culpa de tu hermana, como para empezar también contigo.

Una pequeña sonrisa se dibujó en los labios de Kate.

—De acuerdo. Aunque dudo mucho de que vaya a necesitarlo.

—Ambos estaremos más tranquilos si lo llevas contigo.

Bob cargó con la maleta y se dirigió a la escalera con Kate pisándole los talones.

Conforme bajaba, ella pudo oír con total claridad cómo su hermana interrogaba a William.

—¡Así que a Londres!

—Sí, deseo que Kate conozca a mi familia.

—¿Y no es un poco pronto para eso?

—No —respondió William sin más.

Kate sonrió para sí misma.

—¿Y en qué parte de Londres reside tu familia?

—En Holland Park, ¿lo conoces?

Los ojos de Jane se abrieron como platos. Forzó una sonrisa y trató de aparentar indiferencia.

—Solo por las revistas.

—Es un lugar precioso, aunque no es nuestra residencia habitual.

—¿Eres vecino de Jimmy Page? —preguntó Bob con curiosidad.

William alzó la cabeza y sus ojos se clavaron en Kate.

—Sí, es un tipo simpático.

—¡Soy fan de Led Zeppelin! *Whole lotta love* me pone los pelos de punta cada vez que la escucho. —Se volvió hacia Kate—. ¿Podrías conseguirme un autógrafo?

—¿Yo?

—El problema es que finalmente no iremos a Holland Park —indicó William mientras se apartaba de la frente unos mechones rebeldes—. Mi familia ha acortado sus vacaciones allí y acaban de trasladarse a nuestra casa familiar en la campiña, muy cerca de Shrewsbury, en Shropshire.

—¡Vaya, suena bien! —comentó Jane.

—Estoy convencido de que a Kate le encantará.

Kate se ruborizó y su piel adquirió un bonito tono rosa del que William apenas logró apartar la vista. Esa reacción tan humana lo fascinaba hasta límites que solo él conocía. Fijó su atención en Alice y se acercó a ella con una sonrisa amable.

—Le prometo que su nieta estará bien.

—Más te vale o tendrás que vértelas conmigo.

Él asintió y se llevó su mano a los labios. Después se volvió hacia Kate.

—Deberíamos salir ya.

—Claro.

William cargó con el equipaje.

—Ha sido un placer conocerte —le dijo a Jane.

—Lo mismo digo.

—Bob, no olvidaré lo de ese autógrafo.

Bob sonrió de oreja a oreja y se apresuró a abrirle la puerta.

Había llegado el momento de despedirse y Kate notó un nudo en la garganta que no la dejaba respirar. La idea de alejarse de Alice durante dos semanas la asustaba un poco. Jamás habían estado tanto tiempo separadas, ni tan lejos la una de la otra.

—Prométeme que vas a cuidarte y a descansar —le pidió a su abuela.

—Te lo prometo.

—Y que me llamarás si ocurre algo.

—No va a ocurrir nada —replicó Alice. Enmarcó con sus manos el rostro de Kate y le dedicó una sonrisa—. Diviértete mucho.

—Lo haré.

—Y llámame todos los días.

—Lo prometo.

Tras un largo abrazo, Kate soltó a su abuela y su mirada se encontró con la de su hermana. Se quedó plantada frente a ella sin saber qué decir. De pronto, los brazos de Jane la envolvieron con un torpe abrazo.

—Que tengas buen viaje. Cuídate mucho.

—Gra-gracias —tartamudeó.

Intentó relajarse y devolverle el gesto, pero su cuerpo parecía de piedra. No recordaba la última vez que su hermana la había abrazado por propia voluntad.

Jane debió de notarlo, porque la soltó y dio un paso atrás con un suspiro. Trató de sonreír.

—Puede que me quede unos días.

Kate no disimuló su sorpresa.

—¿En serio?

—Sí, supongo que podré hacer tus tareas y echar una mano. Tampoco será tan difícil.

—Seguro que para ti no. Todo se te da tan bien —replicó con sarcasmo.

Tomó aire e hizo el ademán de marcharse. Jane la retuvo por el brazo.

—Vamos, Kate, no he querido decir eso.

—Me da igual, ya he asumido que nunca estaré a la altura de tus expectativas.

Alice se acercó a ellas con las manos unidas en un ruego.

—Chicas, por favor, no quiero que discutáis.

—Kate, lo intento. De verdad que me esfuerzo, pero... —empezó a decir Jane. Forzó una sonrisa despreocupada—. No importa.

Kate notó la necesidad, el deseo de huir que siempre la acosaba en presencia de su hermana. No lo hizo. Por primera vez afrontó sus miedos respecto a ella.

—¿Me culpas?

—¿Qué?

—Por la muerte de nuestros padres, ¿me culpas?

—¡No!

—Siempre he creído que ese es el motivo por el que no me soportas. Porque yo me salvé y ellos murieron.

Jane parpadeó varias veces sin dar crédito a lo que acababa de escuchar.

—Yo... yo sí te soporto, Kate. Y no te culpo por sus muertes.

—Entonces, ¿qué es lo que te he hecho?

Jane se abrazó los codos y se miró los pies un instante. Tragó saliva varias veces, como si abriera camino a unas palabras que le costaba pronunciar.

—Nada, es solo que...

—¿Qué?

—No importa.

—¡Jane, dímelo!

Los ojos de Jane se cubrieron con un velo de lágrimas que se empeñaba en contener.

—Fue horrible darme cuenta de que nuestros padres no iban a volver nunca más. Te miraba y pensaba en lo cerca que habías estado de morir con ellos y apenas podía soportar el dolor que esa idea me causaba. Entonces se me ocurrió que si me distanciaba de ti y algún día te perdía, no sufriría. —Su pecho se elevó con una inspiración—. El problema es que puse tanto empeño en apartarte de mí, que ahora no sé cómo acortar esa distancia, y lo único que he conseguido es que tú me odies.

—No lo entiendo.

Jane dejó escapar un suspiro entrecortado.

—Yo... yo te quiero, Kate, pero no soy capaz de demostrarlo. Cada vez que intento acercarme a ti, digo o hago algo que te molesta. Te pones a la defensiva y yo me siento tan culpable y estúpida.

Kate parpadeó con lágrimas en los ojos.

—¿Y por qué no me has dicho todo esto antes?

—No sabía cómo. Siento mucho haberte hecho creer que no te soportaba. No es cierto.

Kate alargó la mano, indecisa, y tomó la de su hermana con dedos temblorosos.

—Y yo siento haberte hecho creer que te odio. Nunca podría, eres mi hermana.

—Es un alivio saberlo —dijo Jane con una risita nerviosa.

Se contemplaron en silencio un largo segundo. Junto a ellas, Alice se frotaba los ojos con un pañuelo y se sorbía la nariz.

—Os habéis empeñado en que esta vieja llore hoy.

Las dos hermanas sonrieron.

—Tengo que irme —anunció Kate en voz baja.

Su hermana le dio un suave apretón en la mano y se hizo a un lado.

—Ten cuidado, dicen que la comida británica es un asco.

Kate empujó la mosquitera sin más dilación y salió al exterior. El aire fresco que penetró en sus pulmones alivió el peso que los oprimía. William ya había colocado el equipaje en el maletero y la esperaba junto a la puerta abierta del copiloto.

Sus miradas se encontraron.

—¿Estás bien? —se interesó él.

—¿Lo has oído?

—Sí.

Ella frunció el ceño y negó con la cabeza.

—Me cuesta entender que alguien que me quiere haga todo lo posible para alejarse de mí porque le asuste perderme. No tiene sentido.

William le sostuvo la mirada sin decir nada. Kate era tan inocente y sus emociones tan puras, que de verdad creía en el amor como el sentimiento más poderoso. Aún no había descubierto el poder del miedo. Cómo el terror al sufrimiento era capaz de corromper un corazón que conoce el dolor de la pérdida.

Tragó saliva y forzó una sonrisa despreocupada.

—¿Sabes? También es difícil de entender que alguien que te quiere pueda darte una paliza, y es justo lo que Marie hará conmigo como retrasemos el vuelo.

2

—¿Va todo bien? Estás muy callada.

Kate dio un respingo en el asiento y apartó la mirada de la ventanilla. Estaba tan ensimismada en sus pensamientos que la voz de William la había sobresaltado.

—¿Qué?

—No estoy acostumbrado a verte tan silenciosa. ¿Qué te preocupa?

—No estoy preocupada.

—Puedo oír tu corazón. Late muy rápido.

Ella hizo una mueca con los labios y se cruzó de brazos como si estuviera disgustada.

—Quizás el susto que acabas de darme tenga algo que ver.

William sonrió. Alargó la mano y tomó la de ella. Se la llevó a los labios y besó con lentitud el interior de su brazo.

—Cuéntamelo.

Durante un instante, Kate se quedó embelesada mirando su rostro, mientras él trazaba pequeños círculos sobre la piel de su muñeca. Desde que habían salido de Heaven Falls hacia el aeropuerto, su mente se había llenado de dudas. No dejaba de pensar en si encajaría en el mundo de William. Si la aceptarían o solo sería un potencial aperitivo. Esa posibilidad la aterraba, pese a la ciega confianza que estaba depositando en él.

—No es nada, de verdad. Solo me siento un poco rara con todo lo que ha pasado. Nosotros, el viaje, tu familia... Un mundo en el que ser vampiro es lo normal. ¡Impresiona un poco!

—Supongo que es lógico que te sientas así. —Frunció el ceño y aminoró la velocidad—. Es posible que me haya precipitado con todo esto, Kate. Quizá debamos esperar un poco más para dar este paso.

Kate rechazó esa posibilidad con un gesto.

—¡No! Estoy bien. Quiero ir a tu hogar y conocer a tus padres. Y... hablando de tus padres, ¿cómo son? Quiero decir... —exhaló con fuerza— ¿son normales?

William apretó los labios para sofocar una carcajada, que acabó convertida en un ruidito estrangulado.

—Normales, lo que se dice normales, no son.

Rompió a reír y Kate lo fulminó con la mirada.

—Muy gracioso.

William ladeó la cabeza para mirarla. Le costó un mundo no detener el coche y capturar con los labios el mohín que dibujaba su boca enfurruñada.

—Kate, tu concepto de lo que es normal, creo que dista mucho del mío.

—Lo sé, es que empiezo a ponerme nerviosa. ¿Y si no les caigo bien? ¿Y si no aprueban que estés conmigo? ¿Y si solo me ven como un sorbete?

De repente, él detuvo el todoterreno y se giró en el asiento. Acercó su cara a la de ella. Le apartó un mechón de la cara y deslizó el pulgar por su mejilla hasta alcanzar el centro de sus labios.

—¿Has dicho un sorbete? —Allí asintió y su respiración se aceleró. Él sonrió divertido—. De acuerdo... Primero, estoy completamente seguro de que mis padres te adorarán en cuanto te conozcan. Segundo, no necesito la aprobación de nadie para estar contigo. Y si alguien te mira como si fueses un sorbete, se las verá conmigo.

Una sonrisa se extendió por el rostro de Kate. Se inclinó y posó su boca sobre la de él. Un beso breve y tímido. Lo miró a los ojos.

—Gracias.

De pronto, él le rodeó la nuca con la mano y la atrajo buscando sus labios. Enredó los dedos en su melena y profundizó el beso con decisión, acariciando y explorando cada recoveco. Su sabor era dulce, adictivo, y lo devoró con una avidez que solo ella podía saciar.

Se separaron con reticencia y William volvió a poner el coche en marcha.

Más tranquila, Kate se acomodó de forma perezosa en el asiento.

—Es una pena que no vayamos a Londres, me apetecía conocer la ciudad.

—Iremos si lo deseas. Haremos todo lo que quieras.

—¿Y a qué se debe el cambio de planes?

—Lo cierto es que la residencia de Londres apenas se usa. —Hizo una pausa y puso música en el reproductor—. Mi verdadero hogar se encuentra a las afueras de Shrewsbury. Una casa de campo rodeada de bosques, donde el vecino más cercano se encuentra a muchos kilómetros de distancia.

—Suena a aislado y tranquilo.

William apartó la vista de la carretera y la miró.

—Somos vampiros. Vivir lejos de ojos curiosos no es una elección. Más bien una necesidad vital.

—¿Y nunca han sospechado de vosotros?

Él se encogió de hombros.

—Somos cuidadosos y hemos alimentado una imagen de excéntricos y un poco locos que ayuda bastante. Algunos creen que somos una especie de secta inofensiva que se pasa el día meditando. —Un brillo de humor iluminó su mirada—. Funciona. Los humanos se mantienen alejados y nos dejan tranquilos.

—¿Una secta? ¿En serio? —William asintió con una sonrisa—. ¿Y qué hay de vuestro aspecto? ¿No se dan cuenta de que no envejecéis?

—No nos dejamos ver mucho y cuidamos los detalles. Ventajas de salir solo de noche —se rio—. Cada cierto tiempo, fingimos un funeral. Una pequeña esquela en el periódico local es suficiente, y una nueva generación renace. Creo que... ahora soy mi propio tataranieto o algo así.

Kate se echó a reír, eso había tenido gracia.

—Pero hay humanos que conocen la verdad. Como Jill y yo.

—Siempre los ha habido, los necesitamos. Los vampiros no pueden salir durante el día, precisamos protección, alimento, vidas ficticias que nos ayuden a pasar desapercibidos. Por suerte, siempre encontramos a alguien en quien podemos confiar.

—Pero tu caso es diferente. Tú puedes salir durante el día, ir a un centro comercial o a la playa. Instalarte en una casa con vecinos y establecerte, al igual que los Solomon. Podéis tener una vida normal.

William movió el brazo para cambiar de marcha e inspiró hondo. Negó con un gesto de su cabeza.

—No, Kate, y si piensas en ello, te darás cuenta de que no es posible. Ni siquiera para Daniel y su familia.

—No te sigo.

—Si nada hubiese sucedido, si ahora solo fuésemos amigos y no supieras nada de mí, ¿cuánto tiempo crees que tardarías en darte cuenta de que no soy como tú?

—Me pareciste un tío raro desde el primer momento —respondió ella entre risas.

Él la miró a través de los párpados entornados.

—¿Un tío raro?

—Sí, ya sabes, el aura misteriosa, la actitud distante... Cada vez que me encontraba contigo, me preguntaba qué parte de ti me ibas a mostrar, si al dulce doctor Jekill o al malvado señor Hyde.

William se rio con ganas.

—Me comporté como un idiota.

Kate se ruborizó mientras lo veía reír. Notó que el corazón se le aceleraba de nuevo. Despertaba en ella emociones tan intensas que no sabía cómo manejarlas. Apartó la mirada y contempló el paisaje.

William se percató de que se había puesto seria. Alargó el brazo y la tomó por la barbilla para que le mostrara sus ojos.

—¿Qué pasa?

Ella se mordisqueó el labio, indecisa.

—Te miro y tengo la sensación de que te conozco desde siempre. Sin embargo, no sé nada sobre ti y me abruma un poco lo que intuyo. No la parte en la que eres como Blade, con espada y todo. Aunque también impresiona... —Un suspiro entrecortado escapó de sus pulmones—. Tengo la sensación de que el exceso os rodea en todos los sentidos y sobrecoge.

—El propósito de este viaje es que puedas conocerme, y el tiempo completará los huecos, Kate —comentó él. Guardó silencio unos segundos, sopesando con cuidado sus próximas palabras—. Los Crain llevan muchos siglos en este mundo, tiempo más que suficiente para haber reunido una fortuna importante.

—Ya imagino.

—Kate, no solo mi familia tiene dinero. Yo también, se me da bien invertir y no me siento mal por tenerlo y gastarlo. Ese capital me ha permitido ayudar a muchos vampiros y viajar por todo el mundo a la caza de renegados.

—No pretendo que te justifiques.

—Lo sé, pero tengo la impresión de que te incomoda que...

—¿Que te sobre la pasta?

—Sí.

Kate tragó saliva y negó con un gesto.

—No me incomoda.

—¿Pero?

—Pero... —Lo miró a los ojos. Debía ser sincera con él—. William, guardo todos mis ahorros en una lata de galletas que tengo escondida en una repisa de la cocina, y utilizo los cupones de periódico para la compra del supermercado y la gasolina. No puedo evitar compararme contigo y sentirme insegura, pero no significa que me moleste.

William la miró y se enamoró por completo de su carita triste.

—No quiero que te sientas insegura.

—Soy idiota por ello, lo sé.

—Kate —pronunció su nombre como si fuese un ruego. Con un gesto la invitó a que se acurrucara bajo su brazo y sonrió satisfecho cuando ella lo abrazó—, nada de todo eso importa. Mi mundo, el tuyo, las familias y mucho menos el dinero. Solo tú y yo. Nosotros. —Inclinó la barbilla hasta posar sus labios sobre su frente—. Me gusta lo que tenemos y sé que será difícil por lo evidente y otros muchos motivos, pero quiero que funcione.

Kate cerró los ojos al sentir su aliento en la piel, y sus emociones, confusas y frágiles, se agitaron dentro de su cuerpo como un millón de burbujas explotando una tras otra.

—Yo también quiero que funcione.

—Entonces lo conseguiremos.

3

Cuando llegaron al aeropuerto, un empleado de tierra les esperaba para hacerse cargo del vehículo. William y Kate se dirigieron al control de seguridad, donde otro asistente se ocupó del equipaje y los condujo a una terminal privada desde la que embarcarían.

Cruzaron unas puertas de cristal y accedieron directamente a la pista. Kate tragó saliva al ver el jet que aguardaba su llegada. No estaba preparada para actuar con naturalidad ante aquella situación.

Mientras se acercaban a la nave, una mujer descendió la escalerilla y se dirigió a su encuentro con paso rápido. Vestía un sobrio traje gris y un pañuelo de color burdeos anudado al cuello. La melena rubia le cubría los hombros con un corte recto impecable.

Le dedicó una sonrisa amable a Kate y luego se dirigió a William:

—Bienvenido, señor Crain. Soy Beth Campbell, de Overy & Simmons. Todo está preparado como dispuso. En cuanto suban a bordo, daré orden a los pilotos para que despeguen.

William la observó con los ojos entornados.

—¿Campbell? ¿No serás la hija de Duncan?

Ella asintió con una enorme sonrisa y sus mejillas se cubrieron con un rubor que a Kate no le pasó desapercibido.

—Así es, señor. Me incorporé al bufete nada más terminar la carrera de Derecho y ahora también trabajo para su familia. Es un honor.

—Vaya, la última vez que te vi tendrías...

—Dieciséis años.

—Has cambiado mucho desde entonces, disculpa que no te haya reconocido.

—No importa, señor. Usted sigue exactamente igual —dijo ella con ojos brillantes.

—Exactamente igual desde 1859 —rio divertido—. Y, por favor, no me llames señor. Te llevaba a caballito cuando eras niña.

Beth asintió entre risas y su rubor se acentuó.

Kate observaba la escena completamente inmóvil. Una extraña sensación se instaló en su pecho al tomar de nuevo conciencia de quién y cómo era William.

«Exactamente igual desde 1859». El paso del tiempo no le afectaba en lo más mínimo, pero a su alrededor la gente envejecía. Beth era la prueba viviente. Y ella también lo haría, mientras él...

Apartó esa idea y subió la escalerilla del jet, donde Shane y Marie les esperaban.

—¿Vas o no? —preguntó Shane.

William le echó otro vistazo a sus cartas y después observó el rostro de su amigo.

Su expresión era indescifrable. Se acarició la mandíbula, pensativo.

—De acuerdo, ahí van veinte.

Shane sonrió con malicia.

—Veo tus veinte y subo veinte más.

—¿Estás de broma? Es imposible.

Kate cerró el libro que trataba de leer y se reclinó perezosa en su asiento. Los observó con una sonrisa mientras ellos discutían como niños. Le encantaba ver a William tan divertido y relajado. Nada que ver con el chico arisco y distante que había conocido en un principio.

—Deja de quejarte y juega —bufó Shane.

—Vale, veo tus otros veinte. ¿Qué tienes?

Shane dejó las cartas sobre la mesa con extrema lentitud.

—Póquer de ases.

—¡Ni hablar, estás haciendo trampas!

—Yo no hago trampas. Estás ante un maestro.

—Un maestro del timo, querrás decir —gruñó William.

Una sonrisa engreída se dibujó en el rostro de Shane.

—Asúmelo, William, soy un lobo astuto e inteligente. Y tú una pequeña rata con alas que...

No pudo terminar la frase porque William se le echó encima.

Marie regresó de la cocina y se sentó junto a Kate con un vaso de plástico con tapa entre las manos. Se llevó la pajita a los labios, pero al primer sorbo se detuvo al darse cuenta de que Kate la observaba con los ojos muy abiertos.

—Si te resulta desagradable, puedo...

Kate apartó la vista de la sangre que llenaba el vaso y negó con vehemencia. Inspiró y el color regresó a su rostro.

—No, debo acostumbrarme.

—Te prometo que nadie ha sufrido, ni siquiera un poquito.

—Lo sé, William me explicó cómo la conseguís.

Marie se deshizo de los zapatos y dobló las rodillas sobre el asiento. Miró a Kate con cierto anhelo. Deseaba con todas sus fuerzas que los aceptara sin reservas y ansiaba un futuro en el que ella formara parte, ya que su presencia suponía el regreso de su hermano.

Se llevó la pajita a la boca y bebió mientras observaba a Shane reír con su hermano.

—Creo que me gusta —dijo en voz baja.

Kate la miró de reojo.

—¿Te refieres a Shane? —Marie asintió y ella rio para sí misma—. Yo no lo creo, estoy segura. Y apostaría a que es mutuo.

—¿Tú crees? —Al ver que Kate no contestaba, ladeó la cabeza para mirarla y la pilló observando a Beth, que a su vez no perdía detalle de nada de lo que William hacía—. Está colada por él desde niña.

—Me he dado cuenta.

—No tienes de qué preocuparte, a mi hermano nunca le ha interesado.

—No me preocupa.

—¿Y a qué viene esa cara entonces?

Kate apartó la mirada de Beth y se miró las manos, que reposaban sobre su libro. Su mente continuaba imaginando a William intemporal, jugando con una Beth infantil de manos pequeñas y mejillas sonrosadas. Ahora ella era una mujer adulta, probablemente tendría más edad de la que William tenía cuando se convirtió. Y su reloj continuaba avanzando sin pausa hacia la madurez, al igual que el suyo. En pocos años, Kate también sería más mayor.

Tragó saliva y forzó una sonrisa antes de devolverle la mirada a Marie.

—Nada, estoy bien.

—¿Seguro?

—Sí, solo un poco nerviosa por conocer a tu familia.

—¡Oh, no lo estés! Les vas a encantar. Incluso a Robert.

—¿Incluso...? ¿Hablas de tu hermano? ¿Qué... pasa con él?

Marie sonrió para sí misma.

—Robert es un tanto especial, nada que deba preocuparte.

En cuanto el sol se puso, William descubrió las ventanillas y Kate pudo contemplar el exterior. Los últimos resquicios del ocaso le permitieron ver el océano, bajo un cielo en el que se dibujaban las primeras estrellas. Él se acomodó en la butaca y con un gesto la invitó a sentarse en su regazo. Kate se encaramó a su cuerpo sin vacilar, y así permanecieron durante un rato, en silencio, observando la oscuridad mientras él le acariciaba la espalda con las puntas de los dedos. Arriba y abajo. Arriba y abajo.

Con el paso de los minutos, Kate se percató de que estaba más callado de lo habitual. Observó su hermosa cara y las pequeñas arrugas que se le habían formado en el ceño. Le acarició la mejilla y él inclinó el rostro, buscando el calor de su mano.

—¿No vas a contarme qué te preocupa?

—Me siento un poco extraño volviendo a casa.

—¿Por qué?

—Mis visitas no han sido muy numerosas. Una o dos veces al año y nunca me quedo mucho.

—¿Cuánto es mucho?

—Unos pocos días. Insuficiente, supongo.

—Es insuficiente, William, incluso para ti. Es tu familia.

Él suspiró, de acuerdo con ella.

—Siento que les he fallado durante todos estos años al comportarme como lo he hecho, pero estaba tan obsesionado con encontrar a Amelia. La culpa era insoportable.

—No les has fallado.

—No, pero lo haré. —Cerró los ojos con un estremecimiento de placer, cuando ella enredó los dedos en su pelo y comenzó a acariciarle la nuca—. No tengo intención de establecerme en Inglaterra, aunque les prometí que lo haría. Tengo otros planes.

Un gruñido escapó de su garganta. Se abrazó a la cintura de Kate y apoyó la cabeza sobre su pecho. Gimió al notar su pequeña mano deslizándose por su espalda. Era agradable, casi tanto como el calor que emanaba de su cuerpo y el sonido de su corazón latiendo apresurado. Una dulce tortura para sus sentidos.

—¿Y qué planes son esos?

—Regresar contigo a Heaven Falls, acompañarte a la Universidad...

Ella parpadeó perpleja.

—¿Vas a volver a la Universidad por mí?

—¡No! La vida de estudiante queda descartada por completo.

—Entonces, ¿qué piensas hacer?

William se echó hacia atrás para mirarla a los ojos. Se encogió de hombros.

—Ni idea, ya se me ocurrirá algo —respondió. Deslizó la mano por el muslo de Kate hasta alcanzar la cadera, donde empezó a juguetear con el bajo de su blusa—. Puede que acabe ayudando a Daniel con algo que me propuso hace un tiempo.

Echó un vistazo por la ventanilla y soltó un suspiro. Kate también se asomó. Habían dejado atrás la profunda oscuridad del océano y bajo ellos se extendían un millón de puntitos brillantes.

—¿Inglaterra?

—Sí, hemos llegado.

Veinte minutos después, el jet se detenía en la pista de aterrizaje de un aeropuerto privado al norte de la villa inglesa de Telford, donde

Duncan Campbell, el abogado de la familia Crain, les esperaba para darles la bienvenida.

William fue a su encuentro nada más bajar la escalerilla.

Kate se quedó un poco rezagada, mientras Shane y Marie seguían a un mozo que cargaba con el equipaje hasta un coche descapotable aparcado junto al hangar. Por el rabillo del ojo vio a Beth acercarse.

—¿Has disfrutado del viaje?

—Sí, gracias —respondió Kate.

Un tenso silencio se extendió entre ellas, hasta que Beth tomó de nuevo la palabra.

—¿Vas a convertirte?

Kate volvió la cabeza hacia ella. En su cara brillaba la confusión.

—¿Disculpa?

—¿Vas a convertirte en vampiro?

—No te entiendo.

Beth la observó con curiosidad y algo más que Kate no logró identificar.

—Estás con William, ¿no? Juntos, quiero decir, y tú eres humana —le aclaró la chica. Kate se quedó muda al comprender a qué se refería—. Disculpa, es que al veros he pensado que lo vuestro iba en serio y que tú... No importa, ya veo que me he equivocado. —Su mirada voló hasta William—. Yo espero hacerlo muy pronto.

—¿Te refieres a convertirte en uno de ellos?

—Sí, es lo que más deseo.

Kate se la quedó mirando mientras la chica daba media vuelta y regresaba al interior del jet. Se llevó la mano al pecho, como si así pudiera frenar el ritmo frenético que su corazón había alcanzado durante la conversación. Tragó saliva y notó cómo algo se arremolinaba dentro de ella. Una idea que empezaba a arañar su conciencia.

4

—Kate, ¿vamos?

Kate parpadeó para deshacerse de sus lúgubres pensamientos y miró a William. Asintió con una sonrisa y corrió a su encuentro. Juntos se dirigieron al vehículo, en cuyo asiento trasero ya se habían instalado Shane y Marie.

—El resto del viaje lo haremos por carretera —le informó él.

—De acuerdo. ¿Estamos muy lejos?

—A unos veinte kilómetros. Llegaremos enseguida.

Kate alzó las cejas cuando él le abrió la puerta del copiloto con un gesto galante.

—Sabes que tengo manos, ¿no?

Él sonrió y arqueó las cejas divertido.

—Sí, dos, me he fijado. Muy bonitas, por cierto.

Kate puso los ojos en blanco y subió al coche con el corazón repleto de nervios y excitación.

Dejaron atrás el aeropuerto y enfilaron una carretera que serpenteaba entre los valles y colinas de la extensa campiña. Con el viento en la cara, William alzó el rostro y contempló el cielo estrellado. ¡Estaba en casa!

Aceleró y el motor rugió. La carretera se convirtió en un borrón.

—Shrewsbury —anunció cuando la ciudad apareció ante ellos.

Penetraron en sus calles medievales y Kate quedó fascinada por la belleza de los edificios, las plazas y las callejuelas, que discurrían como un laberinto al encuentro de rincones interesantes.

Se dirigieron al norte, lejos de las luces de la urbe. Los campos iban desapareciendo, dando paso a bosques densos y profundos. Llegaron a una bifurcación sin señalizar y William giró a la derecha. Volvió a girar en otro cruce y continuó por un camino de gravilla entre la espesa vegetación.

Kate estudió la oscuridad. No veía nada salvo las siluetas de los árboles iluminadas por la luz de una luna creciente. Tampoco se distinguía nada al frente, más allá del terreno que alcanzaban los faros del coche.

De repente, una verja de hierro descomunal apareció ante ellos, sujeta a unas columnas de piedra coronadas por unos faroles. Un muro se extendía a ambos lados como una frontera infranqueable. Captó un movimiento y un leve destello en la parte superior. Entonces las vio. Había cámaras de seguridad controlando todos los ángulos.

Tragó saliva y su corazón se desbocó. Notó la mirada de William sobre ella y su nerviosismo aumentó al darse cuenta de que su cuerpo la traicionaba por mucho que intentara aparentar calma.

El elaborado enrejado se abrió de par en par y William aceleró. Ella miró hacia atrás para ver cómo la verja se cerraba y sus ojos se encontraron con los de Marie. La vampira le dedicó una sonrisa tranquilizadora, que Kate apenas pudo devolverle.

El camino continuaba zigzagueando por lo que parecía un terreno sin final. Se adentraron en una arboleda. La humedad de la noche se condensaba en las hojas y una fina llovizna, apenas perceptible, cayó sobre ellos.

Un poco más adelante, los árboles desaparecieron y Kate tuvo que ahogar un grito, incapaz de contener su asombro. Rodeada de jardines, se alzaba una construcción inmensa. William se había referido a ella como una casa de campo; nada más lejos de la realidad. Ni siquiera se la podía llamar «mansión». Allí se levantaba un castillo espléndido, de muros de piedra pálida y una mezcla arquitectónica en la que el gótico medieval se fundía con elementos victorianos.

Era precioso y sobrecogedor.

Recorrieron los últimos metros del camino y rodearon una fuente en la que flotaban nenúfares. Finalmente, se detuvieron delante de la entrada.

—¡Bienvenidos a Blackhill House! —anunció William.

Bajó del vehículo con un nudo en la garganta y alzó la cabeza para contemplar su hogar. Fue consciente de lo mucho que había echado de menos esos muros.

La puerta principal se abrió de golpe y la mujer más hermosa que Kate había visto nunca cruzó el umbral. Era alta y esbelta, y su cuerpo se movía grácil bajo un vestido blanco y vaporoso hasta los tobillos. La acompañaba el repiqueteo de unas sandalias de tacón que estilizaban aún más su figura. Una larga melena caía como una cascada a lo largo de su espalda. Tan oscura como sus ojos, brillantes como el ónice.

Pero lo que más sorprendió a Kate, fue la expresión de su rostro mientras se acercaba a William. El amor que reflejaba lo iluminaba con tanta luz, que rivalizaba con la estrella más radiante del firmamento.

La seguía un hombre igual de atractivo. Su cabello era del color de la miel y sus ojos como el lapislázuli. Vestía un pantalón gris y un jersey negro con el cuello en V que resaltaba unos hombros anchos.

—¡William! —exclamó la mujer con los brazos extendidos hacia él.

—Hola, madre —susurró mientras la abrazaba.

Ella le tomó el rostro entre las manos y lo besó en las mejillas.

—Mi pequeño, bienvenido a casa.

William asintió con un nudo tan apretado en la garganta que no podía articular palabra. Sus ojos volaron hasta el hombre, que se aproximaba sin prisa. Salió a su encuentro.

—Hola, padre.

Le ofreció su mano y Sebastian la aceptó con un apretón. Solo un instante. Después tiró del brazo de William y lo atrajo hacia su cuerpo para darle un fuerte abrazo.

—Te veo bien.

—Estoy bien, padre.

Sebastian asintió con una sonrisa. Del rostro de su hijo habían desaparecido el odio y la desdicha que durante décadas lo habían acompañado.

—¿Y Robert? —preguntó William al tiempo que buscaba con la mirada a su hermano.

—Deseaba con todo su corazón estar aquí cuando llegaras, pero unos asuntos importantes se lo han impedido.

—¿Va todo bien?

—Burocracia, nada más —respondió Sebastian.

Su mirada se posó en la adorable humana que los observaba con timidez.

—¿Es la joven de la que tu hermana no para de hablar?

—Sí.

—Ya veo. Es hermosa.

—Es mucho más que eso, padre —susurró junto a su oído.

—No tengo la menor duda. Supongo que está al tanto de todo.

—Así es, y no será un problema.

—Si es lo que deseas...

—Ella me importa —dijo William con vehemencia—. Y me acepta como soy.

Se sostuvieron la mirada durante unos segundos, mientras una conversación silenciosa tenía lugar entre ellos.

—Entonces, ya se ha ganado mi corazón —rio Sebastian.

William miró a su madre. Ella asintió, de acuerdo con las palabras de su esposo.

—Venid, os la presentaré.

Alargó el brazo hacia Kate para que se acercara. Ella tomó su mano con dedos temblorosos.

—Padre, madre, os presento a Kate. —Apretó su mano para reconfortarla—. Estos son mis padres: Aileen y Sebastian.

—Es un placer conocerles.

—¡Es una delicia, William! —exclamó Aileen.

Kate dio un respingo al escuchar el comentario.

Sebastian se echó a reír al percatarse de su reacción, gesto que disimuló de inmediato. Se inclinó con una ligera reverencia y sus ojos brillaron durante un instante como los de un felino en la oscuridad.

—El placer es nuestro, querida. Tu presencia en esta casa es todo un acontecimiento y un regalo inesperado.

—Gracias —susurró ella, perdida en esos ojos llenos de interés.

Por un momento pensó que eran un pasadizo a otro mundo y apartó la mirada, cohibida. Notó el brazo de Marie sobre los hombros y ese contacto la tranquilizó un poco.

—Te dije que les encantarías.

Aileen se unió a ellas y comenzó a hacerles preguntas sobre el viaje. La comisura de sus labios se curvaba hacia arriba de forma natural, tan sincera como el amor que desprendían sus ojos. Los de una madre. Kate sintió una ternura inesperada hacia ella y se dejó rodear por su abrazo mientras entraban en el vestíbulo del castillo. A su espalda, Sebastian le daba la bienvenida a Shane.

—Es un honor recibirte en mi casa.

—Os aseguro que el honor es mío, señor. Sois una leyenda.

Sebastian le sonrió con agrado.

—Siempre estaré en deuda con los Solomon, y esa gratitud es aún mayor tras los últimos acontecimientos. Gracias por proteger a mi hijo.

Shane negó con un gesto.

—William no necesita que le protejan. Puede arreglárselas bastante bien él solo, se lo aseguro.

William se echó a reír y Sebastian asintió, orgulloso de su hijo.

—Entremos, quiero que me lo contéis todo.

Faltaban pocos minutos para el amanecer, cuando Aileen, Marie y Sebastian se despidieron para dirigirse a los pisos inferiores, bajo tierra, donde los vampiros que habitaban el castillo pasaban a salvo las horas diurnas.

Kate observó fascinada cómo la puerta de acero se cerraba tras el último Guerrero y la cerradura digital se iluminaba con una luz roja.

—¿Y se quedarán ahí hasta que el sol vuelva a ponerse? —preguntó.

William se apoyó en la pared con los brazos cruzados y la miró de arriba abajo.

—Sí, es lo más seguro para ellos. Los pisos inferiores son una fortaleza inexpugnable, a salvo del sol y de cualquier ataque.

—Si todos están ahí abajo, ¿nadie vigila el castillo durante el día?

—No. Es improbable que un renegado ataque durante el día —le explicó William.

—¿Y los licántropos? ¿No hay lobos proscritos?

—Sí, por supuesto que los hay —la voz de Shane se alzó desde la escalera de piedra—. Licántropos que prefieren su forma animal y vivir salvajes. Aunque eso les empuja a ocupar lugares apartados, donde pueden pasar desapercibidos y cazar sin llamar la atención. ¿Qué tiene de raro que de vez en cuando desaparezca un excursionista?

Kate tragó saliva al darse cuenta de lo que quería decir.

—¿Se los comen?

—Sí, se los comen. —Chasqueó la lengua y miró a Kate—. Somos fruto de una maldición, creada por la magia, y la magia se alimenta de vida. ¿Qué rebosa más vida que un humano?

William le lanzó una mirada de advertencia.

Shane sonrió para sí mismo y se encogió de hombros.

—Ha sido un día largo, creo que iré a descansar.

—Primer piso, ala este, cuarta puerta a la derecha —le indicó William.

Los pasos de Shane resonaron entre las paredes mientras subía la escalera y alcanzaba el vestíbulo. Kate se volvió hacia William con el ceño fruncido.

—¿Siempre es así de...?

—¿Crudo? —terminó de decir él—. Sí, pero eso no le resta verdad a sus palabras. —Se acercó a ella y le rozó la mejilla con el dorso de la mano. Una ligera claridad comenzaba a reflejarse en las paredes con la llegada inminente del amanecer—. No se lo tengas en cuenta, no dice las cosas con mala intención.

—Vaya, pues yo juraría que disfruta asustándome.

—Es un idiota y su sentido del humor necesita una revisión a fondo —se rio William. Su rostro se relajó tras un suspiro—. Puede que Shane muestre una cruel sinceridad, pero nunca te mentirá y no disfrazará la verdad. Es la persona más honesta que he conocido nunca.

Kate le sostuvo la mirada, y antes de que pudiera evitarlo, su boca se abrió con un bostezo. William sonrió mientras se amonestaba a sí mismo por ser tan descuidado y olvidar que no compartían las mismas necesidades.

—Perdona —se disculpó ella.

—Yo lo siento, necesitas dormir. Ven, te enseñaré tu habitación.

La tomó de la mano y subieron al vestíbulo. Con los primeros rayos del sol penetrando a través de las ventanas, Kate pudo ver la belleza de aquel lugar. Techos altos, lámparas de araña, esculturas, pinturas y una decoración elegante y ostentosa que no habría encajado en ningún otro lugar.

William la guio por las escaleras hasta el primer piso. Al llegar arriba, giró a la derecha y la condujo por un amplio pasillo abovedado, iluminado por ventanales decorados en la parte superior con calados de piedra. Se detuvo frente a una puerta. Giró el pomo, una pieza labrada tan antigua como el castillo, y empujó la madera.

—Adelante.

Kate entró en la habitación y recorrió con la mirada toda la estancia. Era enorme. El suelo de madera brillaba como un espejo, aunque una alfombra cubría la mayor parte. Sobre ella descansaba una cama con dosel de cortinas blancas que caían hasta el suelo, vestida con almohadas y sábanas del mismo color.

Cada mueble del dormitorio era una obra de arte, piezas de museo por las que muchos coleccionistas pagarían cantidades astronómicas.

Por último, reparó en su equipaje. Alguien lo había llevado hasta allí.

Se acercó a las puertas acristaladas que daban paso a un balcón de piedra y las abrió. Se topó con unas vistas maravillosas. La habitación se encontraba en la parte trasera del castillo, frente a un jardín repleto de flores, setos y hierba cortada, dividido por una avenida de grava que conducía a un parque de árboles. Tras él pudo distinguir un lago de aguas tranquilas y una colina. A lo lejos, el contorno de unas ruinas se perfilaba contra las últimas sombras de la noche.

William observaba a Kate en silencio. Muy despacio se acercó a ella y le rodeó la cintura con los brazos. Inclinó la cabeza y posó los labios en la curva de su cuello. Aún le costaba creer que ella estuviese allí, que fuese real y no un espejismo. Hacía tanto tiempo que había renunciado a la posibilidad de amar y ser amado, que no tenía ni idea de cómo manejar todos los sentimientos que reptaban por su interior, suscitando sensaciones que había olvidado.

—Todo esto es precioso —susurró Kate.

—Me alegra que te guste. —Sonrió contra su piel caliente y se enfrentó al dolor que el aroma de su sangre le causaba. Un latido. Fuego. Dos. Necesidad. Tres. Control. Estrechó su frágil cuerpo contra él—. ¿Quieres ver mi habitación? Está justo al lado.

Kate se dio la vuelta entre sus brazos y lo miró a los ojos. Notó que el corazón le ardía. Un deseo innegable y el ansia de satisfacerlo.

—Depende, ¿intentarás seducirme? —quería sonar tentadora, pero se le escapó otro bostezo.

William sonrió divertido. Deslizó la mirada hasta su boca. Sus labios se entreabrieron.

—Me encantaría, pero dudo de que mi ego pueda soportar que te quedes dormida mientras te beso.

Kate arrugó los labios con un mohín.

Él alzó la mano y deslizó el pulgar sobre su pómulo. Incapaz de reprimirse, se inclinó, vacilante y seguro a la vez, y unió su boca a la de ella. El mundo entero se quedó en silencio y su mente estalló al sentir la pasión con la que se le entregaba sin reservas. Cómo con un solo beso era capaz de calentar las sombras frías de su alma. De marcarlo como nunca nadie lo había hecho.

—Duerme bien, Kate. —Oprimió su boca contra la de ella una vez más, robándole de nuevo el aliento—. Descansa.

A continuación, salió del cuarto.

5

Cuando Kate despertó, lo primero que notó fue el silencio. No se oía nada. Acostumbrada al ajetreo de la casa de huéspedes, a las puertas que batían, los peldaños que crujían bajo el peso de los pies, las voces que ascendían desde las otras habitaciones... La falta de sonidos era sobrecogedora y no pudo evitar sentir cierta inquietud.

Abrió los ojos, somnolienta, e intentó enfocar la mirada en el reloj que había sobre la cómoda. Marcaba las doce. Apenas había dormido cinco horas, aunque se sentía descansada. Se desperezó al tiempo que empujaba las sábanas con los pies y algo crujió bajo su cabeza al girarse en la almohada.

Descubrió una nota.

Se sentó de golpe y la desdobló.

Siento mucho no estar aquí cuando despiertes, pero mi padre me ha pedido que visite unos terrenos al norte de Sheffield que quiere comprar. Duncan y Beth me acompañarán para cerrar el trato. Volveré pronto, lo prometo.
Si necesitas alguna cosa o tienes cualquier duda sobre la mansión, Harriet estará encantada de ayudarte.
Ya te echo de menos,

William

P.D. Espero que te gusten, las he cortado para ti. Ahora la habitación será más acogedora.

Levantó la mirada de la nota y sus ojos se toparon con media docena de ramos de flores a los pies de la cama. Una sonrisa enorme se dibujó en su cara. Gateó sobre las sábanas y hundió la nariz en los pétalos. Había azucenas, lilas, rosas y peonias. El olor era delicioso.

Saltó al suelo y leyó de nuevo la nota.

—¿Harriet? ¿Quién será Harriet? —dijo para sí misma.

De repente, otro nombre llamó su atención. Beth. Frunció el ceño.

«¿Vas a convertirte en vampiro?

Estás con William, ¿no? Juntos, quiero decir, y tú eres humana...

Disculpa, es que al veros he pensado que lo vuestro iba en serio y que tú...

Yo espero hacerlo muy pronto».

Apretó los labios, disgustada, mientras las palabras de Beth se repetían en su cabeza como un eco sordo. Notó los celos en la boca del estómago y se sintió estúpida por tener ese sentimiento. Sabía que Beth no era nada para William.

Otra emoción se fue abriendo paso en su interior. Miedo. Se abrazó los codos y miró a su alrededor. El castillo llevaba allí siglos, tantos como la familia que lo ocupaba. La existencia de Kate no era más que un parpadeo en sus existencias inmortales. Un destello en la vida de William. Miró las flores. Ella era una más, viva ahora mientras la savia recorría su cuerpo sin raíces. Pronto, marchita y seca.

Inspiró hondo y se dirigió al baño. Tras darse una ducha y deshacer el equipaje, salió de la habitación con el cabello aún húmedo. Fue en busca de Shane, pero no estaba en su habitación. Se resignó a pasar el tiempo sola.

Caminó sin prisa por los pasillos, curioseando en las habitaciones que iba encontrando abiertas. Así fue como dio con una sala de música que la dejó maravillada y una biblioteca en la que debía de haber miles de libros, algunos tan viejos que parecían a punto de desintegrarse con el más mínimo roce, escritos en idiomas que no reconocía.

Tras perderse unas cuantas veces en el laberinto de pasillos y escaleras, logró llegar al vestíbulo, tan silencioso como el resto de la mansión.

Suspiró aburrida y se dirigió hasta un par de puertas entreabiertas, enormes y pesadas. Pasó de un salón a otro, repletos de cuadros y esculturas, con frescos en el techo y lámparas de araña. Por último, entró en un comedor, en el que había una mesa tan grande que podía dar cabida a cincuenta personas al menos. Contempló los aparadores y las vitrinas, en las que se exhibían cristalerías y vajillas ostentosas, cuberterías y bandejas de plata.

De pronto, un delicioso olor a comida flotó hasta ella y su estómago gruñó con una queja. Estaba hambrienta. Siguió la agradable estela hasta el fondo del comedor. Penetró en un amplio pasillo de paredes blancas y el aroma se hizo más intenso.

Empujó con suavidad unas puertas francesas y entró en una cocina amplia y luminosa. Junto a la encimera, una mujer batía algo en un cuenco. Se volvió al percatarse de su presencia y una amplia sonrisa curvó sus labios. Tenía el pelo blanco, recogido en un moño a la altura de la nuca. Era alta y esbelta, con un rostro en forma de corazón en el que destacaban unas mejillas sonrosadas y unos ojos pequeños y grises.

—Ya empezaba a preguntarme cuándo aparecerías por aquí. Kate, ¿verdad? —preguntó con una risita—. William pasó por aquí esta mañana y no hizo otra cosa que hablar de ti. Por cierto, soy Harriet, el ama de llaves.

Kate solo acertó a sonreír. La mujer hablaba muy rápido y con un marcado acento que hacía que algunas palabras sonaran distintas.

—¿Tienes hambre? He preparado empanada de Cornish, rellena de carne, patatas, cebolla y colinabo. No es porque la haya cocinado yo, pero está muy buena.

—Me encantaría tomar un trozo. Estoy hambrienta.

—Muy bien, siéntate a la mesa. Haremos que esos mofletes tan bonitos trabajen un poco.

Kate asintió con las mejillas encendidas y se sentó en una silla decorada con un estrafalario estampado de flores. Con las manos en el regazo, observó a Harriet moviéndose de un lado a otro. Enseguida tuvo sobre la mesa un trozo de empanada y un zumo de arándanos.

Kate comió en silencio, mientras Harriet le hablaba del castillo, los jardines y todos los lugares maravillosos que podía encontrar dentro de los terrenos privados de los Crain. De su hijo y las nietas que este le había dado. Y del maravilloso club de lectura en el que participaba todos los sábados por la tarde.

El tiempo fue pasando y, casi sin darse cuenta, acabaron tomando el té bajo la sombra de unos rosales trepadores como dos viejas amigas.

—¿Y cómo averiguó que los Crain eran... vampiros?

Harriet la miró de reojo y le dio una palmadita en el brazo.

—Ven, te lo contaré mientras le doy un repasito a vuestras habitaciones.

Sacó de un cuarto un cubo con productos y utensilios de limpieza. Después guio a Kate de vuelta a los dormitorios. Pese a su edad, se movía con agilidad y elegancia. Ahogó un grito cuando entró en el cuarto y vio todas las flores.

—¡Santo cielo!

Kate se ruborizó.

—Creo que se le ha ido un poco de las manos.

Harriet rio para sí misma y abrió las ventanas para que entrara aire fresco.

—Lo he sabido desde siempre —empezó a decir.

—¿Disculpe?

—Que son vampiros —aclaró Harriet—. Lo he sabido siempre. Nací en esta casa, al igual que mi madre y mi abuela. Mi familia lleva siglos sirviendo a los Crain. Son buenos y generosos con nosotros.

—Entonces, ¿siempre ha vivido aquí, en el castillo?

—Mi familia sí, y yo hasta que me comprometí —respondió Harriet desde el baño, mientras llenaba con agua unos jarrones. Regresó con los recipientes y fue colocando las flores dentro—. Después, Henry y yo nos instalamos en la casita que hay junto a la arboleda. Es más cómodo para todos. Henry y yo disfrutamos de nuestra intimidad y los Crain de la suya.

—Comprendo.

—También es más seguro, al fin y al cabo, son lo que son.

Kate se estremeció y notó que se le cortaba el aliento.

—¿Qué quiere decir?

—¡Oh, no me malinterpretes! No nos harían daño jamás, pero eso no significa que les resulte fácil mantenernos a salvo. Un vampiro siempre sufre en presencia de un humano, es inevitable. Imagínate, controlar constantemente un deseo que es tan fuerte como tu propia voluntad —le explicó. Puso la última rosa en el jarrón y acercó la nariz para olerla—. ¡Diez docenas! Si sigue así, dejará el jardín como un prado de hierba.

Kate forzó una sonrisa, que apenas curvó sus labios. La idea de que William sufriera durante cada segundo que pasaba con ella le revolvía el estómago. Era algo que ya sabía, él no se lo había negado cuando le preguntó al respecto. Sin embargo, se mostraba tan cómodo con ella, tan tranquilo y normal, que a veces olvidaba sin más lo que era.

—¿Qué te parece si ponemos uno de estos jarrones en la habitación de William? Le vendrá bien algo de color a esa cueva —le sugirió Harriet.

—Seguro que le gusta.

Salieron al pasillo y Harriet entró en el dormitorio contiguo. Dio un tirón a las cortinas que cubrían las ventanas y el sol penetró en la estancia, iluminando hasta el último rincón con una luminosidad casi molesta.

Kate miró a su alrededor con curiosidad.

El suelo de madera estaba completamente desnudo, a excepción de una alfombra gris a los pies de un diván de piel marrón. Un escritorio ocupaba una de las paredes, entre dos librerías con puertas de cristal repletas de libros y discos de vinilo. La cama se había colocado en el centro de la habitación. Una estructura de madera oscura, con un cabecero alto y sin ningún adorno o talla. Las sábanas y los almohadones que la cubrían también eran de colores oscuros.

«Es tan triste», pensó Kate.

En una esquina, junto a la ventana, vio un caballete con un lienzo a medio pintar y una mesa en la que reposaban una paleta, un tarro de cristal con una docena de pinceles y una caja repleta de óleos. Se acercó fascinada y descubrió una serie de cuadros con hermosos paisajes y retratos apoyados en la pared.

—Son bonitos, ¿verdad? —dijo Harriet.

—Jared me dijo que pintaba, pero nunca imaginé esto. Son... maravillosos.

—¿Quién es Jared?

—Un amigo.

Harriet suspiró.

—Por desgracia, hace mucho que este cuarto no huele a pintura. Ya no recuerdo cuándo fue la última vez que lo vi ahí, pintando.

—Es una pena.

—¿Quién sabe? Puede que tú le devuelvas la inspiración, además de la sonrisa.

Kate se ruborizó y tomó un plumero para limpiar el polvo.

—No tienes que hacer eso, querida —convino Harriet.

—No tengo nada mejor en lo que ocupar el tiempo.

Se plantó delante del escritorio, donde había varias pilas de libros amontonados. Tardó unos segundos en comprender la organización de William. Primero los ordenaba por género y, dentro de este, por año y autor. Los fue colocando en las estanterías.

Después guardó unas carpetas repletas de documentos en un cajón y alineó unos marcos con fotografías. Se inclinó hacia delante para verlas de cerca. En la más grande aparecían William y Marie posando en la plaza de San Marcos de Venecia. En otra, Aileen sonreía con un elegante vestido de noche y una tiara de diamantes sobre su pelo trenzado; su mano reposaba sobre la de William, guapísimo con un esmoquin. En la tercera y última fotografía, William sostenía una niña pequeña en brazos. A su lado, una mujer joven sonreía sin apartar los ojos de la niña. Kate reconoció a Harriet en ese rostro.

—Creí que me había dicho que tenía un hijo.

—¿Cómo?

—La niña que está con usted en la foto...

Harriet tomó la fotografía y la miró con detenimiento. Enseguida se percató de la confusión.

—No, querida, esa es mi madre. La niña soy yo. Esa fotografía se tomó el día de mi bautizo, yo tenía un par de años entonces y William fue mi padrino.

—¿Su padrino?

—Sí, soy la ahijada de William. Mi padre lo tenía en gran estima y se lo pidió. Él aceptó sin dudar. Desde entonces, siempre ha estado muy presente en mi vida.

Kate sintió una presión en el pecho, mientras sus ojos volaban de la niña de la fotografía a Harriet. Contempló su pelo blanco, la piel arrugada y unos ojos que habían vivido muchas cosas. Intentó adivinar qué edad podía tener. ¿Setenta? ¿Setenta y cinco? Todo empezó a darle vueltas. William estaba exactamente igual. La idea de que no envejecería pululaba por su mente de vez en cuando, pero no había sido consciente del peso de esa realidad hasta conocer a Harriet y reparar en la fotografía.

Se vio a sí misma, dentro de muchos años, con una fotografía similar sobre algún mueble de su casa. Y un rostro mucho más fresco y bonito, preguntándole por el joven que aparecía a su lado. «¿Es su hijo?».

De repente, las paredes parecían cernirse sobre ella. Le faltaba el aire y la sensación de ahogo se hizo insoportable.

—Kate, ¿te encuentras bien?

—Creo que necesito tomar el aire, aquí hace demasiado calor.

—Por supuesto, ve. ¿Quieres que te acompañe?

Kate forzó una sonrisa.

—No se moleste. Solo será un momento.

—De acuerdo.

Kate abandonó la habitación a paso ligero. Recorrió el pasillo, alcanzó las escaleras y las bajó a trompicones. Cruzó el vestíbulo y abrió la puerta principal de un tirón. El aire fresco le dio en el rostro y tomó una bocanada con el apremio de alguien que está a punto de ahogarse.

No se detuvo. Sus pies la alejaron del castillo sin saber muy bien adónde se dirigían. Atravesó los jardines y dejó atrás la arboleda y el lago. Ascendió por una empinada colina y se dio de bruces con las ruinas de una pequeña abadía. No quedaba mucho en pie. El techo había desaparecido y solo los muros de la nave principal se erguían intactos, enfrentándose a las inclemencias del tiempo. Del claustro y el refectorio casi no quedaba nada.

La rodeó y un cementerio apareció bajo las ramas de unas hayas y robles. Se acercó despacio, casi con miedo. Paseó entre las lápidas con el corazón latiendo con fuerza contra las costillas. En cada una de aquellas piedras había un nombre grabado que conocía. Una inscripción que recordaba una vida. Sin embargo, ella sabía que bajo ellas no reposaba nadie. Solo tierra y raíces.

Se le humedecieron los ojos y tuvo que parpadear repetidas veces para alejar las lágrimas. No lo logró, y se derramaron por sus mejillas, calientes y saladas. En la losa que había a sus pies rezaba un nombre: William T. Crain, 1933-1960. En otra cercana, un nombre similar: William H. Crain, 1903-1928.

Había más, todas iguales, salvo la última, que estaba coronada por la escultura de un ángel rezando. Por la fecha grabada, debía de ser la primera de todas.

William Asher Crain, 1836-1859.

Esas tumbas estaban vacías, siempre lo estarían, y Kate no lograba asumirlo.

Incapaz de seguir mirando el recordatorio de una condena escrita, dio media vuelta y se alejó con paso rápido. Sus pensamientos la aplastaban bajo el peso de la verdad que contenían. Su relación con William no iba a funcionar, era imposible. Puede que lo hiciera durante un tiempo, un par de décadas a lo sumo. Después todo el mundo vería a un hombre joven con una mujer mayor. Ella lo vería.

Se llevó una mano al pecho. El dolor que lo taladraba era insoportable. Lo más sensato era acabar con aquel cuento sin futuro lo antes posible, pero se estaba enamorando como una idiota de él y la simple idea de no volver a verle ya era una tortura.

Su huida la llevó hasta un solitario roble en medio de un prado. No sabía cuánto tiempo llevaba caminando, aunque debía de ser mucho porque los músculos de sus piernas protestaban con cada paso que daba. Apoyó la espalda en el tronco y muy despacio se dejó caer hasta el suelo. Se acurrucó entre las raíces nudosas que sobresalían de la tierra y cerró los ojos.

No tenía ni idea de si solo habían transcurrido unos minutos o puede que horas, cuando unas manos grandes y fuertes se cerraron en torno a sus brazos. Abrió los ojos y se encontró con el rostro de Shane a solo unos centímetros del suyo.

—Kate, ¿qué demonios haces aquí? ¿Tienes idea del susto que me has dado? Llevo un buen rato buscándote.

—Estoy aquí —acertó a decir.

—Eso ya lo veo. Oye, no puedes largarte así, sin decir nada.

Kate lo miró con el ceño fruncido y trató de ponerse en pie. De pronto, las manos que aún la sostenían tiraron de ella hacia arriba. Se sacudió la tierra que se le había pegado al trasero.

—Le dije a Harriet que iba a dar un paseo.

—¡De eso hace horas!

—¿Por qué me estás gritando?

—No te estoy gritando. —Kate lo fulminó con la mirada y echó a andar enfurruñada—. Vas en dirección contraria.

Ella frenó en seco. Dio media vuelta y pasó junto al chico sin detenerse. Shane suspiró al darse cuenta de que se había comportado como un idiota.

—Eh, espera... —Al comprobar que no se detenía, salió tras ella y le dio alcance—. Lo siento, ¿vale? No he debido levantar la voz, pero es que me he asustado al no encontrarte. El sol se está poniendo, este sitio está lleno de vampiros y no podía quitarme de la cabeza la imagen de tu cadáver desangrado tirado en cualquier parte.

Kate lo miró de reojo. Un pellizquito de culpabilidad le encogió el estómago.

—Siento haberte preocupado. Ni siquiera se me pasó por la cabeza que pudiera importarte.

—Pues me importa, y no solo porque William me mataría si te pasara algo bajo mi cuidado. Somos amigos, ¿no?

—Si tú lo dices.

Un gruñido brotó del pecho de Shane, aunque no había nada amenazante en él, al contrario.

Kate sonrió para sí misma y se abrazó los codos. Una ligera brisa soplaba desde el norte y se le erizó la piel con un escalofrío. Shane se dio cuenta y se quitó la camisa de manga larga que llevaba sobre una fina camiseta. Se la ofreció. Ella no dudó en ponérsela.

—¿Estás bien? —se interesó él.

—Sí.

—Pues no lo parece.

—Me duele un poco la cabeza.

—Mientes muy mal.

—Y tu sinceridad ofende, pero nadie es perfecto.

Shane se echó a reír con ganas. Tan fuerte que Kate se contagió y empezó a sonreír. Lo miró de soslayo. Le había crecido el pelo y unas ondas oscuras le caían continuamente por la frente. Las líneas de su cara eran atractivas, la curva de su mandíbula marcada y los labios llenos y expresivos, tanto como sus ojos. Dos ventanas abiertas a su interior.

—¿Puedo hacerte una pregunta?

—Dispara —aceptó Shane.

—¿Qué crees que lleva a un humano a querer convertirse en vampiro?

—No tengo ni idea, la verdad.

—¿Has conocido a alguien que se haya convertido por elección?

—No —respondió, y una duda repentina le hizo fruncir el ceño—. Bueno... en realidad, sí. ¿Recuerdas el día que fuiste a visitar a Jill y te desmayaste?

—¡Cómo olvidarlo! Pasé una vergüenza terrible.

—En la casa había dos hombres y dos mujeres. —Kate asintió con la cabeza, los recordaba—. Todos eran vampiros, excepto la mujer más joven. Ella quería convertirse y viajaron desde Boston hasta allí a pedirle permiso a Daniel.

Kate se apartó un mechón de pelo que revoloteaba sobre su rostro. A lo lejos, se divisaba el castillo. Apenas una silueta oscura sobre un cielo violeta en el que comenzaban a brillar las primeras estrellas. Se le encogió el estómago.

—¿Y por qué quería convertirse esa chica?

—¡Por amor! —el tono de su voz rozaba la burla—. Tenía una relación de varios años con uno de ellos. Ella envejecía, él quería beberse su sangre...

Kate lo miró con la boca abierta y él le devolvió la sonrisa como si acabara de decir algo gracioso.

—¿Como William y yo?

La sonrisa se borró del rostro del chico y un ligero rubor coloreó sus mejillas.

—¡Joder! No pretendía... Quiero decir... Nada, soy idiota.

Ella sacudió la cabeza y lo dejó estar. Shane era un bocazas.

—¿Has dicho que fueron a pedir permiso?

—Sí, hay normas. Leyes que ayudan a mantener el equilibrio. La población vampírica es lo bastante peligrosa como para tener que controlar su número, por su propia seguridad y la del resto de especies. —Se encogió de hombros con las manos enfundadas en los bolsillos de sus tejanos—. Convertirse en vampiro es casi un privilegio que se ha de solicitar, y solo si se concede, se podrá llevar a cabo la conversión.

—¿Y qué ocurre con los humanos que se convierten por accidente o porque los atacan?

—Un humano solo se puede transformar si bebe la sangre de un vampiro, y aun así no todos lo logran. La propia naturaleza se encarga de hacer su selección. Pero quienes lo consiguen, no pueden ni saben controlar sus instintos, tampoco tienen a un vampiro mayor que los ayude y los vigile, y acaban atacando a los humanos para alimentarse. Se convierten en renegados, que extienden la plaga del vampirismo y asesinan sin ninguna conciencia. Los Cazadores se encargan de buscarlos y destruirlos.

Kate asimiló toda esa información y un temor gélido le heló el pecho al percatarse de su propia curiosidad sobre ese tema. Hizo un esfuerzo para expulsar de su mente los pensamientos inquietantes y furtivos que aparecían en ella. No lo logró. Al contrario, tuvo la sensación de que otra conciencia despertaba en su interior. Hipnótica. Magnética. Con vida y voluntad propias.

—Si fueses humano, ¿te convertirías por Marie?

Shane enarcó las cejas.

—¿Perdona?

—Venga, no disimules conmigo. ¡Estás colado por ella! —Le dedicó una sonrisa traviesa—. Y, por si te interesa, Marie siente lo mismo por ti.

Shane se detuvo y la miró con los ojos muy abiertos. Se había puesto tan rojo que ni la oscuridad que empujaba la puesta de sol podía ocultarlo.

—¿Te lo ha dicho ella?

—Todo lo que haces le parece encantador. Incluso cuando te comportas como un energúmeno cree que eres mono.

Una sonrisita boba se instaló en el rostro del chico.

—¿Ah, sí?

—Entonces, ¿te convertirías?

Shane apretó los dientes, pensativo, mientras sus ojos vigilaban los alrededores. Nunca bajaba la guardia. Chasqueó la lengua y negó con un gesto.

—No soy humano, Kate. No lo sé, ni siquiera me veo capaz de imaginarlo. En cuanto a envejecer y tener una larga vida, nos parecemos bastante a los vampiros. —Se volvió hacia ella con los ojos entornados—. ¿Por qué me estás haciendo todas estas preguntas?

—Por nada, simple curiosidad.

—¿Seguro?

—¡Sí! Lo raro sería que no la tuviera, ¿no? Salgo con un vampiro y estoy paseando a la luz de las estrellas con un hombre lobo.

—Tienes razón.

—Y yo que te tenía por alguien avispado.

—Oye, para ser tan bajita y debilucha, tienes valor. Podría zamparte de un bocado.

Kate se echó a reír y le dio un empujón en el hombro.

—¡Menos lobos, Caperucita!

Shane le devolvió el empujón, y tuvo que atraparla por la muñeca para que no cayera al suelo. Rompió a reír con ganas.

—Tienes que comer más.

—O tú ser menos bruto.

El paisaje comenzó a cambiar conforme la noche se abría paso. Una repentina bruma trazó una red plateada por encima de los árboles, brillante y un poco siniestra ahora que el sol había desaparecido en el horizonte. El castillo se alzaba ante ellos como un islote, negro y sólido. De repente, las ventanas se iluminaron y los faroles del exterior se encendieron.

Kate contuvo el aliento. Los vampiros volvían a ser libres.

—Oye... —Shane se detuvo frente a la puerta principal y retuvo a Kate con una mano en su hombro. La miró a los ojos muy serio. Parecía preocupado—. No sé qué estás pensando exactamente, pero sea lo que sea no te precipites.

Kate se quedó sin respiración al sentirse descubierta.

—Yo no...

—Este lugar, ellos... Abruman, lo sé. Tienen ese poder, forma parte de lo que son. No te fíes.

—¿De ellos? —preguntó incrédula.

—No, de ti misma y lo que crees sentir mientras estés aquí.

Dicho eso, entró en el castillo, dejándola atrás con sus pensamientos más revueltos que nunca.

6

—¿Un baile? —preguntó Kate. Su voz sonaba amortiguada por la puerta del baño.

—Lo había olvidado por completo, te lo prometo —respondió William. Tumbado en la cama, contemplaba las sombras que la lámpara proyectaba en el techo.

La puerta del baño se abrió y Kate salió envuelta en una toalla, con el pelo húmedo y la piel sonrosada por el agua caliente. William se incorporó nada más verla. La siguió con la mirada hasta el armario y no dejó de observarla mientras ella abría las puertas y movía las perchas de un lado a otro. Sacó dos vestidos y los colocó sobre la cama.

—¿Qué clase de baile?

—Uno muy aburrido.

Kate levantó la vista, pero no lo vio por ninguna parte. De repente, notó su presencia tras ella. Contuvo la respiración, al tiempo que él deslizaba un dedo por su hombro y le apartaba el cabello. Después notó su aliento junto a la oreja y su piel se estremeció. Unos labios suaves presionaron su nuca. De golpe, todo desapareció. El mundo se detuvo y solo quedó él. Su cuerpo, su boca, su olor... Los deseos y las emociones que despertaba en su interior. Su necesidad, que también era la de él. Tanta contención entre ellos comenzaba a frustrarla, pero William parecía empeñado en no dar el siguiente paso.

—Es aburrido y ¿qué más? —preguntó con la voz entrecortada.

William se lamió los labios e inspiró hondo. Bajó los párpados sobre unos iris que ardían como la lava de un volcán. La abrazó por la cintura.

—Olvidé que este año se cumple otro centenario del pacto acordado entre vampiros y hombres lobo. Mi padre y los miembros del Consejo se reúnen para celebrar el aniversario, junto con sus familias.

—Parece muy importante.

—Lo es, aunque no por la celebración en sí misma, sino por su auténtica finalidad.

Kate se giró entre sus brazos y lo miró a los ojos.

—¿Qué finalidad?

Él ladeó la cabeza y su mirada descendió hasta el borde de la toalla. Allí donde el rubor era más evidente y el relieve de su cuerpo tentaba a su boca para que lo dibujara. Se obligó a levantar la vista.

—El baile solo es la excusa para reunirlos a todos y recordarles que deben seguir honrando el pacto y acatando las leyes. Que no hay más señor que el rey. Muchos de los miembros del Consejo suelen relajarse en sus territorios y acaban manejándolos con atribuciones que solo corresponden a mi padre. Olvidan que son súbditos y no señores. Solo hay un rey y él ostenta todo el poder. Ese es Sebastian. Él y sus leyes nos mantienen a salvo en un mundo dominado por los instintos.

Kate lo observaba sin apenas respirar.

—No suena muy democrático.

Él sonrió y en ese gesto ella pudo entrever el peligro y la arrogancia que formaban parte de sunaturaleza. Puede que ahora se desviviera por ella, y que esas emociones le hicieran parecer más cercano, más humano. Sin embargo, su humanidad solo era un concepto difuso con muchos matices y variables. Era peligroso, él mismo se lo había advertido. ¿Le importaba? No. Y la idea de que podría disculparle cualquier cosa la aterró.

—¡Democrático! —exclamó William—. Alguien ha mencionado que lo sea. Agradece el totalitarismo de mi padre, porque es lo que mantiene a los humanos lejos de convertirse en el plato estrella del menú de los vampiros.

A Kate le disgustó su tono condescendiente y dio un paso atrás. Sus piernas chocaron con la cama y tuvo que agarrarse a los hombros de William para no caer.

—Esperas que os dé las gracias por hacer lo correcto.

—¿Lo correcto? —Acortó el paso que ella había dado y la miró a los ojos. Sus labios se curvaron y la mirada de Kate descendió a ese punto—. ¿Para quién?

Kate lo empujó sin pensar y se subió a la cama. Corrió hasta el otro lado y saltó al suelo para alejarse de él.

—¿Disculpa?

A él le hizo gracia su arrebato y rompió a reír. Fue en su busca, y la risa se transformó en una carcajada cuando ella alzó un dedo amenazante para que se detuviera.

—¿Por qué parece que te has enfadado?

—¿Quizá porque no me gusta nada esa arrogancia prepotente? —replicó ella. Abrió mucho los ojos—. ¡No te acerques!

Tarde. La atrapó al vuelo mucho antes de que pensara en moverse y la alzó del suelo. Giró con ella entre sus brazos.

—Lo siento, no me juzgues.

Kate lo miró desde arriba. Durante un par de segundos logró mantener la expresión disgustada de su rostro. Después rompió a reír y se inclinó para alcanzar sus labios. Suaves, sinuosos y entreabiertos con esa sonrisa traviesa que le aceleraba el pulso hasta marearla. Los rozó una vez, y luego otra.

William hizo un sonido grave con la garganta. Deslizó la mano por la espalda de Kate, hacia arriba, dejando un rastro de fuego a su paso. Ella abrió la boca y se entregó sin pensar en nada que no fuera ese beso. Tan profundo como la necesidad peligrosa y reprimida que apenas podía controlar. Un deseo negado, que transformó un beso tímido en un duelo salvaje, ardiente y agotador.

William la aprisionó entre su cuerpo y la pared. Recorrió con las manos sus muslos, las deslizó bajo la toalla y alcanzaron sus caderas. Ella emitió un gemido. Su nombre pronunciado en un susurro que hizo que su piel ardiera y sus pensamientos estallaran en llamas.

—Tenemos que parar —susurró en su boca cuando ella tomó aire.

Kate lo atrajo de nuevo.

—No.

—Me esperan abajo.

—Pues que esperen.

William sonrió sobre sus labios y un quejido doloroso escaló su garganta cuando la detuvo con una mano en la base de su cuello. Logró que se quedara quieta y lo que vio al mirarla estuvo a punto de quebrar la escasa voluntad que le quedaba. Un rubor rosado le cubría las mejillas y su boca hinchada parecía una fruta madura. Notó bajo los dedos los latidos de su corazón, su pecho moviéndose al ritmo de una respiración errática. Un poco más abajo, la toalla no estaba donde debería y la visión de unos pechos perfectos le hizo gruñir.

Cerró los ojos con fuerza. Retiró la mano y escondió el rostro en su hombro.

—Te deseo con toda mi alma, pero...

—Recuerdo cómo decías que no tenías una.

William sonrió contra su piel y le dio un mordisquito.

—Alguien se ha empeñado en devolvérmela.

—¡Qué descarado!

Él alzó la cabeza y la miró a los ojos.

—No te imaginas cuánto. —Despacio, la dejó en el suelo—. Mi padre me espera, supongo que querrá hablar del Consejo y la reunión que tendrá lugar antes del baile. Por lo visto, la lista de peticiones es bastante larga y necesita que le ayude. —Inspiró hondo, como si de verdad necesitara el aire para calmarse—. Pero te prometo que terminaremos esto.

Kate se cubrió con la toalla y sonrió para sí misma mientras tomaba de la cama uno de los vestidos que había dejado allí. De la cómoda sacó ropa interior y se dirigió al baño.

—¿Me das un minuto para vestirme? Bajaré contigo.

—Por supuesto.

William salió al balcón y contempló la noche. El cuerpo aún le vibraba como un diapasón. Se apoyó en la balaustrada y suspiró tranquilo a la par que frustrado. Con Kate era así, pero no cambiaría esa caótica dualidad por nada. Tampoco todas las emociones que habían despertado en su interior, tan olvidadas que las sentía como algo nuevo para él.

—¿Qué es una lista de peticiones? —curioseó Kate desde el baño.

Él sonrió. Sus preguntas eran constantes, producto de una curiosidad que parecía no tener fin. Algo comprensible, dadas las circunstancias.

—Lo que indica su nombre. Durante el Consejo, los vampiros presentes pueden exponer peticiones propias o representar las de algún otro para que se aprueben y puedan llevarlas a cabo sin cometer un delito.

—¿Y qué suelen pedir?

—Cualquier cosa, nunca se sabe. Aunque las más habituales tienen que ver con castigos, rencillas, traiciones, dinero, bendiciones...

—¿Qué es una bendición?

Las manos de William se cerraron con fuerza en torno a la balaustrada.

—Cuando mi padre concede su permiso a un vampiro para que pueda convertir a un humano —dijo muy serio.

Notó el cambio de ritmo del corazón de Kate. Sus latidos se aceleraron y su respiración se volvió superficial. El olor de su sangre cambió colmado de adrenalina. Miró por encima de su hombro y la encontró en la puerta del baño, preciosa con un vestido sin mangas y falda de vuelo.

—Así que un humano solo puede convertirse en vampiro si tu padre da su bendición. Cualquier otra alternativa condenaría a muerte al vampiro y al humano involucrados en la transformación, ¿no?

—A rasgos generales, sí. Pero ¿cómo sabes tú...?

Kate forzó una sonrisa con la que trató de disimular el rumbo que sus pensamientos habían tomado. Una locura que no debía plantearse, pero que allí seguía, cobrando forma.

—Cuando me hablaste de Amelia, también me contaste que el hermano de Daniel quiso mataros a ambos por haber roto ese pacto que mantenéis.

—Es cierto.

—Bueno, no es difícil atar cabos. Un humano solo se convertirá, si a los que disponen les parece bien.

William se sorprendió por el despecho que desprendía su voz.

—Un humano se convertirá, si los motivos que ostenta para ello justifican tal sacrificio. El pacto obliga a que esos motivos se tomen en consideración y sin peligro alguno para los que lo solicitan, si se plantea de la forma adecuada ante los que tienen poder para decidir.

—¿Y cómo...?

Kate no lo vio moverse. Un momento antes estaba en el balcón, y ahora sus manos le sostenían el rostro y sus ojos azules miraban dentro de los suyos.

—Te explicaré todo lo que quieras saber en otro momento, ahora debo ver a mi padre.

Ella asintió y guardó silencio. Después aceptó la mano que él le ofrecía y juntos salieron al pasillo.

—Lo siento —dijo William con pesar.

Kate inclinó la cabeza y lo miró confusa.

—¿Qué sientes?

—Exponerte de esta forma a ellos. —Se restregó la cara con la otra mano—. La alta sociedad vampírica se reunirá en este castillo dentro de muy poco, con todo lo que eso conlleva. Serás el centro de todas las miradas y las conversaciones girarán en torno a ti. Incluso habrá quien cuestione y critique tu presencia. Lo que significas para mí. —Cerró los ojos un instante—. Muchos creen ciegamente en la supremacía de la raza y, aunque respetan la vida humana, lo hacen como el vegetariano que decide no comer carne por principios, pero para el que los animales no dejan de ser eso, animales. No iguales.

Kate tragó saliva, incapaz de decir nada. De repente, la realidad de lo que estaba por ocurrir cayó sobre ella con todo su peso. Inspiró varias veces y bajó la mirada al suelo que, de repente, le parecía fascinante.

—No te preocupes por mí, estaré bien. Este es tu mundo y esos vampiros son parte de él. Si quiero estar contigo, yo también debo formar parte. Tendré que ganarme su aceptación. ¡Seguro que acaban adorándome! —exclamó con toda la tranquilidad que pudo aparentar.

7

William sostuvo la mano de Kate y juntos descendieron los escalones hasta el vestíbulo. Todas las lámparas estaban encendidas y se reflejaban en el suelo pulido, llenando el espacio con un brillo cálido y acogedor.

Cyrus los esperaba junto a la escalera. Se inclinó a modo de saludo.

—Buenas noches, Katherine.

—Buenas noches —respondió cohibida.

La presencia del Guerrero aún la sobrecogía. Siempre tan serio y frío. Aunque Kate había descubierto una inusitada calidez en sus ojos cuando la miraba.

—Tu padre te espera —le dijo el vampiro a William.

William apretó la mano de Kate con una disculpa en el rostro.

—¿Estarás bien?

—Sí, no te preocupes. Daré un paseo.

—De acuerdo. Iré a buscarte en cuanto termine y haremos algo divertido.

Se la quedó mirando mientras ella cruzaba el vestíbulo y salía al exterior. Después inspiró hondo, pero sus hombros no se aflojaron.

—¿Vamos?

Se volvió hacia Cyrus y asintió con la cabeza. Uno al lado del otro, bajaron los peldaños que conducían a la puerta blindada. Enfilaron el pasillo subterráneo, iluminado por tubos fluorescentes.

—Así que... es ella —dijo Cyrus en voz baja.

Conocía a William desde que era un niño y entre ellos existía la confianza suficiente para hablar de temas personales.

—Lo es —dijo William, sin disimular el placer que esa afirmación le provocaba.

—Viendo esa cara de idiota con la que te paseas, yo tampoco tengo ninguna duda.

William soltó una carcajada que resonó entre las paredes.

Alcanzaron la puerta de acero. Cyrus marcó un código en la cerradura digital y después colocó la palma de la mano sobre el panel. Una luz verde lo iluminó y la puerta se abrió con un chasquido. Entraron en un amplio vestíbulo, decorado con columnas de mármol blanco que contrastaban con el rojo oscuro del suelo.

Tres pasillos se abrían en distintas direcciones.

El de la derecha conducía a la sala de seguridad, desde donde se controlaba todo el complejo subterráneo, el castillo y el perímetro que lo rodeaba. También las estancias que ocupaban los Guerreros y el resto de vampiros que moraban entre sus muros. El corredor a su izquierda llevaba a varias salas comunes, aposentos para invitados y un piso inferior de almacenamiento. El pasillo central era la antesala a la residencia de la familia Crain.

William tomó esa dirección y empujó las puertas que lo separaban de un salón con elegantes tapices, cojines de seda y muebles exquisitos. Se detuvo frente a una puerta de caoba con picaportes dorados y llamó con los nudillos.

Aileen salió a recibirlo. Lo besó en la mejilla.

—Pasa, tu padre te espera.

—¿No te quedas?

—Debo comprobar los preparativos y asegurarme de que no surgen imprevistos —respondió Aileen tras un suspiro—. Nos veremos más tarde, ¿de acuerdo? Por cierto, ¿qué tal está Kate?

—Bien, ha salido a dar un paseo.

—¿Crees que se encuentra cómoda?

—Yo diría que sí. ¿Por qué lo preguntas?

Aileen sonrió y le dio unas palmaditas en el pecho.

—Deseo que se sienta querida entre nosotros, Will, solo eso. Te importa y temo que algo pueda alejarla de ti. Que eso... te aleje de nosotros de nuevo.

William inspiró hondo y sostuvo a su madre por los hombros. Se sentía culpable por haberla hecho sufrir tanto con su abandono.

—Nada volverá a alejarme de vosotros, lo prometo. Las cosas han cambiado, madre. Yo he cambiado.

—Me conmueve y me hace feliz que digas eso.

—Pues deja de preocuparte.

Aileen le sonrió con ternura y él la observó mientras atravesaba el salón con pasos tan delicados como ella lo era. Como si sus pies no tocaran el suelo y flotaran en el aire. De repente, William recordó algo.

—Madre.

—¿Sí?

—Sobre el baile... Kate necesitará un vestido y dudo de que yo sea el más indicado para... Ya sabes, ayudarla con eso.

Aileen empezó a reír.

—No te preocupes, querido. Tu hermana y yo ya nos hemos ocupado.

Le dedicó una última sonrisa y desapareció por el pasillo.

Sin más demora, William entró en el estudio de su padre. Una estancia amplia repleta de librerías de nogal atestadas de primeras ediciones, algunas tan antiguas que las conservaba en cajas de cristal herméticas y climatizadas por el miedo a que pudieran desintegrarse con el más mínimo roce o cambio.

Retratos de todos los miembros de la familia colgaban de las paredes, junto a obras de Monet, Pissarro o Renoir, entre otros.

Sebastian levantó la vista de su escritorio, flanqueado por dos sofás de cuero negro y una mesita de largas patas torneadas a cada lado. Colocó sobre un tapete de tela la litografía que estaba examinando y se puso en pie para ir al encuentro de su hijo.

—Adelante, te esperaba.

Le rodeó la espalda con el brazo y lo invitó a que se sentara. Luego fue hasta una vitrina y sacó dos copas. Tras colocarlas sobre la mesa, las llenó con la sangre templada de una botella que guardaba en un armario climatizado.

—¿Qué estudiabas con tanto interés? —se interesó William.

Sebastian sonrió.

—Una litografía inédita de Matisse, la encontré hace poco en una de mis pesquisas. La examinaba antes de enviarla a Suiza. Nuestra galería ya tiene un comprador.

—Eso es fantástico.

—Me da pena desprenderme de esta obra, es extraordinaria. Pero estamos hablando de siete cifras. —Le entregó una de las copas a William y se sentó en el sofá, a su lado—. ¿Cómo te ha ido? ¿Algún problema?

—No, nada. Se cerrará el aeropuerto tal y como has ordenado, y los coches estarán allí a las nueve para recoger a los invitados conforme vayan llegando. Duncan se encargará de recibirlos. —Tomó un sorbo de su copa y paladeó el sabor de la sangre. Inspiró con deleite—. Por la mañana, Beth traerá sangre de nuestra clínica en Londres, suficiente para alimentar a un centenar de vampiros sedientos durante un mes. Así que la sangre no debería ser un problema —dijo en tono amenazador.

Sebastian estudió a su hijo un largo instante.

—Te preocupa Katherine, ¿cierto? De ahí ese ánimo.

—No es el mejor ambiente para ella.

—Nadie le pondrá un dedo encima. No en mi casa, lo sabes.

—¿También hablas por Misha y Hared? He visto sus nombres en la lista.

—Desde que se les concedió el perdón, han cumplido las leyes sin en el más mínimo incidente.

—Porque los mantenéis alejados de los humanos como de la luz del sol, pero ¿qué ocurrirá cuando estén entre estas paredes con ella?

—Nada, te doy mi palabra.

—Si se acercan a Kate, los desmembraré con mis propias manos delante de todos.

—Seré yo quien lo haga, si se da el caso, pero dudo de que ocurra, hijo. Katherine es ahora un miembro más de esta familia y me encargaré de que esa información llegue hasta el último rincón. La respetarán, la tratarán como a un igual, y no habrá dudas sobre lo que pasará si sufre un solo rasguño. He hecho la vista gorda en circunstancias especiales, para asegurar la paz y la estabilidad de esta comunidad. Pero no seré indulgente en este caso, sin importar quién provoque mi cólera —le aseguró Sebastian con vehemencia.

—Espero que así sea, porque si algo pasa, no quedará comunidad que deba preocuparte.

Sebastian lo miró muy serio y no tomó en vano sus palabras. Poco a poco, una sonrisa se extendió por su rostro. El amor que sentía por su hijo le llenaba el pecho. Se había resignado a verlo vagar por el mundo, convertido en un fantasma solitario y vacío, al que solo mantenían vivo el odio, la culpa y la locura que se habían ido apoderando de él. La amargura y la sed de venganza.

Ahora no veía ese fantasma por ninguna parte y su hijo había vuelto más vivo que nunca.

—Créeme, ninguno de ellos es tan estúpido como para provocarte —dijo divertido.

William miró a su padre con la frente llena de arrugas. Su rostro se suavizó de inmediato y una suave risa brotó de su garganta.

—¡Dios, ni yo mismo me soporto! —Se frotó la cara con la mano libre—. ¿Es normal que me preocupe tanto por ella? Me da miedo comportarme como un perturbado y asfixiarla con mi inquietud.

—¿Crees que yo no siento lo mismo por tu madre? Y me apena decirte, hijo mío, que no mejora con el tiempo. Por suerte, ella sabe ponerme en mi sitio cada vez que mi juicio me abandona. —Apuró la copa de un trago y le dio vueltas entre sus dedos, pensativo—. Intuyo que tus sentimientos por Katherine van más allá de la atracción y la afinidad que podáis compartir. O no la habrías traído hasta aquí.

—Me estoy enamorando de ella, como jamás creí que lo haría de nadie. Pero... soy consciente de las diferencias que nos separan y, aunque para mí puedan parecer insignificantes, puede que para ella acaben siendo insalvables.

—Su mortalidad —aventuró Sebastian.

—Llegado el momento, aceptaría esa parte si logro hacerla feliz hasta ese instante. Quiero que pase el resto de su vida conmigo, pero ha de ser ella la que tome esa decisión. Estar segura de que yo soy lo que quiere. Acaba de conocerme y es muy joven. No tiene ni idea de cómo sería su futuro a mi lado, sin hijos, envejeciendo... Tiene que estar convencida de que es la vida que quiere.

—Podría ser para siempre.

William alzó la vista de su copa casi vacía. El rechazo era patente en su rostro.

—No hay un ápice de oscuridad en ella y no quiero que la haya. Es luz, padre. No te haces una idea de cuánto puede brillar.

El pecho de Sebastian se infló y volvió a desinflarse.

—Aunque no lo creas, te comprendo. Pero déjame decirte algo, llevo miles de años en este mundo y nunca he conocido a nadie que camine sin proyectar una sombra.

William no dijo nada a ese respecto, pese a que no estaba de acuerdo con su padre. Apuró la sangre que quedaba en la copa y arrugó la nariz al sentirla fría en la boca. La dejó sobre la mesita, con intención de ponerse en pie.

—Si no hay otra cosa de la que quieras hablar...

—Hay otra cosa.

William estudió la cara de su padre y permaneció sentado.

—Tú dirás...

—Necesito que seas sincero conmigo y me digas cómo llevas todo lo que te está pasando.

—¿Te refieres a mis...? —Sebastian asintió y se acomodó contra el respaldo con los brazos abiertos en cruz—. No lo sé, todo es tan desconcertante. A veces estoy bien, y otras, solo siento miedo. No tengo ni idea de lo que me está pasando ni por qué, solo sé que va a más y no tiene pinta de que vaya a detenerse. ¿Mover objetos...? —Posó sus ojos en una butaca junto a la pared y deseó que se moviera. De pronto, el mueble salió volando hasta estrellarse en una esquina—. Esto no es nada comparado con lo que siento que podría hacer, y la impaciencia por descubrir hasta dónde puedo llegar me corroe.

Sebastian contempló los restos de la butaca y arqueó las cejas. Cruzó las piernas a la altura de los tobillos y trató de sacudirse la sensación de inquietud que lo acompañaba desde que tuvo noticias de los cambios que William estaba sufriendo. La necesidad de protegerlo prendía en su interior como una hoguera.

—No he dejado de pensar en ese hombre. ¿Estás seguro de que es como tú?

—No tengo dudas.

—Dijiste que desapareció sin más.

—Y se sorprendió de que yo no pudiera hacerlo.

—Aún.

—Aún —repitió William. Tragó saliva, nervioso por los recuerdos de esa noche—. Mis habilidades a su lado parecen los trucos baratos de un ilusionista. Es mucho más fuerte que yo, más rápido y poderoso. Me hizo creer que era yo quien controlaba la situación. Me llevó hasta él y se dejó atrapar, porque quería hablar conmigo y contarme todas esas cosas que dijo. Insistía en que mi única alternativa era darle mi sangre a ese ser misterioso. Necesitaba que lo creyera.

—Entonces, no piensas que Amelia y ese vampiro que la seguía, Andrew, fuesen los artífices de ningún plan.

—Creerlo lo simplificaría todo. Con el perro muerto, se acabó la rabia, pero hay tantas piezas que no encajan. Como lo del robo que tuvo lugar aquí, ¿para qué esa representación? Cuantas más preguntas me hago, menos sentido tiene todo este asunto.

Sebastian dejó caer la cabeza hacia atrás y se quedó mirando el techo.

—Cyrus me contó lo que sucedió en ese pueblo, cuando os enfrentasteis a Amelia y su ejército. Dice que te transformaste por completo y que nunca, en su larga vida, había visto nada igual. Tu aspecto no parecía de este mundo. Tampoco el poder y la fuerza que te hicieron acabar con todos esos renegados tú solo. Me confesó que, por primera vez en mucho tiempo, rezó para que distinguieras a los amigos de los enemigos, porque desataste el infierno en ese campo... —Contempló a William mientras este retrocedía en sus recuerdos. Vio la confusión que brillaba en sus ojos, el desconcierto y el temor—. No recuerdas nada de eso, ¿verdad?

William negó con la cabeza.

—¿Qué me está pasando? ¿Qué... qué demonios soy? —preguntó angustiado.

Se llevó las manos a la cabeza y se puso en pie. Sebastian lo siguió.

—Eres William Crain, príncipe de tu raza. Hijo de tu madre y de mi corazón. No hay nada malo en ti, no lo dudes nunca.

—Pero estoy cambiando y esas cosas que hago...

—Gracias a esos poderes, salvaste muchas vidas. Puede que, durante un instante, perdieras el control, pero nunca dejaste de ser tú. En tu interior, aferrado a tu conciencia, estabas solo tú. Eres bueno.

William se volvió hacia él, de repente furioso.

—¿Cuándo soy bueno? ¿Cuando mi ira hace que desee desmembrar a todo el que se me pone por delante, o cuando me bebería hasta la última gota de sangre de la mujer que quiero? ¿Quizá cuando fantaseo con perversidades que no serías capaz de imaginar? Dime, padre, ¿cuándo?

Una sonrisa amarga se encaramó a los labios de Sebastian.

—No eres el único que tiene tales pensamientos. Esa es la maldición de nuestra especie, pero el dolor y el sufrimiento nos hace dignos. No nos sometemos al destino humillante que otros han escrito para nosotros, sino que nos hemos alzado como dueños de ese destino. Y si somos pacientes, obtendremos nuestra recompensa.

—He sucumbido a esa maldición.

La pena de William golpeó a Sebastian en el pecho.

—Y yo, hijo mío, pero existe el arrepentimiento, y también el perdón. —Se acercó a él y le puso una mano en el hombro—. Voy a darte un consejo como padre, William, lo importante no es qué eres, sino cómo eres. Así que no cuestiones tu naturaleza y acéptala sin más. Arriba te espera una chica preciosa, yo no perdería el tiempo con preguntas que aún no tienen respuesta. —William levantó la mirada de sus pies y clavó sus ojos azules en el rostro de Sebastian—. Y ahora voy a darte un consejo como tu señor. Este tema solo incumbe a la familia y no ha de saberse de ningún modo. No queremos que te conviertas en el objetivo de un montón de fanáticos dispuestos a todo, ¿verdad?

Una minúscula sonrisa curvó los labios de William. Luego, emitió un ruidito ahogado.

—¿Te refieres a un grupo de fanáticos distinto al que ya me persigue por mi sangre milagrosa? —Suspiró un poco más calmado—. No te preocupes, tendré cuidado y no me expondré. Ya sabes cuáles son mis intenciones.

—Sí, y aunque me gustaría que te quedaras con nosotros, he de admitir que tengo curiosidad por ver cómo te las arreglas para procurarle una vida normal a Katherine, mientras te conviertes en el señor de los vampiros del Nuevo Continente.

—¡No voy a convertirme en el señor de nadie! —exclamó William rotundo—. Solo... intentaré que las cosas sean más fáciles para ellos a partir de ahora. Se les ha descuidado.

—Lo que tú digas —convino Sebastian entre risas—. Echaba de menos hablar así contigo.

—Y yo contigo, pero va siendo hora de que me digas para qué me has hecho venir realmente. Dudo de que el baile, Kate o mis nuevas habilidades sean el motivo.

Sebastian sonrió y se dirigió a la puerta.

—Acompáñame.

Juntos subieron al vestíbulo. Alcanzaron el segundo piso y Sebastian giró a la izquierda, hacia el ala oeste de la mansión. Condujo a William a través de un laberinto de pasillos hasta alcanzar la base de uno de los torreones. Un Guerrero custodiaba la puerta de acceso y se apresuró a abrirla para ellos. Ascendieron por una oscura escalera de piedra hasta otra puerta. Sebastian sacó una llave de su bolsillo y la abrió. Después cedió el paso a su hijo.

William traspasó el umbral, consciente de adónde se dirigían. Empezó a ponerse nervioso y se le secó la boca. En ese torreón no había una instalación eléctrica, así que esperó a que Sebastian prendiera una lamparita de gas. El pasillo se iluminó con una luz dorada y pudo ver las pinturas que cubrían las paredes y el techo. Escenas de una sangrienta guerra entre vampiros y licántropos, que tuvo lugar miles de años atrás.

—No entiendo por qué sigues manteniendo esto —dijo William sin ocultar lo repulsivas que le parecían esas imágenes.

—No quiero olvidar. Contemplar esta barbarie me ayuda a no rendirme y no permitir que esos sentimientosególatras que dominaban a mis antepasados me arrastren a su misma locura. —Se detuvo frente a una pintura que representaba a un vampiro sosteniendo una brillante lanza con la que atravesaba el cuerpo de un hombre lobo—. Los antiguos vampiros nunca fueron superiores, solo creían serlo, y esa idea casi acaba con nuestro linaje.

Levantó la mirada al techo y apretó los dientes. Nubes oscuras iluminadas por grandes rayos decoraban esa parte. Entre ellas, unos fieros rostros observaban la batalla, condenando a través de sus brillantes ojos una tierra anegada de sangre.

Bajó la mirada y continuó andando.

Penetraron en una sala estrecha y alargada, donde antiguamente se reunía el Consejo. La luz llenó de sombras danzantes la estancia y los viejos muebles cubiertos por sábanas.

William buscó en la penumbra los ojos de su padre.

—¿Por qué me has traído aquí?

Sebastian cruzó la sala y se detuvo frente a la pared. Colocó sus manos sobre la piedra y empujó con fuerza. El muro cedió y una sala mucho más pequeña quedó a la vista. Entró y William lo siguió sin mediar palabra. Allí no había nada más que un cofre de madera y latón sobre un altar formado por un bloque de roca tallada.

Sebastian abrió el cofre con lentitud y sacó de su interior un pergamino amarillento. Se lo entregó a su hijo.

William tomó el pergamino con un cosquilleo en los dedos, consciente de lo importante que era. Con los ojos recorrió los trazos de tinta y leyó las últimas líneas en silencio.

Ambas razas se someterán a las mismas leyes. Nunca más se dañará a un humano y no se les dará a conocer nuestra naturaleza hasta que su mundo esté preparado para ello. Nos adaptaremos a sus costumbres y viviremos bajo sus normas.

Se considerará proscrito y se condenará a muerte a todo aquel, vampiro o licántropo, que no cumpla con estos preceptos, sin que ello

suponga una violación de este tratado. Ambos linajes tendrán el
mismo poder para impartir justicia. Como aliados. Como iguales.
Victor Solomon, señor de los licántropos, y Sebastian Crain,
rey de los vampiros, comparecen ante Dios y sus casas para firmar
con su sangre este pacto. Sangre que jamás volverá a ser derrama-
da. Sangre que pondrá fin a esta guerra.
Que la oscuridad consuma al que falte a su palabra.
Roma, año 1009.

Al pie del pergamino, los nombres de Victor y Sebastian estaban escritos con sangre.

—Cuando era niño, Robert y tú me contasteis esta historia un millón de veces. Entonces pensaba que no era más que un cuento para asustarme —dijo William mientras le devolvía el pergamino a su padre—. ¿Qué hacemos aquí?

Sebastian cerró el cofre y posó sus manos sobre él un largo instante.

—Y era un cuento. La verdad es muy distinta.

—¿De qué verdad hablas?

Sebastian tomó aliento y regresó al pasillo decorado con pinturas. Contempló las paredes bajo la atenta mirada de William.

—Cuando los licántropos aparecieron en el mundo, los vampiros tuvimos miedo por primera vez. Esas criaturas que podían cambiar a voluntad su forma humana por la de un animal de gran ferocidad y fuerza, eran una amenaza. O eso creíamos nosotros. Por aquel entonces, aniquilábamos todo lo que comprometía nuestra soberanía y sustento. Así que les dimos caza y los sometimos, condenándolos por la fuerza a siglos de esclavitud. Durante ese tiempo de tiranía, vino al mundo Victor Solomon. Él nunca aceptó la servidumbre y en cuanto alcanzó la edad adulta dirigió una rebelión con la que logró liberar a su raza. Se desató un odio contenido durante mucho tiempo y la guerra estalló. Nos masacrábamos los unos a los otros, y las bajas en los dos bandos eran numerosas. Ese frenesí mortal casi acaba con ambos linajes, y cuando todos parecíamos condenados a la destrucción y el olvido...

William no entendía adónde conducía ese relato que había escuchado cientos de veces y la impaciencia se apoderó de él.

—Tu padre murió y tú le sucediste en el trono, cambiando así el destino de todos. Era un sanguinario y tuviste que matarle para demostrar que eras mucho más fuerte que ningún otro y acabar con su tiranía. Tras ese acto, el clan vampiro te juró obediencia. —Emitió un ruidito de exasperación—. Conozco la historia de memoria, padre.

—No tienes la menor idea, William. Yo no maté a mi padre. Él se sacrificó voluntariamente por mí. Por su sueño.

—¿Qué?

—En aquella época, Alexander Crain era rey de los vampiros por derecho de nacimiento, como primogénito de su padre y descendiente de Lilith. Así que lideraba la guerra contra los hombres lobo. Una noche, un grupo de licántropos logró penetrar en el castillo y asesinaron a mi madre. Alexander la amaba más que a nada y enloqueció. Los persiguió sin descanso, cegado por un deseo enfermizo de venganza. —Caminó unos pasos hasta detenerse frente a otro dibujo. Continuó hablando—: El rastro lo llevó hasta una choza abandonada, pero no estaba preparado para lo que encontró allí. Solo eran niños, William. Tres muchachos, y ninguno tenía más de doce años, y dos niñas que aún conservaban todos los dientes de leche. Alexander había matado a sus padres unos meses atrás y esos chicos habían decidido vengarse, aunque el intento les costara la vida. Al igual que él estaba haciendo en ese momento. Un círculo de muerte. —Inspiró con fuerza—. Mirando aquellos rostros asustados, mi padre no fue capaz de hacerles daño, y se dio cuenta de que la guerra que estaban librando no tenía ningún sentido. Debía acabar.

William observaba a su padre con atención, y cuando este se quedó callado, perdido en sus pensamientos, lo animó a continuar.

—¿Y qué pasó después?

—Alexander dejó libres a los niños y todo cambió para él. Empezó a ver el mundo con otros ojos y logró que yo también lo hiciera. ¿Por qué abrazar el sufrimiento y la destrucción? ¿Por qué causar tanto dolor a otros seres?

—¿Te refieres a los humanos?

—Sí, a ellos también. Eran padres, hijos y tenían familias al igual que nosotros, que sufrían por nuestra culpa. Mi padre y yo queríamos acabar con esa hegemonía violenta que los vampiros habían ostentado durante tanto tiempo, pero había un problema.

—¿Cuál?

—Los hermanos de mi padre no estaban de acuerdo con sus nuevas ideas. Jamás permitirían el cambio y amenazaron con matarlo antes que ceder a sus pretensiones. Por lo que Alexander ideó un plan. —Sus ojos relucían como rubíes a la luz de la lámpara—. Fingió olvidarse del tema, y poco después les hizo creer que Victor Solomon había penetrado en nuestros dominios. Preparó una incursión y los guio hasta una aldea abandonada. Yo los acompañaba. Cuando llegamos allí, los decapitó a los tres sin dudar, a sabiendas de que la estirpe de Lilith casi desaparecería. Me explicó que aquella era la única forma de crear un nuevo mundo, y que ahora ese futuro estaba en mis manos. Me entregó su espada y se arrodilló ante mí... Me pidió que lo matara.

—¿Por qué?

—Me dijo que una nueva era necesitaba un nuevo rey, y para que nuestra raza me aceptara y acatara mis órdenes, debía de dar una muestra de mi poder. ¡Y qué mejor muestra que acabar yo solo con la vida de los cuatro vampiros más poderosos que existían! Por supuesto, me negué a su petición. Amaba a mi padre y prefería entregarme al amanecer, que hacerle daño. Él ya lo sabía y me lo puso fácil —su voz se fue apagando hasta convertirse en un susurro. Los recuerdos continuaban siendo dolorosos—. Se decapitó a sí mismo. Lo que pasó después, ya lo sabes.

William se apoyó en la pared y dejó que su cuerpo resbalara hasta el suelo.

—¿Por qué me lo cuentas ahora?

Sebastian se sentó a su lado y colocó la mano en su rodilla.

—Porque debes saberlo, hijo, y un día necesitarás recordarlo. Nunca dudes de la familia, incluso cuando todo te indique que debes hacerlo. Confía en ella hasta en los peores momentos. Lo que te acabo de revelar es la prueba de ello.

8

En el exterior, el silencio envolvía la noche como una tibia neblina que se extendía cubriendo los jardines. Solo se oía el murmullo del agua de la fuente resbalando por las esculturas de jaspe de las que manaba.

Kate apartó la mano del chorro frío y la secó en la falda de su vestido. Sobre ella, el cielo estaba despejado y las estrellas brillaban como pequeños diamantes sobre un fondo de terciopelo negro.

Cruzó los jardines en dirección al templete que se alzaba entre los parterres de rosas, pero se detuvo en cuanto divisó a Shane y Marie, escondidos detrás de la celosía que unía las columnas. Tras unas cuantas palabras al oído y un par de sonrisas, él se inclinó y la besó en los labios.

Kate se dijo a sí misma que allí sobraba, así que dio media vuelta y se alejó en dirección contraria. Aburrida, vagó sin rumbo durante un rato. Pronto sus ojos se acostumbraron a las sombras y empezó a distinguir la silueta de la arboleda. Pensó en Harriet. Quizá no sería mala idea hacerle una breve visita. Incluso, si había suerte, probar uno de sus pasteles. Tenía hambre.

Apretó el paso y en pocos minutos divisó la casa. Era pequeña, no tendría más de tres o cuatro habitaciones. La hiedra había cubierto gran parte de la fachada y sobre el alféizar de las ventanas reposaban jardineras repletas de flores. Olía a jazmín y lirios.

No había luz tras los cristales ni se escuchaba eco alguno que indicara que hubiese alguien allí. Aun así, llamó a la puerta con los nudillos. Nadie contestó. Insistió con más fuerza y esperó. Nada.

Una ligera brisa agitó las ramas de los árboles y el murmullo de las hojas se extendió en el aire con un sonido hipnótico. Unas campanillas comenzaron a tintinear y Kate ahogó un grito con la mano, sobresaltada por el inesperado estallido. Sobre su cabeza, un carillón oscilaba azotado por un viento que cobraba fuerza.

Una rama crujió a su espalda. Miró hacia arriba y tuvo la vaga ilusión de que algo grande se deslizaba de un árbol a otro. Notó que su piel se erizaba y su corazón se lanzó al vacío, mientras la sensación de que algo o alguien la observaba se instalaba en su pecho como un punto frío que congelaba el aire de sus pulmones.

El miedo se estaba apoderando de ella.

Inspiró hondo y se obligó a calmarse.

Seguro que solo se trataba de un animal buscando un lugar donde dormir, puede que ardillas. O quizás un búho preparándose para una noche de caza. Eran grandes, como la sombra que acababa de ver.

El problema residía en que aún no había visto ningún bicho desde su llegada a Blackhill House. Ni siquiera un gatito que rondara por el castillo. ¿En qué casa de campo no había gatos?

Una voz en su cabeza le dijo que se encontraba en el lugar más seguro del mundo. Otra, mucho más insidiosa y racional, que esa sombra solo era el preludio de su funeral.

Asustada, Kate dio media vuelta y comenzó a alejarse de la arboleda en dirección al castillo. Un único pensamiento resonaba en su cabeza: llegar hasta William.

Un crujido sonó justo detrás de ella.

Se giró de golpe y sus ojos captaron un movimiento, apenas una leve perturbación en el aire.

Echó a correr. Sus pies se hundían en la hierba y hacían más pesado su avance. Aun así, no se detuvo, ni cuando un dolor agudo se instaló en su costado. Miró por encima del hombro, convencida de que algo la seguía, pero allí no había nada.

Por un instante, pensó que todo había sido producto de su imaginación. ¡Se sintió tan tonta! Miró hacia delante y se dio de bruces contra un cuerpo aparecido de la nada. Levantó la vista y se quedó paralizada frente a un hombre de ojos penetrantes. Centelleaban en la oscuridad como los de un felino. Y no tuvo dudas sobre lo que era.

El vampiro ladeó la cabeza y la miró de arriba abajo. Inclinó el cuello hacia el otro lado y repitió el gesto. Una sonrisa siniestra mostró sus dientes.

Kate dio un paso hacia atrás, y después otro, mientras él se limitaba a observarla con curiosidad.

—¿Te has perdido? —preguntó él.

—No.

—Entonces... ¿por qué corres tan asustada? —indagó él en tono malicioso.

—¡No estoy asustada! —exclamó en voz alta. Se obligó a mostrarse más tranquila y añadió—: Corría porque me esperan en el castillo. Llego tarde.

—¿Y puedo saber quién te espera?

—¿Puedo saber yo quién lo pregunta?

Con lentitud, la mirada del vampiro se deslizó de nuevo por su cuerpo. Sus labios adoptaron una sonrisa divertida.

—Podrías, pero es más divertido así. Es como jugar a la gallinita ciega, atrapas a un niño y debes adivinar de quién se trata. Solo que no eres una niña, puedo verte y me gusta lo que veo.

Kate cogió aire y apretó los puños. Le sostuvo la mirada al vampiro, lo único que podía intuir de él con claridad. Se armó de valor y disimuló lo mejor que pudo que estaba aterrada.

No tenía ni idea de quién era ese tipo. Había tantas posibilidades de que fuese un habitante del castillo con un pésimo sentido del humor, como un renegado capaz de haber atravesado los muros.

—Pues lo siento mucho, pero no tengo tiempo para juegos. Si no te importa, seguiré mi camino.

Con las piernas temblando, Kate pasó junto al vampiro y continuó andando hacia la mansión. Lanzó una rápida mirada hacia atrás y comprobó aliviada que no la seguía. Espoleada por la adrenalina que bombeaba su corazón frenético, aceleró el paso. Una chispa de esperanza cobró vida en su pecho al ver que el castillo se encontraba más cerca.

—¡Ah!

En un visto y no visto, el vampiro la había abordado de nuevo. Las luces exteriores de la mansión iluminaban a duras penas el terreno donde se encontraban, pero lo suficiente para que ella pudiera ver a su acosador con claridad. Tenía el cabello dorado, un poco más largo por delante que por detrás. Sus ojos, ahora azules, reflejaban el resplandor de la luna. Era alto, esbelto como una espiga, y bajo la fina camisa que llevaba pudo adivinar la silueta de un cuerpo musculoso.

Él esbozó una sonrisa a medio camino entre la diversión y la suficiencia. Embutió las manos en los bolsillos de su pantalón.

—No te has despedido —dijo con voz suave.

—Si te acercas más, gritaré —lo amenazó Kate.

—¿Gritarás? ¿Y qué crees que ocurrirá si lo haces?

—Los Guerreros del castillo vendrán y... te matarán.

Él frunció el ceño, como si de verdad considerara esa posibilidad.

—Ya, yo estoy seguro de que no pasará eso. Son bastante lentos. Además, antes tendría que hacerte algo malo para merecer semejante castigo, ¿no crees? Algo terrible.

Kate se lo quedó mirando con la boca abierta. Estaba jugando con ella. Lo taladró con los ojos ardiendo de indignación y, aparentando una valentía que no sentía, profirió otra amenaza:

—Si me tocas un solo pelo, William sí te matará y es más rápido de lo que imaginas.

El vampiro arqueó las cejas con curiosidad.

—¿William? —Kate asintió con vehemencia y la sonrisa del vampiro se hizo más amplia—. ¿Es él quien te espera?

—Sí, y seguro que ya estará buscándome, preocupado... Y disgustado. No quieres eso, te lo aseguro.

El vampiro se estremeció con una risa silenciosa.

—Sí, es posible que se disguste. Nunca le gustó compartir sus juguetes.

—¿Qué?

—¿No eres su juguete?

—¡No! Él y yo... Él y yo somos...

—¿Sí? —se interesó con voz queda.

Kate se había puesto tan roja que le ardían las mejillas. Ese tipo se estaba tronchando a su costa. La adrenalina regresó a su sangre y estaba desplazando a su miedo.

—¡Estamos juntos!

—Entonces, no deberías hacerle esperar. No querrás que se disguste, ¿verdad?

Kate puso los ojos en blanco. Aquel encuentro era surrealista. Iba a responderle con un improperio, cuando el vampiro la tomó en brazos por sorpresa y se dirigió con celeridad al castillo. Kate quiso gritar, pero antes de que pudiera abrir la boca, sus pies tocaron de nuevo el suelo.

El vampiro le dedicó una sonrisa torcida y sus ojos volaron a la puerta principal. William atravesaba el umbral en ese instante, con Marie y Shane tras él. Suspiró con alivio al ver a Kate.

—¿Dónde...? —empezó a decir. Las palabras enmudecieron en su boca al percatarse de otra presencia—. ¡Robert!

El vampiro rubio sonrió y fue a su encuentro.

—¡Por el amor de Dios, William! ¿No has encontrado algo decente que ponerte? Pareces un vagabundo harapiento.

William se miró los tejanos desgastados y la camiseta arrugada, y rompió a reír.

—No te preocupes, no pienso avergonzarte más de lo necesario.

Se fundieron en un abrazo.

—Me alegro de tenerte de vuelta, hermanito —gruñó Robert con alegría.

—Y yo me alegro de verte, no sabes cuánto. —Sus ojos volaron hasta Kate y le dedicó una sonrisa—. Veo que ya has conocido a Kate.

Robert la miró con los ojos entornados.

—Aún no hemos hecho las presentaciones. Estábamos en ello.

Kate no dijo nada, incapaz de reaccionar por la sorpresa. Así que ese era Robert, el hermano mayor, del que todos hablaban. Desde luego, poseía el encanto innato de William. Compartía la belleza de sus rasgos y ese halo oscuro y atractivo que les hacía irresistibles. Pero Robert poseía algo más, otra cosa que le encogía el corazón con un extraño sentimiento que no lograba descifrar.

Robert se acercó y la tomó de la mano. Depositó un beso en sus nudillos, apenas un roce de sus labios. Y en todo momento no apartó sus ojos de los de ella.

—Es un placer conocerte, Katherine. Diría que eres preciosa, pero esa palabra no alcanzaría a describir tu belleza. Dudo de que exista alguna que pueda hacerte justicia.

Kate tragó saliva y retiró su mano muy despacio.

—¿Intentas flirtear con mi novia? —inquirió William divertido.

—¡Dios me libre de semejante insensatez! Pero sería una ofensa mayor ignorar lo que es evidente. Tu adorable consorte es exquisita y, por desgracia, después de mil años, continúo adorando a las hijas de Eva con algo más que los ojos.

William soltó una carcajada.

—¿Y qué opina Charlotte de esa declaración? —intervino Marie.

Una sonrisa iluminó el rostro de Robert y se giró hacia su hermana.

—No debes preocuparte por la hermosa Charlotte, ni creer que entre nosotros hubo algo más que escarceos. Mi corazón es solo tuyo, querida hermana.

La risa de Marie surgió espontánea, clara y vibrante como una lluvia de campanillas. Se lanzó a los brazos de su hermano. Él la atrapó al vuelo y la besó en la frente.

—Eres un maldito adulador.

—Y también un hermano preocupado. Casi pierdo el juicio cuando supe que te habías marchado sola a la otra punta del mundo. Fue una temeridad, Marie. Te podría haber pasado cualquier cosa. Renegados, cazavampiros, y solo Dios sabe qué más.

—Por favor, no seas tan melodramático. Puedo cuidarme sola.

—No la regañes —intercedió William—. Ya sabe que no estuvo bien.

—Sois mis hermanos, y un par de insensatos la mayor parte del tiempo. No podéis pretender que no me preocupe, protegeros es mi prioridad.

La voz grave de Shane resonó contra las piedras.

—Estaban protegidos. Esa también es nuestra prioridad.

Al oír esas palabras, Robert lo buscó con la mirada y arqueó una ceja. Lo estudió con curiosidad.

—Tú debes de ser Shane Solomon. He oído cosas sobre ti que no dejan indiferente.

Shane inclinó la cabeza a modo de saludo.

—Yo también he oído cosas sobre ti.

Marie bajó la vista y una sonrisa turbada curvó sus labios.

La puerta principal volvió a abrirse y Aileen apareció como una hermosa visión.

—¿Qué hacéis todos aquí? —Sus ojos se posaron en Robert y brillaron de alivio—. ¡Oh, querido, qué bien que hayas regresado! ¡Hay tanto por hacer antes del baile!

9

—Gracias por ayudarme a vestirme, Harriet. Creo que nunca habría podido ponerme todo esto yo sola —susurró Kate mientras se miraba en el espejo.

Harriet se llevó las manos al pecho y sonrió como si estuviera contemplando a una hija.

—¡Estás preciosa!

—¿De verdad?

—¡Oh, mírate! Por supuesto que lo estás, mucho más que esas gallinas paliduchas que hay abajo.

Kate la miró por encima del hombro y apretó los labios para no echarse a reír.

—¿Gallinas paliduchas?

—¡Oh, ya las verás, pavoneándose todo el tiempo! Compitiendo entre ellas para ver quién lleva el mejor vestido y tan insoportables como la mismísima Scarlett O'Hara.

—Creía que los vampiros te caían bien.

—Solo algunos. Otros son tan estirados y prepotentes que te dan ganas de abrir las cortinas y que el sol los fulmine. Pero no le digas a nadie que lo he dicho.

Kate negó con un gesto y rio para sí misma sin apartar la vista del espejo.

Le encantaba el recogido que Harriet le había hecho en el pelo, y también el maquillaje, las sombras oscuras que destacaban sus ojos y el color melocotón en sus mejillas. El vestido negro se adaptaba a su cuerpo como si se lo hubieran hecho a medida. El corte resaltaba la línea de sus hombros, el escote y su vientre liso hasta las caderas, donde la falda de encaje y tul se abría como un abanico hasta los tobillos. Se acomodó el corpiño y acarició la pedrería que lo decoraba. Era precioso y tan delicado.

Inspiró hondo y dejó escapar el aire con un suspiro.

—¿Necesitas que te lo afloje? —se preocupó Harriet.

—No, está bien así.

—¿Sabes? Me recuerdas a Audrey Hepburn en *Sabrina*. Sois igualitas, aunque tus ojos son mucho más bonitos.

Kate se ruborizó por el cumplido.

—¿Es cosa mía o le gusta el cine clásico?

Harriet se echó a reír y le colocó las manos sobre los hombros.

—Si pudiera, viviría en una comedia romántica en blanco y negro, y sería la señora Sinatra.

Kate se dio la vuelta para mirarla a los ojos. Los pies empezaban a dolerle por culpa de los tacones y se preocupó por el tiempo que tendría que pasar de pie. Esperaba no tener que bailar, porque poseía la misma gracia y fluidez que un espantapájaros.

—Estoy muy nerviosa —confesó.

—Lo raro sería que no lo estuvieras —señaló Harriet. Tomó el rostro de Kate entre sus manos y le sonrió—. Todo irá bien, los Crain cuidarán de ti. —Bajó la mirada un momento—. Por cierto, hay algo que debo decirte, de humana a humana, ya sabes.

—¿De qué se trata?

—No sé si alguien te lo ha dicho, pero... Los vampiros desprenden cierto magnetismo que los humanos percibimos. No es atracción como tal, sino otra cosa. Como una influencia, algo que envuelve tu mente y puede hacer que experimentes sensaciones extrañas. Cuando hay muchos vampiros en un mismo lugar, como esta noche, esa influencia es mucho mayor y para una mente que no sabe a lo que se está enfrentando, la realidad puede volverse algo confusa. ¿Entiendes lo que quiero decir?

—¿Me está diciendo que pueden jugar con mi mente?

—No, cielo, ese don es muy inusual. Lo que trato de decir es que tu mente puede distraerse con sentimientos y pensamientos que en otras circunstancias es posible que no tuvieras. Ten cuidado con eso.

Kate asintió con el ceño fruncido. Recordó lo que Shane le había advertido cuando regresaban del cementerio. No debía fiarse de sus sentimientos mientras estuviese allí.

Sonaron unos golpes en la puerta y Harriet se apresuró a abrir. Aileen y Marie entraron en la habitación, y el ama de llaves las dejó a solas con Kate.

—¡Querida, estás preciosa! —exclamó Aileen.

—¿Os gusta?

—¿Que si nos gusta? Estás perfecta —le respondió Marie mientras corría a su encuentro.

—No tanto como vosotras.

Aileen negó con una gran sonrisa y cruzó la habitación. Llevaba un vestido rojo de satén que dibujaba su preciosa figura. Se había recogido la oscura melena en un moño alto decorado con plumas negras, a juego con una gargantilla de perlas y un broche en el escote que resaltaban su extrema palidez. A su lado, Marie resplandecía con un vestido de seda de color azulado y una tiara de brillantes que mantenía sus largos rizos rojos apartados del rostro.

—Debo acompañar a Sebastian para recibir a los miembros del Consejo. Pero antes quería verte y darte esto —dijo Aileen, mientras abría un estuche forrado con terciopelo negro que llevaba en la mano y sacaba un collar.

Kate se quedó mirando la esmeralda engarzada que colgaba de una cadenita de oro blanco y tragó saliva. Nunca había llevado nada tan bonito. Se dio la vuelta cuando Aileen se lo pidió y contuvo el aliento mientras le colocaba la joya sobre el pecho y cerraba el pequeño broche.

—Gracias. Es... es maravilloso.

—Es una tradición que las mujeres de la familia luzcan este colgante en su primer baile.

Marie asintió emocionada.

—Nadie se lo ha puesto después de mí. Es emocionante que tú lo lleves.

Kate acarició la gema con las puntas de los dedos y se estremeció con un cosquilleo.

—Gracias por considerarme parte de la familia.

Aileen la abrazó riendo y poco después abandonó la habitación.

En cuanto la puerta se cerró, Marie tomó las manos de Kate y tiró de ella hasta la cama para que se sentara a su lado.

—Tengo que contarte algo —susurró la vampira. Se llevó las manos al pecho y tomó aliento emocionada—. Shane y yo estamos juntos.

—Es genial, me alegro mucho por vosotros.

Marie frunció el ceño.

—¿No te sorprende?

—Lo que me sorprende es que haya tardado tanto en ocurrir. Además, la otra noche os vi en el templete. Él te besó.

Por los ojos de Marie cruzó un brillo de temor.

—¿Y William?

—No, no estaba conmigo.

—¿Y se lo has dicho?

Kate parpadeó varias veces y se rio sin humor.

—¡No soy tan cotilla!

—Menos mal —suspiró Marie.

Kate la miró con desconfianza.

—¿No quieres que lo sepa?

—Sí, por supuesto. Pero... —se puso de pie y comenzó a moverse de un lado a otro— quiero que lo sepa por mí. Verás, siempre he sido muy caprichosa con los hombres. He cambiado de novio tanto como de zapatos y, créeme, tengo un montón de zapatos. Y a veces, sin yo pretenderlo, les he hecho daño.

—A los zapatos.

—Muy graciosa —rezongó Marie, y le sacó la lengua—. Estoy segura de que William pensará que Shane es un nuevo capricho para distraerme y querrá apartarme de él. Lo aprecia y estima su amistad, y creerá que puedo estropearlo. Por eso debo decírselo yo.

—¿Y tendría razón? ¿Shane es otro capricho?

—¡No! —replicó Marie con vehemencia.

—Es un buen chico y se nota que le gustas mucho.

Marie gimoteó frustrada y se dejó caer en el diván.

—Y él a mí. —La cara se le contrajo con una mueca de desesperación—. No solo me gusta, siento algo muy intenso por él que va mucho más allá.

—¿Estás segura de eso, Marie?

La vampira asintió.

—Sé lo que es querer a alguien, que te tiemblen las rodillas en su presencia y el mundo se detenga cada vez que te mira. Lo viví una vez, cuando aún era humana. —Una triste sonrisa se dibujó en sus labios—. Se llamaba Lawrence Bettany. Su madre me daba clases de piano y al terminar siempre me invitaba a tomar el té. Lawrence nos acompañaba y no tardamos en enamorarnos. Soñaba despierta que me casaría con él, tendríamos cuatro hijos y disfrutaríamos de una vida perfecta en Bristol, donde él daría clases en la Universidad y yo cuidaría de los niños y nuestra maravillosa casa.

—Era un sueño precioso.

—Lo era —suspiró, y se puso en pie con la nostalgia oprimiendo su pecho—. Entonces, todo cambió. Tuvo lugar el ataque, yo me convertí y no tuve más remedio que abandonar a Lawrence.

—Lo siento mucho, Marie. Debió de ser terrible.

—Nunca dejé de amarlo. Lo observaba en la distancia y con el paso del tiempo vi cómo se casaba, tenía hijos e iba envejeciendo. A pesar del dolor que me causaba su felicidad, siempre velé para que la conservara. ¿Sabes? Nunca me fijé en ningún otro hombre. Le fui fiel hasta el día de su muerte, cuarenta años después.

Kate se levantó de la cama y fue a su encuentro. La abrazó desde atrás y apoyó la mejilla en su espalda, en un torpe intento de darle consuelo.

—Lo querías mucho.

—Muchísimo. Y lo que empiezo a sentir por Shane va más allá. Es más pasional, fiero e intenso. He encontrado a alguien a quien no le importa el apellido de mi familia, solo mi nombre. Que me contradice y me saca de mis casillas. No me adula ni me dice lo que quiero oír. Me reta constantemente para que sea yo, solo yo. Nunca he creído en el destino, pero ahora... —Se giró con una sonrisa en los labios y miró a Kate a los ojos—. Ahora sí.

10

—Señor, el último coche ha llegado y todos los invitados se encuentran en el vestíbulo. No deberían retrasar mucho más la bienvenida —dijo Cyrus, casi irreconocible con un elegante esmoquin.

Sebastian asintió y tomó la mano de Aileen. Después contempló los rostros de Robert, William y Shane, que le devolvían la mirada, expectantes.

—Bien, la gran noche ha llegado —anunció en tono solemne—. Sé que no es necesario que diga esto, aun así lo diré. Este maldito baile es el mayor pulso político y de poder al que tendremos que hacer frente. Han pasado muchas cosas y ellos lo saben. No podemos permitirnos ningún conflicto. Sed pacientes, no caigáis en sus juegos y provocaciones, y controlad vuestro temperamento. —Miró directamente a Robert y esperó a que este asintiera antes de continuar—. Es una noche especial, la presencia de Shane y Katherine la convierten en todo un desafío. Rencillas arraigadas e instintos difíciles de dominar, hostilidades y prejuicios que pondrán a prueba sus fuerzas y las nuestras. Su sometimiento y nuestra soberanía. No podemos mostrar la más mínima debilidad.

—No se puede mostrar lo que no se tiene —apuntó Robert desde el sofá en el que estaba sentado.

William sonrió. La soberbia que ostentaba su hermano no conocía límites, pero esa cualidad solo le hacía más peligroso de lo que ya era. Y debía serlo para el papel que le había tocado desempeñar en la familia. La mano derecha de Sebastian, que le ayudaba a gobernar. La izquierda que castigaba sin vacilar. Futuro rey de su linaje.

Todos juntos se dirigieron al vestíbulo y, tras unas palabras de bienvenida, Sebastian dio la orden de que se abrieran las puertas del gran salón, desde donde saludó uno a uno a sus invitados. A su lado, Aileen hacía su papel de anfitriona, prodigándose en atenciones y cumplidos.

Robert y William los acompañaban, fingiendo un entusiasmo que no sentían. En especial William, su presencia ejercía tal fascinación entre los vampiros, que todos lo miraban y cuchicheaban sin ningún disimulo. Cuando el último de los asistentes penetró en el salón y la música comenzó a sonar, Shane se les unió.

—Deberías relajarte, estás muy tenso —le susurró a William.

—¡Y me lo dices tú! Puedo oler tu adrenalina como si fluyera por mis propias venas —masculló William al tiempo que saludaba a un joven vampiro.

—Por mi parte es comprensible, se llama «instinto de supervivencia». Con tanto vampiro cerca, mi lobo quiere tomar el control.

—Tienes razón. Es que no soporto sus miradas. Me observan como si esperaran que en cualquier momento chasquee los dedos y... ¡*Voilá!* Agito la varita y... ¡Ya estáis curando! Amén.

—Estás fatal.

—Yo no debería estar aquí, sino arriba con Kate. No me gusta que haga su aparición sola.

—No la hará sola, Cyrus la acompañará —intervino Robert—. Tienes que confiar en nuestro padre. Él cree que es lo más acertado. Debe hacer su aparición sola, que toda la atención recaiga en ella, incluida la nuestra. No solo es humana, William, también recibe tu aprecio. Si no se hace bien, surgirán voces que no apoyarán esta relación. Las familias que tratan de emparentar con nosotros a través del matrimonio son muchas e influyentes.

—¿Y crees que me importa?

—Sé que no te importa, pero es importante que la acepten. Si no, ¿para qué demonios la has traído?

William apretó los dientes y bajó la mirada. Por mucho que le costase aceptarlo, Robert tenía razón.

—Y hablando de matrimonios —continuó Robert—. Charlotte y sus hermanas vienen hacia aquí.

—¿Quiénes? —se interesó Shane.

—Unas vampiras tan ambiciosas como hermosas y, créeme, son muy hermosas.

—¿Y huimos por eso? —preguntó Shane al verse arrastrado por el brazo de Robert hacia otro lugar.

—Huimos de su falta de escrúpulos para cazar un marido. ¿Cuenta como motivo?

—Viendo el miedo que te provocan, diría que sí.

Robert le gruñó.

William se echó a reír y miró a su alrededor. Las copas llenas de sangre se alzaban junto a breves reverencias y ademanes de cortesía. Extraños acentos y lenguas exóticas flotaban en el ambiente. Un quinteto de cuerda interpretaba el Minuetto de Boccherini, mientras los vampiros más mayores se reunían en torno a Sebastian y Aileen. De repente, un rostro llamó la atención de William.

—¿Qué está haciendo aquí? —preguntó con desprecio.

Robert se giró, buscando con la mirada aquello que había alterado a su hermano. Su expresión cambió al descubrirlo y todo su cuerpo se tensó. Un vampiro de melena larga y oscura cruzaba el salón. La barbilla alta, la espalda erguida y una sonrisa arrogante que deseó borrarle de la cara.

—Su familia pertenece al Consejo, puede estar aquí.

—Al cuerno su familia, se lo advertí. Se lo dejé muy clarito —replicó William.

—No creo que esperara encontrarte en esta celebración. Eso, o es estúpido. —Inquieto, Robert paseó la vista por el gran salón—. ¿Dónde está Marie?

Al percibir la inquietud que impregnaba la voz de Robert, Shane reaccionó.

—¿Por qué os preocupa Marie? —Miró a William, pero este no apartaba la vista del vampiro—. ¿Tiene algo que ver con ese?

William asintió. Un fulgor blanquecino iluminó sus ojos un momento.

—Ese es Fabio. Marcelo, su creador y mentor, es uno de los vampiros más ancianos y respetados del Consejo, por ese motivo aún conserva la cabeza sobre los hombros. —Inspiró y una risa callada y áspera que no presagiaba nada bueno vibró en su garganta—. Lleva años obsesionado con Marie, ansía unirse a ella y formar parte de nuestra familia. Una obsesión que ha sobrepasado muchos límites.

—Debemos vigilar a Marie, no puede quedarse a solas con él —indicó Robert.

Los ojos de Shane destellaron con un brillo dorado.

—¿Esa sabandija podría hacerle daño a tu hermana?

—No sabe encajar un no y es bastante agresivo. Toma lo que le apetece y a quien le apetece. Con Marie nunca se atrevería, pero suele molestarla hasta sobrepasar nuestra paciencia —susurró Robert.

Un gruñido bajo retumbó en el pecho de Shane y cada uno de sus músculos se tensó bajo la sofisticada chaqueta de su traje. Durante un instante, sus ojos se encontraron con los de Fabio y lo que vio en ellos le revolvió el estómago. Otra sensación, mucho más primitiva, le recorrió la espina dorsal. Un instinto de protección hacia Marie que lo sorprendió. No solo el hombre se preocupaba por ella, también el lobo.

—Yo me encargaré de que no se acerque a ella, vosotros tenéis cosas que hacer —dijo muy serio.

Dio media vuelta y se dirigió a las puertas. Sus ojos se deslizaban como una advertencia sobre todos esos rostros que lo observaban con recelo. El lobo se revolvía bajo su piel, inquieto y peligroso, dominando la situación, cediendo a sus instintos.

Robert lo siguió con la vista hasta que cruzó las puertas, pensativo.

—¿Tiene la marca?

William negó con un gesto.

—No, es Carter quien la tiene, el primogénito de Daniel.

—¿Y es blanco? ¿Cuándo se transforma es blanco?

—Sí. —Miró a su hermano con el ceño fruncido—. ¿Qué sabes?

—Aún nada, pero...

Con un gesto de la cabeza le indicó a su hermano un cuadro que colgaba de la pared, frente a ellos. Sonrió y arqueó las cejas, como si estuviera compartiendo un secreto.

William se acercó unos pasos y contempló el lienzo. Debía de llevar allí siglos, sin embargo, nunca se había fijado en él. La imagen representaba la firma del pacto, y se podía ver a Sebastian sosteniendo una pluma. Con él...

Los ojos de William se abrieron como platos. Al lado de su padre se encontraba el vivo retrato de Shane. Robert se acercó y le puso una mano en el hombro, se inclinó para hablarle al oído.

—El que está junto a nuestro padre es Victor Solomon. ¿Entiendes ahora mi curiosidad?

—Son idénticos.

—Como dos gotas de agua, y si mi larga vida me ha enseñado algo, es que no existen las casualidades.

—Hablas como nuestro padre.

—¿Y cuándo se ha equivocado?

William forzó una leve sonrisa, sin dejar de mirar el cuadro. Odiaba esa sensación que le recorría el cuerpo. La de sentirse como una marioneta que cuelga de unos largos hilos y que otras manos manejan. Todos eran títeres sobre el escenario ante un público invisible, bailando al son de un destino que parecía escrito desde hacía mucho, pero ¿quién le dio forma a ese destino? ¿Quién disfrazó de casualidades o coincidencias los pasos que los empujaban por un asfixiante corredor hacia una única salida?

11

Kate se quedó mirando la puerta que acababa de cerrarse tras la marcha de Shane y Marie. Él había aparecido unos segundos antes y, tras formular una disculpa, había expresado su deseo de hablar con Marie a solas.

Se apoyó contra uno de los postes de la cama y se llevó la mano al pecho. Su corazón latía muy deprisa y apenas podía llenar los pulmones de aire sin notar un pinchazo agudo bajo las costillas. El sonido de la música se filtraba hasta sus oídos y la realidad de lo que estaba sucediendo abajo se hizo más patente.

Notó que las paredes comenzaban a cernirse sobre ella, dejándola sin aire. De pronto, unos golpes sonaron en la puerta. Necesitó unos segundos para recomponerse y abrir.

Encontró a Cyrus en el pasillo. Se inclinó con una reverencia, nada más verla.

—Buenas noches, Katherine.

—Buenas noches.

—Es la hora, debo acompañarte hasta el salón de baile. ¿Me permites?

Kate asintió y colocó su mano temblorosa sobre el brazo que él le ofrecía. Juntos avanzaron por el pasillo, en silencio, y alcanzaron la escalera. Desde arriba, contempló el vestíbulo. Guirnaldas de flores colgaban por todas partes y las llamas de las velas iluminaban los muros como si estuvieran hechos de oro. Había Guerreros apostados en la entrada y junto a las puertas del gran salón. Se oían numerosas voces en el interior y una pieza de Vivaldi fluía a través de los muros de piedra.

Kate tragó saliva y el deseo de regresar a su habitación se apoderó de ella. Sus dedos se cerraron sobre el brazo de Cyrus.

—¿Necesitas un momento? —se preocupó él.

—Solo un segundo. —Inspiró hondo un par de veces—. ¿Y William?

—Asediado por sus invitados y a punto de sufrir un ataque de nervios. Espero que tu presencia logre calmarlo un poco.

Kate ladeó la cabeza y sus ojos se encontraron. Sin pensar, dio voz a una idea que danzaba por su cabeza.

—Todos os comportáis como si yo fuese lo único que impide que William desaparezca. Marie, Aileen, Harriet..., incluso tú.

Comenzaron a bajar la escalera, engalanada para la ocasión.

—Demasiado peso para tus hombros, ¿verdad? —convino él.

—No soy un milagro, Cyrus. Ni un regalo, ni una correa para controlarlo. Sé que le importo, pero también sé que un día seguirá su vida sin mí. Seré yo quien desaparezca.

Él se adelantó un peldaño y se detuvo frente a ella. Se encontraban a la misma altura y a Kate le resultó imposible ver más allá de esos ojos del color del hielo.

—Puede que solo seas un parpadeo en su larga vida, pero un gesto tan simple y humano puede deshacer las lágrimas. —Colocó su mano sobre la de ella con afecto paternal—. Y no olvides que ahora perteneces a un mundo en el que puedes elegir si desapareces o no.

Kate le sostuvo la mirada sin parpadear, al tiempo que esas palabras se abrían paso hacia rincones de su mente que trataba de ignorar. La vejez, la inmortalidad, el tiempo en sí mismo y su paso, había pensado en ello más de lo que estaba dispuesta a admitir.

Tras un largo instante, Cyrus la instó con una sonrisa a continuar. Alcanzaron las puertas del gran salón y Kate notó que se le aflojaban las rodillas.

—Cuando entres ahí, no los mires. Alza la barbilla y avanza con seguridad y sin dudar en línea recta. William y el resto de la familia estarán al fondo, esperando para recibirte. No les tengas miedo. El más peligroso de todos soy yo, y estoy de tu parte —le dijo Cyrus.

Kate le dedicó un pequeña sonrisa.

—De acuerdo.

—Esperan encontrar un pequeño pajarito a salvo dentro de una jaula. Una mascota que deben alabar para agradar a sus dueños. Sin embargo, verán a una princesa a la que deberán respetar y venerar. Deben verla.

—No soy ninguna princesa, Cyrus —susurró sin apenas voz.

Él se limitó a sonreír. Hizo un gesto a los Guerreros que custodiaban las puertas y estos las empujaron hasta abrirlas por completo.

Kate llenó su pecho de aire y lo soltó de golpe. Los nervios le estrujaban el estómago y el corazón le latía tan rápido como el batir de las alas de un colibrí. De repente, una ráfaga de aire frío la envolvió, erizándole la piel, y todo quedó en silencio salvo la música, que continuó sonando. Notaba las miradas de todos aquellos vampiros sobre ella, y una fuerza extraña que también la obligaba a ella a contemplarlos. Se le secó la boca y tuvo que apretar los puños para obligarse a no dar media vuelta.

La mano de Cyrus en su espalda la alentó a moverse. El primer paso fue el más difícil, después la inercia hizo todo lo demás. Caminó erguida. Decenas y decenas de ojos de colores inimaginables la estudiaban con curiosidad, de un modo tan agudo que creyó posible que pudieran penetrar a través de su piel hasta lo más profundo de su ser.

Tuvo la impresión de encontrarse en un museo de cera, rodeada de figuras de pálida piel, estáticas. Sin vida. No obstante, esos rostros sí reflejaban emociones. Vio desconcierto, asombro, desdén, soberbia, atisbos de lujuria y fingida indiferencia.

«¿No existen los vampiros feos?», la pregunta apareció en su mente como un chiste malo. Pero viendo esos semblantes, era imposible no planteárselo. Eran atractivos, hermosos y sensuales, en cierto modo, casi lascivos. Kate quedó maravillada con los vestidos, los tocados y las joyas que lucían. El conjunto era tan abrumador que comenzó a sentirse mareada y una extraña presión hacía que le palpitara la cabeza, poseída por una ligera embriaguez.

El destello de unos colmillos hizo que volviera en sí y aceleró el paso mientras los vampiros se iban apartando para abrirle paso. Su corazón se estremeció con un aleteo en cuanto divisó a William. Tembló de placer cuando sus ojos se posaron en ella, azules, brillantes y ardientes como una llama. Él salió a su encuentro y lo contempló de arriba abajo. Estaba guapísimo con un elegante traje negro a juego con la camisa, ligeramente entreabierta.

La tomó de la mano y se la llevó a los labios. Los presionó con dulzura contra sus nudillos.

—Estás preciosa —le susurró él al oído.

—Gracias.

William le ofreció su brazo y la llevó con el resto de la familia. A continuación, fue Sebastian el que la tomó de la mano y se inclinó para darle un beso en la mejilla. Gesto que repitieron Aileen, Robert y Marie.

Entonces, la música dejó de sonar.

Sebastian se giró hacia los presentes y alargó el silencio unos segundos. Recorrió con una mirada solemne el salón.

—Mi linaje. Mis amigos... Mi familia. Porque eso es lo que somos, una gran familia. Me alegra reuniros bajo mi techo y mi protección una vez más, para rendir homenaje al pasado y afianzar el presente, desde el que miraremos al futuro con más esperanza que nunca. Cada conmemoración ha sido trascendental. Sin embargo, en esta ocasión, es doblemente significativa. —Hizo una pausa y extendió una mano hacia Shane—. Esta noche contamos entre nosotros con un invitado importante. Me complace presentaros a Shane Solomon, sobrino de Daniel Solomon, señor del clan licántropo, y bisnieto de Victor Solomon, mi amigo y aliado. Su presencia es un don para mí, un paso más que acorta la distancia entre ambas razas. Hoy loamos la alianza que nos dio la paz, y celebrar este momento con el hombre que comparte la sangre de aquel que la derramó junto a mí para sellar el pacto, es un regalo. Porque debo recordaros...

Sebastian clavó sus ojos en Marcelo, un vampiro de piel cobriza y melena rizada. El mentor de Fabio había aceptado el cambio, más por miedo a las represalias que por convicción, y aún albergaba un resentimiento profundo hacia los lobos.

El rey continuó:

—Debo recordaros que el pacto no se firmó solo para sellar el final de una guerra durante la que se perdieron demasiadas vidas, sino para que ambos linajes pudieran trabajar juntos y crear un nuevo mundo en el que vivir en paz, seguro para nuestras especies, y seguro para los humanos que nos alimentan. —Hubo un murmullo de aprobación—. En esta era no tienen cabida los viejos rencores y nunca toleraré ninguna acción que conlleve un daño o una ofensa a nuestros aliados. Nunca he sido indulgente a ese respecto. —Sonrió y con ese gesto se borró de su rostro la expresión intimidante que lo había oscurecido durante el discurso—. Dicho esto, ahora me gustaría presentaros a alguien más.

Se volvió hacia Kate y extendió el brazo con la palma de la mano hacia arriba. Ella le devolvió la sonrisa y posó sus dedos sobre los de él. La besó en la mejilla con afecto y luego se inclinó con una reverencia, gesto que el rey solo dedicaba a las mujeres de su familia. Una muestra de respeto y protección.

El mensaje velado del rey llegó hasta el último rincón y los susurros se extendieron por el salón. Cuchicheos que expresaban sorpresa, curiosidad y recelos.

—Ella es Katherine y desde este momento la considerareis un miembro de mi familia. Una hija más para mi esposa y para mí. Es humana, como habréis comprobado, y no solo acepta a los vampiros como otros muchos, sino que también es capaz de amarlos. ¿Verdad, hijo?

William no pudo evitar sonreír y dio un par de pasos para colocarse junto a Kate. La miró a los ojos un instante y después asintió en respuesta a su padre. Los murmullos subieron de volumen y la excitación vibró entre los muros.

—Un ejemplo más de que seguimos el camino correcto —suspiró Sebastian—. Dicho esto, que dé comienzo el baile. ¡Disfrutad de la fiesta!

Como era costumbre, Sebastian y Aileen abrieron el baile. Tras sus primeros pasos, otras parejas se unieron a ellos al ritmo de una pieza de Paganini. Kate las contemplaba embelesada. Se movían con una elegancia exquisita. Las poses eran estudiadas. Cuellos estirados, brazos lánguidos y miradas profundas. Los vestidos giraban, como decenas de caleidoscopios lanzando brillos a su alrededor.

Cerró los ojos cuando notó la presencia de William a su espalda, su mano deslizándose por su brazo hasta alcanzar los dedos y entrelazarlos con los suyos. La apretó contra su pecho un instante, después, con un suave movimiento, la incorporó al baile y comenzaron a girar.

—No se me da bien.

—Déjate llevar, yo haré el resto —respondió William. La estrechó contra él con tanta fuerza que el aire no tenía cabida entre sus cuerpos—. ¿Lo imaginabas así? —le preguntó con los labios pegados a su frente.

Ella echó la cabeza hacia atrás y lo miró a los ojos. Brillaban de un modo tan sobrenatural que durante un momento no fue capaz de recordar lo que le había preguntado. Inspiró hondo y trató de ignorar la neblina que volvía a enturbiar su mente.

—No. Y sí.

Las cejas de William se unieron con una expresión divertida.

—Buena respuesta.

Ella sonrió.

—¡No te burles, no me has dejado terminar!

—Mis disculpas, hermosa dama. Continuad, os lo suplico.

Kate se sonrojó, como cada vez que él usaba ese lenguaje con ella para hacerla reír. Lograba que se sintiera como un personaje de novela.

—No es como lo imaginaba porque se supone que los vampiros son un mito, no existen. Son una ficción que duerme en ataúdes, en viejas casas mohosas. Por otro lado, tampoco sois eternos adolescentes con anillos de día que fingen ser humanos y van al instituto, pelean contra brujas y mueren si un hombre lobo les muerde.

—¿Disculpa?

—Tú no ves mucho la tele, ¿verdad?

—Prefiero leer.

—¿Por qué no me sorprende?

William se echó a reír y la besó en la frente.

—No hay anillos mágicos que protejan a los vampiros de sol. Tampoco brillamos. Las brujas nos ignoran y los lobos no soportan el sabor de nuestra sangre.

—¿Existen las brujas? —inquirió Kate con los ojos muy abiertos.

—Ellas fueron la primera especie sobrenatural. Su magia ha manipulado desde siempre el mundo y a los que lo habitan.

—¿De verdad? ¿Y tú has visto alguna?

—De verdad. Y no he tenido ese placer.

—¡Vaya! —Miró a su alrededor y tomó aliento—. Los observo y aún espero que de un momento a otro crucen esas puertas Emma Woodhouse y el señor Knightley.

—No imagino a esos vanidosos insustanciales esperando la nueva colección de Valentino o discutiendo sobre las últimas novedades tecnológicas, como hacen esos dos. —Hizo un leve gesto hacia dos vampiros que conversaban muy cerca—. No caigas en el error de los tópicos que han creado personas que dudan de nuestra existencia. Los vampiros llegaron al mundo miles de años antes de que Anne Rice convirtiera a Lestat de Lioncourt en una especie de bandera vampírica. Una imagen algo ridícula, por cierto.

—Nunca me gustó Lestat. Louis era mucho más mono.

William sacudió la cabeza, divertido, sin dejar de girar con ella entre sus brazos.

—Los vampiros no viven anclados a ningún pasado. Avanzamos con el tiempo, nos adaptamos a cada nueva época, incluso las disfrutamos. —Arqueó las cejas con un gesto de disgusto—. Unas más que otras, los ochenta fueron insufribles. Sin embargo, este siglo que comienza me gusta bastante.

—Tú eres diferente, William. Puedes hacer una vida normal que te permita avanzar, pero ¿y ellos? Solo pueden salir de noche, ¿eso no es como tener solo media vida? Viviendo de este modo, es imposible que progresen al ritmo del mundo humano. Supongo que a un vampiro más joven, como Marie, no le costará tanto. Pero el que tenga cientos y cientos de años...

—¿Crees que mi hermano no está evolucionando a tu ritmo? Tiene más de mil años.

Kate abrió mucho los ojos y buscó a Robert con la mirada. Lo encontró coqueteando con una vampira rubia de curvas generosas. Desprendía confianza, seguridad en sí mismo, y su mirada inteligente brillaba con la locura que acompaña a los genios. Recordó las cosas que William le había contado sobre él. Su pasión por la ciencia y los avances en inteligencia artificial, el espacio y cualquier tipo de descubrimiento en ese sentido. Su carácter cosmopolita y sibarita. No, Robert no vivía a la sombra de ninguna época pasada. Todo lo contrario.

Negó con la cabeza, en respuesta a la pregunta.

—Aunque no dejas de tener razón —continuó William—. Hay vampiros que han preferido quedarse atrás. Los siglos dieciocho y diecinueve son los preferidos por muchos. El romanticismo de la revolución cultural y social que tuvo lugar, el teatro, la ópera y las fiestas. El lujo de la vida aristocrática y la pobreza de las clases bajas. Fue una época esplendorosa y, sobre todo, muy segura para los vampiros.

Kate lo escuchaba embelesada.

—¿Cómo crees que será el mundo dentro de otros cien o doscientos años?

—No tengo ni idea, y tampoco me importa. Me interesa mucho más el presente inmediato. Como lo bien que te sienta este vestido y las ganas que tengo de quitártelo.

Ella se sonrojó de pies a cabeza y su corazón se aceleró. Los labios de William se curvaron con una sonrisa traviesa, mientras ella trataba de respirar con normalidad. La necesidad de besarla se convirtió en un dolor físico. Se inclinó hasta que sus labios rozaron su oído.

—Me vuelve loco ver cómo te excitas.

—Shhh, nos están mirando —musitó ella sin apenas voz.

William posó los labios en su lóbulo y le dio un mordisquito, a lo que ella reaccionó pellizcándole el brazo. Soltó una carcajada, grave y masculina, que atrajo la atención del resto de bailarines mientras Kate escondía la cara en su pecho y gemía avergonzada.

—¿Cambio de pareja?

12

Kate y William se giraron sorprendidos. Estaban tan absortos el uno en el otro, que no se habían percatado de la presencia de Sebastian y Aileen junto a ellos y que la pieza musical había terminado.

Una nueva melodía comenzó a sonar.

—Será un placer, madre —respondió William.

—¿Me concedes el honor? —le pidió Sebastian a Kate.

—Por supuesto.

Kate contuvo el aliento al notar la mano del rey en su espalda, bajo las escápulas. El contacto de sus dedos fríos sobre la piel desnuda la hizo estremecer. Con una leve presión, la instó a moverse y dejarse llevar por sus pasos. La condujo con suavidad a través del vaivén de los cuerpos que danzaban a su alrededor. La forma en la que Sebastian la sujetaba hacía que se sintiera ligera y grácil, y sus movimientos, más elegantes.

—¿Te estás divirtiendo? —preguntó él.

—Sí.

—Me alegro, a William se le dan bien muchas cosas, aunque el baile no es una de ellas.

Kate alzó la vista y lo miró a los ojos. Su presencia aún la intimidaba. El vampiro tenía las cejas rectas y más oscuras que el cabello. Sus pestañas largas y espesas enmarcaban unos iris de un azul profundo que no perdían detalle de su rostro.

Sebastian guio la conversación y en pocos minutos logró que se sintiera cómoda en su compañía. Se interesó por su familia y la vida que llevaba en Heaven Falls, y escuchó interesado todas las cosas que ella le iba contando. Poco a poco, Kate notó que su cuerpo se relajaba. Los brazos de Sebastian la mecían de una forma agradable y segura, y la música acrecentaba esa sensación de bienestar.

De nuevo sintió esa extraña embriaguez y un hormigueo que nacía en su mente y se extendía por todo su cuerpo. Miró a su alrededor y sonrió encantada. Todo era tan hermoso. Ellos lo eran. Tan perfectos. Vio a William a lo lejos y su vientre se contrajo con una punzada de lujuria.

«Para siempre», pensó, y esa idea se asentó en su mente.

Los sirvientes no dejaban de entrar con bandejas repletas de copas. El olor de la sangre no le pasó desapercibido. Tampoco las miradas ávidas que pesaban sobre ella. Los ojos que se clavaban en su cuello. Notaba el deseo incluso en la forma en la que contenían el aire cuando se acercaban demasiado.

A Kate no parecía importarle. Al contrario. De repente, deseó con todas sus fuerzas ser uno de ellos. Joven y hermosa para siempre. Toda una eternidad para disfrutar de más bailes, de los besos de William y la felicidad que sentía en ese instante.

—Me complace comprobar que te encuentras cómoda entre nosotros. Te confieso que me preocupaba tu reacción —dijo Sebastian.

Kate sonrió.

—No les tengo miedo, aunque siento que debería —confesó sin apartar la vista de William.

Hablaba con Beth y su padre, cerca de un ventanal por el que la luz de la luna se colaba brillante. Ella estaba preciosa y no dejaba de reír y tocar a William con cualquier excusa. Kate notó el sabor de celos pegándose a su boca. Beth quería a William y, probablemente, deseaba convertirse por él. Esa certeza la molestó.

«Yo seré uno de ellos», otra idea que tomó forma en su cabeza.

La voz de Sebastian la trajo de vuelta de esos pensamientos.

—Está bien que no les temas, el miedo es un potente estímulo para los vampiros.

—¿Me atacarían si estuviera asustada?

—El terror despierta el instinto depredador, el deseo de perseguir y cazar. Si a eso le sumamos que cada uno de nosotros desea tu sangre en este momento, el riesgo crece exponencialmente. —Kate parpadeó varias veces. Una voz en su cabeza no dejaba de repetirle que esas palabras deberían inquietarla, pero lo único que sentía era una fuerte admiración por todo lo que la rodeaba—. Aunque te prometo que nadie te hará daño. Hemos aprendido a contenernos, a soportar la sed y a distanciarnos antes de caer en la tentación.

—Debe de ser muy duro vivir así.

—Para unos más que para otros. A tu derecha, ¿ves a aquellos dos hombres que no dejan de mirarnos? —Kate giró la cabeza y buscó con la mirada. Asintió al descubrir dos pares de ojos clavados en ella de un modo muy inquietante—. Son Misha y Hared. Antes eran renegados, solicitaron el perdón y se les concedió. Sin embargo, han arrebatado demasiadas vidas. Están enganchados al placer de alimentarse hasta provocar la muerte y suelen tener problemas para controlarse.

—¿Enganchados? ¿Como un adicto a las drogas?

—Así es. Desangrar a un humano hasta la muerte es peligroso. La esencia vital de vuestro cuerpo es poder y fuerza en estado puro para un vampiro. Una vez que la pruebas, cuesta vivir sin ella.

—¿Y cómo sabes que fuera de aquí no hacen daño a nadie?

—Terapia de grupo y el padrino adecuado —dijo con una sonrisa, a la que Kate respondió sin que pudiera resistirse—. Las relaciones entre vampiros y humanos son muy complejas. Os necesitamos cerca para que nos protejáis y, al mismo tiempo, debemos mantenernos alejados para protegeros.

—Eso es una sinrazón, porque necesitáis alimentaros de nosotros para sobrevivir y de esa realidad nadie nos protege.

Sebastian sonrió y las líneas de su rostro se suavizaron.

—¿Mi hijo te ha explicado cómo conseguimos la sangre?

—Sí.

—Entonces sabrás que no causamos daño ni obligamos a nadie.

—Pero hay excepciones, ¿verdad? Siempre las hay —apuntó ella en un susurro.

Los ojos de Sebastian destellaron con un brillo púrpura.

—Esas excepciones suelen deberse a otros motivos.

—¿Cuáles?

—Nuestro anonimato, por ejemplo. —Tomó aire por la nariz y sonrió con pesar—. Hay reglas, Kate, y la primera para mí es la de proteger mi linaje por encima de todo. Es difícil encontrar el equilibrio y a los humanos adecuados, pero parece que lo hacemos bien. Llevamos aquí siglos y muy pocos conocéis nuestra existencia.

—¿Y cómo sabéis en quiénes podéis confiar?

—Procuramos no dejar nada al azar. Muchos de los humanos que hoy conocen nuestra existencia, pertenecen a familias que nos sirven desde hace muchas generaciones. Nacen y crecen conociendo nuestro secreto y la importancia de protegerlo, y lo transmiten a sus descendientes como un legado al que nosotros debemos mucho más que gratitud. Les debemos nuestra supervivencia.

—Como Duncan, Beth y Harriet.

—Sí, como ellos. Luego hay otros a los que se les revela la verdad por conveniencia, siempre que tengamos la certeza de que podrán aceptarla. Henry, el esposo de Harriet, es un ejemplo.

—¿Y el tercer grupo? Los que como yo descubren la verdad por una casualidad o un descuido.

—Me consta que William tenía intención de darte a conocer su naturaleza. —Kate asintió y su cuerpo tembló con los recuerdos de esa noche—. Pero sí, te situaré en el último grupo, ya que son los que realmente despiertan mi curiosidad. Si están dispuestos a cargar con nuestro secreto, con todo lo que supone, viven. Si no, y muy a mi pesar, mueren.

—Pero matarlos incumple el pacto que celebráis esta noche.

—En todos los contratos hay letra pequeña —replicó él divertido.

Kate sonrió y un ligero rubor cubrió sus mejillas. Sebastian la fascinaba. Su rostro, sus gestos, el sonido de su voz... Se sentía atraída como una polilla por la luz y tuvo la impresión de que nada de lo que él pudiera decir, por muy oscuro que fuese, la perturbaría.

—¿Por qué despertamos tu curiosidad?

—Porque en vosotros está la clave de nuestro futuro. Necesito comprender qué es lo que hace que unos nos aceptéis y otros no, qué despierta vuestra empatía. Llevo siglos intentando descubrir qué os motiva, aunque creo que nunca lo sabré. El ser humano es complejo. Lo que para uno es normal, para otro es una barbarie. Y sois tan numerosos que nuestra supervivencia entre vosotros solo sería posible a través de la aceptación y no estáis preparados. Así que solo podemos tener paciencia y esperar a que algún día vuestras mentes queden libres de prejuicios.

El ritmo de la música se aceleró y Kate sintió que volaba en los brazos de Sebastian. Una enorme sonrisa se extendió por su rostro. Mírase donde mirase, la belleza la golpeaba en el pecho. Un entusiasmo febril se apoderaba de ella y le robaba el aliento ante la evidencia de que sus sueños de niña sobre los cuentos de hadas y los bailes de princesas eran verdad.

—Muchos humanos no solo os aceptan, también se convierten para ser como vosotros.

—Cierto.

—Entiendo que lo deseen —susurró ella, mientras lanzaba otra mirada a las personas de la sala y la admiración brillaba en sus pupilas—. Creo que yo también lo deseo.

Sebastian se detuvo de golpe y la miró en silencio durante unos segundos.

—¿Qué deseas? —inquirió con cautela.

—Ser una de vosotros —contestó sin dudar.

—Ven, demos un paseo.

Sebastian la tomó del brazo y la guio afuera del salón. Después la condujo a través de varias estancias hasta la cocina, desierta en ese momento. Encendió la luz y abrió un armario botellero.

—¿Vino?

Kate se ruborizó y negó con un gesto.

—Aún no tengo edad suficiente.

—Puede que no en Estados Unidos, pero aquí sí.

—De acuerdo.

Sebastian descorchó una botella de vino sin ninguna etiqueta y sirvió dos copas. Le entregó una a Kate y con un gesto le pidió que lo siguiera al exterior.

—El alcohol es lo único que los vampiros podemos digerir.

—Está bueno —dijo Kate tras dar un sorbito a su copa.

—Nuestros viñedos en la Borgoña producen un vino exquisito. Este es un Pinot Noir de Vougeot, mi favorito. —Paladeó el líquido rosado e inspiró el perfume que desprendían las flores del jardín—. ¿Quieres ser uno de nosotros, querida?

El corazón de Kate dio un vuelco y su pulso se aceleró. Notaba sus pasos ligeros y de nuevo esa extraña sensación, como una delicada presión en su mente, algo que no formaba parte de ella, pero que se fundía con sus pensamientos.

—Sí.

—¿Por qué?

—Porque no quiero envejecer. No... no quiero perder a William.

—¿Nada más?

—Y porque sé que aquí podría ser feliz. Este sitio es maravilloso, vosotros los sois.

Sebastian se detuvo para dedicarle toda su atención. No había nada relajado en su postura.

—El amor puede nublar el juicio, Kate. Y convertirse en vampiro no es algo de lo que te puedas arrepentir más tarde si el amor desaparece. William y tú apenas os conocéis. No eres más que un tierno bebé en los brazos de Eros, ¿qué sabes tú del amor?

Kate parpadeó varias veces y su frente se llenó de arrugas. Un ruidito de disgusto escapó de su garganta.

—Sé lo que siento cuando estoy con él y es algo tan grande y hermoso que no soy capaz de contenerlo. También sé lo que sufro cuando pienso que cualquier día podría perderlo.

—¿Y si solo es pasión lo que sentís? ¿Y si realmente no te ama?

La respiración de Kate se volvió rápida y superficial. Una llama airada cobró vida en su pecho.

—Me quiere, y yo a él. Estoy segura. Estábamos dispuestos a sacrificarnos el uno por el otro, ¿qué es el sacrificio sino un acto de amor profundo? Deseo convertirme.

—Puede que William no opine como tú. ¿Has pensado que quizás él no quiera que hagas ese sacrificio? Mi hijo no es como el resto de nosotros, Kate. Y lo que pasó con Amelia... Eso dejó una herida muy profunda en él.

Kate se estremeció y sus mejillas enrojecieron. Ni siquiera había pensado en esa posibilidad. La duda afloró, pero se negó a escucharla.

—¡Son dos situaciones completamente distintas!

—Es cierto, lo son.

—Entonces, ¿me darás tu bendición?

Sebastian alzó la barbilla y contempló el cielo, pensativo. Al cabo de unos segundos, bajó la cabeza y la miró con intensidad. Sus ojos se habían transformado en dos pozos negros que reflejaban la luz de la luna. Con el rostro envuelto en sombras, su aspecto era sobrecogedor.

—Voy a confesarte algo, Kate. Deseo dártela por todo el amor que siento por mi hijo, porque ese amor es egoísta e interesado y haría cualquier cosa que pudiera regalarle un poco de felicidad. Le entregaría tu alma yo mismo, en este instante, y sin dudar un ápice. —Esbozó una sonrisa en la que no había ninguna amabilidad. Dio un par de pasos hacia ella y le tomó la barbilla con los dedos—. Sin embargo, no voy a hacerlo.

—Pero... —Las palabras enmudecieron tras sus labios cuando Sebastian los selló con una mano.

—Habla con William, dile lo que deseas. Si él comparte tu decisión y acepta convertirte, os daré mi bendición. Solo entonces, Kate, y esta será tu familia para siempre.

Se inclinó y le dio un beso en la mejilla.

Cerró los ojos ante el sonido de su corazón y se deleitó con su eco.

—Solo entonces —repitió.

13

Faltaba una hora para el amanecer y casi todos los vampiros se encontraban ya en los pisos inferiores. Allí estarían protegidos de las horas diurnas, hasta que la noche llegara de nuevo. Entonces, los coches volverían para llevarlos de vuelta al aeropuerto.

Kate cruzó el vestíbulo desierto y se sentó en la escalera. Las velas se habían consumido y las guirnaldas de flores perdían su frescura con rapidez. Sintió pena por ellas, era triste que algo tan bonito durara tan poco.

«Como tú», dijo una voz en su cabeza. La apartó de inmediato.

Con un suspiro, se inclinó hacia delante para quitarse los zapatos y gimió al sentir el suelo frío bajo los pies. Era agradable y aliviaba las molestias de los tacones.

Se llevó la mano a la boca y contuvo un bostezo. Estaba tan cansada que los párpados le pesaban, sin embargo, no estaba segura de que pudiera dormir. La conversación que había mantenido con Sebastian no dejaba de dar vueltas en su cabeza. En cierto modo, entendía su negativa, pero eso no hacía que se sintiera menos frustrada. No tenía ni idea de qué pensaría William sobre convertirla, y el único modo de averiguarlo era hablando con él.

A simple vista, parecía algo sencillo. Solo tenía que abrir la boca y soltarlo todo. Entonces, ¿por qué sentía pavor con solo pensarlo?

William la observaba a unos pasos de distancia con una sonrisa en los labios. Se acercó y la besó en la cabeza, antes de sentarse a su lado.

—¿En qué piensas?

—En nada —respondió ella.

—Ese nada parecía interesante. Estabas completamente abstraída.

Kate notó que el pasador de su pelo se había desprendido un poco. Se llevó una mano a la nuca y se lo quitó. Después lo hizo girar entre sus dedos.

—¿Te das cuenta de que apenas hemos estado juntos esta noche?

—Bueno, no me sorprende. Tanto mis padres como Robert te han acaparado la mayor parte del tiempo.

Ella resopló con fastidio.

—Intentaban que me sintiera bien, ya que tú parecías muy solicitado por ese grupito de vampiresas esnobs.

—Forma parte de mis obligaciones ser un buen anfitrión —dijo él en tono inocente.

—¡Oh, sí, y seguro que ha sido una experiencia horrible!

La sonrisa de William se ensanchó. Acercó los labios a su oído y le susurró:

—Estás celosa.

—¿Celosa yo?

—Solo tenía ojos para ti.

Kate se sonrojó mientras sus miradas se enredaban. Percibió el ardor en sus ojos, la lujuria y el deseo, la necesidad. Cambiaban de tono a toda velocidad. Se le aceleró la respiración. Sus pechos subían y bajaban dentro del corpiño apretado. Segura de lo que deseaba, se puso de pie y le ofreció su mano. Aspiró de forma temblorosa.

—Tú y yo tenemos algo que terminar.

La mirada de William se oscureció, mientras los botones de su camisa se tensaban con una brusca inhalación. Se puso de pie y la tomó en brazos. Una sonrisa ladeada tiró de la comisura de sus labios. Subió la escalera sin mirar dónde ponía los pies. Solo tenía ojos para ella y el rubor que coloreaba toda su piel, subiendo la temperatura de su sangre.

—Señor... —la voz de uno de los Guerreros resonó en el vestíbulo.

—Ahora no —su voz sonó como un gruñido.

No tardó en alcanzar la habitación de Kate. La puerta se abrió sin que nadie la tocara y volvió a cerrarse tras ellos. Sin decir una sola palabra, la dejó en el suelo. Enmarcó su cara con las manos y apretó su cuerpo contra la pared.

—Te deseo —dijo en un susurro gutural.

Kate no veía nada más que sus ojos azules a un centímetro de los suyos.

—Yo también te deseo.

La besó.

Sus dientes chocaron y sus lenguas se enredaron. Quería sentirla, explorar su piel y besar todos y cada uno de sus lunares. Presionó su cuerpo excitado contra el de ella, hasta el punto de eliminar cualquier molécula de aire entre ambos. Podía notar los latidos de su corazón, palpitando con tanta fuerza que la sacudían entera y esa vibración se extendía a su propio pecho.

Su sangre lo llamaba con insistencia. Desoyó su voz y se recordó lo importante que era ese momento para los dos. No se trataba solo de sexo. De un arrebato animal. Lo que había entre ellos era especial, único, y quería demostrárselo con cada beso y caricia.

La agarró por la nuca y se apartó unos centímetros para poder mirarla a los ojos.

La besó otra vez, lleno de rabia y amor, porque despertaba en él emociones que no reconocía, y amaba y odiaba esa nueva sensación.

La besó porque le había devuelto la esperanza y su corazón, algo que creía que nunca recuperaría.

La besó porque era ella y no había nada tan dulce como su boca.

Kate le puso las manos en el pecho y lo apartó. Se había quedado sin aire. Tragó una bocanada y, mientras recuperaba el aliento, tomó su chaqueta por las solapas y se la quitó. Después comenzó a desabrocharle la camisa. El último botón se le resistía y no dudó en pegar un tirón y arrancarlo de la tela.

William sonrió, seductor. La forma en la que Kate se dejaba llevar sin ningún control era adorable a la par que muy sexi. Cuando sus pequeñas manos alcanzaron los pantalones, tuvo que frenarla. Se aguantó las ganas que tenía de ella y dio un par de pasos atrás.

Quería ir despacio. Necesitaba ir más despacio.

La tomó de la mano y la condujo hasta el centro de la habitación. De repente, las velas que había sobre la cómoda comenzaron a arder y una suave luz iluminó la estancia. La miró de arriba abajo y comenzó a moverse a su alrededor. Le acarició el borde de la oreja con los labios. Después depositó otro beso en su hombro. Uno más en la nuca. Deslizó las manos por sus caderas y ascendió por los costados hasta alcanzar la parte superior del vestido.

—Quiero verte. ¿Puedo?

Ella asintió sin aliento.

William bajó la cremallera con una lentitud agónica. Luego sus dedos hicieron el mismo trayecto en sentido ascendente y empujó la tela hacia abajo. El vestido resbaló por su cuerpo hasta el suelo y quedó alrededor de sus pies descalzos.

Deslizó las manos por la parte baja de su espalda y viajaron por su cintura hasta el estómago. Con los pulgares la acarició despacio, poco a poco, justo por debajo del sujetador.

—Eres preciosa —le susurró al oído.

Kate cerró los ojos y gimió, a punto de hiperventilar. Él la hizo girar y se encontró con sus ojos. Las pupilas ocupaban todo el iris y brillaban como plata fundida. Aun así podía ver el deseo en ellos. Separó los labios. Él agachó la cabeza y se detuvo un instante, sus labios sobrevolaban los de ella como una pecaminosa tentación. Oyó un rugido que nacía en lo más profundo de su garganta y después le devoró la boca, tomando lo que quería; y ella se lo dio, incapaz de resistirse.

Sus besos eran hambrientos y sus manos la apretujaban con suavidad. Sofocó un grito al sentir que la agarraba por las caderas y la levantaba. Le rodeó el cuello con los brazos y la cintura con las piernas. Él acunó su trasero con las palmas de las manos.

Iba a suceder. No había vuelta atrás y se entregó a ciegas a aquella locura que tanto deseaba.

Sus sentidos tomaron las riendas.

William la dejó en la cama y se colocó sobre su cuerpo sin dejar de besarla. Ella gimió bajo su peso y se arqueó para sentirlo más cerca. La besó en el cuello y lamió cada centímetro de su piel hasta alcanzar el borde de encaje del sujetador.

De repente, él se separó bruscamente con un gruñido y se incorporó. Cerró los ojos y alzó la barbilla, como si intentara captar algo en el aire.

—¿William? —susurró Kate desconcertada—. ¿Qué te ocurre?

Él alzó una mano, pidiéndole silencio, e inclinó la cabeza hacia el ventanal. Las arrugas de su frente se hicieron más profundas.

—Algo está pasando —su voz sonó ronca.

—¿Qué?

—¡Quédate aquí!

Las puertas que daban al balcón se abrieron de golpe y William saltó la balaustrada. Una brisa húmeda le golpeó el rostro mientras caía con la camisa abierta ondeando a su espalda. Sus pies descalzos tocaron la hierba mojada del jardín. Aguzó el oído e infinidad de sonidos llegaron hasta él. Los fue descartando uno a uno, buscando con urgencia el que había encendido todas sus alarmas.

—¡Soltadle!

La mirada de William voló por encima del estanque hacia la colina, de allí surgía la voz de Marie. Echó a correr en esa dirección, mientras las palabras llegaban a sus oídos con más claridad conforme acortaba la distancia.

—¡No, Shane, no te transformes o esa cosa te matará! —gritó Marie.

—Jamás permitiré que un sucio animal como tú la toque —la voz de Fabio le llegó nítida con el viento.

Cerró los puños y aceleró su carrera. Una escena terrible tomó forma ante sus ojos y un rugido salvaje brotó de su pecho. Dos vampiros retenían a Marie. Ella no dejaba de retorcerse mostrando los colmillos. Otros dos inmovilizaban a Shane por los brazos, mientras Fabio lo golpeaba con saña.

Los ojos de William centellearon enloquecidos. Su amigo llevaba enroscada al cuello una cadena que reconoció enseguida. Se habían usado durante la guerra contra los lobos y estaban hechas de una aleación prácticamente irrompible, forjada y enfriada en acónito y belladona. Las heridas infligidas por ese metal tardaban mucho más en sanar.

En el cuello de un hombre lobo eran letales si este se transformaba, porque moría decapitado o desangrado en pocos segundos.

Fabio alzó el puño para asestarle otro golpe, pero William lo embistió y lo lanzó por los aires. Los vampiros que lo acompañaban corrieron a auxiliarlo. Arremetieron contra William, pero este era más rápido y lograba esquivar los golpes. Fabio se levantó del suelo, algo mareado, y atacó a William aprovechando la ventaja que le daban sus guardaespaldas.

Lo rodearon como una manada de hienas.

Marie aprovechó el momento para correr hasta Shane. Se arrodilló a su lado y empezó a tirar de la cadena con las manos desnudas para aflojarla. El metal le lastimaba la piel con profundos cortes. Pese a las heridas, continuó forcejeando con los eslabones sin perder de vista a su hermano. Eran cinco contra uno y las cosas iban a ponerse feas, incluso desesperadas.

—¡No sabes cuánto deseaba este enfrentamiento! —exclamó Fabio, mientras apuntaba con un dedo a William—. Tú tienes la culpa de que ella no quiera estar conmigo. Le has llenado la cabeza con estupideces y la has lanzado a los brazos de esa bestia. ¿Sabes lo que estaban haciendo cuando los he encontrado?

William lanzó una rápida mirada a Shane, estaba a punto de transformarse y no iba a poder ayudarlo. Esa realidad lo golpeó con violencia.

—Marie toma sus propias decisiones. Nunca te ha querido, asúmelo y déjala en paz.

—Habría aprendido a quererme si la hubierais dejado.

—Mi familia no tiene nada que ver —gritó Marie—. Nunca, jamás tendría nada contigo. ¿Es que no entiendes que me das asco?

Los ojos de Fabio la taladraron con un odio visceral, y a continuación sonrieron al comprobar que el cuello del licántropo se hinchaba y un reguero de sangre le empapaba las ropas. No dejaba de gruñir, tratando de frenar la transformación.

William le chistó a Fabio para que se fijara solo en él.

—Has cruzado un límite muy peligroso, márchate antes de que la situación empeore.

Fabio sonrió como un demente, solo era cuestión de segundos que la cabeza de la bestia golpeara el suelo cercenada. Sacó una daga de su espalda y la hizo girar con destreza entre los dedos.

—Tú lo has dicho, ya he cruzado el límite, así que, ¿por qué no seguir con esto hasta el final?

Se abalanzó sobre William y sus hombres lo siguieron.

William hacía todo lo posible para evitar los golpes, pero eran demasiados y su preocupación por Shane le hacía perder la concentración. En un descuido, Fabio logró alcanzarlo y le dio un tajo que le cruzó el pecho. Hizo una mueca de dolor y apretó los dientes. Otro de los vampiros lo golpeó en las rodillas y el peso de su propio cuerpo le hizo caer de espaldas. Saltaron sobre él y consiguieron aplastarlo contra el suelo.

Todo sucedió muy deprisa.

La risa de Fabio al levantar la daga se mezcló con el grito de impotencia de Marie, que no sabía qué hacer. Shane había comenzado a transformarse y se asfixiaba por la falta de aire, y a su hermano estaban a punto de atravesarle el corazón con una daga mortal.

De pronto, Robert apareció de la nada semidesnudo. Le arrebató la daga a Fabio y le rajó el cuello al vampiro que había a su lado. Con otro giro de su muñeca, clavó la hoja en el pecho de otro guardaespaldas.

En ese instante, la cadena que estrangulaba a Shane se partió y el gran lobo blanco tomó forma sobre sus cuatro patas. Aulló a la luna que comenzaba a desvanecerse con la claridad del amanecer. Bajó la cabeza y sus ojos, brillantes como el oro fundido, se clavaron en Fabio. Separó las mandíbulas y dos hileras de dientes afilados destellaron.

—Déjalo, Shane, mi padre se ocupará de esto —le pidió William mientras se acercaba a él.

La herida del pecho sangraba profusa y se sentía débil.

El zarpazo del lobo lo pilló por sorpresa y lo golpeó de lleno en el estómago.

Robert reaccionó y se lanzó para interponerse entre ellos.

—¡No, está descontrolado! —le gritó William.

Robert se detuvo con la daga aún en su mano. William le hizo un gesto desde el suelo para que mantuviera la calma y también se quedó inmóvil.

Shane los vigiló un instante sin dejar de gruñir, y de nuevo concentró su atención en Fabio. El vampiro se encontraba parapetado tras sus guardaespaldas y lo contemplaba aterrado. Arañó el suelo con las uñas y resopló. Se movió a un lado, y después a otro, acechándolo como la presa que era. Su garganta vibró con un gruñido siniestro y sus patas se flexionaron para saltar.

—William, no puede atacar a un miembro del Consejo. No dentro de estos terrenos —gritó Robert.

—¡Ya lo sé, maldita sea! —exclamó, poniéndose de pie a la velocidad del rayo.

Marie fue más rápida. Saltó entre sus hermanos y se colocó frente a Shane.

—Shane, deja que se vaya. No merece la pena.

El enorme lobo levantó el labio superior y le mostró los dientes.

—Marie, ven aquí —la urgió William mientras le tendía la mano—. Puede que no sea él en este momento.

Ella ignoró por completo su ruego y se acercó poco a poco.

—Shane, si le haces daño será a ti a quien juzguen. Por favor, deja que mi familia se encargue de esto. —El lobo volvió a gruñir y lanzó una dentellada al aire. Marie se mantuvo firme—. Escúchame, no volverá a hacerme daño. Esta vez ha llegado demasiado lejos.

Estiró la mano muy despacio y la posó sobre su hocico.

William alzó el brazo para que Sebastian y Cyrus, que llegaban en ese momento, se detuvieran.

Marie deslizó la mano desde el hocico hasta sus orejas puntiagudas y en un arrebato de alivio lo abrazó por el cuello. Apoyó la mejilla cerca de su oído.

—Te quiero, Shane. Estamos juntos y eso es lo único que importa. —El lobo cerró sus ojos amarillos y ladeó la cabeza como si quisiera acariciarla con el morro—. Volvamos a la mansión, acurruquémonos bajo las sábanas y olvidémonos de todo. Por favor, ven conmigo.

Sus palabras lograron el efecto deseado. Shane se dejó caer en la hierba, exhausto, y poco a poco recuperó su forma humana. Marie lo abrazó y presionó la herida que él tenía en el cuello para detener la hemorragia. Cyrus se arrodilló junto a ellos y cubrió con su chaqueta el cuerpo desnudo de Shane. Un sonido de repulsión escapó de sus labios al ver lo que le habían hecho.

Cogió la cadena del suelo y la apretó con fuerza hasta que la sangre goteó de sus dedos. Miró con asco a aquellos que la habían usado.

—¿Señor? —bramó mientras con su otra mano sacaba una daga de su cinto.

—¡No, Cyrus! —le ordenó Sebastian.

—No tienen honor, son salvajes.

—Y obtendrán su castigo, te lo prometo.

Cyrus bajó el arma y cargó con el cuerpo de Shane. William y Robert se apresuraron a ayudarlo.

Sebastian se irguió con la luz del amanecer iluminando las colinas que se alzaban a su espalda. Sus ojos, rojos como la sangre, relampaguearon.

—¡Os quiero a todos en la sala del Consejo, inmediatamente! —rugió con el rostro desfigurado por la rabia.

14

A la noche siguiente, inmóvil sobre el tejado como una enorme gárgola, Shane observó a los vampiros que abandonaban el castillo. El goteo de coches era continuo. Uno a uno se detenían frente a la entrada, para alejarse después hasta un aeropuerto privado, desde donde los vampiros volarían a sus hogares.

Aguzó el oído y escuchó a Marcelo disculpándose de nuevo por el comportamiento de Fabio, con las excusas propias de alguien que odia a los licántropos. Palabras vacías que carecían de sinceridad, a las que Sebastian respondió sin inmutarse que la próxima vez no habría un juicio. Él mismo dictaría sentencia y lo castigaría con la muerte sin importarle que Fabio estuviera bajo su protección. Nadie desafiaba a Sebastian en su casa sin pagar un precio y Fabio ya no gozaba de privilegios.

Shane agradecía desde lo más profundo de su corazón esas palabras, pero no era suficiente.

Se sentó con los brazos descansando sobre las rodillas y cerró los ojos. Oyó unos pasos acercarse. Suspiró. No tenía ganas de hablar con nadie, ni siquiera con él.

—Lo siento mucho —dijo William mientras se sentaba a su lado.

El último coche desapareció a lo lejos. Todos los vampiros se habían marchado.

—Tú no tienes la culpa.

—No puedo evitar sentirme responsable.

—Pues no debes. —Se recostó sobre los codos y, al estirarse, su cuello mostró una línea rosada—. ¿Qué pasará con él?

—Lo han expulsado del Consejo. Ya no goza de privilegios ni de protección. Es un paria —respondió William.

Omitió que habían estado a punto de condenar a Fabio a muerte, y que el incomprensible voto de Robert lo había salvado en el último momento. Eso tenía trastornado a William. No entendía por qué su hermano había hecho semejante cosa. El vampiro que él conocía se habría ofrecido a ejecutarlo con sus propias manos.

—Bien, eso significa que podré matarlo yo mismo la próxima vez que nos veamos las caras.

Se puso de pie. Dio un paso adelante y saltó al vacío.

William lo siguió.

—¿Qué te pasó anoche? ¡Perdiste el control!

—No perdí el control en ningún momento, sabía perfectamente lo que hacía.

—Pero ¡me atacaste!

—Te interpusiste. —Shane se detuvo y dio media vuelta para encarar a William—. Mira, en ningún momento tuve intención de hacerte daño. Y si me conocieras de verdad, lo sabrías. Te pusiste en medio y yo quería destrozar a ese chupasangre. Ya está. Era asunto mío.

William negó exasperado.

—Estuviste a punto de hacer una estupidez. Una vez que mi hermano y yo aparecimos, tu asunto pasó a ser nuestro asunto. Ya sabes cómo funciona esto, Shane, no es tu territorio.

Shane se llevó las manos a la cabeza y enredó los dedos en su pelo, frustrado.

—Ese miserable apareció de la nada con sus guardias. Me puso esa cosa en el cuello y abofeteó e insultó a Marie. ¡Para mí era personal! Así que, como comprenderás, me importa una mierda tu territorio.

—Entonces, ¿es cierto? ¿Mi hermana y tú...?

—Sí, y si se supone un problema, ve haciéndote a la idea, porque no voy a renunciar a ella.

William sacudió la cabeza.

—¡No tengo ningún problema con que estéis juntos! ¿Por qué... por qué estamos discutiendo?

—Dímelo tú —replicó Shane exasperado.

William cerró los ojos y masajeó el puente de la nariz con fuerza. Empezó a reír y le dio un empujón a su amigo.

—Porque somos gilipollas.

Shane le devolvió el empujón y rio con él. Juntos rodearon el jardín y entraron en la cocina. Olía a tarta recién hecha y mermelada de frambuesas.

—No debería haberte sorprendido lo mío con Marie —comentó Shane, mientras buscaba la tarta. Chasqueó la lengua cuando la localizó en la repisa de la ventana, enfriándose—. ¿Crees que a Harriet le importará que me coma un poco?

William dijo que no con la cabeza.

—Seguro que la ha cocinado para ti. Con nosotros no suele usar el horno.

—¡Hay mermelada en la alacena! —la voz de Harriet les llegó desde el pequeño huerto de hierbas aromáticas que había plantado junto a uno de los establos en desuso.

—Te lo dije —susurró William. Apartó una silla y se sentó a la mesa—. Que estéis juntos no es lo que me ha sorprendido...

—¿Entonces?

William se encogió de hombros y sonrió al ver que su amigo sacaba una cuchara del cajón y la hundía en el centro en la tarta, que aún continuaba en el molde donde Harriet la había horneado.

—Me sorprende que esta vez mi hermana haya elegido a alguien que de verdad le conviene.

Shane dejó de masticar y se ruborizó. Ese comentario significaba mucho para él. La opinión de William le importaba; y que aceptara su relación con Marie les convertía en mucho más que amigos.

—Gracias.

—¡Oh, Dios, no pienso ponerme sentimental contigo!

—¿Sentimental? Ni siquiera sé lo que eso significa.

Sus miradas se cruzaron y ambos sonrieron a la vez. Habían pasado muchas cosas juntos, pese al poco tiempo que se conocían.

—¿Aún quieres quedarte? —preguntó William.

—¡Sí! Que un vampiro psicópata haya intentado decapitarme, no va a joderme las vacaciones. —Señaló los restos de tarta con la cuchara y arqueó las cejas—. Aún tengo que comerme otra docena de estas.

William se echó a reír. Se puso en pie y se pasó los dedos por el pelo revuelto.

—Voy a ver cómo está Kate.

—De acuerdo.

William colocó la silla en su sitio y se dirigió a la puerta.

—Eh, Will...

—¿Sí?

—Gracias.

—Ya te he dicho que no me importa —se rio.

Shane lo miró muy serio.

—Anoche me salvaste la vida. Si no hubieras aparecido...

—Dáselas a mi hermana. Sentí lo que pasaba a través de ella.

Shane frunció el ceño y dejó los restos de tarta en la encimera. Una extraña inquietud le erizó el vello.

—¿Qué quieres decir?

William se pasó la mano por la nuca, vacilante.

—Ya sabes que Marie y yo nos convertimos al mismo tiempo. —Su amigo asintió—. No sé por qué, pero desde esa noche compartimos un vínculo especial. Suelo sentir sus estados de ánimo y también presiento cuándo me necesita. A ella le ocurre lo mismo, por eso apareció en Heaven Falls. Sintió que yo no estaba bien.

—¿Y no te ha pasado con ningún otro vampiro?

—No. Bueno... con Amelia, pero no era ese tipo de conexión que tengo con mi hermana. Era otra cosa, como si pudiera percibirla todo el tiempo. Un hormigueo molesto en mi cerebro. —Sacudió la cabeza, quitándole importancia—. Pero Amelia está muerta y sigo notando esa inquietud, así que... ¿Quién sabe? Quizá sea otra de las muchas cosas raras que hago y solo trato de encontrarle sentido.

Shane se lo quedó mirando muy serio. En su interior el lobo gruñía nervioso y una luz de alarma se encendió en su cerebro. Poco a poco sus labios se curvaron con una sonrisa despreocupada.

—Yo en tu lugar no le daría importancia. Aunque no voy a negar que aún espero ver cómo te vuelves verde y te salen tentáculos.

—¡Que te den!

William salió de la cocina, mientras Shane se quedaba atrás, partiéndose de risa.

15

—¡Has cometido un error imperdonable! —gritó Marcelo mientras bajaba del coche.

Se atusó los rizos oscuros y empujó a un lado al chófer que sujetaba la puerta.

—Lo siento, padre. Perdí el control, esa bestia asquerosa...

Las palabras enmudecieron en la boca de Fabio cuando su padre lo golpeó con el dorso de la mano.

—Me has humillado por tu encaprichamiento con esa ramera. Has perdido el favor del rey y me has colocado en una posición muy incómoda. Una disculpa no basta.

—Lo siento, pero dijiste que un matrimonio entre las dos familias...

Los ojos de Marcelo brillaron con rabia. Tomó a su hijo por la nuca y acercó su rostro al de él.

—¿Y qué pensabas hacer? ¿Obligarla a casarse contigo después de destripar a su amante? ¿Crees que el rey la habría llevado de su brazo hasta tu cama? Maldita sea, Fabio, no es una de tus putas. ¿Por qué no usas la cabeza de vez en cuando?

—La quiero.

La risa taimada de Marcelo resonó en la pista de despegue mientras se dirigía a su avión privado.

—Tú no quieres a nadie —escupió para sí mismo.

—Padre, lo arreglaré.

—No harás nada, si quieres seguir vivo. No dudes de la palabra de Sebastian, la próxima vez te matará él mismo.

—Si no muere él antes —se mofó Fabio.

—Grítalo más alto, puede que aún quede alguien que no te haya oído conspirar contra tu amo.

Marcelo apretó los dientes y subió la escalerilla del jet.

Lo primero que vio fue una mano sobre el reposabrazos de la butaca y la copa de sangre que sujetaba entre los dedos. Después reconoció su anillo. Hizo una señal a Fabio para que volviera a descender y esperara en la pista. Avanzó por el pasillo y se sentó frente a su invitado sorpresa, medio oculto en la oscuridad de la cabina.

—No recuerdo haberte citado —dijo Marcelo.

—No, pero te marchaste sin despedirte. ¡Muy desconsiderado por tu parte!

—¿Qué quieres?

—Mi paciencia se está agotando, Marcelo. He hecho todo lo que me has pedido. Mantengo unidos y controlados a la mayoría de los renegados, con falsas promesas sobre un suero que jamás existirá.

—¡Y qué importa! Ellos no lo saben. Lo importante es que sigan creyendo en ti —terció Marcelo con desdén.

Robert Crain se inclinó hacia delante y la luz que entraba por la ventanilla iluminó su rostro. Sus ojos azules brillaban fieros y amenazadores.

—He robado en mi propia casa y esta mañana salvé la vida de tu protegido. Creo que va siendo hora de que sepa por qué hago esto.

Marcelo rio con aire de superioridad.

—Todo lo que has hecho hasta ahora no servía para nada, Robert. Solo ponía a prueba tu lealtad. Comprobaba hasta dónde estás dispuesto a llegar. Te pedí que mataras y lo hiciste. Que reunieras a los renegados bajo tu mando y lo hiciste. Únicamente tú eras capaz. Te pedí que acogieras a la esposa de tu hermano y, por lo que sé, está siendo una tarea muy gratificante. El robo era una prueba más. —Se inclinó hacia él y bajó la voz—. Los dos sabemos que no es posible ningún suero, pero ese pequeño incidente dio credibilidad a tus palabras frente a los proscritos, y los hizo a ellos responsables del delito a los ojos de tu padre. Fue una jugada perfecta.

—Pudo haber salido mal.

—Es cierto, pero salió bien. Y ahora, mientras nuestro querido rey malgasta esfuerzos en encontrar a los responsables, nadie se fija en nosotros. El asunto de Fabio... No te preocupes, no olvidaré que lo has salvado.

—Pues quiero que me devuelvas ese favor ahora. Dame respuestas.

Marcelo se recostó en su asiento y entrelazó los dedos a la altura de su barbilla.

—Adelante, pregunta.

—Si el suero no es viable, ¿para qué necesitas a William? —preguntó Robert.

—Para romper nuestra maldición, ya te lo dije. Hay otros caminos además del científico.

—¿Cuáles?

—Eso lo sabrás en su momento.

—¿A quién sirves? —Marcelo se puso tenso de repente y Robert sonrió al ver que había tocado un punto débil—. Vamos, no te ofendas, pero no voy a tragarme que estás solo en esto. Hay un pez mucho más grande que tú en este océano, y antes o después dará la cara.

Marcelo también se inclinó y sus ojos quedaron a la misma altura.

—No me gusta que me cuestionen, ni tampoco que me presionen. Tu comportamiento me obliga a pensar que te estás ablandando —siseó, recuperando la seguridad en sí mismo; y esta vez fue Robert el que se sintió incómodo—. ¿Ya no quieres sacrificar a tu hermanito, al favorito de tu padre, al hijo de la luz? —le preguntó con sarcasmo.

—Yo no he dicho eso.

—No te he mentido, Robert. Es posible romper la maldición, podremos caminar bajo el sol. Y una vez que eso ocurra, te ayudaré a derrocar a tu padre. Tendrás a los renegados de tu parte y a todos aquellos que poco a poco empiezan a convencerse de que los viejos tiempos deben volver. ¿No es ese tu sueño?

Robert asintió con la vista clavada en el suelo. Y Marcelo añadió:

—No te desanimes. Y para demostrarte mi afecto, te diré algo... Sí, hay alguien mucho grande detrás de todo esto. Más de lo que puedes imaginar. Tú sigue a nuestro lado y serás el nuevo rey. Un rey que no temerá al sol.

Robert le lanzó una última mirada y se dirigió a la salida. Descendió la escalerilla del avión, sumido en un torbellino de pensamientos. Apenas podía contener la rabia que fluía por su venas. Vio a Fabio coqueteando con una de las azafatas y no pudo contenerse. Se dirigió a él con los labios apretados, ciego de ira. Lo agarró por el cuello y lo empujó contra uno de los coches. La carrocería cedió y los cristales explotaron por la violencia del golpe.

—¡No puedes tocarme, no puedes tocarme! —exclamó Fabio asustado.

Robert se inclinó y le rozó la oreja con el aliento.

—Si vuelves a acercarte a mi hermana, le diré al lobo dónde encontrarte. Ya lo viste, Fabio, ni siquiera William pudo pararlo. ¿Qué crees que hará con un cobarde como tú?

Volvió a empujarlo, deseando en lo más profundo de su ser poder hacer lo mismo con Marcelo. Un único pensamiento evitó que regresara al avión: la certeza de que un día, no muy lejano, le arrancaría el corazón con sus propias manos.

—Quedas advertido —le dijo a Fabio mientras se alejaba.

16

Kate arrancó una manzana del árbol y la frotó de forma distraída contra su camiseta. Era roja y tan grande como su mano. El primer mordisco le hizo cerrar los ojos. ¡Qué dulce! Se sentó en el suelo y la fue mordisqueando como un ratoncito mientras el sol le calentaba las piernas desnudas.

Miró de reojo a William, que se encontraba recostado contra el tronco del manzano con las piernas cruzadas a la altura de los tobillos. Seguía concentrado en el libro que estaba leyendo y apenas se había movido en la última media hora.

Kate dio otro mordisquito a la fruta y descubrió un pequeño insecto de alas rojas que trepaba por su pierna en dirección a sus pantalones cortos. Estiró la mano y el bichito subió por sus dedos y continuó correteando a lo largo de la palma, mientras ella la giraba de un lado a otro.

De repente, salió volando.

Terminó de roer el corazón de la manzana y lo lanzó lejos. Luego tomó su libro y buscó la página en la que se había quedado. Sus ojos recorrieron los primeros párrafos, una y otra vez, pero no lograba concentrarse y acabó cerrando el libro.

William levantó los ojos y observó a Kate. Podía percibir su inquietud. Algo había cambiado en ella desde su llegada. Solo era una sensación, pero lo intrigaba. Algo en su mirada que, de pronto, se había vuelto esquiva. La forma en la que despegaba los labios como si estuviera a punto de decir algo y volvía a cerrarlos con un suspiro.

—Kate.

Ella levantó la mirada y él se palmeó el regazo, invitándola a acercarse. Cuando se tumbó con la cabeza sobre sus piernas, le rozó la mejilla y le sonrió. Notó la tibieza de su piel en las puntas de los dedos.

—¿En qué piensas?

Kate giró el rostro y sus ojos se encontraron.

«Estoy pensando en convertirme y que quiero que seas tú quien me transforme. Siento que mi lugar está aquí, entre vosotros. Contigo».

Las palabras fluyeron por su mente con facilidad y, por un momento, pensó que podría decirlas en voz alta.

—Nada —respondió con un suspiro.

William le deslizó la mano por el cuello y acarició con el pulgar la línea azulada que dibujaba su carótida a lo largo de la garganta. Repetía ese gesto con frecuencia, y Kate sabía que lo hacía como una especie de terapia con la que trataba de habituarse a la atracción y el deseo que le despertaba su sangre. Inspiró. Convertirse también acabaría con esa tortura.

—Parece que no dejas de darle vueltas a tus pensamientos —dijo él.

—No es nada.

—¿Seguro?

Kate se incorporó sobre el codo para poder mirarlo a los ojos. Al apoyar la mano en la hierba, sintió un fuerte pinchazo en la palma. La alzó de golpe con un sollozo.

—¿Qué te ocurre? —preguntó él alarmado.

—Me he pinchado con algo. —Extendió la mano y vio una astilla clavada en su piel—. Me duele mucho.

—Déjame ver. —William examinó la mano—. Parece que se ha clavado bastante. Vamos a casa, en la cocina hay un botiquín y Harriet podrá ayudarte.

Kate negó con un gesto de su cabeza.

—¡Solo es una astilla! —exclamó, y de un tirón la arrancó de su dedo.

Una gota de sangre roja y brillante apareció sobre la piel. Resbaló y cayó al suelo. Después otra, y otra... No dejaba de sangrar y se llevó la herida a la boca. Con la otra mano se palpó los bolsillos. Estaba segura de que llevaba un pañuelo encima.

Al percatarse del silencio de William, levantó la vista.

No estaba preparada para lo que vio y dio un bote, impresionada. William miraba la herida sin parpadear, con unos ojos tan rojos como su propia sangre. Brillaban con una mezcla de miedo y deseo que le dilataba las pupilas. Tragó como si le doliera la garganta y entre sus labios pudo atisbar dos puntas afiladas.

Kate ni siquiera pensó en lo que hacía. Levantó la mano hacia él y la acercó a su boca, hasta rozarle los labios. Durante un segundo, creyó que él iba a tomarla. Lo vio en sus ojos. La lucha interna y cómo se rendía. Su aliento entrecortado golpeándole la piel.

De repente, se apartó de ella tan rápido que no lo vio moverse.

—¡No hagas eso! —exclamó con una voz tan ronca que no parecía suya—. ¿No te das cuenta de lo que podría pasar?

Kate se giró hacia su voz y lo encontró a varios metros de distancia. Se puso en pie. Muy lejos de sentirse mal o avergonzarse por su comportamiento, enfrentó su mirada grave.

—Sí, me doy cuenta, y no creo que sea tan malo.

—¿Has perdido el juicio?

—¿A ti te parece que lo haya perdido?

William la miró fijamente, tratando de entender qué estaba pasando. Negó varias veces y se pasó la mano por el pelo. No podía ser. Su actitud distraída de los últimos días, la forma en la que se perdía en sus pensamientos.

—¿Es en esto en lo que pensabas?

—Sí —afirmó sin dudar—. Quiero convertirme.

—¡No! Morirías.

—¡Solo mi cuerpo!

—No solo tu cuerpo, Kate. Perderías cualquier rastro de humanidad.

—¡Eso no lo sabes! —exclamó frustrada por sus negativas.

—Convertirte en vampiro no es una opción —gritó airado.

Kate le sostuvo la mirada sin achantarse. Todo en ella era un desafío.

—¿Porque tú lo ordenas? No soy uno de tus súbditos. No tengo por qué obedecerte. Esta decisión es mía y solo mía.

William resopló como si sus palabras le estuvieran causando un dolor físico.

—Necesitas mucho más que desearlo para convertirte.

—Sebastian me dará su bendición.

William dio un paso hacia ella con el ceño fruncido. Su expresión indicaba que se sentía traicionado.

—¿Has hablado con él sobre esto?

—Me dijo que me apoyaría si tú estabas de acuerdo.

—Pero no lo estoy, Kate —dijo él sin dar su brazo a torcer—. Jamás, por nada del mundo, dejaré que te conviertas en lo que yo soy.

Una risita sin ningún humor brotó de los labios de Kate. Parpadeó varias veces y apartó la mirada un segundo para ocultar una lágrima.

—Que digas eso es lo mismo que si rompieras conmigo. ¿Estás rompiendo conmigo, William? —preguntó con toda la tranquilidad que pudo aparentar.

Él se llevó las manos a la cabeza. La desesperación manaba de él como un torrente de agonía.

—No nos hagas esto, Kate. Lo que hay entre tú y yo, lo que tenemos, es hermoso porque tú haces que lo sea con tu humanidad. No lo destruyas.

—No tendré que hacer nada si me quedo así. El tiempo se encargará —se le quebró la voz.

William la miró una última vez y se alejó de ella en dirección a la mansión. No podía seguir con aquella conversación.

—¡William!

—No.

Kate se quedó inmóvil, mirando cómo él se alejaba.

Entonces, se permitió que las lágrimas fluyeran. El mar de sus emociones se agitó como si una tormenta estuviera descargando toda su rabia sobre él. No iba a ceder, por nada del mundo lo haría.

Ya en el castillo, William fue directamente al baño. Abrió la ducha y se despojó de toda la ropa. Después se metió bajo el chorro de agua caliente. Necesitaba aflojar la tensión que le engarrotaba el cuerpo.

Apoyó la espalda en los azulejos y cerró los ojos mientras una densa niebla de vapor lo cubría todo. No podía deshacerse del recuerdo de

Kate ofreciéndole su sangre y su mente tomó el control de sus pensamientos. Se imaginó aceptando su regalo, los dientes perforando la piel, sorbiendo al ritmo de sus latidos...

Apretó los puños y se sacudió esa imagen.

Jamás la convertiría.

Echó la cabeza hacia atrás y golpeó una y otra vez la pared. No iba a arrebatarle su humanidad, su bien más preciado. Había olvidado por completo lo hermoso que era estar vivo, ser humano, y ahora Kate se lo recordaba a cada instante. De alguna forma, sentía que podía vivir a través de ella.

Perdió la noción del tiempo y cuando salió del baño el sol ya se estaba poniendo. Se acercó a la ventana en el momento exacto que Kate cruzaba el jardín. Apoyó las manos en el cristal y enmarcó con ellas su figura. Si solo pudiera envolverla de esa forma en la realidad. Quería protegerla de todo y de todos, incluido él mismo.

Se dejó caer en la cama y se cubrió la cara con el brazo. El enojo le quemaba la piel, la frustración lo ahogaba y el miedo a estar cometiendo un error, del que ya era imposible arrepentirse, lo sumía en un estado de paranoia que empezaba a volverlo loco.

Se quedó allí tendido, reviviendo una y otra vez la escena.

De repente, abrió los ojos sobresaltado y miró el reloj. ¡Era casi medianoche!

Se levantó de un bote. Salió al pasillo y se encaminó a la habitación de Kate mientras se abrochaba la camisa. Debía hablar con ella ahora que se había tranquilizado un poco.

Llamó a la puerta. No estaba allí.

Se dirigió a la escalera y desde allí pudo captar su perfume. Siguió la estela del aroma hasta el ala donde se encontraba el salón de juegos. Su voz le llegó desde el otro extremo del pasillo. Robert la acompañaba.

—¿De verdad luchaste en esa guerra? —la oyó preguntar.

—Una de tantas —respondió Robert tras una sonora carcajada—. Pero he de confesar que fue de las más divertidas. Me sentaba muy bien el uniforme.

—Me cuesta creer que tengas tantos años. Todo lo que has conocido es tan fascinante.

—Si hubieras vivido con la peste negra, no dirías eso.

Kate rio.

—¿Volverías a algún momento en particular? ¿Cuál fue la mejor época para ti?

—Sin duda, los años que pasé en Francia en la corte de María Antonieta. Fue un tiempo de excesos que no me importaría repetir.

Kate soltó un gritito de emoción.

—¡¿Conociste a María Antonieta?!

—Profundamente —contestó Robert en tono travieso. Kate dejó escapar una risita azorada—. Levanta la barbilla y no dobles la muñeca.

—Pesa mucho —se quejó ella.

—Porque estiras demasiado el brazo. Dobla un poco el codo y apoya los pies. Así, muy bien... Golpea haciendo fuerza con los antebrazos.

Se oyó el sonido del acero chocando contra acero. A continuación, el estruendo del metal al desplomarse sobre el suelo y la risa de Kate brotando con ganas de su garganta.

—¡Vamos, ya es tuyo! Ahora el golpe de gracia —rio Robert.

William abrió la puerta del salón y permaneció bajo el marco de madera, contemplando muy serio la escena que tenía lugar. Robert rodeaba con sus brazos a Kate y la ayudaba a empuñar una espada corta. Las piezas de una armadura se hallaban esparcidas a sus pies.

—¡William! —exclamó ella al percatarse de su presencia.

Robert no levantó la vista del suelo.

—Hola, hermano. Empezábamos a preocuparnos por tu ausencia.

—Estaba ocupado. Gracias por entretener a mi chica —dijo William con una punzada de celos.

—Ha sido un placer, su compañía es una delicia.

William se acercó a Kate y le quitó de las manos la espada que aún sostenía.

—Podrías herirte con esto. No creo que sea lo más conveniente en una casa repleta de vampiros.

Las miradas de los hermanos se cruzaron un instante y la tensión centelleó en sus ojos.

—Tienes razón, ha sido un descuido imperdonable por mi parte —se disculpó Robert.

William apretó los labios como si intentara reprimir las palabras que empujaban por escapar de su boca. Tomó aliento en un intento de calmarse, pero no funcionó del todo. La sonrisa despreocupada y condescendiente de Robert lo estaba sacando de quicio. No entendía qué demonios le pasaba a su hermano.

Puso su atención en Kate. Se había puesto tensa y parecía rehuir su mirada. Seguía cabreada.

—¿Has cenado? Podemos ir a la cocina y prepararte algo —le propuso.

—Ya he comido. Robert ha preparado un *rissotto* para Shane y para mí. Pensé que tú... que no querrías... —no acabó la frase.

William no pudo contenerse y se volvió hacia su hermano.

—¿Para Shane también? ¡Vaya, es todo un detalle por tu parte! ¿Es algún tipo de compensación por salvar a Fabio?

Robert no pareció molestarse por el comentario, al contrario. Le dedicó una sonrisa astuta que era toda una provocación.

—Si me tocas en cuatro movimientos, puede que te conteste.

Tomó una de las espadas que había sobre la mesa y la blandió con un giro de su muñeca.

William apretó con fuerza la empuñadura de la hoja que aún sostenía y la alzó.

—¿Cuatro? —preguntó. Su hermano asintió—. ¿Y serás completamente sincero?

Robert sonrió satisfecho. Su hermano pequeño siempre había sido su mejor adversario.

William movió los hombros en círculos. Aseguró los pies en el suelo y esgrimió su espada. Estudió a Robert con los ojos entornados. Arremetió. Uno, dos, tres y cuatro movimientos, y la punta de su acero presionaba contra la garganta de Robert.

—¡Eso ha sido impresionante! —lo alabó su hermano.

—Tu turno. Responde.

—Hice lo que tenía que hacer —declaró, al tiempo que empujaba con el filo de su espada el arma de su hermano—. Puede que Fabio sea un demente descontrolado que merezca muchas cosas, pero es uno de los nuestros. Dejarse llevar por los impulsos puede acarrear conflictos. Y eso fue lo que le pasó, un impulso poco acertado que le costó controlar.

Un destello carmesí le iluminó los ojos, mientras las espadas chocaban una y otra vez.

Kate los observaba sin saber muy bien qué estaba pasando entre ellos. Hablaban tranquilos, pero se atacaban con demasiada violencia.

William empezó a reír como si Robert hubiese dicho algo muy gracioso.

—Un impulso poco acertado —repitió con ironía—. Si hubieras aplicado esa teoría la noche del robo, habría quedado algún renegado vivo al que interrogar. Se les podría haber sacado alguna información y ahora sabríamos quién intenta crear un suero.

Sus armas se engancharon en las empuñaduras y los hermanos quedaron cara a cara.

Robert lo empujó hacia atrás.

—¡Maldita sea, William! Si no me falla la memoria, ya dispones de esa información. Era Amelia la que estaba detrás de todo, y los que asaltaron esta casa eran renegados armados que amenazaban a nuestra hermana. Merecían lo que les hice. En cambio, ejecutar a un vampiro que solo ha perdido los estribos, lo considero excesivo. ¿No crees que ya sufrimos bastante?

Levantó la espada por encima de su cabeza y lanzó un mandoble.

William detuvo su acometida con un giro de muñeca. No daba crédito a esa respuesta. Era imposible que Robert creyera de verdad que Fabio solo había perdido los estribos.

—¿Qué quieres decir?

—Hablo de dolor, de sufrimiento. Estamos condenados por una maldición divina a vagar en la oscuridad, y condenados por nuestras propias fantasías a soportar el dolor que nos causa negar nuestros instintos. Nos hemos convertido en mártires, pero no en depravados —replicó sin disimular su rabia, y lanzó otro tajo que rasgó la camisa de su hermano.

—Aún queda esperanza. Un día los humanos estarán preparados para acogernos, para comprendernos...

—¡Oh, por favor! —rugió Robert exasperado. Abrió los brazos en cruz, como si lanzara una súplica—. ¡Si supieras lo cansado que estoy de oír esas palabras! Mírame, llevo más de mil años compartiendo el mundo con ellos. —Lanzó una fría mirada a Kate—. Los humanos son criaturas paranoicas que temen todo lo que es diferente. Jamás aceptarán a los vampiros.

—Hablas como un renegado —susurró William.

Robert apretó con fuerza su espada y arremetió contra su hermano. Falló la primera estocada, también la segunda. La tercera le acertó en el pecho y la sangre comenzó a brotar de la herida.

Kate gritó y su eco resonó en las paredes.

—Los humanos son frágiles, débiles —terció Robert airado—. ¿De verdad quieres que nos sometamos a ellos?

William dejó de atacar y se limitó a protegerse de sus arremetidas. Los ojos de su hermano expresaban tanto dolor. Quizá solo estaba pasando por un mal momento. Una de esas épocas en las que te cuestionas tus principios y te sientes tentado a elegir el camino fácil. No era posible que pensara de ese modo. Él no era así.

—¿Y cuál es la alternativa? —preguntó casi con miedo a la respuesta—. ¿Qué te ocurre, Robert?

—Lo mismo que a ti. La única diferencia es que yo he dejado de mentirme. Somos iguales. Tú también despertarás.

—Yo no soy así —la última palabra se le atascó en la garganta. La espada de Robert se hundía en su estómago.

Kate volvió a gritar e intentó acercarse.

William la frenó con un gesto y se desplomó de rodillas.

Robert se agachó a su lado. Le puso una mano en la nuca y lo besó en la frente.

—Sí lo eres, solo que aún no lo sabes —susurró con los labios pegados a su piel—. Puedo sentir cómo tu cariño se transforma en odio en este mismo momento. Eso me entristece, creía que me conocías mejor.

—El renegado que me vigilaba en Heaven Falls es como yo —dijo William entre dientes, sujetando con fuerza la mano de Robert para que no se alejara. Ese esfuerzo hizo que su sangre brotara profusa de la herida—. Sebastian me pidió que no te lo contara. No me dijo el porqué.

Robert se estremeció, abrumado por esa confesión.

—¿Por qué me lo dices entonces? —susurró.

—Porque no quiero que te rindas. Ese es el camino fácil y a ti no te gusta lo fácil. ¿No te interesa el reto? ¿Averiguar quién es? ¿Quién soy? Puede que ahí estén tus respuestas.

William se quedó sin fuerza y soltó la mano de su hermano.

Robert se puso en pie. Toda la arrogancia había desaparecido de su cuerpo y ahora parecía abatido mientras contemplaba a William desde arriba. Sin mediar palabra, dio media vuelta y abandonó la sala.

17

En cuanto Robert salió del salón, Kate corrió al lado de William. A su alrededor, un charco de sangre se extendía por el suelo y empapaba su ropa.

—¿Estás bien?

—No es nada.

Él agarró la empuñadura y tiró de ella hasta sacar la hoja de su cuerpo, después la arrojó lejos. Se puso en pie con los dientes apretados y se subió la camisa. La herida comenzó a desaparecer bajo la mirada atónita de Kate.

—Necesito quitarme esta ropa.

En silencio se dirigió a su habitación, consciente de que Kate lo seguía. En ese momento no deseaba compañía, ni siquiera la de ella; pero su cupo de errores había alcanzado el límite y la situación entre ellos ya era lo bastante tensa como para forzarla un poco más.

Entró en su habitación despojándose de la camisa y la arrojó lejos. Comenzó a pasearse de un lado a otro, nervioso, mientras se revolvía el pelo con los dedos de forma compulsiva.

Kate desapareció en el baño y poco después regresó con una toalla empapada en agua tibia. Se acercó a él y lo obligó a detenerse con una mano en el pecho. Sus miradas se enredaron durante unos segundos. Después ella apartó los ojos y comenzó a limpiar los restos de sangre seca de su piel.

—No es necesario que hagas eso —musitó William.

Kate ignoró sus palabras y deslizó la toalla por su estómago con lentitud. Repitió el gesto varias veces, al tiempo que trataba de inspirar con normalidad. Un esfuerzo inútil cuando ambos podían sentir los latidos apresurados de su corazón y el nerviosismo que impregnaba su respiración.

—¿Qué acaba de pasar ahí abajo?

—¿Crees que yo lo sé?

—¿Ya os habíais peleado así otras veces?

—Nunca —respondió William.

—Era como si te odiara —se atrevió a decir.

William la miró y su rostro se contrajo al borde de unas lágrimas que no podía derramar aunque quisiera.

—Él no es así. A mi hermano le ocurre algo y voy a averiguar qué es.

Apartó las manos de Kate y fue hasta la ventana. Oscuros nubarrones ocultaban las estrellas y un relámpago iluminó durante un segundo la habitación en penumbra. Las primeras gotas golpearon el cristal con fuerza. La tormenta había aparecido de la nada, un momento de capricho de la naturaleza.

O puede que su origen fuese otro.

Se miró las manos y observó el resplandor que palpitaba bajo su piel.

Apartó la vista de la tempestad que se había desatado fuera y miró por encima de su hombro. Encontró a Kate sentada sobre la enorme cama. Miraba la nada sin ni siquiera parpadear. Verla de ese modo hizo que se olvidara de todo y que solo quisiera abrazarla. Aunque no estaba seguro de si ella se lo permitiría.

Un trueno estalló sobre el castillo y retumbó en las paredes con eco atronador. El sonido de la lluvia se intensificó. Se aproximó a la cama y se arrodilló frente a ella.

—Lo siento —dijo en un susurro. Ella lo miró sin decir nada—. Sé que paso la mayor parte del tiempo disculpándome. De hecho, creo que es lo único que hago desde que estamos juntos, y es porque soy un completo idiota que siempre lo fastidia todo...

—Tú no has fastidiado nada, pero...

William se atrevió a tocarla.

—Déjame terminar, por favor. —Esperó a que ella asintiera—. Esa tarde no debí dejarte sola bajo el manzano, no estuvo bien. Tampoco debí pedirte que me acompañaras en este viaje, porque así no habrías visto nada de todo esto. Ahora temo haber estropeado lo nuestro y que mi mundo te supere más allá de lo que sientes por mí. Me preocupa no estar dándote lo que necesitas. —Sacudió la cabeza—. ¡Dios, si ni siquiera sé qué esperas de mí!

Kate le tomó el rostro entre las manos y clavó sus ojos en los de él.

—Me alegro de estar aquí, porque de otro modo jamás habría podido comprender quién eres de verdad. Y solo necesito que me quieras y no dejes de hacerlo nunca, pase lo que pase.

—¿Que te quiera? Aún no tienes ni idea de cuánto te amo, ¿verdad? —Se alzó sobre las rodillas y pegó su frente a la de ella—. Ni de lo débil que me siento por necesitarte tanto.

Kate ladeó la cabeza y sus labios se rozaron. Despacio, tomó las manos de William entre las suyas y las llevó hasta sus caderas. Tragó saliva.

—Demuéstralo. Enséñame cuánto me quieres.

William la miró y se perdió en el interior de sus ojos verdes. Quería complacerla y borrar todo lo malo que había pasado entre ellos. Coló las manos bajo su camiseta y tiró hacia arriba para quitársela. El pecho de Kate se hinchó con una inspiración y sus senos bajo las copas del sujetador se erizaron. Aturdido, bajó la cabeza y posó la boca en el hueco de su escote. Mordisqueó la piel sensible mientras le soltaba el cierre con dedos hábiles. A continuación, la punta de su lengua trazó un camino ascendente hasta la base de su garganta.

Hizo un sonido contra su piel, como un ronroneo, y luego le mordisqueó la mandíbula. Clavó su hambrienta y torturada mirada en la de ella y notó su corazón acelerarse bajo sus manos llenas. Ese sonido lo volvía loco.

Kate cerró los ojos al sentir la calidez de su boca sobre la suya y emitió un pequeño gemido de placer cuando sus lenguas se encontraron en una danza lenta y erótica. Le rodeó el cuello con los brazos y hundió los dedos en su espeso y suave cabello. Contuvo el aliento mientras él se retiraba un poco y terminaba de desnudarla. Después lo observó quitarse la ropa con los músculos del vientre tensos y las mejillas ardiendo. Su mirada deambuló por su pecho y su estómago desnudo. Era tan perfecto.

William le devolvió la mirada, intensa e incitante. Se inclinó sobre ella y recorrió con las manos sus muslos, las caderas, la curva de su cintura y el relieve de sus pechos. Enterró el rostro en su cuello y no pudo evitar aspirar el olor de su sangre. Tan cálida. Tan excitante. Cubrió de besos su garganta, su mandíbula, su oreja y de nuevo su garganta. Le separó las piernas y se acomodó entre sus caderas.

Se quedó inmóvil y sus ojos se encontraron en la oscuridad.

—¿Estás bien? —le preguntó en un susurro ronco.

—Sí.

Se arqueó contra él, buscándolo excitada.

William gimió mientras los músculos de sus brazos se tensaban.

Poco a poco, se hundió en su interior y un gruñido escapó de su garganta cuando sus cuerpos encajaron. La miró, asegurándose de que seguía bien. Entonces, empezó a moverse. Lento, sin prisa, deleitándose con cada sensación. Ella deslizó las manos por su espalda y lo atrajo para sentirlo más cerca, mientras susurraba su nombre. Ese sonido le hizo perder la cabeza.

Buscó su boca y la devoró, la lamió y se perdió en su dulce sabor, con la sensación de que todo se desintegraba a su alrededor mientras el ritmo de sus caderas se volvía desesperado. Se hundió entre sus piernas, apretándola contra el colchón. No quedaba espacio entre ellos.

Kate se agarró con fuerza a sus hombros y ahogó un gemido de placer en su pecho.

Él estaba por todas partes. Sus labios. Su boca. Sobre ella. Dentro de ella.

Le besó la garganta y echó la cabeza hacia atrás. No podía hacer otra cosa que acogerlo en su interior y disfrutar de todas las sensaciones que reptaban bajo su piel. La tensión que se concentraba en la parte baja de su espalda y el cosquilleo que se extendía hasta la punta de sus pies.

William buscó de nuevo sus labios. La notó tensarse y temblar.

—Mírame.

Necesitaba verla llegar al borde.

Ella abrió los ojos despacio, buscándolo en la oscuridad rota por los destellos de los relámpagos. Sus labios se separaron con un gemido y saltó. Notó cómo se dejaba ir. Cómo se rompía en mil pedazos y volaba entre sus brazos. Movió las caderas contra las suyas una vez más. Haciéndola suya. Dándoselo todo.

Una vez más, y luego perdió el control. Explotó con un gemido ronco.

Permanecieron abrazados y en silencio. Fuera, la lluvia caía con fuerza y el viento hacía temblar los cristales. Con la respiración de Kate en su pecho, él solo podía pensar en que aquello era perfecto. Que estaban destinados a existir juntos, no podía ser de otra manera.

No se movieron en lo que parecía una eternidad.

—Podría ser así de perfecto para siempre —susurró ella.

William abrió los ojos y los clavó en el techo. Dejó de dibujar círculos en su espalda.

—No hay nada perfecto en «para siempre».

—William...

—No, ya hemos tenido esta conversación. Déjalo estar, por favor.

Kate se alzó sobre el codo para mirarlo a los ojos.

—No puedo, para mí es importante.

William apartó las sábanas y se levantó de la cama.

—¿Por qué me haces esto?

—Porque no quieres escucharme. Te cierras por completo y me niegas algo que yo debería decidir. Quiero que me conviertas y que podamos estar juntos para siempre.

William negaba con la cabeza. No quería seguir escuchándola.

—¿Y qué hay de lo que yo pienso, de lo que yo deseo? —le espetó—. No tienes derecho a hacer esto. No puedes obligarme a algo así.

Kate se cubrió con la sábana y también se puso en pie.

—Tú tampoco tienes derecho a obligarme a que siga siendo humana. ¡No es tu decisión!

—Sí lo es —alzó la voz—, ya que parece que soy el único aquí que piensa con la cabeza. Por nada del mundo te convertiré. No vuelvas a pedírmelo jamás.

—Pero ¿por qué? —la frustración la ahogaba.

—No voy a seguir con esta conversación, Kate —respondió con firmeza mientras recogía del suelo sus pantalones y se los ponía.

—¿No entiendes que lo nuestro está destinado a acabarse? Que envejeceré y moriré.

William le imploraba comprensión con la mirada.

—Y yo prometo hacerte feliz cada día.

—No me sirve. Nunca será una vida normal y plena mientras seamos distintos.

—No quieres esta vida, confía en mí.

Kate se llevó la mano al pecho con las mejillas llenas de lágrimas, se ahogaba por momentos entre tanta frustración.

—Dices que me quieres, pero no es verdad. Si me quisieras, no podrías soportar la idea de que un día deje de existir —le reprochó.

Un relámpago iluminó el exterior y la silueta de William quedó perfilada en el marco de la ventana. Su torso desnudo temblaba por la tensión de sus músculos. Apretó la mandíbula. Había sentido cada palabra como una puñalada dolorosa y mortal.

Se acercó a Kate y le puso una mano en el pecho, sobre el corazón. Durante unos segundos cerró los ojos, notando cómo latía. Las vibraciones de aquel movimiento se extendieron por la palma de su mano, a lo largo de su brazo hasta el pecho y, por un instante, creyó sentirlas en su propio corazón.

Se inclinó y la besó en la frente con una profunda tristeza.

—No sabes cuánto me duele que creas eso.

Dio media vuelta y abandonó la habitación. Si el encuentro con Robert le había dolido, lo que acababa de suceder entre Kate y él lo estaba destrozando. En solo una hora, había tocado el cielo con las manos y había descendido a lo más profundo del infierno.

Tiró de la puerta principal con tanta fuerza que los goznes se resquebrajaron. Salió afuera y la tormenta se lo tragó.

—Señor, ¿os encontráis bien? —preguntó un Guerrero a su espalda—. Señor...

William siguió la dirección del viento hasta las colinas.

La lluvia caía con fuerza y azotaba sin compasión cada centímetro de su cuerpo, pero continuó caminando sin que pareciera importarle. Subió la colina y la abadía derruida se alzó siniestra frente a sus ojos.

Rodeó los montones de piedra y saltó por encima de las vigas de madera. El viento ululaba como si un ejército de fantasmas se escondiera tras sus muros. Sin otro lugar al que ir, acabó sentándose en un rincón del presbiterio, donde el agua no golpeaba con tanta saña.

Hundió la cabeza entre las rodillas. Cada célula de su cuerpo le gritaba que volviera junto a ella. Que la tomara en brazos y hundiera los dientes en su cuello, uniéndola a él para siempre. Eso era lo que ansiaba. Lo que había deseado desde el primer día y de lo que se había estado protegiendo. Mintiéndose a sí mismo con excusas.

Sin embargo, a pesar de la aplastante realidad, no conseguía moverse. Era incapaz de ir a buscarla, como si toneladas de roca lo aplastaran contra el suelo, aniquilando el impulso. Acallando cada razón por la que deseaba ser egoísta y concederle su deseo a Kate. La vida eterna de una princesa de la oscuridad.

18

—Soy yo, otra vez. Creo que deberíamos hablar de esto. —Kate guardó silencio. Era el quinto mensaje que le dejaba en el buzón de voz y ya no sabía qué más decir—. Llámame, aunque solo sea para decirme dónde te encuentras. Estoy preocupada por ti. —Hizo otra pausa—. Pero eso no significa que me arrepienta de lo que dije, porque no lo hago. ¡Arrrggg! —rugió con frustración y añadió muy enfadada—: ¡Vale, si no quieres hablar conmigo, perfecto! ¡Genial! Yo tampoco quiero hablar contigo.

Colgó el teléfono y se quedó mirando la pared. Las ganas de estamparlo le hormiguearon en los dedos. Estaba tan enfadada. Era la segunda vez que la dejaba plantada en medio de una conversación. Y luego había pasado toda la noche despierta, esperando a que él regresara, y no lo había hecho.

Pues no pensaba seguir allí ni un minuto más.

Tomó su bolso, una chaqueta y abandonó la habitación como un rayo. Necesitaba salir del castillo, ya que el silencio entre esas paredes pesaba sobre ella como una losa. Bajó la escalera y cruzó el vestíbulo en dirección a la cocina.

Desde el pasillo se oía el tintineo de unos cubiertos y a Harriet tarareando una melodía.

—Buenos días —saludó nada más entrar.

Shane alzó la mano desde la mesa, donde devoraba un plato repleto de huevos y salchichas con judías.

Harriet dejó de picar unas verduras y le sonrió mientras se limpiaba las manos con un paño.

—Buenos días. ¿Te apetece desayunar?

Kate sacudió la cabeza y forzó una sonrisa.

—No, gracias. —Rodeó la mesa bajo la atenta mirada de Shane y se acercó a la mujer—. No tendrá por aquí un mapa de la zona, ¿verdad? Un mapa de carreteras.

Harriet frunció el ceño, pensativa.

—No, ninguno. Pero si necesitas ir a alguna parte, Henry puede...

—No se moleste. Ya me las arreglaré.

—¿Vas a salir? —se interesó Harriet.

—Me apetece ir a la ciudad y había pensado en tomar prestado uno de los coches. ¿Cree que les importará a los Crain?

—No, querida, puedes servirte. —Se acercó a un armarito junto a la puerta y sacó una llave de su interior—. Ten, abre la puerta lateral, desde dentro todo es automático. Ten cuidado, ¿de acuerdo?

—No se preocupe, lo tendré.

Dio media vuelta y abandonó la cocina, esquivando a propósito la mirada de Shane. Corrió hasta el edificio anexo donde se había construido el garaje y localizó la puerta lateral. Tras un par de intentos, logró abrirla.

Las luces del interior parpadearon varias veces antes de encenderse por completo. Kate contempló los coches alineados en tres hileras y soltó un silbido. Comenzó a mordisquearse una uña. No tenía ni idea de cuál debía utilizar. Paseó entre los vehículos e identificó el descapotable que William condujo la noche que llegaron. Comprobó con decepción que las llaves no estaban puestas. Dispuesta a no rendirse, paseó la vista por el recinto hasta que sus ojos se toparon con un armario de metal.

—¡Bingo! —exclamó al encontrarlas.

Lanzó sus cosas al asiento trasero y se sentó frente al volante. Estaba tan nerviosa que los nervios le arañaban el estómago. Accionó el mando de la puerta y esta comenzó a elevarse. Shane apareció al otro lado con las manos enfundadas en los bolsillos; y no parecía que tuviera intención de moverse.

Kate resopló sin mucha paciencia.

—Mira, no estoy de humor para numeritos de tipo duro. Así que... o vienes conmigo o te quitas de en medio. Tú mismo.

Shane sacudió la cabeza y una sonrisa se dibujó en su cara. Se acercó al coche, abrió la portezuela y se sentó junto a ella sin decir una palabra.

Unos minutos más tarde se adentraban en las calles de Shrewsbury. Aparcaron cerca del río y desde allí se desplazaron a pie.

Pasearon por el centro de la ciudad, repleto de edificios con entramados de madera en blanco y negro, mientras conversaban sobre cosas sin importancia. Recorrieron estrechas y empinadas calles medievales. Comieron en un pequeño restaurante cerca de la plaza y después dormitaron al sol junto a la orilla del río. A media tarde tomaron té y pastas en una terraza. Visitaron la estatua de Darwin y se hicieron con algunos regalos.

—Tengo hambre —se quejó Shane.

—¿Otra vez?

—Es casi la hora de cenar.

—¡Tú comes a todas horas!

Shane se echó a reír y le dio un codazo en el costado.

—Gruñes demasiado.

Kate puso los ojos en blanco.

—De acuerdo. ¿Adónde quieres ir?

Él le echó un vistazo a la plaza y avistó un pub con una pizarra en la puerta que anunciaba menús de tres platos.

—Ahí mismo.

El sitio estaba atiborrado de clientes que veían un partido de rugby que daban por la tele, y tuvieron que esperar un rato en la barra hasta conseguir una mesa. Después pidieron empanadas de carne picada y verduras, cerveza negra para él y sidra para ella.

—No está mal, pero me quedo con las alubias con huevos que comí en el desayuno —dijo Shane mientras masticaba un trozo de empanada.

Kate sonrió con aire apático y apartó su plato a un lado.

—Echo de menos las ensaladas con pollo que prepara Mary, y los capuchinos con mucha nata de Lou.

De repente, su móvil empezó a sonar sobre la mesa. Le echó un vistazo. El número de William parpadeaba en la pantalla y lo ignoró.

—¿No vas a contestar? —preguntó Shane.

—No —respondió cortante.

—Las cosas están peor de lo que imaginaba. —Dio un trago a su cerveza y se repantigó en la silla—. Mira, llevo todo el día siguiéndote de un lado a otro. He visitado museos, mercadillos con flores, le he dado de comer a los patos y si veo otro bonito juego de té, me practicaré una lobotomía...

—No te he pedido que me acompañes.

—Lo sé, señorita Borde, pero es evidente que no estás bien y creo que va siendo hora de que confíes en mí y me cuentes qué te pasa.

Kate lo miró a través de sus pestañas y notó que se le calentaban las mejillas.

—Es muy personal.

—¡Mis favoritas!

Kate esbozó una pequeña sonrisa e inspiró hondo.

—De acuerdo.

El teléfono de Shane empezó a sonar. Miró la pantalla.

—Es Marie. Voy a enviarle un mensaje, solo será un momento. —Tecleó durante unos segundos y volvió a guardarlo—. Ya está, cuéntame.

—¿La historia completa o solo el resumen?

—Bastará con el resumen.

Kate miró a su alrededor para asegurarse de que nadie les prestaba atención.

—Le pedí a William que me convirtiera en vampiro. Él se negó, discutimos y se marchó. Eso es todo.

Shane la miró con una mezcla de sorpresa y curiosidad. Frunció el ceño sin dejar de observarla y se pasó la mano por la barba incipiente que le oscurecía la mandíbula.

—¿Por qué quieres convertirte en vampiro? Hasta hace un mes no sabías que existían.

—Porque es la única forma de que podamos estar juntos sin tantos problemas. Por eso no entiendo su negativa.

—¿Qué te dijo exactamente?

Kate guardó silencio mientras hacía girar su vaso entre las manos.

—Algo sobre que perdería mi humanidad y que él jamás permitiría eso.

Shane soltó muy despacio el aire de sus pulmones y clavó sus ojos pensativos en el mantel. Después le dedicó una mirada larga y pausada que finalizó en una triste sonrisa.

—William está convencido de que hay algo malo en su interior. Los cambios que está sufriendo, los poderes que está descubriendo... Puede que piense que, si te transforma, una parte de ese mal pueda pasar a ti. Después de lo que le ocurrió con Amelia, cualquiera estaría un poco paranoico.

—¡Eso es absurdo, él no tiene nada malo en su interior! —exclamó ella.

—Opino lo mismo.

—Es que es ridículo.

—En cuanto a la pérdida de humanidad, puede que tenga algo de razón. —Se inclinó hacia delante cuando ella empezó a negar con la cabeza—. Kate, cuando un humano se convierte en vampiro, puede perder ciertos rasgos. Estoy hablando de moral, de sentimientos como la bondad, la empatía y la generosidad. De distinguir con claridad el bien del mal. Esos rasgos son los que os hacen hermosos a nuestros ojos. Cuando eres poderoso e inmortal, tiendes a olvidarlos, y si eso ocurre y te dejas dominar por tus instintos, puedes acabar convirtiéndote en un renegado.

—Como le ocurrió a Amelia —susurró Kate. El chico asintió—. William no la infectó con ningún tipo de mal. Estoy segura de que ella nunca fue una buena persona y, al transformarse en vampiro, sus malos sentimientos se fortalecieron, nada más. Pero si eres buena persona, serás un buen vampiro, y yo lo soy, Shane.

Él le sonrió con afecto.

—Buen argumento, y puede que estés en lo cierto. —Kate arqueó las cejas con expresión victoriosa—. Pero no es suficiente para dar ese paso.

—¿Por qué no?

Las pupilas de Shane se dilataron. Luego dudó un momento y bajó la barbilla.

—¿Durante cuánto tiempo has meditado lo que significa convertirse? ¿Has sopesado pros y contras o ese pensamiento apareció de repente en tu mente y te lanzaste de cabeza por el precipicio?

—A veces, las cosas simplemente se saben, se sienten, y yo quiero convertirme.

Él arrugó la frente.

—¿Recuerdas lo que te dije el otro día cuando te encontré en el cementerio?

—¿Qué parte?

—Te pedí que no te fiaras de nada de lo que pudieras sentir mientras estuvieras aquí, rodeada de vampiros. No puedes confiar en tus pensamientos con tantos de ellos a tu alrededor.

—No te sigo.

—En los libros de ficción lo llaman *glamour,* aunque me parece una soberana estupidez. —Se tomó un momento para ordenar sus pensamientos—. Los vampiros desprenden un aura, cierto magnetismo que hace que los humanos se sientan atraídos. Esa fascinación que os provocan, nubla la mente y os sume en una especie de hechizo agradable. Tú has estado expuesta a decenas y decenas de ellos, una borrachera continua, así que cabe la posibilidad de que muchas de las cosas que has sentido o pensado estos días no sean...

—Reales —terminó de decir ella.

Se había puesto pálida al recordar ese extraño sopor que la había acompañado durante los últimos días. La sensación de embriaguez y la admiración desmesurada que sentía por ellos. El deseo de ser como ellos.

Shane asintió.

—Cabe esa posibilidad, por lo que deberías estar segura antes de decidir nada. Cuando un humano pide la bendición, uno de los requisitos es demostrar que lleva el tiempo suficiente entre vampiros como para ser inmune a esa influencia. Su deseo debe ser real y meditado. —Tomó aliento y entrecerró los ojos—. Kate, has pensado en todo lo que ganarías si te convirtieras, pero ¿y lo que perderías?

—Y volvemos a mi humanidad... William me lo ha repetido hasta el aburrimiento —repuso hastiada.

Shane apoyó las manos en la mesa y la miró a los ojos con severidad.

—No, son cosas que William no te habrá mencionado porque, probablemente, ni siquiera se las haya planteado. Él no es un vampiro corriente.

—¿A qué te refieres?

—Me refiero a tu familia, a tus amigos, al lugar donde vives. A tus recuerdos. A una ensalada de pollo o un capuchino. Me refiero a esas pérdidas, Kate. Y sobre todo al sol —dijo él con vehemencia. Kate sintió que todo en su interior se desmoronaba hasta quedar en ruinas—. No habías pensado en eso, ¿verdad? Convertirse en vampiro supone un gran sacrificio. Nunca volverías a sentir el sabor del chocolate o de una hamburguesa con pepinillos. Estar cerca de tu familia o de tus amigos se convertirá en una tortura. ¿Cómo crees que te sentirás cuando el deseo de desangrarlos ocupe tu mente? ¿Soportarás la culpabilidad de esos pensamientos?

Kate se encogió en la silla. Shane continuó:

—Tendrás que alejarte de las personas que amas para que no noten que eres diferente, que no envejeces. Tendrás que contemplar cómo cada uno de ellos se consume y desaparece. Morirán. Y se repetirá una y otra vez. Nunca podrás permanecer demasiado tiempo en el mismo sitio, por mucho que este te guste. Tampoco harás nuevos amigos, porque sabes que antes o después tendrás que abandonarlos. Y adiós al sol, a su calor sobre la piel en un día de invierno. Adiós al amanecer o a contemplar el crepúsculo. A un arcoíris un día de primavera. Algo que William sí puede disfrutar y que tú no volverías a compartir con él. Deberías pensar en todo eso antes de tomar una decisión tan importante como convertirte en un vampiro.

Los ojos de Kate brillaron por las lágrimas que amenazaban con verter. Parpadeó para alejarlas. Ni siquiera se le había pasado por la cabeza pensar en esas cosas. Cosas tan importantes que, ahora que las contemplaba con la mente serena, no podía obviar. No estaba preparada para dejar atrás la vida que tenía, ni para separarse de las personas que quería. Ni siquiera para olvidar el placer de saborear un helado o el calor del sol en primavera.

—¡Soy una idiota!

—No lo eres.

—Le he dicho unas cosas horribles a William por todo este asunto —se lamentó.

Shane soltó el aire por la nariz.

—Te quiere, Kate. No hay nada que cambie eso.

—Yo no estoy tan segura de... —se atragantó con la última palabra.

William acababa de entrar en el local. Su mirada se posó en ella de inmediato y avanzó a su encuentro entre las mesas. Notó que el corazón se le subía a la garganta.

—No era Marie quien te ha llamado, ¿verdad?

Shane se encogió de hombros con una disculpa escrita en el rostro.

—Tenía que decírselo. Se ha preocupado mucho cuando no te ha encontrado en el castillo.

—Eres un traidor —masculló.

—Soy tu amigo, Kate. No lo olvides.

William se paró junto a la mesa sin apartar la vista de Kate.

Shane se levantó. Luego le dedicó una sonrisa a su amigo.

—¿Has traído un coche? —preguntó.

William sacó unas llaves del bolsillo de su pantalón y se las entregó.

—El Jeep que hay aparcado enfrente.

—Pues yo me largo.

Kate lo fulminó con la mirada y después concentró toda su atención en las miguitas que salpicaban el mantel. No era capaz de mirar a William.

—¿Vas a ignorarme? —preguntó él. Ella alzó los ojos muy despacio y negó con la cabeza. William le ofreció su mano—. ¿Vienes conmigo?

Kate colocó sus dedos sobre los de él y se puso en pie.

William la condujo afuera del pub. Apretó su mano y tiró de ella sin darse cuenta, mientras cruzaban el puente de piedra a toda prisa. Se sentía mal por todo el tiempo que había pasado alejado de ella, ignorando sus llamadas y mensajes. No acudir a sus ruegos había sido una tortura, pero necesitaba pensar y aclarar su mente. Encontrarse a sí mismo y averiguar qué quería de verdad para poder tomar una decisión. La más difícil a la que se había enfrentado nunca.

Y ya había hecho su elección.

Sus dudas se habían disipado y necesitaba hablar con ella de inmediato.

Se moría de ganas de decirle que sí. La convertiría. Porque no concebía una vida sin ella, y dejarla envejecer y morir, para después seguirla a ese mismo final, era el mayor error que podría cometer. Puede que romántico, sí, pero un sinsentido despiadado cuando podrían estar juntos para siempre.

Y con ella, la eternidad ya no le parecía suficiente.

Lo tenía todo planeado. Había elegido el lugar donde harían el cambio y se refugiarían hasta que ella pudiera controlarse. Después buscarían un sitio bonito en el que vivir, con pocas horas de luz y una noche muy larga y oscura.

Se detuvieron junto a la orilla del río, bajo unos árboles.

—¿Sigues enfadada? —preguntó inseguro.

—¡No!

Se miraron en silencio.

—Yo... —dijeron los dos a la vez y una sonrisa se dibujó en sus labios.

—Kate, hay algo que quiero decirte.

—Déjame a mí primero, por favor.

William asintió mientras le rozaba la mejilla con el dorso de la mano.

—Yo... —empezó a decir ella— siento mucho cómo me he comportado y las cosas que te he dicho. No... no tenía ningún derecho a atormentarte.

—Kate, tú no...

—Por favor —suplicó mientras le sellaba los labios con un dedo—. No he debido pedirte que me conviertas. Tienes razón, no era consciente de lo que significa de verdad. Y no me refiero a perder la humanidad...

—Kate, sobre ese tema puede que yo...

—¿Estés equivocado?

—Sí.

—Lo estás —le aseguró ella. Incapaz de no tocarlo, lo abrazó por la cintura y apoyó la mejilla en su pecho—. Pero yo también estaba equivocada al pedirte que me convirtieras. Me precipité sin sopesar las consecuencias y lo siento.

William la agarró por los hombros y la separó de su pecho para verle la cara.

—Explícate —le exigió, de repente muy serio.

—No quiero convertirme, William. No estoy preparada para abandonar a Alice en este momento. Soy lo único que tiene. Ni tampoco para vivir en una noche perpetua o bajo tierra. ¡Soy la persona con más claustrofobia del planeta! Me encanta la playa y ponerme morena. El calor de la primavera y los colores de las flores bajo el sol. Adoro nuestros paseos a media tarde y quedarme dormida en tu regazo mientras lees sobre la hierba. Contemplar el amanecer frente al lago. Sacar fotos del cielo azul. —William alzó las manos y deslizó los pulgares por sus mejillas para secarle las lágrimas—. Si me convierto en vampiro, no podría hacer ninguna de esas cosas y tú, sí. Continuaríamos siendo diferentes.

William asintió mientras forzaba una sonrisa que pudiera consolarla. Bajo la piel, la tristeza y la decepción giraban como un remolino.

—Así es.

—Me gusta nuestra vida tal y como es. Por ahora, solo quiero vivir el momento y disfrutar de cada instante que estemos juntos.

—Claro.

William la atrajo hacia su pecho y la abrazó con fuerza. Cerró los ojos en un vano intento por deshacerse de la ansiedad que lo estaba ahogando. Apenas unas horas antes, no quería oír hablar de la posible transformación de Kate. Ahora sentía un terrible vacío al saber que nunca tendría lugar. De repente, su vida humana se le antojaba demasiado corta. Demasiado frágil. Podría perderla en cualquier momento.

—¿Y tú qué querías decirme? —preguntó ella.

—Nada que no hayas dicho tú ya —susurró con voz profunda y suave, y un atisbo de desánimo que escondió rápidamente en el sonido de su risa.

Kate le rodeó el cuello con los brazos y lo miró a los ojos. Estaba anocheciendo y la escasa luz que se filtraba a través de las ramas, apenas le iluminaba el rostro.

—¿Estás bien?

—Sí.

Ella se puso de puntillas y le rozó los labios con un beso.

—Lo que pasó anoche entre nosotros fue maravilloso y me apena haberlo estropeado discutiendo. —Bajó la vista con timidez y el rubor coloreó sus mejillas—. Me gustó mucho.

William le levantó la barbilla con el dedo índice y el pulgar. El fuego alimentaba su mirada y su pecho se hinchó por el reflejo de una respiración.

—A mí también.

Ella tragó saliva y su aliento tembló cuando él trazó la forma de su boca. Esa mirada, tan hambrienta y necesitada sobre ella, tan llena de amor, hizo que quisiera darle cualquier cosa que le pidiera.

—Podríamos volver a intentarlo, pero esta vez sin discutir.

William rio para sí mismo y se inclinó para atrapar su boca con un pequeño mordisco.

—Te deseo incluso cuando discutimos —susurró sobre sus labios. Deslizó la mano por su cadera y le acarició la nalga—. Te deseo tanto que me duele.

—Vayamos a algún sitio donde podamos estar solos.

William estudió su cara un instante con una mirada traviesa. Se moría de ganas de volver a estar con ella.

—Tengo una idea.

19

—Debería haber puesto la capota —dijo William al ver cómo Kate se estremecía a su lado.

—No tengo frío, es la humedad —respondió ella al tiempo que se frotaba la piel desnuda de los brazos.

Se arrebujó en el asiento y contempló la niebla que comenzaba a asentarse a su alrededor.

—Llegaremos enseguida —le aseguró él con una sonrisa.

—¿Adónde me llevas?

—A un lugar en el que estaremos completamente solos. Vamos a colarnos en la casa de Robert. Después de lo de anoche, me lo debe.

—¿Vamos a colarnos en la casa de tu hermano como dos delincuentes?

—Exacto.

Kate se echó a reír.

—¿Robert no vive en la mansión?

—Sí, pero también tiene sus pequeños retiros para cuando quiere estar solo. —Hizo una pausa y le guiñó un ojo—. O acompañado.

Kate se cruzó de brazos y lo miró mucho más seria.

—¿Tú también tienes pequeños retiros para estar solo? —inquirió en un tonito mordaz.

—Sí, y en mi caso te prometo que la soledad es literal.

—Me cuesta creerte.

Él alargó el brazo y le tiró del pelo de forma juguetona.

—¿Sabes qué? Te lo enseñaré.

—¿Tus retiros?

—Mi retiro —apuntó divertido—. Una villa en el lago de Como, al norte de Italia. Aunque estoy pensando venderla y buscar algo más tranquilo. ¿Por qué no eliges tú el sitio?

—¿Yo?

—¿Por qué no? Piensa en un país que te guste, una ciudad y compraremos una casa allí. Podríamos hacerlo ya y pasar en ella nuestra primera Navidad juntos, ¿qué te parece? Incluso instalarnos un tiempo y olvidarnos de todo.

Kate apoyó la cabeza en el asiento y observó a William con un nudo en el estómago. Verlo tan contento la emocionaba. Imaginó lo bonito que sería compartir una casa con él, vivir juntos y tener un espacio solo para ellos. Todo lo que veía en ese sueño estaba bien.

—Sería maravilloso, pero debo ir a la Universidad y estar cerca de Alice. Me necesita.

—Tienes razón. —Sacudió la cabeza, pensativo—. De acuerdo, pues seré yo quien se instale en Heaven Falls.

Kate dio un respingo en el asiento.

—¿Lo dices en serio? —la simple idea le llenaba el estómago de mariposas.

William asintió y le dedicó una gran sonrisa. Haría cualquier cosa por ella y no dejaba de sorprenderle que Kate no fuese consciente de esa verdad. Lo había vuelto loco desde el minuto uno, tanto para sacarlo de quicio como para calmarlo. Bajaba el volumen de su mente y enfriaba sus pensamientos negativos. Ella lograba que se sintiera normal.

Giró a la derecha y condujo por una carretera de curvas hasta una casa de campo situada en lo alto de una colina. El largo camino de acceso estaba bordeado por robles enormes. A la luz de los faros, Kate pudo ver una hermosa construcción de piedra de una sola planta. Una hiedra cubría parte de la estructura.

—¿Seguro que Robert no está aquí? —preguntó mientras bajaba del coche.

—Se ha marchado a Londres. No regresará hasta el alba e irá directamente al castillo.

De repente, una fina llovizna comenzó a caer y tuvieron que correr para resguardarse en el pórtico de la entrada.

—No me acostumbro a este tiempo —protestó ella.

—El de Nueva Inglaterra no es mucho mejor.

Kate le sacó la lengua y él se echó a reír mientras rebuscaba en un llavero.

—¿Tienes llave?

—¿Pensabas que lo de colarnos era literal?

Entraron en el vestíbulo y William se dirigió a una de las lámparas que había sobre una consola bajo un gran espejo. Accionó el interruptor.

—Vaya, no hay luz. —Probó con la del techo y tampoco se encendió—. No importa, ven.

La guio hasta una sala cubierta de alfombras y tapices, con una enorme chimenea frente a un sofá y una *chaise longue*. De repente, todas las velas de la sala comenzaron a arder y un fuego crepitante apareció en la chimenea.

Kate observó la estancia maravillada.

—Es fascinante. ¿No puedes hacer lo mismo con las lámparas? —preguntó mientras se sentaba junto a él en el sofá.

—No, los objetos que funcionan con electricidad se me resisten. Solo consigo chispazos —aclaró en tono divertido.

Kate recorrió con la mirada las pinturas de las paredes, los ostentosos marcos dorados adornados con filigranas. Él le rodeó los hombros con el brazo y la atrajo hacia su pecho para acurrucarse juntos. Contemplaron en silencio el fuego.

William la besó en la coronilla

—¿Es esto lo que querías?

—Sí, tú y yo solos.

Se puso derecha y, con un movimiento inesperado, se sentó a horcajadas sobre él.

William dio un respingo por la sorpresa, pero de inmediato se relajó. Ella se inclinó y lo besó en los labios. Le encantaban sus besos. Tan dulces y suaves. Le recorrió la espalda con las manos y hundió el rostro en su cuello mientras ella lo abrazaba. Percibió su acelerado pulso latiendo en la superficie. El palpitar de su corazón. El olor de la sangre justo bajo la piel, espesa, brillante y almibarada. Empezó a ponerse nervioso. Se le secó la boca y un espasmo le encogió el estómago. Le ardían las venas.

Kate se apartó un poco y se encontró con sus ojos convertidos en dos rubíes. Empezaba a distinguir sus reacciones y se echó hacia atrás para poner distancia.

—¿Cuánto hace que no te alimentas?

—Un par de días.

—¿Por qué?

—Me he descuidado, tenía la cabeza en otra parte.

—Yo podría... en una copa.

—¡No! —Se puso de pie en cuanto ella se bajó de su regazo. Tragó saliva—. Ni siquiera en una copa.

—Entonces, deberíamos volver. Tienes que alimentarte.

William la observó de arriba abajo y el recuerdo de su cuerpo desnudo bajo el suyo prendió una hoguera de deseo y lujuria en su interior. Quería estar con ella. Dentro de ella. Otra vez.

—No quiero regresar.

—Ni yo, pero...

Se pasó la mano por el pelo, nervioso. Tuvo una idea.

—Puede que Robert tenga reservas abajo. Espera aquí.

Salió de la sala y como una sombra sigilosa se dirigió a la bodega. Localizó la puerta de acero que daba paso al refugio subterráneo y buscó el panel de acceso. Soltó una maldición al percatarse de que estaba muerto. Buscó el cuadro de fusibles, solo para comprobar que se habían fundido. ¡Genial!

—Un momento... —dijo para sí mismo.

Recordó que el refugio dependía de generadores y no de la instalación eléctrica de la casa. Comprobó de nuevo el panel y descubrió que lo habían desconectado a propósito; y sin la llave, era imposible conectarlo.

Una sonrisa se dibujó en su cara. Sin energía, aquella puerta solo era un trozo de metal.

Deseó que se moviera. Se concentró con los ojos cerrados y poco a poco la puerta cedió hasta abrir un hueco por el que pudo colarse dentro.

Bajó la escalera, iluminada tan solo por una luz de emergencia, y entró en la primera habitación, una sobria cocina. El alivio lo inundó al encontrar lo que necesitaba. Un armario refrigerado con puertas de cristal, repleto de bolsas de sangre con la etiqueta del Centro de Investigación Hematológica de la Fundación Crain.

Tomó una bolsa y agarró un vaso del armario. Lo llenó hasta el borde mientras sus colmillos se desplegaban y las encías palpitaban con un dolor placentero. Bebió, saboreando la sangre oscura y densa que le resbalaba por la garganta. Todo su cuerpo se estremeció con un intenso placer y sus instintos se sacudieron dentro de él, como el champán agitado antes de ser descorchado.

Se sirvió otro vaso y lo apuró de un trago.

Ya podía volver arriba.

Pisó el primer peldaño y se detuvo. Algo no estaba bien. Una corriente de aire le llegó desde atrás, arrastrando consigo olores y sonidos. Avanzó por el pasillo enmoquetado, sin hacer ruido y con la mirada clavada en una puerta muy concreta. El dormitorio de Robert. Dentro corría el agua.

Empujó la madera y entró. Vio la cama deshecha, con las sábanas de seda desparramadas por el suelo. Aspiró el aire de la habitación y sus ojos se iluminaron con una mezcla de suspicacia y miedo.

No podía ser.

Imposible.

Tomó el vestido que colgaba de una silla y contempló el tocador, repleto de cremas, perfumes y maquillaje. Se lo llevó a la nariz y la fragancia que lo impregnaba penetró hasta el último rincón de su cerebro. ¡No!

Un grifo se cerró y el agua dejó de caer. William percibió el sonido del satén al deslizarse, una toalla golpeando el suelo al caer. Un gruñido vibró en su pecho y escapó de su boca sin que pudiera detenerlo.

—¿Eres tú, cielo? No te esperaba hasta mañana. ¿Vienes a comprobar si estoy siendo una niña buena?

William se estremeció al escuchar esa voz. Cada terminación nerviosa de su cuerpo se sacudió y una ola de energía le recorrió la columna. No tenía sentido. No quería que lo tuviera. Notó la conexión con ella más fuerte que nunca y entonces comprendió por qué no había dejado de sentirla. Algo dentro de él despertó como una cobra dormida.

La puerta del baño se abrió y ella apareció envuelta en una bata de estilo oriental de color rojo.

—¿Robert? —dijo Amelia, al tiempo que levantaba sus ojos del suelo y se encontraba con la fría mirada de William clavada en ella—. ¡Tú!

El pánico se apoderó de su rostro y se lanzó hacia la puerta. No la alcanzó. William la atrapó por el cuello y, con un movimiento brusco, la estrelló contra el suelo. Se sentó a horcajadas sobre ella y le sujetó las manos por encima de la cabeza.

—¿Por qué sigues viva?

—Soy una mujer de recursos.

—¿Cómo es posible?

Los labios de Amelia se transformaron en una línea recta.

—Un pescador me sacó del agua muy cerca de donde caí —respondió con la voz entrecortada, mientras se retorcía para soltarse.

—Y en agradecimiento lo desangraste —replicó él con desprecio.

—¿Qué querías que hiciera? Me estaba muriendo —le espetó. Chasqueó la lengua con disgusto—. No me mires así, tú me has convertido en lo que soy. Vivir. Vivir a cualquier precio. Eso es lo que me has enseñado.

William la miró a los ojos y ejerció más presión para inmovilizarla.

—Me equivoqué al no dejarte morir aquel día y he pagado por ello durante demasiado tiempo. Pero eso se acabó, Amelia. He dejado de sentirme culpable.

—¿Y qué piensas hacer? Nunca has tenido el valor suficiente para hacer nada. Ni tú ni tus remordimientos. ¡Eres débil!

El ruido de unos pasos llegó hasta ellos. Había alguien más en aquel refugio.

—¡Aquí! Nos atacan —gritó Amelia.

Dos vampiros irrumpieron en la habitación y se abalanzaron sobre él. Amelia aprovechó el momento y se soltó. En ese mismo instante, la voz de Kate sonó arriba, al pie de las escaleras.

—¡William!

—¡No es seguro, vete! —rugió y escuchó con alivio que ella obedecía.

Trató de seguirla, pero los vampiros le hicieron caer al suelo. Amelia saltó sobre ellos con la locura latiendo en su mirada. William supo que iba a por Kate. Pateó a los renegados y logró aferrarla por el tobillo, haciéndola caer de bruces. Por el rabillo del ojo captó el brillo de una daga, pero si soltaba a Amelia...

Desde la batalla en Heaven Falls, había intentado contenerlo. Tenía miedo de lo que podría hacer bajo su control. Sin embargo, en ese momento, dio la bienvenida al poder que continuaba creciendo dentro de él, como un gigante dormido que comienza a desperezarse.

Sus ojos se transformaron en plata fundida. Gritó y los dos renegados salieron lanzados contra las paredes por una fuerza invisible. Antes de que tocaran el suelo, les rompió el cuello y les aplastó el corazón.

Corrió al pasillo.

Amelia ya subía la escalera.

Logró alcanzarla en la bodega. La sujetó con ambas manos y la arrojó dentro del refugio otra vez. Rodó como una muñeca de trapo. William bajó en su busca y la puerta se cerró a su espalda con un movimiento de su mano.

De repente, Amelia saltó sobre él como una pantera y trató de arañarle los ojos.

Consiguió reducirla sin esfuerzo y la aplastó contra la pared.

—¿Es él? ¿Es mi hermano?

Una sonrisa maliciosa curvó los labios femeninos y sus ojos relampaguearon deleitándose con el sufrimiento que embargaba a William.

—Tu querido hermano te odia, amor mío. Tanto, que quiere borrarte de la faz de la tierra, pero antes drenará hasta la última gota de sangre de tu cuerpo y conseguirá la cura para los vampiros. Porque existe una.

—Mentira.

—No cierres los ojos a la realidad. Estoy aquí, en su casa. Bajo su protección. ¿Qué crees que significa? Te detesta. Aborrece tu perfecta familia y, sobre todo, desprecia el pacto, a tu padre y su predilección por ti.

—No te creo.

—No te imaginas lo que los celos pueden destruir. Yo no vivo desde que sé que estás con esa humana.

Se inclinó hacia delante con intención de besarlo. Él la aplastó más fuerte contra la pared y apartó el rostro con desprecio.

—¿Y qué pintas tú?

—Vamos, eres inteligente, ¿no lo adivinas? —Él no contestó y Amelia soltó una carcajada seca—. Aplica la psicología masculina, querido. Tiene a tu adorable mujercita bajo su techo y en su cama. Esconde para él lo que tú llevas buscando más de un siglo. Retorcido, pero placentero. Además, gracias a mí ha conseguido reunir a los renegados bajo su mando, ¿adivinas para qué? —William permaneció en silencio—. Para liberarnos del yugo impuesto por tu padre, ¿para qué si no? Sin la maldición del sol, los vampiros seremos imparables y los humanos solo servirán para llenar nuestras granjas. Robert anhela los viejos tiempos y yo me muero por conocerlos.

—No lo permitiré.

—¿Cómo piensas impedirlo?

—Voy a parar a mi hermano.

La soltó sin disimular el desprecio que sentía por ella.

Amelia se masajeó el cuello y lo miró con recelo.

—¿Y qué vas a hacer conmigo?

—Recoge tus cosas y márchate muy lejos. Huye, Amelia. Te quité la vida y ahora te la perdono, pero si vuelvo a verte haré que te tragues tu propio corazón.

La miró una última vez y se encaminó a la salida.

Vio el destello en su mente incluso antes de que ella se moviera. Se volvió y detuvo la mano de Amelia que empuñaba la daga. Se la arrebató. Vaciló un instante. Después la hundió en su pecho. Ella abrió los ojos, sorprendida, y con las dos manos trató de detener la presión de su brazo. William giró la muñeca y la sangre brotó con más rapidez. Un torrente carmesí se deslizó por el estómago desnudo de Amelia, resbaló por sus piernas y empapó la moqueta.

Se miraron a los ojos durante lo que pareció una eternidad. Lentamente, las rodillas de Amelia cedieron y se desplomó sobre el suelo, muerta.

William contempló su cuerpo inerte. Ni el más leve sentimiento agitó su corazón.

Pasó por encima y se dirigió arriba. Salió de la casa a toda prisa.

—¡Kate!

—Estoy aquí.

Ella surgió de entre unos arbustos y corrió para refugiarse en sus brazos. No llegó a tocarlo. William la aferró por el codo y la condujo hacia al coche.

—Sube y ponte el cinturón.

—¿Qué ha pasado? —Él no respondió y puso el motor en marcha. Las luces del salpicadero se iluminaron y Kate pudo ver su camisa salpicada de manchas oscuras—. ¿Eso es sangre? ¿Estás herido?

William pisó el acelerador a fondo. Los neumáticos derraparon y el vehículo salió disparado hacia la carretera.

—La sangre no es mía.

—Entonces, ¿de quién es?

—De Amelia.

Kate dejó de respirar y lo miró como si hubiera perdido el juicio.

—Amelia está muerta.

—Ahora sí.

20

Las puertas del castillo se abrieron de golpe, como si una ráfaga de fuerte viento las hubiera empujado. William cruzó el umbral como alma que lleva el diablo con Kate tras sus pasos.

—¿Ha regresado mi hermano? —preguntó al Guerrero que vigilaba el vestíbulo.

—¿Regresado? No ha salido desde ayer, está en la biblioteca.

—Bien, que nadie cruce esas puertas.

—Señor...

—¡Nadie! —ordenó.

Se encaminó a la biblioteca.

—¿Puedes contarme qué ocurre? —rogaba Kate a su espalda.

El sonido de su voz destilaba miedo y desasosiego, pero William lo ignoró. Todos sus sentidos estaban ocupados en lo que sucedía al final de ese pasillo. Agudizó el oído y la voz de Robert le llegó clara como el agua. Hablaba por teléfono.

—Lo de ese otro vampiro cambia las cosas... No me mientas... Dentro de cuatro horas en el lugar de siempre... No, antes debo comprobar que ella sigue donde debe estar.

William apretó los dientes con rabia. Las dudas sobre la traición de su hermano se disipaban condenándolo. Y para más irritación, era un soberbio endiosado que se atrevía a tratar sus asuntos desde la mansión. Alzó las manos y las puertas de la biblioteca se abrieron como un resorte, se estrellaron contra las paredes y volvieron a cerrarse ante las narices de Kate.

—¡William! —exclamó Robert. Apenas tuvo tiempo de levantarse, antes de que su hermano agarrara el escritorio y lo estrellara contra una estantería repleta de libros—. ¿Qué demonios te pasa?

William lo atrapó por las solapas de su chaqueta y lo alzó del suelo. Después lo lanzó contra el montón de libros y maderas astilladas.

—No te molestes en visitarla. Está muerta y su sangre decora ahora tu moqueta.

Robert contempló las manchas oscuras en la ropa de su hermano y empezó a atar cabos. Una repentina ansiedad se apoderó de él y su pecho vibró con un gruñido.

—¡Joder, ¿la has matado?! ¿Por qué has ido a mi casa? —gritó con el rostro crispado—. ¡Maldita sea! Esto no puede pasar, ¡ahora no!

Una risa sombría escapó de los labios de William.

—¿Por qué? —gimió con los brazos extendidos—. ¿Por qué estás haciendo tú todo esto?

Robert lo miró con severidad, mientras se quitaba la chaqueta, desgarrada por el golpe. Se apartó con frustración los mechones que le caían sobre la frente.

—Hablemos.

—¿Sobre qué? Ella ya me ha contado lo que pretendes y no te lo voy a permitir. No dejaré que lo hagas.

Se volvió hacia la chimenea y tomó una de las espadas que colgaban de un soporte sobre la repisa. Cerró los dedos en torno a la empuñadura y se giró.

Robert dio un paso atrás y sus ojos se encontraron. Negó con la cabeza.

—William, no te dejes llevar por las apariencias.

—¿Apariencias? ¿Vas a negar que tenías a Amelia en tu casa? Y no solo en tu casa. ¡Por Dios, erais amantes!

Se acercó despacio a su hermano con la espada colgando de sus dedos. La punta arañaba la alfombra con un sonido desagradable.

Robert se movía al mismo tiempo, trazando un círculo que lo acercaba a la chimenea. William parecía desquiciado y así no podía razonar con él.

—Hay una explicación —le aseguró.

—Tú enviaste a esos vampiros a Heaven Falls, querías que me mataran.

—Sí, los envié, pero no para que te hicieran daño.

—¡Casi matan a Evan! —gritó al tiempo que lanzaba una estocada.

Robert saltó a tiempo. Se encaramó a la chimenea y arrancó la segunda espada del soporte. Giró en el aire. Al caer apenas pudo alzar el brazo y detener otro golpe. El ímpetu de un tercero lo hizo caer al suelo.

—No tuve más remedio, William. Intenté que no te hicieran daño.

—Y si no querías matarme, ¿para qué enviaste a Amelia?

—Eso fue cosa suya, te lo juro. Actuó por despecho al enterarse de que Kate existía.

William soltó una amarga carcajada. A través de la puerta podía oír los gritos desesperados de la chica.

—No te creo. Has perdido la razón y en tu locura pretendes arrastrarnos a todos. —Alzó la espada y la blandió en el aire—. No dejaré que te salgas con la tuya. Si quieres un infierno en el que reinar, yo te daré uno. A ti y a tus renegados.

—Escúchame, hermano, te estás equivocando.

Robert levantó la espada y detuvo un golpe. Esquivó otra estocada, pero no con la suficiente celeridad como para evitar que el borde afilado abriera una herida en su hombro. William era rápido, más que nunca. Otro tajo en el brazo le arrancó un quejido y la espada resbaló de su mano cubierta de sangre. Su hermano empuñó el arma con ambas manos y vio cómo la hoja caía sin remedio sobre su pecho.

De repente, una fuerza invisible levantó a William del suelo y lo estrelló contra la pared. Sintió todos sus huesos crujir contra uno de los muebles; y al caer, su cabeza rebotó contra la alfombra. Abrió los ojos sin entender lo que había pasado y vio a su madre arrodillándose junto a Robert.

—¡No, aléjate de él! Es un traidor. Está detrás de todo. Del robo, del ataque...

Aileen se puso en pie en cuanto las heridas de Robert comenzaron a sanar y miró a William con dulzura.

—Deberías calmarte.

—Lo sabes —la voz de William se quebró. Ella asintió y él notó un enorme vacío bajo sus pies—. Estáis juntos en esto.

—Hemos hecho lo que debíamos hacer. Era necesario. —Le tendió la mano.

William dio un paso atrás. Se negaba a creer en la evidencia.

—¿Lo que debíais hacer? ¿Y todo para conseguir qué, mi sangre? ¿Eso es lo que os mueve?

—Por supuesto que no.

—Para vosotros siempre he sido la llave que abre la puerta...

—No, hijo.

William se tambaleó.

—No funciona, vosotros mismos lo dijisteis.

—Y así es, no funciona.

—Pero habéis encontrado otro modo a mis espaldas y me habéis manipulado.

Aileen inspiró hondo y su expresión se volvió mucho más seria. Veía el aura de su hijo oscilando a su alrededor, electrificándose, cambiando de color al ritmo frenético que lo hacían sus emociones.

—William, piensa en lo que estás diciendo. No tiene sentido. Si te calmas y escuchas, te contaré toda la verdad.

—No quiero saberla. ¡No quiero saber nada! —Se llevó las manos a la cabeza. Un doloroso zumbido le estaba taladrando el cerebro—. Se acabó, terminemos con esto.

Se acercó al mueble bar, junto a la ventana, sobre el que reposaba una bandeja con copas y cubiertos. Tomó un cuchillo de plata y hundió la hoja en su brazo. Su sangre chorreó sobre el cristal.

—¡No hagas eso! —le imploró su madre.

Él realizó otro corte de varios centímetros de profundidad hasta la muñeca. El líquido rebosó y retiró el brazo.

—Ahí la tenéis. A mí ya no me necesitáis.

El dolor que le causaba la traición de su propia familia era insoportable. Sus cimientos se resquebrajaban y no había nada más para sostenerlo. Se dirigió a las puertas sintiéndose perdido.

De pronto, una librería se movió sin que nadie la tocara y bloqueó la salida. William la miró atónito y se dio la vuelta, mudo por el estupor. No podía ser. Contempló a su madre como si fuese la primera vez que la veía.

Fuera de la biblioteca, Kate se movía en círculos. Nadie había acudido a sus gritos, mientras al otro lado de las paredes los golpes y las voces subían de volumen. Sollozó aliviada cuando Shane apareció corriendo con Marie, pocos minutos después de que le enviara un mensaje.

—¿Dónde está? —preguntó él.

—Ahí dentro, pero han bloqueado las puertas. Algo no va bien.

Shane aceleró el paso. Sus ojos centellearon. Saltó hacia delante y sus ropas se desintegraron mientras se transformaba. El lobo blanco embistió las puertas e irrumpió en la sala con gran estrépito. Lanzó un par de dentelladas al aire y se colocó delante de William, sin importarle que la mismísima reina de los vampiros estuviera frente a él.

Bajó la cabeza y gruñó amenazante.

—Nadie va a hacerle daño, Shane —dijo Aileen. El lobo le mostró los dientes, podía oler la sangre de su amigo en la habitación. Ella miró a su hijo—. Ahora escucharás a tu hermano.

—Yo ya no tengo hermano. Ni madre —escupió William.

Aileen cerró los ojos como si hubiera recibido una bofetada.

—No digas eso.

—¿Quién eres?

—¿Qué pregunta es esa?

William lanzó una rápida mirada a una de las butacas y el mueble voló por los aires hacia ella. No llegó a tocarla. Rebotó contra algo invisible y se estrelló en la pared.

Aileen suspiró. Cerró los ojos para hacer acopio de paciencia y cuando los abrió, eran del color del mercurio. No había nada familiar en ellos.

William dio un paso atrás. Piezas del puzle parecían unirse, pero no tenía ni idea de cuál sería la imagen final.

—¿Qué eres?

—Debes confiar en nosotros, aunque todo te indique que no puedes.

Él soltó una carcajada amarga. Aquellas palabras le sonaban, ya las había oído de labios de su padre. El estómago le dio un vuelco con una idea dolorosa. ¿Él también formaba parte de aquello?

—Hace cosa de un año, yo estaba siguiendo a un grupo deproscritos que habían comenzado a llamar la atención en Londres —intervino Robert con rapidez—. Les oí decir que un miembro del Consejo les estaba pagando por ciertos trabajos. Entre otros, debían seguirte a ti. No pude sacarles ninguna información, ni siquiera sabían su nombre. Solo que era alguien importante y conspiraba contra nosotros. Así que pusimos un plan en marcha.

—¿Qué plan?

—Empecé a frecuentar los círculos del Consejo. Hice algunos comentarios malintencionados sobre la forma de gobernar de nuestro padre, y manifesté mi profundo desacuerdo con ciertos puntos del pacto. No tardó en dar la cara.

—¿Quién? —preguntó William sin apartar los ojos de Aileen.

—Marcelo —respondió Robert.

William frunció el ceño, sorprendido. Sabía que Marcelo no era un ejemplo a seguir, pero nunca dudó de la lealtad del vampiro hacia los Crain.

—Entonces, ¿por qué sigue vivo?

—Porque no está solo. Sirve a alguien más poderoso y debemos llegar hasta él. A la raíz del problema.

—Y me lo habéis ocultado.

Cansado, Robert se apoyó en una columna y se apartó el pelo de la frente con la mano.

—Era vital que tú no supieras nada para que nuestra mentira se sostuviera. Todos sabemos que no eres de los que se quedan de brazos cruzados. —La mirada de William voló hasta él. Continuó—: Yo planeé el robo. Me he coronado líder de los renegados y convertí a Amelia en mi amante. Te aseguro que esa parte no fue fácil. Salvé a Fabio cuando yo mismo debería haber clavado su cabeza en una estaca. Lo hice porque Marcelo me lo pidió. Quería comprobar hasta dónde estoy dispuesto a llegar para poder confiar en mí, y yo le he demostrado que puede. Haré cualquier cosa para protegerte, William.

—¿Protegerme de qué?

—Aseguran que han encontrado un modo de romper la maldición y necesitan tu sangre para ello. Yo les creo. Por eso voy a seguir adelante e interpretaré el papel de siervo hasta descubrir qué traman. Hay que averiguar quién está detrás de esto y acabar con él. Sobre todo, ahora que las cosas han dando un giro tan extraño. Hay otro vampiro que comparte tu don y es muy probable que esté con ellos.

—Pero tú no sabías lo de ese vampiro. Yo te lo dije —terció William en tono punzante.

—¡Y no debería saberlo! —gruñó Robert mientras se alborotaba el pelo con frustración—. Dios sabe el esfuerzo que estoy haciendo para no salir a buscarlo yo mismo. Se supone que solo puedo saber lo que Marcelo me dice, así no correré el riesgo de equivocarme. —Dio un par de pasos hacia él—. William, jamás te traicionaría.

—Pero lo has hecho.

—Ya te he explicado...

—No me refiero a vuestro plan maestro —comentó con ironía—. Sino a ella.

Enfrentó a su madre con la mirada. Sentía el cuerpo vacío de todo sentimiento salvo la desconfianza.

—Las cosas que hago... ¿Es porque me parezco a ti?

—Sí, has heredado esa parte de mí, y la verdad es que ha sido una sorpresa.

—¿Quién eres?

—Tu madre —respondió con dulzura.

—¡Maldita sea, quieres hablar de una vez!

—Ten paciencia, por favor —le rogó ella.

Sebastian apareció tras ellos sin hacer ruido y se colocó al lado de su esposa. Le rodeó la cintura con el brazo.

—Todos han abandonado la mansión, podemos hablar con libertad —indicó el rey.

—¿Qué es esto? ¿Un maldito complot? —inquirió William. Se giró hacia Marie—. ¿Tú también?

—¡No! Te lo juro.

—¡William! —lo amonestó Sebastian con una mirada severa—. Quiero que escuches a tu madre.

William apretó los dientes y obedeció a regañadientes.

Aileen se sentó en una butaca y entrelazó las manos sobre su regazo. Durante unos segundos, contempló su anillo de boda. Entonces, empezó a hablar:

—Era un Vigilante. Y como mi nombre indica, mi trabajo consistía en vigilar. Mis hermanos estaban interesados en Sebastian, sentían curiosidad por él. Un vampiro que abandona el camino de la sangre, entregándose al martirio y al sacrificio para salvar su alma, no era algo que pasara desapercibido a sus ojos. Así que me enviaron aquí para observarle y ver qué había de cierto. No contaban con que acabaría enamorándome de él.

—¿Tus hermanos? —susurró William.

Aileen hizo un gesto hacia arriba y todos alzaron sus cabezas al techo, decorado con una gran pintura que representaba un grupo de ángeles caídos en su descenso a la Tierra.

—Ellos.

—¿Estás insinuando que eres un... ángel? —preguntó William perplejo.

—Soy un ángel —afirmó sin vacilar.

—¿Y qué pasó después? —la voz de Marie se alzó con una mezcla de curiosidad y timidez.

Aileen le dedicó una sonrisa.

—Con el paso del tiempo, mi hermano mayor descubrió mis sentimientos hacia Sebastian. Me ordenó volver y yo me negué a separarme de vuestro padre. Me desterró en ese mismo momento, lo que me convirtió en un Caído. Cuando descubrí que estaba embarazada, pensamos que había sido un milagro. Era imposible que algo así sucediera entre nuestras especies. —Miró a William—. Por mi seguridad y la tuya, me mantuve oculta durante los meses de gestación, y también durante tus primeros años. Si el embarazo fue una sorpresa, no puedes imaginar lo que significó darnos cuenta de que crecías como un humano. Inventamos un pasado para mí, y años después simulamos mi transformación. Así empezó nuestra vida como familia. Una familia de verdad, hijo, porque nuestros lazos son de sangre.

William contempló a Sebastian, pero esta vez con nuevos ojos. Era su padre biológico, lo que significaba que él no era un simple convertido, sino un descendiente de Lilith. También que Robert y él compartían mucho más que el afecto. Eran hermanos en el sentido más literal de la palabra.

Notó que le flaqueaban las piernas, mientras un caleidoscopio de emociones se reflejaba en su rostro. Asombro, dolor, ira, miedo...

—¿Estás diciendo que soy una especie de nefilim vampiro?

—Ni siquiera sé si existe un nombre para lo que eres —respondió Aileen—. Al menos, otro que no sea «milagro». Por eso nos preocupa tanto Marcelo. Desconocemos hasta qué punto sabe, ni cómo piensa utilizarte.

—Y que haya aparecido otro vampiro igual a ti, complica mucho más esta situación. Una vez puede considerarse casualidad, pero dos... —intervino Robert.

William parpadeó abrumado.

—He vivido en una mentira que vosotros habéis creado. ¡Tenía derecho a saberlo!

—Tu derecho acaba donde comienza el nuestro a protegerte —declaró Sebastian—. Para los vampiros eres un humano convertido, con una anomalía que puede explicarse como un nuevo paso en la evolución o un milagro. No me importa lo que crean, siempre y cuando no sepan la verdad. Te convertirías en un trofeo, al igual que tu madre, y no solo para los renegados.

—Los ángeles no saben que existes, solo mi hermano. Él juró guardar el secreto, pero si los demás lo averiguan... No estarás a salvo —le explicó Aileen.

La mirada de William parecía desprovista de vida. La verdad sobre su existencia le había sido revelada como una dramática y cegadora revelación que le estaba costando asimilar. Sin embargo, esa realidad le daba sentido a su vida. Contestaba tantas preguntas que durante años lo habían atormentando, que por un momento pensó que debería sentirse aliviado. Pero no era así.

—¿En qué me voy a convertir? —preguntó.

—No lo sabemos —respondió Aileen, y una lágrima resbaló por su mejilla.

Esa gota salada sorprendió a William. Nunca la había visto llorar, los vampiros no podían producir lágrimas. Aunque, claro, ella no lo era. De repente, el amor que sentía hacia su madre afloró con el deseo de abrazarla, aunque no se movió.

—¡Estás llorando! —musitó.

—Tus lágrimas me conmueven y me llenan de pena. Siento todo esto.

William se llevó una mano al rostro, casi con miedo. Cuando la miró, las yemas de sus dedos estaban húmedas. Se esforzó por recuperar la voz.

—¿Creéis que habría seguido siendo humano si ese renegado no me hubiera mordido?

Aileen cerró los ojos con un sollozo.

Sebastian le dio un ligero apretón en los hombros.

—Debe saber toda la verdad.

Ella asintió con su mano sobre la de él.

—No he dicho que fueses humano, sino que crecías como si lo fueras. No te mordió ningún vampiro.

—¿Qué quieres decir?

—Asaltaron la casa, eso es cierto, pero no te mordieron —su voz era un susurro—. Los renegados nos atacaron y tú te enfrentaste a ellos para protegernos. Entonces pasó, te transformaste ante nuestros ojos. Como si tu verdadera naturaleza hubiera estado dormida hasta ese momento y despertara de golpe. Después te desmayaste y enfermaste durante días. Eso ayudó a que todos creyeran que te había mordido un renegado. Ahora es tu otra mitad la que está despertando.

Un mal presentimiento se extendió por la sangre de William como un río helado y un nudo de miedo se retorció en su estómago. Un pensamiento afilado empezó a desgarrarlo por dentro.

—¿Qué le ocurrió a mi hermana?

—No fue culpa tuya, no sabías lo que hacías —dijo Marie en un susurro, que acabó quebrándose.

William se volvió hacia ella. Una profunda congoja se apoderó de su pecho, abriendo viejas heridas y otras nuevas, mucho más dolorosas.

—Dime que no es cierto.

Marie acortó la distancia que los separaba y lo abrazó.

—Yo no te culpo. No debí entrar en la habitación. Me lo habían prohibido, pero quería verte. Parecías dormido, me acerqué y tú reaccionaste a mi presencia. Solo fue un accidente. Me dieron tu sangre para salvarme, por eso estamos conectados.

—¿Nuestro vínculo...? —Ella asintió contra su pecho en respuesta. William alzó los brazos y sujetó a su hermana por los hombros. Muy despacio, la apartó de él—. Yo te hice esto.

—No te reprocho nada, eres mi hermano.

William negó con la cabeza.

—Destrozo todo lo que toco.

De repente, dio media vuelta y abandonó la biblioteca sin que nadie pudiera detenerlo.

Kate salió tras él. Recorrió el pasillo, cruzó el vestíbulo y se lanzó a la calle gritando su nombre. No logró alcanzarlo. Derrotada, se sentó en la escalinata y escondió el rostro entre sus manos, mientras trataba de asimilar lo que acababa de pasar.

Al cabo de unos minutos, Robert salió del castillo con ropa limpia y mejor aspecto que en la biblioteca. Bajó la escalera hacia el coche que lo esperaba con el motor encendido.

Kate se lo quedó mirando y no pudo contenerse.

—¿Piensas marcharte después de lo que ha sucedido?

Robert se detuvo y se giró muy despacio. Las aletas de su nariz se dilataron con una inspiración.

—Dentro de dos horas tengo una cita con el hombre que quiere la cabeza de mi hermano en una bandeja de plata. Pero si tanto te molesta, puedo aplazarlo para otro día. Seguro que lo entiende.

Kate apartó la mirada y parpadeó para alejar las lágrimas.

Robert suspiró, no pretendía ser tan brusco con ella.

—Estoy seguro de que habrá ido a las ruinas de la abadía, siempre se refugia allí cuando necesita estar solo.

Kate se puso en pie con el corazón en un puño.

—Gracias.

—Puede que no lo creas, pero quiero a mi hermano y jamás le haría daño. No intencionadamente. Las cosas que he hecho han sido para protegerlo del mundo más allá de estos muros.

—¿Y quién lo protege de vosotros? Sois su familia y le habéis mentido desde siempre, ¿te haces una idea de cómo debe de sentirse en este momento?

Robert le sostuvo la mirada, después subió al coche sin mediar palabra.

Kate echó a correr hacia la abadía. Rodeó el castillo, atravesó los jardines y bordeó el lago. Apenas podía ver dónde ponía los pies, bajo una luna menguante que aparecía y desaparecía tras un manto de nubes.

Subió la colina tan rápido como sus piernas se lo permitían. Cuando llegó arriba, los pulmones le ardían y la cabeza le daba vueltas. Notó una gota de agua en el rostro, y después otra. Empezaría a llover en cualquier momento.

Un haz de luz se abrió paso entre los nubarrones y la abadía quedó iluminada a lo lejos durante un instante. Kate siguió esa dirección y no tardó en alcanzar las ruinas. Se movió entre las piedras y las vigas, y penetró en el interior. Caminó por la nave central en dirección al altar, pendiente de las sombras que proyectaba la luna cada vez que se colaba por los agujeros que el paso del tiempo y las inclemencias habían abierto en los casetones.

—Toda mi vida ha sido una gran mentira —susurró William en la oscuridad.

Kate dio un respingo y miró hacia arriba. Lo encontró sentado en el hueco del rosetón que había tras el altar, a varios metros de altura. Tragó saliva e inspiró hondo.

—Pero se acabaron esas mentiras. Ahora sabes quién eres, ya no tienes que seguir buscando —dijo ella.

Él soltó una risa amarga.

—¿Y qué consuelo hay en eso? Antes me reconfortaba saber que hubo un tiempo en el que fui humano, y ahora también me han arrebatado eso. No queda nada en mí, solo un doloroso y oscuro vacío.

—No digas eso, estás lleno de cosas buenas.

—Mírame. Soy un engendro. El fruto de la unión de las dos especies más temibles que existen. ¿O acaso crees que los ángeles son buenos? ¡No lo son, Kate! Son soberbios, despóticos y nunca han servido a nadie salvo a ellos mismos. Creen que están por encima de todo y de todos, y no tienen conciencia. Son peor que cualquier renegado, y mi madre es uno de ellos. Yo soy uno de ellos.

—Tú no eres así —replicó Kate.

William se puso de pie y saltó. Aterrizó en el suelo con la suavidad de una pluma.

—Sí lo soy. Mitad vampiro y mitad caído. ¿Qué se puede esperar de mí?

—William, te conozco...

—¡No me conoces! —siseó—. No tienes ni idea de lo que de verdad hay dentro de mí. De lo oscuros que son mis deseos. De las cosas que he llegado a pensar y a imaginar.

—Lo único que sé y me importa, es que cada día eliges no convertirte en lo que tanto temes. Luchas por ser una buena persona porque así lo quieres. Tú decides quién eres, no tu origen o tus genes.

William soltó un suspiro tembloroso y su rostro se contrajo al borde de las lágrimas.

—Kate, no lo entiendes. Solo causo dolor a los que me rodean. Yo ataqué a mi hermana y la convertí. Se lo arrebaté todo, el amor, los hijos... Le quité la vida. Hice lo mismo con Amelia, solo que a ella la he matado dos veces y no lo merecía. En el fondo no lo merecía, porque todo fue culpa mía.

Kate no soportaba verlo sufrir de esa forma y ella misma se estaba quedando sin fuerzas. Se llevó las manos al pecho a modo de súplica.

—Vale, has cometido errores, pero todos nos equivocamos. Te han mentido, que se vayan al infierno por ello. Tu hermana no te culpa por lo que pasó, te adora. Y Amelia... ella pudo decidir y eligió el mal camino. William, eres fuerte, no puedes rendirte. Tienes que luchar contra todo esto y superarlo.

William sollozó.

—Pero es que estoy cansado de luchar contra lo que soy. Estoy tan agotado. Me da miedo que un día no pueda ser lo bastante fuerte y acabe haciéndote daño. No lo soportaría. —Cerró los ojos y echó la cabeza hacia atrás—. Por eso es mejor que te vayas.

Kate contuvo el aliento y su cuerpo se estremeció.

—¿Qué?

—Quiero que regreses a casa en cuanto amanezca.

—Solo si tú también vienes.

—Conmigo no estás segura. Acabaré haciéndote a ti lo mismo que a ellas.

—No lo harás.

William se pasó la mano por el pelo con desesperación.

—No puedes estar segura.

—¡Sí lo estoy! —gritó ella.

William evitaba mirarla. Cuando al fin lo hizo, sus ojos brillaban con una mezcla de tristeza y resolución.

—Pero yo no y no pienso correr ese riesgo. Se acabó, lo nuestro no es posible. Nunca lo fue.

Kate inspiró hondo y parpadeó para alejar las lágrimas.

—No digas eso. Podemos superar todo esto. Juntos lo haremos.

Él empezó a negar con la cabeza.

—Kate, no hagas esto más doloroso, por favor —se le quebró la voz.

—¡Lo dices de verdad, vas a dejarme!

De repente, William la abrazó y la estrechó con fuerza contra su pecho. Apretó los labios sobre su sien. Kate intentó apartarlo. Un esfuerzo inútil. Ella era como una mariposa tratando del liberarse del peso de una roca.

—Lo hago porque te quiero. Te quiero muchísimo —susurró él. La estrechó con más fuerza—. ¡Lo siento tanto! Nunca debí acercarme a ti. Fui débil e irresponsable, y un iluso por creer que esto funcionaría. Pero voy a arreglarlo, dentro de poco solo seré un mal sueño.

La soltó y comenzó a alejarse de espaldas.

—No puedes dejarme, así no. ¡No des un paso más! —gritó Kate al ver que no se detenía.

—Lo siento —susurró mientras desaparecía en la oscuridad.

—¡No te vayas! —chilló con voz roca y corrió tras él. Giró sobre sí misma, tratando de ver algo—. No me importa nada de lo que digas, ¿me oyes? Para mí no cambia nada y pienso esperarte. Voy a esperarte.

21

Kate miró fijamente el despertador. Cerró los ojos un momento y se levantó muy despacio del alféizar de la ventana, como si el hecho de ponerse de pie le resultara doloroso. Apagó la molesta alarma y se encaminó al baño.

Sus ojos le devolvieron una mirada triste y cansada desde el espejo. Llevaba un mes sin poder dormir, todo el tiempo que William estaba desaparecido. Era como si la tierra se lo hubiera tragado. Nadie sabía nada de él. Se había desvanecido y ella lo echaba de menos. Un poco más cada día, del mismo modo que su enfado crecía y crecía.

No lograba entender cómo él había considerado siquiera la posibilidad de que ella pudiera olvidarlo sin más. ¡Ojalá! Porque las semanas pasaban y ella continuaba aferrándose a la esperanza. No aceptaba que William la hubiera echado de su vida y se repetía a sí misma que antes o después aparecería en su puerta, arrepentido.

Sin embargo, el tiempo transcurría ajeno a su dolor, sin importarle las cuentas pendientes que dejaba atrás y que jamás volverían para saldarse. Negando cualquier posibilidad de recuperar los momentos perdidos a aquellos que, como ella, se veían obligados a seguir adelante sin dejar de pensar en lo que podría haber sido y ya no sería.

Se metió en la ducha y dejó que el agua caliente aflojara su cuerpo.

Ya vestida, bajó a la cocina y preparó café. Después salió afuera y, con la taza calentándole las manos, contempló el lago. Las aguas tranquilas parecían un espejo plateado con ligeras vetas de color rosado. Cerró los ojos e inspiró el aire húmedo y mentolado del bosque. Agradecía la calma. Las primeras horas de la mañana, cuando todos aún dormían, eran las mejores del día. Podía moverse por la casa con libertad, sin sentir las miradas preocupadas de Alice y Martha sobre ella. Sin fingir que se encontraba bien.

Su teléfono móvil vibró y le echó un vistazo. Sonrió al leer el mensaje de Jill. Aún le costaba creer que su amiga se fuese a casar en pocas semanas. Esa era una de las sorpresas con las que se había encontrado a su vuelta.

Tras el ataque de los renegados a principios de verano, Jill había cambiado. De repente tenía prisa por hacerlo todo, experimentarlo todo y vivir deprisa. Kate no podía reprochárselo. Ambas habían estado a punto de morir y esa experiencia tan traumática había hecho temblar todos sus cimientos.

Respondió al mensaje y pocos minutos después se subía al coche y ponía rumbo al pueblo.

Aparcó cerca de Lou's Café y recorrió a pie el par de calles que la separaban de la elegante boutique donde había quedado con Jill y Keyla. Iba a probarse su vestido de dama de honor.

Al cabo de dos horas, su paciencia estaba a punto de agotarse.

—¿Y qué te parecen estas? —preguntó Jill, mostrándole unas servilletas de color amarillo que acababa de sacar de una caja.

Kate levantó la vista de su libro. Se había sentado en una silla cerca de la puerta y esperaba resignada su turno con la cinta métrica y los alfileres.

—Son preciosas.

—Has dicho lo mismo de las azules, las verdes y las blancas.

—Porque todas me gustan.

Jill soltó un suspiro exasperado.

—Al menos podrías fingir que te interesa.

Kate cerró el libro.

—Me interesa —le aseguró—, pero en los últimos días hemos elegido manteles, vajillas, cuberterías, flores y lazos. Anoche probé cuatro menús diferentes y cinco tartas. ¿No crees que va siendo hora de que le pidas ayuda a tu madre? Yo estoy al borde del colapso.

Jill se enfurruñó como una niña pequeña y se cruzó de brazos.

—No voy a pedirle ayuda a mi madre. —Miró a Keyla, buscando su ayuda y comprensión.

—¡Ni hablar! —exclamó Keyla—. Tengo doble turno las próximas tres semanas y hoy he tenido que mentirle a la jefa de enfermeras para venir aquí.

Dio un respingo cuando la dependienta tiró del corpiño de su vestido para ajustárselo.

—Vale, puede que me esté pasando un poco —admitió Jill.

—¿Solo un poco? —inquirió Kate.

—Ya me gustaría veros a vosotras en mi lugar.

—¡Oh, no, yo no pienso casarme! —expresó Keyla tras recuperar el aire.

La dueña de la tienda salió de la trastienda con un traje idéntico al de Keyla y comenzó a quitarle el plástico que lo cubría.

—De verdad, señora Rossdale, le agradezco que nos vuelva a recibir esta noche para que mi amiga se pruebe su vestido —dijo Jill con sinceridad.

—No tienes que dármelas, querida. Desde que mi hijo se marchó a la Universidad, la casa se me cae encima. Además, nunca he conocido a nadie con... ¿Cómo dijiste que se llamaba esa enfermedad?

—Fotodermatosis. Alergia al sol.

—Pobrecita, con lo saludable que es. —Miró a Kate—. ¿Lista?

Kate se puso en pie y le dedicó una sonrisa.

—Sí.

—¡Y pensar que yo misma vestí a vuestras madres para su gran día! ¡Cómo pasa el tiempo!

—¿Vistió a mi madre para su boda? —se interesó Kate.

—Así es, sus padres le enviaron un modelo de un diseñador europeo muy famoso, pero tu madre se había enamorado de un precioso vestido que yo tenía en el escaparate. Por desgracia, ya estaba vendido. Sin embargo, no se conformó. Buscó a la chica que había comprado el traje y le ofreció el de tus abuelos más trescientos dólares. La joven aceptó y tu madre consiguió el vestido de sus sueños. Es uno de los recuerdos más bonitos que tengo de todos estos años al frente de la tienda. —Su risa no escondió la pena que aún sentía por su muerte tan prematura—. Supongo que te lo dirán continuamente, pero te pareces mucho a ella.

—Sí, aunque nunca me canso de escucharlo.

—Sería precioso que algún día tú también te casaras con ese vestido. Posees su misma figura —comentó la mujer—. Y por el pueblo se dice que tienes un novio muy guapo. Si te quiere solo la mitad de lo que tu padre quería a tu madre, serás muy feliz. Por cierto, ¿cómo se llama el joven afortunado?

—Esto... verá... Yo no... Él...

El color abandonó su rostro. Notaba las miradas preocupadas de Jill y Keyla sobre ella, y la expresión interrogante y desconcertada de la señora Rossdale ante su incómodo silencio. No pudo soportar el torbellino de recuerdos y sentimientos que se desató en su interior. Se puso de pie, farfulló una disculpa y abandonó la tienda como una exhalación.

Se dirigió hacia el lugar donde había aparcado el coche. Solo pensaba en volver a casa.

Al doblar la esquina chocó contra alguien. Se llevó la mano al hombro con un gemido y se giró para ver a quién había golpeado. Se encontró de frente con un chico de tez clara, cabello oscuro y unos ojos tan negros que costaba distinguir las pupilas en su interior. Tuvo que obligarse a apartar la vista de ellos y articular una disculpa.

—Lo siento, iba distraída.

El chico la observó de arriba abajo y una leve sonrisa se dibujó en su rostro, mientras se recolocaba una bolsa de viaje a la espalda.

—No ha sido nada —respondió.

Ella asintió y continuó caminando.

—¡Eh, tú! —una voz masculina sonó a su espalda.

Kate se detuvo y miró por encima del hombro. El chico alzó la mano y le mostró su bolso. Se le debía de haber caído durante el tropiezo y no se había dado cuenta. Regresó sobre sus pasos y le dedicó una minúscula sonrisa de gratitud.

—Gracias.

Él la observó un largo instante, y sin prisa le devolvió el bolso.

—De nada.

Kate pensó que no debería mirarlo tan fijamente, pero había algo en él que llamaba su atención. Era alto, esbelto y con una espalda ancha y fuerte a juego con sus hombros y bíceps. Ataviado con unos pantalones negros de corte militar y una camiseta gris, su aspecto intimidaba un poco. Sin embargo, su innegable atractivo no tenía nada que ver con la curiosidad que sentía por él, pero sí la cámara fotográfica que colgaba de su hombro. La maravillosa Canon con la que ella llevaba meses soñando.

—¿Te gusta la fotografía? —se interesó.

—No, solo la llevo para entablar conversación. Los perritos dan mucho trabajo.

—¿Disculpa?

—Contigo ha funcionado.

Kate frunció el ceño y dio un paso atrás. Una pequeña sonrisa tembló en sus labios.

—¿Me estás tomando el pelo?

El chico entornó los párpados y la miró a través de las pestañas con una sonrisa traviesa.

—Un poco. —Inspiró y miró a su alrededor antes de fijarse de nuevo en ella—. Me gusta hacer fotos, ¿y a ti?

—Desde los diez años, y siempre llevo mi cámara encima —dijo al tiempo que la palpaba dentro de su bolso.

—Nunca se sabe dónde puede aparecer esa imagen que convierta una simple fotografía en...

—Toda una historia —terminó de decir Kate con el estómago lleno de mariposas—. Mi madre solía decir algo parecido.

—¿Ah, sí?

—Sí. —Llenó sus pulmones de aire, de repente muy nerviosa—. Bueno, tengo que irme.

Estaba a punto de dar media vuelta cuando él la detuvo.

—Perdona, pero ¿conoces algún hotel tranquilo donde pueda hospedarme unos días?

—Hay uno al final de la calle. La gente dice que está bien y tiene piscina.

Él negó con la cabeza.

—No, estoy buscando otra cosa. Algo apartado y con poca gente, donde no haya mucho ruido y pueda hacer algunas fotos.

Kate sopesó la idea que de verdad le rondaba por la cabeza. Tenía la sensación de estar aprovechándose de las circunstancias, pero llevaban dos semanas sin recibir un solo huésped, y el señor Collins las había abandonado para ir a vivir con sus hijos a Oregón. Por lo que alquilarle una habitación a ese chico iba a pagar algunas facturas, motivo más que suficiente para no andarse con remilgos.

—Pues conozco el sitio perfecto. Una casa de huéspedes muy acogedora junto a un lago increíble —dijo con una sonrisa—. Discreto, buena comida, mucha tranquilidad y hay unos lugares preciosos, si te gusta fotografiar paisajes.

—Parece demasiado bueno. ¿Dónde está el truco?

Kate enrojeció.

—La casa de huéspedes es de mi familia.

Él cruzó los brazos a la altura del pecho.

—¿Tú vives allí?

—Sí, además de ayudar a mi abuela con la casa.

—No suena nada mal. Buena comida, tranquilidad... Es lo que busco.

—Entonces, ¿te interesa?

—Claro, dime cómo llego hasta allí.

Kate sonrió y se obligó a respirar para calmar la carrera descontrolada a la que se había lanzado su corazón.

—Sigues por esta calle en esa dirección y en el primer cruce giras a la derecha. Continúas hasta pasar otros dos cruces y en el tercero giras a la izquierda. Encontrarás un semáforo, ahí tuerces a la derecha. Esa calle te llevará afuera del pueblo. Continúa por la carretera hasta encontrar una bifurcación a la izquierda y...

—Espera un segundo —la interrumpió él con el ceño fruncido—. Has dicho dos cruces y a la derecha o tres cruces, semáforo y a la izquierda.

Kate sacudió la cabeza.

—No, en el tercer cruce gira a la izquierda y en el semáforo a la derecha. Sigues la carretera...

—Un momento... —Una risa ronca brotó de la garganta del chico—. Se me ocurre una idea, ¿por qué no me acompañas? Así no tendrás que sentirte culpable cuando me pierda y meses después encuentren mis restos en el bosque.

Kate lo miró y no pudo evitar sonreír. Él había adoptado una expresión compungida con la que parecía realmente afligido, aunque sus ojos brillaban divertidos.

—¿Vas a dejar que acabe perdido? —insistió.

—¡Está bien! De todas formas, pensaba regresar ya —dijo ella con un suspiro—. Ven, mi coche está aparcado a dos calles de aquí.

Echaron a andar por la acera, bajo un sol que comenzaba a calentar.

—Por cierto, me llamo Adrien —se presentó él mientras le ofrecía su mano.

Ella se la estrechó con un ligero apretón.

—Yo me llamo Kate.

—Un placer conocerte, Kate.

—Lo mismo digo —susurró con un leve rubor en las mejillas.

Caminaron en silencio hasta que alcanzaron su viejo Volkswagen. Kate abrió su bolso y comenzó a buscar las llaves.

—¿Piensas quedarte muchos días?

—No lo sé, depende de si me gusta lo que encuentro. Aunque algo me dice que no tendré problemas con eso —respondió, y le guiñó un ojo mientras se ponía unas gafas de sol que colgaban del cuello de su camiseta.

Kate tragó saliva y fingió no haber captado la indirecta. Abrió la puerta del coche y tiró su bolso en el asiento trasero.

—¿Te llevo o tienes vehículo?

Adrien señaló el otro lado de la calle.

—Viajo en eso.

Kate se fijó en una motocicleta custom aparcada tras una camioneta. No sabía nada sobre motos, aunque esa en particular le parecía muy

bonita. Era completamente negra, salvo por el motor y los aros croma-
dos de las llantas.

—¡Vaya, es muy chula!

—Una Harley Davidson Fat Boy S hecha a medida.

—No sé, pero siempre que alguien dice «hecha a medida», suena
caro. —Arqueó las cejas y suspiró—. La carretera que lleva a la casa no es
muy buena, quizá tu moto...

Adrien se encogió de hombros.

—No te preocupes por eso, tú guíame.

—Vale, pero deja que lleve tu bolsa, parece que pesa una tonelada.

Adrien la miró con detenimiento. Hasta ese momento no se había
fijado en que los ojos de la chica eran verdes, de esa clase de verde que
te deja atrapado y que inmediatamente te hace pensar en un mar esmeralda. Ni en que sus mejillas estaban cubiertas por un montón de pecas,
que parecían trazar constelaciones en su pequeño rostro. Con un mono
corto de color blanco, su aspecto le pareció dulce e inocente. Era bastante guapa.

Sin mediar palabra, abrió el maletero y guardó su equipaje. A continuación, fue hacia su moto.

Quince minutos más tarde, Kate enfilaba el camino que conducía a
la casa de huéspedes. Tras un par de curvas, la construcción quedó a la
vista. Aminoró la velocidad y detuvo el coche bajo la sombra de un roble. Rescató su bolso del asiento y bajó al mismo tiempo que Adrien
desmontaba de su motocicleta y se quitaba el casco.

Él observó la casa con curiosidad.

—¿Decepcionado?

—No, este sitio es genial. Justo lo que andaba buscando.

Contempló el edificio y recorrió con la mirada los alrededores. El
límite del bosque que rodeaba la propiedad se alzaba a un centenar de
metros. Forzó la vista a través de la densidad de sus árboles y atisbó ji-
rones de niebla que el día aún no había deshecho. Inspiró. El aire olía a
hierba fresca y humedad.

Un jadeo le hizo abandonar su minucioso estudio del lugar. Kate
tiraba de las asas de su bolsa para sacarla del maletero.

—Yo llevaré eso.

Kate dio un respingo. No esperaba escuchar la voz de Adrien tan cerca de su oído. Se hizo a un lado y le permitió sacar sus cosas.

—¿Qué guardas ahí? ¿Has robado una caja fuerte con lingotes?

Adrien la miró divertido y se encaminó a la casa con la bolsa colgando de su hombro como si no pesara nada.

Tras las oportunas presentaciones a Alice y Martha, Kate guio a Adrien a la que sería su habitación. Una vez dentro, corrió las cortinas y abrió la ventana. Una corriente de aire fresco penetró en el cuarto.

Adrien dejó sus cosas sobre la cama y le echó un vistazo a la estancia.

—¿No hay baño?

—Dos en esta planta, en el pasillo. Tendrás que compartirlos con otros clientes, pero están bastante bien. Son espaciosos y, además de ducha, también disponen de bañera, por si prefieres un baño.

—¿Hay más huéspedes en este momento?

—No, la temporada de verano está terminando y no tenemos reservas para los próximos días. —Él asintió y abrió las puertas del armario para echar un vistazo dentro. Kate añadió—: Puedes moverte por la casa a tu antojo, salón, cocina... Usa lo que quieras. El horario de las comidas está junto a la puerta, al igual que los días de colada. Dispones de Internet y televisión por cable. La contraseña de la red wifi la encontrarás en ese folleto sobre la mesita.

—¿Alguna cosa más que deba saber?

—Solo una: la última planta es privada. La buhardilla es donde dormimos Martha, mi abuela y yo. Pero si necesitas algo durante la noche, puedes llamarnos marcando el asterisco en el teléfono.

—¿Y acudirás tú? —preguntó él en voz baja y seductora.

—¿Qué?

Los ojos de Adrien brillaron traviesos.

—Si necesito algo durante la noche, ¿serás tú quien me atienda?

Kate sonrió ante su coqueteo descarado. Estaba acostumbrada, no era el primer chico que trataba de hacer más amena su estancia intentando ligar con ella.

—Nuestros huéspedes habituales son bastante considerados a partir de ciertas horas y no suelen pedir nada.

—Entiendo, aunque yo no soy un huésped habitual —dijo un poco más serio.

—Ni yo suelo enrollarme con los visitantes.

Adrien asintió con la cabeza y entornó los ojos con una extraña expresión.

—Lo pillo.

—Bien, entonces te dejaré para que te instales.

Kate salió al pasillo y cerró la puerta a su espalda. El estómago le cosquilleaba tras la conversación con Adrien y notó que se le formaba una sonrisa en los labios. Se encaminó a la escalera y al alcanzar el primer escalón, notó que se le erizaba la piel con un escalofrío. Se detuvo, y muy despacio se giró con un extraño sentimiento de inquietud. Encontró a Adrien en el vano de la puerta, mirándola fijamente. Antes de que ella pudiera preguntarle si necesitaba algo, él regresó adentro.

Kate aprovechó la tarde para hacer tareas domésticas. Limpió las ventanas y pasó la aspiradora a las alfombras del salón. Después ordenó la despensa y los armarios donde guardaban las ollas y sartenes. En pocos días comenzaría el curso universitario y ya no dispondría de tanto tiempo para echar una mano en casa. Finalmente había aceptado una plaza en la universidad pública de New Hampshire, la más cercana a Heaven Falls, a solo dos horas en coche.

No era su lugar soñado, pero tenía un buen plan de estudios y su residencia para estudiantes no estaba nada mal. Si finalmente le concedían la beca que había solicitado, era posible que las cosas mejoraran mucho.

Poco antes de la hora de la cena, Kate se sentó a la mesa de la cocina con el libro de cuentas y un montón de facturas, mientras Alice pelaba unas patatas en la encimera. Rompió a reír cuando Carter se presentó en la casa con un ramo de flores silvestres y su expresión más inocente.

—¿Adónde vas con eso? —le preguntó Alice.

—Flores para mi chica favorita —dijo él con voz zalamera.

Alice se secó las manos en el delantal y cogió las flores.

—Eres un cielo, pero no necesitas adularme para que te invite a cenar. —Carter soltó una carcajada. La abrazó por la cintura y la alzó del suelo—. ¡Vamos, bájame, ya no estoy para estas cosas!

—Si aún es toda una rompecorazones. ¿Nota el mío?

Alice le pellizcó las mejillas y se dirigió al horno.

—Jovencito, acabas de ganarte un trozo de tarta.

Carter arrastró una silla a la mesa y se sentó junto a Kate. Unos segundos después, Alice ponía ante él un plato con un enorme trozo de tarta de manzana y un tenedor. Se inclinó hacia delante y observó el montón de papeles que tenía entre las manos.

En las últimas semanas se habían visto casi a diario. Carter se había tomado como algo personal el bienestar de Kate. En un principio, por la amistad que lo unía a William. Sabía que, pese a su desaparición, su amigo la quería. Sin embargo, con el paso de los días, había conocido a una chica ingeniosa y divertida a la que era imposible no apreciar.

—¿Qué haces? —preguntó con la boca llena.

—Revisar facturas y anotar gastos.

Empujó los papeles con desgana y se masajeó las mejillas.

Despidió a su abuela con una sonrisa, cuando esta le indicó con un gesto que salía afuera.

—¿Necesitas dinero? —se preocupó Carter.

—No. Solo las estoy organizando. Se llama contabilidad.

—Vamos, Kate, soy yo. ¿Cuánto necesitas?

Kate se removió incómoda en la silla.

—No necesito dinero.

—Ya, seguro que se lo dices a todos. —Se metió otro trozo de tarta en la boca y lo masticó despacio, sin apartar la vista de ella—. Si acabaras necesitándolo, ¿podrías dejar a un lado tu orgullo y pedírmelo?

—No necesito dinero, Carter, en serio. Hoy mismo se ha registrado un nuevo huésped.

El chico empujó el plato y se estiró en la silla. La observó con un atisbo de exasperación.

—No te he preguntado eso.

—Ya lo sé.

—¿Lo harás? —insistió él.

—Si digo que sí, ¿dejaremos esta conversación? —Carter se encogió de hombros y esbozó una sonrisita de chico malo que le iba como anillo al dedo—. Lo haré. ¿Contento?

—Contento —respondió mientras se ponía de pie y llevaba el plato a la pila. Miró a su alrededor, como si buscara algo—. ¿Es cierto que tienes un nuevo huésped?

—Llegó este mediodía. Un tipo de ciudad que quiere desconectar unos días.

—¿Y es de fiar?

—Es mono.

A Carter se le escapó una carcajada.

—¿Y qué tiene que ver eso?

—Tú también eres mono —se rio Kate.

—Cierto, y ya sabes que no soy de fiar. —Se miraron a los ojos con complicidad—. ¿Y dónde está ese inquilino?

—Supongo que arriba, descansando. La motocicleta que hay en la entrada es suya.

—En la entrada no hay nada, Kate.

—¡Qué raro! No lo he oído salir —dijo para sí misma. Después sacudió la cabeza, quitándole importancia—. Tiene una Harley Davidson Fat Boy no sé qué.

Carter alzó las cejas.

—Tiene buen gusto para las máquinas. Me pasaré en otro momento para echarle un vistazo.

—¿A la moto o a él? —preguntó Kate en un tonito mordaz.

La expresión risueña de Carter no cambió. Embutió las manos en los bolsillos de sus tejanos y se puso derecho.

—Debo marcharme, ¿estarás bien?

—Siempre estoy bien —respondió ella con una sonrisa.

Se puso en pie y lo acompañó a la puerta. El sol comenzaba a ponerse tras las montañas y su luz anaranjada teñía el paisaje con un bonito tono dorado. Sus ojos volaron hasta el lago, donde unos niños gritaban entre risas a bordo de un bote de remos. Después se clavaron en Carter.

—Oye, ¿crees que debo estar atenta?

Él terminó de bajar los peldaños del porche y la miró.

—¿Te refieres a...?

—Adrien, se llama Adrien. Pareces interesado en él —aclaró Kate.

—No, por el momento.

—Eso no ayuda —se burló ella.

Carter subió de nuevo los peldaños hasta que sus ojos quedaron a la misma altura.

—Estoy seguro de que solo es un turista de vacaciones, pero sospechar de todo y hacer preguntas es un hábito que tengo. En serio, no debes preocuparte, ¿de acuerdo?

—De acuerdo —susurró.

Carter se inclinó y le dio un abrazo.

—Pero si ves que hace cosas raras, empieza a olfatearte o se cuela en tu cuarto para mirar cómo roncas —le dijo al oído. Ella trató de atizarle con el puño y él se echó a reír con ganas—. Ahora eres de los nuestros, ¿vale? Cuidamos de ti, pequeña humana.

Kate le devolvió el abrazo con el corazón en un puño. Contar con el cariño de los Solomon mitigaba un poco la sensación de vacío que William había dejado en su vida.

—Gracias, Carter.

22

Adrien cerró el último libro y se mordió el puño para evitar golpear la mesa con todas sus fuerzas. Allí tampoco había nada y estaba harto de buscar. Dejó el libro sobre el montón de volúmenes que ya había revisado. Luego apoyó los codos en la madera y escondió el rostro entre las manos. Las deslizó con lentitud hasta la nuca y agarró un par de mechones de los que tiró desesperado.

Oyó los pasos de la ayudante de la bibliotecaria acercándose, empujando un carrito. Se atusó el pelo y recompuso su rostro con una sonrisa encantadora.

—¿Ha habido suerte? —preguntó Gayle, así se llamaba la joven.

Adrien alzó la vista y negó con la cabeza.

—No, en estos tampoco está lo que busco.

—¿Tan importante es esa información para ti?

—No te haces una idea —confesó él.

Gayle miró a su espalda, nerviosa, y después se agachó para sacar un libro de las baldas inferiores del carrito. Lo puso con disimulo sobre la mesa y se inclinó sobre Adrien para hablarle al oído.

—Puede que aquí encuentres algo —susurró. Él la miró sorprendido—. No debería enseñarte esto, no forma parte del catálogo de la biblioteca. Lo guardamos aquí mientras acondicionan una sala en el museo.

—¿Qué es?

La chica miró a su alrededor para asegurarse de que nadie andaba cerca. Se sentó junto a Adrien y con extremo cuidado abrió el libro.

—Es el diario de los Padres Fundadores de Heaven Falls. Verás, algunos de los colonos que se establecieron en Virginia, decidieron traer a sus familias hasta aquí. Pensaban que estas tierras eran mucho más prósperas, y no se equivocaban. En poco tiempo, Heaven Falls pasó de ser una pequeña aldea a convertirse en un pueblo de grandes fortunas. Te cuento todo esto porque si esa iglesia que buscas de verdad existió, en este diario debe de haber algo sobre ella. Aquí se detalla todo. Nacimientos, muertes, cosechas, hasta el granero más pequeño figura en sus páginas. También se mencionan un par de incendios devastadores. Puede que tengan relación y que no quede ni una sola piedra de ese templo porque lo consumiera el fuego.

—No había pensado en esa posibilidad.

—Bueno, es imposible encontrar lo que ya no existe, pero sí dar con el lugar en el que una vez estuvo.

Adrien sonrió. Tomó el rostro de la chica entre sus manos y la besó en los labios, dejándose llevar por el impulso. Aún no estaba todo perdido.

Ella enrojeció y su corazón se aceleró. La atracción que sentía por ese desconocido era tan intensa, que estaba jugándose su empleo para complacerlo. Se entretuvo mirando sus ojos, sin comprender cómo había perdido la cabeza de ese modo.

Adrien abrió el diario y hojeó las primeras páginas. La caligrafía no era muy legible y algunas palabras se habían borrado; aunque, con un poco de paciencia, podría leerlo. De pronto, una campanita anunció que la biblioteca estaba a punto de cerrar.

—Necesito más tiempo —masculló Adrien.

—Es imposible, mi jefa es muy estricta en ese sentido.

—Necesito este diario, Gayle.

Ella se mordisqueó el labio inferior, nerviosa.

—¡Dios mío, van a despedirme por esto! —susurró mientras se cubría las mejillas con las manos—. De acuerdo, podría sacarlo de aquí esta noche sin que nadie se dé cuenta, pero tendría que devolverlo a primera hora de la mañana, antes de que lo echen en falta. ¿Te... parece bien?

Adrien la miró de arriba abajo y una sonrisa maliciosa curvó sus labios.

—¿Harías eso por mí? —Ella asintió con la cabeza—. Eres un encanto.

—Podríamos vernos en el aparcamiento en media hora y después ir a algún lugar discreto —propuso ella.

Adrien sonrió y le acarició los labios con los suyos. Profundizó el beso mientras colaba la mano bajo la falda de su vestido y le acariciaba el muslo hasta la cadera. Poco a poco se retiró de su boca y la miró a los ojos. Ella le devolvió una mirada febril.

—¿Gayle?

—¿Sí?

—No se te ocurra fallarme —le dijo antes de ponerse en pie y dirigirse a la puerta.

Cerca de la medianoche, Adrien entraba en la casa de huéspedes con Gayle aferrada a su mano. Subieron las escaleras sin hacer ruido y la guio hasta su habitación.

—Hacía mucho tiempo que no venía por aquí. Creo que... desde que me gradué en el instituto —dijo ella mientras dejaba sus cosas sobre la cama.

—¿Eres amiga de Kate? —se interesó Adrien.

—No, era amiga de Jane, su hermana. Fuimos inseparables durante el instituto. Luego llegó la Universidad y tomamos caminos distintos.

—Suele pasar.

Gayle miró a su alrededor y dejó escapar su aliento de forma entrecortada.

—¿Te importa si uso el baño?

—Adelante, está en el pasillo. La segunda puerta a la derecha.

En cuanto Gayle salió de la habitación, Adrien se tiró al suelo y tanteó el embellecedor de madera que ocultaba las patas del armario. Lo quitó. Luego coló la mano y suspiró aliviado. Continuaban allí, no las habían descubierto. Lo colocó todo en su sitio y se puso de pie con los puños apretados.

Nada más entrar en la habitación, se había dado cuenta de que allí había estado alguien husmeando entre sus cosas. El olor era inconfundible. Sacudió la cabeza. En cierto modo, no le sorprendía, y tampoco esperaba menos de ellos. Lo que sí le preocupaba, era hasta qué punto sospechaban de él, o si aquello solo había sido un registro de rutina para asegurarse de que las mujeres de esa casa estaban a salvo.

Se dijo a sí mismo que debía tener más cuidado y evitarlos a toda costa.

Se sentó en la cama con la cámara fotográfica y repasó las fotos en el visor. Había tomado imágenes de todas las páginas del diario, para examinarlas más tarde y sin prisa, y que así Gayle pudiera devolver el libro sin meterse en problemas.

La otra alternativa que había barajado, era la de partirle el cuello a la pobre chica y quedarse con el diario. Algo más práctico que unas fotografías, pero demasiada gente los había visto juntos esa misma noche y no le convenía verse involucrado en una desaparición. Ni siquiera en un desafortunado accidente.

Dejó la cámara sobre la mesita y se echó de espaldas sobre la cama. Miró el techo y pensó en Kate. Probablemente ya estaría durmiendo. O puede que despierta como la noche anterior, y la anterior, sentada en su ventana contemplando la oscuridad. Suspiró al notar una chispa de empatía hacia ella. No podía ablandarse.

La puerta se abrió y Gayle entró en el cuarto.

Adrien la miró de arriba abajo mientras ella se acercaba a la cama y se iba quitando la ropa. Primero el vestido, luego el sujetador y por último unas braguitas diminutas. Se subió al colchón y se sentó a horcajadas sobre sus caderas con una mirada ardiente y excitada.

Adrien le dedicó una sonrisa lujuriosa. Le rodeó la garganta con una mano y la atrajo para besarla. Se alegró de no haberle roto el cuello.

23

La noche era agradable y en el cielo resplandecía una enorme luna llena que alumbraba con su luz hasta el último rincón de la plaza desierta. William la cruzó con pasos largos y ligeros, y se adentró en el laberinto de callejuelas hasta localizar el estrecho callejón. Miró a su espalda y se tomó un momento para asegurarse de que nadie lo seguía. Después penetró en la oscuridad que engullía las paredes y lo recorrió hasta el final.

Localizó en el muro la abertura casi invisible. Metió los dedos y accionó el mecanismo. La pared cedió, dejando escapar un soplo de aire rancio. William arrugó la nariz con desagrado. A continuación, empujó hasta abrir un hueco por el que su cuerpo pudiera pasar. Una vez dentro del pasadizo, volvió a cerrar la entrada.

Marchó a través de los oscuros y mohosos pasillos de piedra.

Bajo la ciudad de Roma, existía una red de pasadizos subterráneos, construidos miles de años atrás en el tiempo. Los humanos apenas conocían un pequeño porcentaje de ese intrínseco laberinto. El resto pertenecía a los vampiros, que se valían de ellos para ocultarse.

Se adentró en la tierra hasta alcanzar el final de uno de esos túneles. Empujó una cancela de hierro y entró en otro corredor repleto de anaqueles cubiertos de cera derretida, que comunicaba con una pesada puerta.

Levantó el puño y llamó. Tres golpes, después dos y de nuevo tres. Percibió unos pasos al otro lado y la puerta se abrió.

William clavó los ojos en un bonito rostro de tez pálida, enmarcado por un cabello pelirrojo de largos rizos, en el que destacaban unos ojos grises como el humo.

—Hola, Laura —saludó. La niña se inclinó hacia delante con una grácil reverencia—. ¡No hagas eso!

—Pero eres el príncipe.

William sacudió la cabeza y se agachó para estar a su altura. La miró con una sonrisa.

Laura había sido convertida cuando solo era una niña de doce años; y desde entonces, ya habían pasado casi tres siglos. Atrapada en un cuerpo impúber que nunca crecería, mientras su mente envejecía.

—Si no me das un abrazo ahora mismo, pensaré que no te alegras de verme, y eso me causará una profunda tristeza.

El rostro de Laura se iluminó con una sonrisa y se lanzó a sus brazos. William la estrechó contra su pecho.

—Tengo una cosa para ti —dijo él, mientras metía la mano en su bolsillo y sacaba una cajita con un lazo. Se la entregó y ella se apresuró a abrirla. Un camafeo de coral rosa quedó a la vista—. Aún sigues coleccionándolos, ¿verdad?

Laura asintió con los ojos muy abiertos.

—¡Gracias! Es el más bonito que he visto nunca.

William sacó la joya de la cajita y se la puso alrededor del cuello. Luego le rozó la nariz con la punta del dedo.

—¿Estáis bien? ¿Necesitáis alguna cosa? Si le pregunto a ese viejo cascarrabias, me dirá que no.

La niña apartó la mirada con timidez.

—Solo algo de tinta para Silas, y quizás algunas plumas y papel. Se estropean con la humedad.

—¿Y para ti?

—Ya me has hecho un regalo.

—Pero sé que deseas algo más, puedo verlo en tus ojos.

—Me... me gustaron mucho los libros que me trajiste la última vez. Eran divertidos y aprendí un montón de palabras nuevas.

—Te compraré más.

Laura sacó un papel doblado del bolsillo de su vestido y se lo entregó. William lo desdobló y una sonrisa asomó a sus labios cuando descubrió que era una página de una revista de moda. Ella señaló unos vaqueros.

—¿Quieres unos tejanos?

—Y esos zapatos rosas con la punta blanca. ¿Crees que me quedarán bien?

—Te quedarán genial, estoy seguro —respondió. Suspiró y tomó la mano de Laura entre las suyas—. Cielo, ahí arriba hay montones de tiendas donde conseguir estas cosas y otras mucho más bonitas. Podrías verlas tú misma, probártelas y elegir las que más te gusten. Sería divertido.

La expresión de la niña cambió y sus ojos brillaron aterrados.

—¡No puedo salir!

—No te pasará nada.

—Él está ahí, buscándome.

William la sujetó con más fuerza cuando ella trató de zafarse.

—No es cierto, sabes que ya me encargué de eso. Está muerto, Laura, yo mismo lo maté. Nunca volverá a hacerte daño.

Laura negaba sin parar.

—Volverá, siempre vuelve. Aquí estoy segura. Aquí no puede encontrarme.

—Y si yo voy contigo, ¿saldrías?

—No, no, no, no...

Se tapó los oídos con las manos y comenzó a balancearse de delante hacia atrás.

—Tranquila, no iremos a ninguna parte. Todo está bien. Todo está bien —susurró William mientras la abrazaba.

La sostuvo hasta que poco a poco la niña se fue tranquilizando. Suspiró con rabia e impotencia. La mente de Laura estaba enferma, pero ¿cómo no iba a estarlo después de todas las cosas horribles a las que había sobrevivido? William apenas podía pensar en ello sin que la ira se apoderara de él. Aún recordaba con total nitidez la noche que la encontró, durante el carnaval de Venecia de 1910.

Llevaba días persiguiendo a un grupo de renegados, del que había oído rumores. Decían que Amelia viajaba entre ellos. Cuando por fin dio con su escondite, Amelia no se encontraba allí, pero sí la pequeña Laura, a la que mantenían encadenada a un poste y alimentaban solo con ratas.

Tras rescatarla y ganarse su confianza, William supo que la habían esclavizado desde su transformación, maltratándola y obligándola a robar, y usándola como cebo para atraer a humanos incautos de los que alimentarse. Ese calvario había durado siglos, tiempo en el que Laura había perdido la razón.

Cuando la pequeña se relajó entre sus brazos, la besó en la frente y la soltó.

—Vamos a ver a ese cascarrabias.

Laura lo guio a través de varias salas repletas de cajas y baúles, hasta una estancia mucho más amplia, con el suelo cubierto de alfombras. Las paredes estaban ocultas tras librerías que se alzaban hasta el techo, en las que debía de haber miles de manuscritos y pergaminos amarillentos, cubiertos por varias capas de polvo. El olor a cera y tierra húmeda era tan intenso allí dentro, que le llenaba los pulmones sin necesidad de aspirarlo.

—Enseguida vuelvo —dijo la niña, y desapareció tras unos cortinajes descoloridos.

William recorrió la sala con la mirada. Todo estaba igual que la última vez que la visitó. Nada había cambiado de lugar. Tampoco la escultura de mármol que descansaba sobre un pedestal y a la que nunca había prestado atención. Hasta ahora.

Sus ojos se posaron en ella como si una fuerza invisible los atrajera. Rodeó la talla, admirando en su recorrido las rotundas y musculosas formas del ángel, la tensión de su rostro airado y la delicadeza de sus alas desplegadas. Las rozó con las puntas de los dedos, entre reacio y fascinado.

—Es hermosa, ¿verdad? —preguntó el viejo Silas desde la puerta.

—Sí.

—Mi querido amigo Bernini me la regaló en uno de mis cumpleaños. Y no me preguntes en cuál, porque ni yo mismo lo recuerdo.

Cruzó la habitación hasta una mesa repleta de papeles y se sentó en un raído sillón. Hundió la punta de una pluma de cisne en un tintero y comenzó a escribir en un pergamino.

A William le costaba entender por qué seguía empeñado en malvivir de aquella forma tan austera y anticuada, cuando podía disfrutar de una vida mucho más cómoda.

—¿Quién es? —preguntó.

—¿Bernini? ¿Es que no te enseñaron nada en esos colegios humanos donde creen saberlo todo sobre arte?

—¡Sé quién es Bernini! —exclamó William entre risas.

Silas alzó la mirada de su trabajo y contempló la escultura, pero esta vez su expresión no mostraba admiración ni deleite por la imagen.

—Es uno de los siete arcángeles que sirven a Dios. Gabriel, el ángel de la muerte.

—Pensaba que el ángel de la muerte era Azrael.

—Hay muchos. Azrael, Adriel, Abadón... Pero es Gabriel quien ostenta ese título por derecho. Él será quien despierte a los muertos el día del Juicio Final. Así está escrito en el Apocalipsis.

William se aproximó a Silas con las manos en los bolsillos. Todo el mundo decía que era el vampiro más viejo que existía sobre la Tierra, pero nadie sabía a ciencia cierta cuántos años tenía en realidad. Miles de años que habían ido deteriorando su aspecto, ya que la eterna juventud y la inmortalidad no eran más que conceptos. Nada puede vivir para siempre.

—¿Crees de verdad en todo eso, en el Apocalipsis y el fin del mundo?

—Si algo he aprendido en mi larga vida, es que no hay que creer en nada. Y al mismo tiempo en todo, por si acaso.

—¿Y qué opinas de los ángeles?

—Que no es buena idea meterse con ellos y menos aún con sus príncipes.

—¿Príncipes?

Silas se apartó del rostro unos rizos canosos y se rascó la nariz. A la luz de las velas, sus ojos marrones brillaban como caramelo fundido.

—Los arcángeles. Lideran el ejército celestial con Miguel a la cabeza —contestó.

—Parece que los conoces.

—He vivido lo suficiente para contemplar algunas de sus obras. No te gustarían.

Laura entró en la habitación, portando una bandeja con dos copas de sangre templada. Le ofreció una a William y puso la otra sobre la mesa de Silas.

—Estaré en mi habitación —dijo con una sonrisa.

William se quedó mirando la puerta por la que acababa de salir la niña y se tragó una maldición.

—Daría cualquier cosa por verla bien.

—Está mejor —dijo Silas—. Es fuerte y acabará superándolo, solo necesita tiempo para recomponerse.

—Eres el ser más paciente que conozco. Por eso la dejé contigo.

—Y yo te estoy agradecido por ello. Salvaste a Laura, pero también me salvaste a mí. Estaba cansado de vivir y ella me devolvió la esperanza. Es agradable cuidar de otros.

William asintió y observó a Silas mientras este continuaba garabateando un pergamino. De forma meticulosa, hundía la pluma en el tintero. Siempre hasta el mismo punto. Después le daba una ligera sacudida y continuaba dibujando con suma atención una exquisita caligrafía.

Se pasó la mano por el pelo, nervioso.

—Supongo que no habrás venido para pasarte toda la noche ahí sentado —dijo Silas de pronto.

William dejó de tamborilear con los dedos y se puso aún más tenso.

—No.

—Y ya has podido comprobar que Laura y yo nos encontramos bien.

—Sí —susurró.

—¿Y? —inquirió Silas sin levantar la vista de su tarea.

—Mi padre dice que eres el vampiro más sabio que existe y que no hay nada que no sepas.

—Tu padre me sobrestima. Ni soy tan sabio ni abarco tanto conocimiento, créeme.

—Pero sí conoces toda la historia de nuestro linaje, desde el primer vampiro que apareció en el mundo.

Silas dejó a un lado la pluma y se recostó en la silla. Entrelazó las manos bajo su barbilla y pestañeó varias veces.

—Las historias cuentan que los primeros vampiros nacieron del vientre de un ser divino llamado Lilith, y que de sus vástagos descienden las cinco familias originales. Aunque yo no estuve allí para saberlo con seguridad, así que, como ves, son muchas las cosas que no sé. —Hizo una pausa y tosió suavemente—. Pero si me preguntaras sin rodeos aquello que quieres saber, quizá no tenga que relatarte cada generación de esas líneas de sangre, hasta que encuentres en la historia un punto de unión que te ayude a formular tu cuestión sin levantar sospechas. Un esfuerzo inútil, porque ya has llamado mi atención.

William se restregó la cara con las manos. Bajó la mirada y comenzó a reírse en silencio.

—Bueno, soy todo oídos —añadió Silas.

—Háblame de los Vigilantes.

—¿Cómo sabes tú de ellos? ¡Apenas hay escritos verídicos que los mencionen!

—Escritos que tú has leído, ¿verdad?

—Es posible —indicó el viejo vampiro en voz baja.

—Silas, necesito que me cuentes todo lo que sepas sobre ellos, es importante.

—No sé mucho, la verdad. Son pocos y muy poderosos. Sirven a los arcángeles y solo les rinden cuentas a ellos.

La tensión de William disminuyó un poco.

—¿Cuál es su papel exactamente?

—El nombre los define a la perfección, se dedican a vigilar, pero no al azar. Cuando descienden, ya tienen un objetivo. Puede ser una persona, una familia, incluso todo un pueblo. ¿Los motivos? Solo ellos y aquel que les envía los conocen.

—De acuerdo, descienden y vigilan un objetivo, y ¿después qué?

—No lo sé con seguridad, William, pero te pondré un ejemplo que quizá te ayude a entenderlo. Civilizaciones enteras han sido aniquiladas después de que los Vigilantes las visitaran. Otras, han prosperado.

—Comprendo. Si estás limpio y el informe es positivo, vives. Si eres una mancha para los de arriba, desapareces.

Ahora entendía las palabras de su madre. Ella había sido enviada para vigilar a Sebastian, para comprobar hasta qué punto era real y sincero su deseo de apartar a los vampiros de su perverso camino de sangre. Sebastian había abandonado la oscuridad para abrazar la luz. Había cerrado las puertas del infierno, intentando que le fueran abiertas las del cielo, y Aileen era la enviada que debía decidir si lo merecía.

Silas rio para sí mismo.

—Yo no lo hubiera explicado mejor.

—Los ángeles pueden engendrar, ¿verdad? —preguntó William.

—Se han dado casos con humanos. A esos híbridos, si sobreviven, se les conoce como «nefilim».

—¿Has tratado con alguno?

—Con más de uno, sí. Suelen ser bastante longevos y heredan algunos poderes de sus padres. Su extraña naturaleza les obliga a ocultarse y pasar desapercibidos, al igual que nosotros. Por lo general, se meten en sus propios asuntos, pero hubo un tiempo en el que fueron muy peligrosos para los vampiros.

—No conozco esa historia.

—Dentro de la estirpe de los nefilim, existen varios clanes. Los Anakim eran los más numerosos, y también los más peligrosos. Eran fanáticos. Odiaban todo aquello que consideraban impuro a los ojos de Dios y, salvo los humanos, creían indigna a toda especie sobrenatural. Perseguían a brujas, licántropos y, sobre todo, a los vampiros. La fe que profesaban aseveraba que serían dignos de entrar en el cielo y convertirse en ángeles completos, si limpiaban el mundo de toda abominación creada por la magia. Ese pensamiento radical dio lugar a una era muy oscura en la que se convirtieron en nuestros predadores. Los primeros cazavampiros.

—Hablas de ellos en pasado, ¿qué les ocurrió?

—Que luchamos para sobrevivir, hasta casi aniquilarlos. Tu padre podría contarte muchas historias sobre esa época.

—Seguro que podría, es un maestro contando historias —masculló William.

Silas lo miró con curiosidad. No le había pasado desapercibido su tono despechado.

—¿Alguna pregunta más?

—¿Hay rumores sobre otro tipo de híbridos? No sé, ángeles y vampiros que hayan procreado entre sí.

—¡No! Casi suena a blasfemia.

—¿Por qué te espanta tanto la idea? —preguntó molesto.

—Los ángeles nos desprecian, príncipe. Para ellos, un vampiro no es mucho mejor que un demonio. Esa unión sería antinatural.

—¿Y no lo son todas? —rezongó William. Le costaba creerlo, pero las palabras de Silas le habían resultado ofensivas; y se sorprendió al darse cuenta de la rapidez con la que estaba tomando conciencia de su naturaleza recién descubierta—. ¿Estás seguro de que no hay nada en nuestra historia sobre ese tipo de mestizos?

—Como le dije a tu hermano, es posible...

—¡Un momento! ¿Mi hermano?

—Hace muchos años que Robert vino a mí con estas mismas preguntas, y volvió a repetirlas desde ese mismo sillón hace menos de una semana. —Soltó un suspiro cansado y se atusó la barba—. No voy a preguntar qué está pasando, es evidente que sabéis algo que prefiero seguir ignorando. Pero partiendo de la posibilidad de que pudiera haber algo de cierto en vuestras pesquisas, te diré lo mismo que a él. Es posible que lo que buscáis no se encuentre en el pasado, sino en el futuro.

—¡Silas, como no te expliques con más claridad!

—Presagios, hijo. Las profecías nos anuncian todo lo que está por venir. Si tal unión ha tenido lugar y ha dado un fruto. Si ese mestizo existe, su nacimiento es un hecho tan importante e insólito como para que se haya profetizado su llegada.

William se puso en pie y comenzó a pasearse de un lado a otro, nervioso. No le gustaba el cariz que estaba tomando la situación. Presagios, profecías y advenimientos... Humo entre los dedos. Él necesitaba información tangible y real que pudiera ayudarle a encontrar respuestas.

—Silas, si te dijera que ese mestizo existe y...

—Prefiero no saberlo.

—¡Maldita sea, viejo testarudo, esto es importante para mí! —gritó y sus ojos se transformaron en dos pozos de mercurio brillante.

Silas se puso de pie, sobresaltado. No podía creer lo que veía.

Se llevó la mano al pecho y rodeó la mesa. Una miríada de emociones transfiguraba su rostro. Confusión, incredulidad, miedo, sorpresa... Siempre había sabido que William era mucho más que un vampiro con una anomalía genética que le permitía tolerar el sol. Sin embargo, sus conjeturas nunca habían apuntado en esa dirección. Ni siquiera lo creía posible.

—¿Cómo es que tú...?

—¿Piensas que estaría aquí si lo supiera?

—¿Y no deberías ir directamente a la fuente de tu creación? —preguntó Silas aún sobrecogido por la revelación.

—No creería nada de lo que me dijeran, aunque fuese la verdad. Demasiadas mentiras.

Silas asintió y apoyó la espalda contra una librería.

—No puedo ayudarte, William. No sé dónde buscar.

—Pero has dicho que hechos tan insólitos pueden haber sido presagiados —le rogó en voz baja.

—Sí, la historia está llena de presagios que se han cumplido. Plagas, guerras, muertes, catástrofes naturales... He hecho muchos estudios sobre ese tema y puedo asegurarte que el advenimiento de un gran cambio siempre es anunciado. Tu existencia... —Pensó durante unos segundos—. Sí, es posible que haya algo, pero como te he dicho, no sé dónde buscar.

—¿Y si esa profecía existe, ¿qué podría encontrar en ella?

—Interpretándola correctamente, todas las respuestas que buscas.

—Todas —repitió William en un susurro.

Miró a Silas a los ojos y vio en ellos el estupor y el desconcierto que su secreto le habían causado. Soltó un suspiro y hundió los hombros, cansado y derrotado.

—Sigo siendo yo, ¿de acuerdo? Solo yo. —Lo miró con una súplica en sus ojos—. ¡Necesito serlo!

Silas esbozó una sonrisa y se acercó a él. Le puso las manos en los hombros. Luego, lo abrazó con afecto.

—Gracias —susurró William con la voz rota.

24

William abandonó los pasadizos subterráneos, sumido en un remolino de pensamientos caóticos. La conversación con Silas había abierto la puerta a un mundo donde la realidad ya no era palpable ni predecible. Donde ver y sentir ya no era suficiente para demostrar que algo existía. Un mundo en el que la fe y la confianza podían matarte si optabas por creer la historia equivocada.

Y pese a todas las dudas, una voz en su cabeza le decía que Silas podía estar en lo cierto.

Pero ¿por dónde empezar a buscar?

Solo se le ocurría un nombre: Marcelo.

Una jugada arriesgada y peligrosa, pero no tenía nada más. Tampoco paciencia ni tiempo para urdir intrigas que le condujeran al rostro en la sombra que controlaba a Marcelo. No era tan sutil ni taimado como su hermano.

Cruzó de nuevo la plaza, ajeno a los humanos que a esas horas intempestivas la visitaban. Sin saber muy bien por qué, se dirigió a la puerta principal de la basílica. Con un leve gesto de su mano, la puerta se abrió lo suficiente como para que pudiera colarse por la abertura.

El interior estaba en silencio.

Avanzó por la nave principal con la vista clavada en el altar mayor. Contempló las columnas que sostenían la cúpula, las robustas pilastras desde las que se abrían arcos de más de veinte metros de altura. Las ostentosas paredes repletas de imágenes y las obras de arte. La riqueza que se apreciaba en ese espacio inmenso era casi obscena.

Con paso cansado, se dirigió a un banco y se sentó. Miró a su alrededor, las pinturas le ponían el vello de punta. Querubines regordetes de pequeñas alas, serafines de miradas bondadosas y esos otros ángeles de rostro fiero que parecían clavar sus ojos en él.

Pensó en su madre y en lo poco que se parecía a esas representaciones.

Se inclinó hacia delante y hundió la cara entre las manos. Oyó unos pasos acercándose, pero no se movió.

—La basílica cierra durante la noche, no deberías estar aquí.

William levantó la vista y miró al sacerdote. Un hombre mayor ataviado con una sobria sotana negra sin más adornos que un alzacuellos.

—Yo estaba pensando lo mismo, no debería estar aquí.

Se puso en pie con intención de marcharse.

—Aun así, la casa de Dios siempre está abierta para aquellos que lo necesitan.

—Estupendo —masculló mientras pasaba junto al hombre.

El sacerdote lo detuvo con una mano en su brazo.

—Pareces perdido, hijo.

William bajó la mirada hasta la mano que lo sujetaba y volvió a alzarla. El sacerdote lo soltó con una pequeña sonrisa de disculpa y añadió:

—Si no estás perdido, ¿qué buscas aquí a estas horas?

—No busco nada —respondió impasible y se dirigió a la salida.

—Vienes a la casa de Dios a horas intempestivas, al amparo de la oscuridad. Y si tu alma está tan desolada como tu mirada, has acudido en busca de consuelo. Dios es misericordioso, habla con él. Pídele de corazón y te dará la paz que necesitas.

William frenó sus pasos y se volvió con los dientes apretados.

—¿Por qué iba a pedirle nada? Hace mucho que Dios se olvidó de mí. Para él solo soy otra oveja negra en la familia.

—No importa qué hayas hecho. Dios quiere por igual a todos sus hijos y en su corazón compasivo solo existe el perdón. Él nunca te abandonará. Sus ángeles cuidan de ti y de todos nosotros. Velan por nuestras almas —dijo el sacerdote con las manos unidas en un gesto devoto.

William rompió a reír de golpe. Aquello sí que había tenido gracia.

—Míreme bien. ¿Cree que de verdad cuido de alguien que no sea yo mismo? —replicó con desdén, mientras su piel refulgía con un halo blanco y sus iris adquirían el tono de la plata fundida—. Que tenga una buena noche, padre.

Cruzó las puertas y estas se cerraron a su espalda.

El sacerdote dio un paso atrás y ahogó una exclamación. Se santiguó repetidas veces y se dejó caer en uno de los bancos cuando sus piernas se negaron a sostenerlo. Se arrodilló y comenzó a rezar con los ojos cerrados. Por eso no vio la sombra que se ocultaba en la oscuridad, ni cómo se acercaba a él y se sentaba a su lado. Solo notó el roce de su mano en la cabeza y el susurro en su oído.

—Olvida lo que has visto.

El sacerdote asintió y se desplomó dormido.

La sombra se puso en pie. Suspiró y recorrió con la mirada el elaborado retablo que se alzaba tras el altar. Se inclinó con una breve reverencia y se encaminó a la salida.

William dejó atrás las calles y cruzó el puente sobre el río. Las palabras del sacerdote habían levantado ampollas en su pecho y su mal humor se extendía por sus miembros como veneno. Alcanzó el otro lado de la ciudad y volvió a sumergirse en las callejuelas. Los locales nocturnos continuaban abiertos y el buen tiempo hacía que los humanos trasnocharan en las terrazas.

Los percibió mucho antes de que sus pasos se convirtieran en un eco de los suyos. Eran cuatro, puede que cinco. Miró por encima de su hombro y atisbó unos ojos teñidos de rojo.

Cambió el rumbo y se dirigió a una zona más apartada, lejos de los bares y pubs, y de testigos.

Apretó el paso, pero no tanto como para despistarlos. Ese no era su propósito.

El ruido quedó atrás y el sonido de sus pisadas se hizo más nítido.

Recorrió una calle desierta. Después otra. Y al doblar la siguiente esquina, se detuvo. Sacó de su espalda la daga que llevaba oculta y esperó. No tardaron en aparecer. Cinco renegados armados hasta los dientes.

—¿Puedo ayudaros en algo?

—Queremos tu cabeza —dijo el vampiro que los lideraba.

Se abalanzaron sobre él.

William esperó, como si no tuviera intención de impedir el ataque. Recibió un puñetazo en la cara. Otro en el estómago. Y un cuchillo se clavó en su hombro. La barra de hierro que se alzó sobre su cabeza puso fin a su indiferencia. Soltó el aire de sus pulmones y le arrebató la barra al renegado. Un giro de muñeca bastó para que le atravesara el corazón y lo clavara al muro.

Empuñó la daga y sonrió a los tres que quedaban en pie. Necesitaba deshacerse de la rabia que le mordía la piel y del fuego que le consumía las entrañas. Dar rienda suelta a la necesidad de destrucción que sentía.

El aire comenzó a electrificarse a su alrededor. Las luces de las farolas parpadearon y lanzaron chispas. Los cubos de basura se sacudían como si un terremoto los estuviera zarandeando y los cristales de las ventanas temblaron hasta resquebrajarse. William apenas era consciente de lo que hacía. El poder brotaba de él en oleadas y no tenía ni idea de cómo controlarlo. ¿Le importaba? No.

—Pero ¿qué demonios? —gruñó uno de los renegados dando un paso atrás.

—No seas cobarde, está solo —dijo otro.

De repente, William sintió una fuerza extraña que lo paralizaba. No podía moverse y lo mismo les ocurría a los proscritos. Una ráfaga de aire frío cruzó la calle y uno de los malditos salió despedido contra la pared. Al caer al suelo, su cuerpo se convirtió en polvo.

William pudo ver una sombra a su espalda, una figura que oscilaba e iba cobrando forma conforme se acercaba. Cuando se detuvo a su lado, vio los rasgos de un hombre. El recién llegado hizo un gesto con la mano y dos de los renegados comenzaron a arder. Otro movimiento y el que aún quedaba con vida se desintegró tras un estallido.

William apretó los labios y miró al visitante con insolencia. Si era el siguiente, no pensaba gritar ni suplicar. De golpe, recuperó la movilidad de su cuerpo.

—Salgamos de aquí, este olor me repugna —dijo el hombre.

—¿Quién eres?

—Todo a su tiempo.

William dio un paso atrás cuando sus ojos se encontraron. Sus iris brillaban como un diamante y en ellos no se distinguían las pupilas. Eran extrañamente hermosos, al igual que su rostro ovalado, adornado por una nariz recta y unos labios carnosos que no disimulaban la crueldad de su gesto.

En ese mismo instante, William se dio cuenta de que estaba frente a un ángel. Puede que a los ojos de otro, pareciera un hombre sin más, ataviado con un pantalón oscuro y una camiseta negra, bajo una sahariana beige. Él sabía que no lo era. Su cuerpo se estremecía ante su presencia, atraído por la naturaleza que compartían.

El ángel le sostuvo la mirada. Luego dio media vuelta y comenzó a caminar.

William lo siguió hasta un oscuro pub. Un antro atestado de humanos, que olía a cerveza rancia y sudor. Lo único bueno de aquel sitio era la música.

El ángel ocupó un taburete en la barra y sin mucha paciencia le pidió que se sentara a su lado.

William obedeció. Agotado, miró a su alrededor para asegurarse de que no habría más sorpresas, y descubrió que su aspecto desaliñado y la sangre que le empapaba la camisa comenzaban a llamar la atención. Como si le hubiera leído el pensamiento, el ángel se quitó la sahariana y se la ofreció.

—Póntela.

William la tomó y se levantó para ir al baño. Unos dedos se hundieron en su brazo y lo detuvieron.

—¿Adónde vas?

—Solo quiero lavarme un poco, ¿te importa?

Tras unos segundos de duda, el ángel lo soltó.

William entró al baño. Se quitó la camisa y la tiró a un cubo de basura que había bajo un dispensador de papel. Ignoró las miradas de un par de tipos que fumaban hierba en una esquina y abrió el grifo. Luego se inclinó sobre el lavabo y se frotó la cara, el cuello y el pecho. Con los dedos ordenó un poco su pelo y se puso la chaqueta que el ángel le había ofrecido. Por curiosidad, palpó los bolsillos. Solo encontró unos chicles, unas gafas de sol y una moneda antigua. Se miró una última vez en el espejo y regresó a la barra sin la menor idea de lo que iba a depararle ese encuentro.

La camarera le dedicó una sonrisa y le sirvió un vaso de bourbon con hielo, como el que ya saboreaba su extraño acompañante. Dio un sorbo y lo miró de soslayo.

—¿Los ángeles también beben?

—Y comemos, fornicamos y decimos «joder». ¡Somos unos chicos malos! —rio sin humor. Inspiró hondo—. Así que conoces lo que soy.

—Más o menos.

—¿Y qué eres tú?

—¿No lo sabes?

—Hasta ahora solo sé que eres un impertinente irrespetuoso, que cree que puede desafiarme. Lo que demuestra que también eres estúpido. ¿Quién eres?

—Me llamo...

—No te he preguntado tu nombre.

—Entonces, ¿qué?

—Te sentí en la basílica, como si tus pensamientos estuvieran dentro de mi cabeza. Algo insólito, ya que solo mis hermanos comparten ese lazo. Tampoco eres un bastardo nefilim. ¿Qué me estoy perdiendo?

William miró a todas partes menos a él.

—Soy un vampiro.

—Mentira, no hueles como esas abominaciones —bufó el ángel. William desplegó sus colmillos con un gruñido airado y entreabrió los labios para que pudiera verlos—. ¡Imposible, no puede ser!

—Piensa lo que quieras. Me llamo William Crain. Mi padre es Sebastian Crain, señor de...

—Sé quien es —lo atajó molesto.

Hubo un silencio durante el que William apuró su copa. Después formuló la pregunta que no dejaba de dar vueltas en su cabeza:

—¿Eres un Vigilante?

El ángel entornó los párpados, sorprendido a la par que receloso.

—¿Qué sabes tú de ellos?

—Ahora te toca a ti presentarte.

—No soy un Vigilante. Ellos nos sirven a mis hermanos y a mí —contestó casi sin pensar, desconcertado por el misterio que se desplegaba ante sus ojos. Evaluó a William un instante y sonrió—. ¡Ya sabes quién soy! He visto mi imagen en tu mente.

William lo observó detenidamente. Era cierto, su rostro le resultaba familiar, desde la nariz recta y afilada, a la barbilla redondeada y esos labios carnosos que escondían un rictus cruel y despiadado.

—Gabriel —susurró.

—El mismo.

Se miraron a los ojos durante lo que pareció una eternidad.

—¿Qué quieres de mí?

—Respuestas —aseveró Gabriel.

—Pues has recurrido al menos indicado. Suelo ser el último en enterarme de las cosas —respondió William en un tono irónico.

—Sabes más de lo que crees. Por ejemplo, quién te engendró.

William no pudo contener la risa.

—¿Quieres mi partida de nacimiento?

De repente, un dolor insoportable le hizo doblarse hacia delante, como si un puño le estuviera comprimiendo el corazón, cada vez más y más pequeño.

—Puedes sentirlo, ¿verdad? —susurró Gabriel junto a su oído—. Un parpadeo, no necesito más para reducirte a cenizas. Es posible que te encuentre interesante, incluso puede que empieces a caerme bien, pero no te permitiré tales desplantes. No olvides con quién estás hablando.

William suspiró aliviado en cuanto su corazón se vio libre de esa presión letal. Lanzó una mirada furiosa a Gabriel. El impulso de abalanzarse sobre él y destrozarle la garganta pulsaba como un latido dentro de su cabeza.

Gabriel apuró su vaso de un trago y le hizo un gesto a la camarera para que le sirviera más. Cuando la chica se acercó, le arrebató la botella y la despidió con la mano. Llenó ambos vasos hasta que rebosaron.

Alzó el suyo a modo de brindis.

—¡Por la amistad! —Miró a William a los ojos y bebió—. Nos interesa ser amigos. Así que vamos a cuidar esta floreciente relación con buenos hábitos como la lealtad, el respeto y la sinceridad. Bebe —le ordenó. William alzó su copa y bebió—. Empecemos de nuevo. Tu padre es un vampiro, ¿y tu madre?

—Ella es como tú. O lo fue, no estoy seguro.

—¡Eso es imposible! —masculló en un tono glacial.

—Es la verdad.

—Mientes.

—¿Y qué gano con eso? —repuso William sin ninguna emoción.

Gabriel lo taladró con la mirada y el aliento del miedo en la nuca le hizo estremecerse. Podía oler la mentira como si de un fuerte hedor se tratase, y William decía la verdad. Asintió con el semblante muy serio.

—¿Cómo se llama tu madre?

—Aileen.

—Bonito nombre para un Oscuro.

—¿Te refieres a un demonio? No, te equivocas. Mi madre era uno de los tuyos, un Vigilante.

Las luces del local comenzaron a parpadear. Algunas se fundieron tras unos chispazos y un viento helado se elevó desde el suelo como un remolino. La gente dejó de bailar y beber y empezó a preguntar qué ocurría.

Gabriel se puso en pie.

—Salgamos de aquí.

William siguió a Gabriel hasta un apartado callejón. De pronto, el arcángel se dio la vuelta y lo agarró por el cuello. Lo levantó del suelo como si no pesara nada y lo aplastó contra la pared. Sus dedos se cerraron como garras en torno a su garganta. Notó los huesos ceder y el sabor de la sangre ascendiendo hasta su boca.

—Si lo que dices fuera cierto, tú serías algo mucho peor que una abominación. Pero mientes, como todos los de tu especie. Un Vigilante jamás haría algo tan repugnante. Nunca mancillaría su cuerpo y su alma de esa forma.

—Ya te he dicho que no miento —gruñó William, mientras trataba de aflojar la presión que amenazaba con romperle el cuello—. Mi madre... Ella me lo confesó hace muy poco. Era un Vigilante, pero eligió convertirse en un ángel caído para permanecer junto a mi padre. Él era su misión y acabaron enamorándose.

Gabriel lo soltó y le dio la espalda. Empezó a moverse de un lado a otro muy alterado. Farfullaba para sí mismo una retahíla sin sentido, como si hablara en otro idioma.

—¿De verdad no has sabido hasta ahora quién era ella? —preguntó.

—No, lo juro. Se hizo pasar por humana durante muchos años y luego fingió convertirse en vampiro. Lo creí al igual que todos. Del mismo modo que siempre pensé que yo había nacido y crecido completamente humano hasta que un vampiro me atacó. Me lo ocultaron para protegerme, o eso dicen.

—No parece que les estés muy agradecido.

—¿Cómo te sentirías si descubrieras que tu familia te ha estado mintiendo y manipulando durante décadas?

Una tensa sonrisa apareció en los labios del arcángel.

—Créeme, en este momento comprendo muy bien esa sensación. —Bajó la mirada y un músculo se contrajo a lo largo de su mandíbula—. Leinae.

—¿Qué?

—Ese es el nombre de tu madre. Su verdadero nombre.

William se apoyó contra la pared y una sombra cruzó por su rostro.

—Entonces, ¿la conoces?

—Sí. Leinae siempre fue digna de mi afecto, era importante para mí. Pero un día desapareció sin más y nunca supe el motivo. Hasta ahora. —Miró a William a los ojos—. Te pareces a ella.

William apartó la mirada, incómodo. Gabriel le observaba sin parpadear, como si tratase de desentrañar un gran misterio.

—¿Qué? —saltó.

—Tu madre ha sabido ocultaros muy bien. Demasiado, diría yo —susurró para sí mismo, pensativo—. Dame tu brazo —le exigió.

Movió la mano, apremiándolo.

—¿Para qué?

Gabriel no respondió. Lo agarró por la muñeca y le arrancó de un tirón la manga de la chaqueta. Posó la mano sobre su antebrazo. Bajo la mirada confundida de William, comenzó a recitar unas palabras en un idioma desconocido. Su mano empezó a brillar. Al principio, con un ligero resplandor. Luego se iluminó como una estrella.

El dolor golpeó a William. La fuerza de este le hizo gritar como si un fuego lo estuviera consumiendo desde dentro; y todo pensamiento racional fue barrido de su cerebro. Forcejeó, gritó y se retorció mientras sentía la piel abrirse al paso de algo que trataba de emerger de su interior. Cuando Gabriel por fin lo soltó, cayó de costado entre convulsiones y vomitó.

Se miró el brazo y vio una mancha roja como la sangre grabada en su piel. Parecía la quemadura de un hierro candente y se movía, enroscándose con vida propia, hasta que adoptó la forma de una estrella.

—¿Qué es esto? —jadeó.

—Lo que te ha mantenido oculto a nuestros ojos. Tu madre debió de hacértelo, aunque necesitó ayuda. Ella no debería conocer esa magia.

—¿Ayuda de quién?

—Empiezo a tener una ligera idea.

William se incorporó hasta sentarse. Buscó apoyo en la pared y miró a Gabriel con desconfianza.

—¿De quién o qué me esconde?

—De los ángeles. De todos, sin importar el bando.

—Pero tú me has encontrado.

—Soy muy perceptivo y tu poder ya sobrepasa este hechizo. —Se agachó y estudió a William con detenimiento—. Eres como la luz de un faro en medio de la oscuridad, y si yo te he visto, otros lo harán. No puedo permitir que te descubran. No hasta que averigüe qué está ocurriendo.

William se pegó a la pared. Los ojos de Gabriel eran una ventana abierta a sus pensamientos y lo que vio en ellos lo asustó hasta la médula.

—¡No, otra vez no, por favor!

—Necesitas otra defensa, una mucho más poderosa. Lo siento, pero te va a doler.

La mano de Gabriel voló hasta el pecho de William y volvió a iluminarse al entrar en contacto con su piel. El grito del vampiro taladró el silencio. Su cuerpo se elevó en el aire mientras Gabriel recitaba. La luz penetró en su cuerpo y lo iluminó desde dentro, filtrándose a través de sus poros pequeñas partículas que formaron un halo a su alrededor. Y llegó el auténtico dolor. La agonía al sentir que su cuerpo se dividía célula a célula y estallaba.

De golpe, todo se desvaneció.

Los párpados de William temblaron mientras recuperaba la consciencia. Abrió los ojos y vio el cielo sobre su cabeza. Las primeras luces del amanecer lo teñían de gris y violeta. De pronto, el recuerdo de un dolor insoportable cruzó por su mente y se levantó de golpe, dando traspiés.

Miró a su alrededor. Descubrió que ya no se encontraba en el callejón, sino a orillas del río Tíber, bajo el Puente de Sant'Angelo.

—Sigues vivo —dijo una voz a su espalda.

Se giró y vio a Gabriel a unos pocos metros de distancia, lanzando piedrecitas al río.

—No gracias a ti —masculló enfadado. Se apartó la chaqueta y se palpó el pecho. Notaba un hormigueo molesto a la altura del corazón y al mirar, descubrió el dibujo de unas alas oscuras como el humo—. Yo ya he visto esto antes.

Gabriel ladeó la cabeza y lo miró.

—¿Qué has dicho?

—Hay otro vampiro. Es como yo, inmune al sol. Aunque puede hacer otras cosas, como aparecer y desaparecer a voluntad. Tiene este mismo dibujo en su pecho.

—¿Tú lo has visto hacer esas cosas? ¿Y la marca?

—Sí.

Gabriel palideció.

—¿Sabes quién es? ¿Dónde está?

—No, solo le he visto una vez. Vino a buscarme.

—¿Para qué?

—Para ponerme sobre aviso. Dijo que somos peones de un juego en el que tenemos un propósito que no podremos eludir. Alguien necesita nuestra sangre y está dispuesto a hacer lo que sea para conseguirla. Dijo otras cosas, pero desconozco hasta qué punto son verdad.

—¿Y qué te dice tu instinto? —preguntó Gabriel con el rostro tenso y adusto.

—Que no mentía —susurró William—. Si de verdad ese tipo es como yo, eso significa que también... —guardó silencio, no estaba seguro de lo que podía significar.

Gabriel contempló el río. Tenía los ojos vidriosos, como el reflejo de la luz sobre un estanque. Un relámpago cruzó el cielo sin nubes. El trueno retumbó apenas un segundo después. Sus sentimientos confusos fueron desapareciendo y dieron paso a algo más siniestro. Su voz surgió lenta y medida:

—Necesito que me cuentes todo lo que sabes. Remóntate al principio y no omitas ningún detalle.

William se tomó un momento para ordenar sus ideas. Después comenzó a rememorar cada suceso en el que se había visto envuelto durante los últimos meses. Le relató todo lo que había ocurrido en Heaven Falls desde su llegada. Le habló de sus habilidades. De la dramática forma en la que había descubierto su origen. Del plan que los Crain estaban llevando a cabo para desenmascarar a Marcelo y al cerebro oculto tras él.

Cuando William terminó de hablar, Gabriel parecía a punto de explotar. Su silueta se desdibujaba como si estuviera hecho de niebla.

—Debería matarte ahora mismo. Reducirte a cenizas. Antes de que sea tarde —dijo el arcángel con voz ronca.

—¿Y por qué no lo haces? —preguntó William sin mostrar ningún sentimiento.

En su interior, las emociones arañaban y mordían sus huesos. Estaba harto de no sentirse dueño de su propia vida. Las mentiras habían dominado su vida hasta destrozarlo; y lo había perdido todo. Era una marioneta a la que otros obligaban a moverse a un son que no le gustaba y ahora Gabriel pretendía decidir si vivía o moría, por algo de lo que ni siquiera era responsable.

No lo pensó. Echó a correr y se adentró en la ciudad. Recorrió las calles a gran velocidad. Su plan era alcanzar los pasadizos subterráneos y despistar a Gabriel en las catacumbas. De repente, el arcángel apareció de la nada y lo embistió. Atravesaron una pared e irrumpieron con gran estrépito en una capilla abandonada.

Rodaron por el suelo, destrozándolo todo a su paso.

Se pusieron en pie y se enfrentaron.

—Mientras lleves esa marca, podré encontrarte, idiota —se burló Gabriel.

William gruñó y arremetió contra él. No pudo tocarlo. Una fuerza invisible lo alzó del suelo y lo estampó contra la pared. Un rayo de luz surgió del arcángel como una explosión. Durante un segundo, creyó ver dos alas enormes y grises desplegadas a su espalda.

—¿Quieres matarme? Hazlo, porque si crees que me importa...

—Debería matarte porque no hay nada en este mundo más peligroso que tú —masculló Gabriel—. Una sola palabra tuya puede acabar con todo. Y si lo que me has contado sobre ese otro híbrido es cierto, ya no hay vuelta atrás. Ha comenzado la liga de los grandes, y tú solo eres un niño que llora y grita compadeciéndose porque nadie le comprende. Si supieras lo que representas...

—Pues ya que tú pareces saberlo, dime qué está pasando.

La fuerza que lo mantenía aplastado contra la pared cedió y William cayó al suelo. Se puso en pie con esfuerzo y miró a Gabriel sin fiarse de él.

—No puedo entrometerme. Nos está prohibido interferir en las profecías —confesó en tono derrotado—. Y aunque pudiera, sería inútil, suelen cumplirse. No se puede hacer nada y la prueba eres tú. Existes contra toda lógica, solo porque alguien lo presagió.

William contuvo el aliento. Silas tenía razón, había una profecía.

—Así que se trata de eso, de profecías. No creo en el destino escrito. Yo forjo mi destino. No me importa lo que digan que voy a hacer, simplemente, no lo haré. ¡Problema resuelto!

—No es tan sencillo.

—No si hago esto solo. Necesito averiguar qué dice esa profecía para saber a qué me enfrento. ¿Puedes echarme una mano con eso? Porque creo que quieres ayudarme. Si no, ¿para qué esto? Intentas protegerme —dijo con la mano sobre la marca de su pecho.

Durante todo un minuto el silencio fue total entre ellos. Gabriel se pasó los dedos por el pelo y después se frotó las mejillas con fuerza.

—Como te he dicho, no puedo entrometerme, por eso no puedo matarte. Tampoco le deseo sufrimiento a Leinae. —Señaló con dedo el pecho desnudo de William—. Esas alas son la marca de un arcángel, no hay protección más poderosa. ¿Estás seguro de que ese otro vampiro las tiene?

—Sí, son idénticas a estas.

—Entonces, uno de mis hermanos lo está protegiendo. Y ahora me pregunto cuál de ellos.

—¿Y no te preocupa el porqué?

—En el mejor de los casos, quizás esté tratando de evitar el desastre que vuestra existencia nos depara.

—¿Y en el peor de los casos?

—Quiere que la profecía se cumpla.

—Tú sabes qué dice esa profecía, ¿verdad?

Gabriel asintió con la cabeza y se sentó en los escalones que conducían al altar. Apoyó los brazos en las rodillas y miró a William.

—Te pareces a tu madre. —Sonrió para sí mismo con un recuerdo y su semblante se relajó, como si acabara de tomar una decisión. Después recitó—: «De la semilla del primer maldito nacerán dos espíritus sedientos de sangre. Uno, heredero de la luz, y el otro, de la oscuridad. Tan poderosos que con una palabra darán vida a la muerte y muerte a la vida. Cuando la noche venza al día en su plenitud, la oscuridad dominará con sus sombras la luz. Sobre el cáliz que alimentó a la primera plaga, los espíritus derramarán su sangre mancillando la tierra sagrada, y aquellos que se ocultan en las tinieblas, caminarán bajo la estrella de fuego a salvo de las llamas».

William frunció el ceño.

—¿Eso es todo? ¿Y qué significa?

—Es frustrante, ¿verdad? —dijo Gabriel, y se echó a reír—. Yo creo que todos esos iluminados que vaticinan y presagian lo hacen a propósito para joder y que te vuelvas loco. ¿Quién habla así?

William sonrió. Más relajado, apoyó la espalda en la pared y contempló un cuadro diminuto que colgaba de la pared. Una réplica del Adán y Eva de Tiziano. Su mirada volvió a Gabriel, cuando este habló de nuevo:

—El primer maldito se refiere a Lilith. Ella fue el primer ser maldecido con un tormento divino.

—Siempre he creído que el primer maldito de la historia fue Lucifer.

—No, Luzbel nunca fue maldecido, a él solo se le castigó por su soberbia. Primero a vagar por la tierra, y cuando comprobamos que el correctivo no servía de nada y que su sedición iba a más, hubo que tomar otras medidas.

—¿Y qué hizo Lilith? —preguntó William.

—Eso no es importante ahora, y sí la profecía en torno a ella. ¿Continúo o prefieres arreglártelas tú solo? —inquirió en tono mordaz. William asintió y bajó la cabeza—. Bien... «De su semilla nacerán dos espíritus sedientos de sangre», eso quiere decir que Sebastian, último de sus descendientes, es una de las semillas, y tú, su hijo, uno de los espíritus sedientos. Supongo que ya imaginas quién es el otro.

—Eso significa que sus padres también son...

—Otra unión ominosa —señaló Gabriel. Se frotó los brazos como si tuviera frío—. Desde el principio de los tiempos, la luz y la oscuridad hacen referencia al cielo y al infierno. Dos bandos de ángeles. Estoy seguro de que tú eres el heredero de la luz, por tu madre. Pese a todo, ella nunca sucumbiría a la maldad. Y que ese otro vampiro representa la oscuridad, hijo de algún Oscuro que ya ha empezado a mover sus fichas. Por eso te estoy ayudando, porque creo que ellos juegan sucio y con ventaja.

—Hijo de un Oscuro —repitió William pensativo—. ¿Te refieres a un demonio?

—Los demonios no son ángeles. Hay dos tipos de caídos. Los que como tu madre continúan siendo puros de corazón, pero abandonaron el camino, y los doscientos que siguieron a Lucifer al infierno, los Oscuros. La mayoría ha perdido todo rastro celestial y no se diferencian en esencia de los demonios, las almas corruptas y pecaminosas engendradas por Lucifer, su progenie. Demasiado débiles como para orquestar algo así.

William se frotó el pecho, aún le dolía.

—Pero has dicho que esta es la marca de un arcángel. Entonces, ese otro vampiro, sus alas...

—A Lucifer también le siguieron seis de mis hermanos y ahora lideran sus huestes. Uno de ellos protege a ese chico, la marca lo demuestra.

—De acuerdo, él y yo somos los espíritus sedientos. Luz y oscuridad... ¿y el resto de la profecía?

—El cáliz que menciona existe y está oculto en algún lugar que desconozco. Si la sangre de los espíritus se vierte en ese cáliz, los que se ocultan en las tinieblas caminarán bajo la estrella de fuego. Lo que quiere decir que la maldición de los vampiros desaparecerá y serán inmunes al sol. Ese es el mensaje de la profecía, y no puede cumplirse.

—Antes dijiste que suelen cumplirse.

—William, la verdad es que tu madre se enamoró de tu padre porque ya estaba escrito, y tú naciste por la misma razón. Del mismo modo que el destino de los vampiros fue predicho y su sino es sobrevivir a la maldición. Pero no hay nada absoluto, Dios dispuso que así fuese. Siempre hay un agujero por pequeño que sea. Solo hay que encontrarlo.

William bajó la mirada. Un rayo de sol se colaba a través del agujero que habían abierto en la pared y trazaba un haz de luz en el que las partículas de polvo permanecían suspendidas.

—¿Qué piensas? —preguntó Gabriel.

—Hablas de luz y oscuridad, de cielo e infierno... Los vampiros también se dividen en dos bandos. Los que se acogen al pacto y respetan la vida, y los que no. Sé que sin la maldición, los renegados se convertirían en un azote para este mundo, pero hay otros que merecen liberarse de ese yugo. Se lo han ganado —explicó, mientras en su mente veía los rostros de sus hermanos, su padre y Cyrus, entre otros.

Gabriel se puso en pie y fue a su encuentro. Su rostro se había convertido en una fría máscara y entrecerró los ojos cuando sus miradas se encontraron. No había nada amable en él en ese momento.

—Que los vampiros caminen bajo el sol, solo es otro augurio dentro de la gran Profecía. El primer sello roto para la liberación.

—¿La gran Profecía? —susurró William.

De golpe fue consciente de la auténtica realidad, Gabriel solo le había contado una pequeña parte de la verdad. Y por su expresión asustada e inquieta, lo que ocultaba no podía ser bueno.

—No puede pasar, William, ese sello no debe abrirse, ¿entiendes? Por lo que espero que seas tan fuerte como afirmas y que tu destino solo te pertenezca a ti. Aléjate del otro espíritu tanto como puedas, huye de él. Pero si llega el momento, no dudes en matarlo. Debes hacerlo. No puedes aceptar.

William tragó saliva. Los ojos de Gabriel se habían vuelto completamente blancos, envueltos en ira, atemperada y letal. Su propia furia se reavivó bajo el gélido estallido del arcángel.

—¿Y qué ocurrirá si el presagio se cumple?

Gabriel apretó los dientes con un sentimiento feroz y salvaje.

—Debería matarte —dijo antes de desvanecerse en el aire.

25

La nieve crujió bajo los pies descalzos de Gabriel cuando se posó en el suelo. Alzó la barbilla y miró hacia arriba. La luna brillaba al borde de un cielo sin nubes.

Una ráfaga de viento helado le azotó el rostro. Se giró despacio. Enfundó las manos en los bolsillos de su pantalón y se acercó al precipicio. Nunca se cansaba de admirar la belleza del mundo; y desde ese pico, el más alto de todos los que poblaban la Tierra, esa belleza era indescriptible. Su mirada se perdió en el horizonte durante un rato.

De repente, su cuerpo se estremeció. Uno de los hilos que conectaban su mente a la de sus hermanos se tensó.

—Debe de ser importante para que me hayas citado aquí con tanta premura —dijo una voz profunda a su espalda.

Gabriel se volvió y clavó sus iris plateados en su hermano, con una mezcla de enfado y devoción.

—¿Qué ocurrió con Leinae? —preguntó sin rodeos.

—¿Por qué preguntas ahora por ella?

—Tú eras su mentor.

—Se cansó de nuestra lucha y escogió otro camino.

—Eso he oído —indicó Gabriel sin ninguna emoción en la voz—. Un camino junto a ese vampiro que, por alguna extraña casualidad, resulta que es uno de los pocos descendientes de Lilith que aún quedan con vida. Iniciaron una relación prohibida, que dio un fruto, y tú lo permitiste. —Guardó silencio y observó la reacción de su hermano, pero el rostro de este parecía esculpido en piedra—. ¿Cómo pudiste hacer algo así, Miguel? Conocías las consecuencias de esa decisión y aun así no la detuviste. Pero... lo que más me cuesta entender es cómo has guardado silencio durante tanto tiempo. Que nos hayas mentido así.

Miguel lo miró.

—Nunca os he mentido.

—Tu silencio es peor que cualquier mentira...

—Si quieres que algo no se sepa, no se lo cuentes a nadie.

—Miguel, he visto al hijo de Leinae. Hemos hablado. Pudiste deshacerte de él antes de su primer aliento, evitar la profecía... ¡Y no hiciste nada, ¿por qué?!

—No soy un asesino de niños, Gabriel. —Le dio la espalda y contempló el horizonte. Nacidas de la nada, nubes de tormenta encapotaron el cielo y comenzó a nevar de forma lenta, casi pausada—. Sospechaba la relación que Leinae y ese vampiro mantenían, y una noche acudí dispuesto a averiguar la verdad. No solo confirmé lo que temía, sino que descubrí que en su vientre crecía una vida.

—Ese ser no era un niño entonces, ni ahora es un hombre. ¿Has sentido su poder? Por supuesto que sí, has ayudado a ocultarlo. Si acaba en el bando equivocado...

Gabriel movió la cabeza como si así pudiera desechar esa idea.

—Puede que no fuera un niño, pero para mí era una vida inocente.

—Era inocente, de acuerdo, pero sabías lo que esa vida auguraba y aun así... —lo reprendió Gabriel

—No pude. —Miguel negó con pesar—. La miré a los ojos, vi el amor que ya mostraba por ese nonato y no fui capaz. No podía causarle ese sufrimiento, Gabriel, siempre la he amado más que a ningún otro.

—¿Y crees que yo no? Puede que no del mismo modo que tú, pero... ¡Es uno de los espíritus sedientos, hermano!

Miguel suspiró, y su expresión le confirmó a Gabriel que ya lo sabía.

—Una parte de mí creía que ese niño no nacería. Era tan antinatural que pensé que la propia naturaleza arreglaría el desastre, pero nació. Desde entonces rezo cada día para no tener que arrepentirme de esa decisión.

—Pues empieza a arrepentirte, la Profecía se está cumpliendo —le espetó Gabriel. Miguel ladeó la cabeza y sus miradas se encontraron. Hubo un largo silencio, tras el que Gabriel añadió—: El segundo espíritu está entre los hombres.

—No es posible, lo habría percibido.

—Un Oscuro lo oculta, uno de nuestros hermanos, y ahora van tras el hijo de Leinae —respondió Gabriel—. Conocen la Profecía y están haciendo todo lo posible para que se cumpla. No podemos quedarnos de brazos cruzados.

—¿Cómo han sabido de la Profecía? Solo tú y yo la conocíamos.

—No lo sé, Miguel, pero ya tienen uno de los espíritus. Están conspirando contra nosotros.

—¿Tienes pruebas?

Gabriel negó con la cabeza y tomó aliento.

—No. Solo sé lo que el hijo de Leinae me ha contado y creo cada una de sus palabras.

—Sabes que no podemos intervenir. Los presagios pueden cumplirse o no, así se dictó y juramos acatarlo.

—Abre los ojos, Miguel, este se cumplirá sí o sí como no hagamos algo. Lo están manipulando para que así sea, ¿no lo ves?

—Sin pruebas...

—¡A la mierda las pruebas! —estalló Gabriel—. Si la Profecía se cumple, nada importará, y no quedará más remedio que intervenir. ¿Por qué no hacerlo ahora que estamos a tiempo?

—No quebrantaré las reglas, hermano. Sin pruebas no podemos tocarlos. Así que a no ser que los cojas en plena conjura, olvídalo.

—¿Me estás pidiendo que no haga nada mientras el fin se acerca?

—No, te pido que averigües qué está pasando. Que encuentres al otro espíritu y a sus padres para obtener respuestas, pero sin romper el acuerdo. —Apoyó una mano en el brazo de su hermano—. He usado todo mi poder para que esas puertas no puedan abrirse. He previsto cada movimiento y he creado un sello que lo frene. Tengamos fe, puede que esa sangre nunca se vierta. No todo está perdido.

—Si te sientes mejor pensando así —Miguel ignoró su comentario y contempló el cielo—. Haré todo lo posible, pero debemos prepararnos para lo que está por venir. Los demás deben saber qué ocurre, o se lo dices tú o lo haré yo. Se acabaron los secretos —dijo Gabriel mientras se desvanecía entre la cortina de nieve.

26

William se ocultó tras los cipreses que bordeaban la carretera y estudió con atención el muro de piedra que se alzaba unos cuatro metros del suelo, coronado por una alambrada de espinos electrificada.

Observó el barrido de la cámara de vigilancia, encontró el ángulo ciego y lo aprovechó. Escaló el muro y saltó por encima de la alambrada. Una vez al otro lado, avanzó agazapado para no ser visto. El sitio estaba plagado de alarmas y sistemas de seguridad, pero él había aprendido algunos trucos nuevos y los fue desconectando a su paso.

El plan era sencillo, atraparía a Marcelo y le haría hablar.

Por suerte, la villa era una edificación con muchos siglos de antigüedad y su dueño, poco amigo de las nuevas tecnologías. Así que Marcelo confiaba la seguridad del interior solo a sus guardias. Además, su ego era tan grande que vivía con la firme creencia de que nadie intentaría nada contra él, por lo que aquel lugar era como un parque con las puertas abiertas a cualquiera lo bastante loco y temerario como para querer entrar.

La puerta principal se abrió al roce de su mano.

Una vez dentro, encontrar la entrada al refugio fue muy sencillo. Nadie normal instalaba en una bodega una chimenea de dos metros de altura, decorada con volutas y bustos femeninos sosteniendo el dintel. El calor no era bueno para el vino toscano, especialmente para el Brunello di Montalcino con el que comerciaba Marcelo.

William estudió la chimenea y se fijó en que el busto derecho parecía más desgastado. Lo presionó con fuerza y el fondo cedió, dejando a la vista un pasillo iluminado. Penetró en el pasadizo con cautela. Tres metros más adelante, encontró al primer vampiro muerto. Cuando llegó al final del corredor, ya había contado siete. Si los números no le fallaban, aún quedaban seis guardias más, y también el perturbado que los estaba masacrando.

Tomó del suelo un gemelo de platino y no le hizo falta ver la inicial grabada en él para saber a quién pertenecía. Su firma estaba en cada cuerpo y en la destrucción que sembraba a su paso. Como el dedo de Dios, así era su hermano cuando perdía el control.

William se quedó allí parado, dudando. No quería encontrarse con él, aún deseaba darle una paliza.

De pronto, la risa desquiciada de Robert resonó con fuerza en el corredor.

El sonido del acero vibraba a través de la fría piedra; y después, solo gritos.

William corrió hasta irrumpir en una cámara abovedada y se encontró con una escena dantesca. Los cuerpos de los guardias yacían en el suelo, decapitados. Robert estaba de espaldas a él, cubierto de sangre, y empuñaba dos dagas. Abrió la boca para llamarlo cuando, de repente, tuvo que dar un salto hacia atrás para evitar el tajo que su hermano lanzó de lado a lado.

—¡Eh, soy yo!

Robert parpadeó como si despertara de un sueño.

—¿Qué haces aquí? —preguntó airado.

—Yo también me alegro de verte.

—No deberías estar aquí, conseguirás que te maten.

William miró a su alrededor y señaló los cuerpos.

—¿Quiénes? ¿Ellos?

—Aún no he encontrado a Marcelo, ni tampoco a Fabio —dijo Robert a modo de respuesta—. ¿Qué haces aquí? —volvió a preguntar.

—Buscar respuestas.

—Pues ya somos dos.

Robert le ofreció una de las dagas y apartó una cabeza con el pie. Hizo una mueca de asco y miró a su alrededor, mientras William intentaba no pringarse con la sangre que goteaba del techo y las columnas.

—¿Qué ha pasado para que hagas esto? ¿Te ha descubierto? —quiso saber William.

Robert alzó las cejas, divertido.

—¿Ese idiota? Nunca ha dudado de mí, pero no soportaba ni un minuto más esta situación. Fingir que le servía me estaba provocando una úlcera. Y aprovechando que pasaba por aquí...

—¿Sebastian sabe lo que estás haciendo?

Una sonrisa traviesa se dibujó en el rostro de Robert.

—Al infierno con todo. El final será el mismo que habíamos planeado, solo que llegaré a él por otros medios más rápidos y contundentes —explicó mientras salía de la cámara a través de un corredor lateral.

William lo siguió.

—¿Torturando a Marcelo?

—Primero le preguntaré con educación, no soy un salvaje.

William puso los ojos en blanco y suspiró.

—¿Crees que conoce la profecía? —Robert se paró en seco y se giró con los ojos como platos—. ¿Qué piensas que he estado haciendo todo este tiempo?

—¿La verdad? Esconderte y llorar como un niño, castigándonos y atormentándonos con tus rabietas mientras nos preguntábamos si seguías vivo. Sin embargo, veo que por fin empiezas a comportarte como lo que eres.

—¿Un engendro? ¿El Armagedón? —replicó mordaz.

—¿Qué? —inquirió Robert sin mucha paciencia. William despegó los labios para objetar, pero Robert lo interrumpió con un gesto—. No sé qué has descubierto, pero úsalo ahí dentro. Después me contarás qué demonios has hecho durante todo este tiempo.

Se plantaron frente a una doble puerta de hierro exquisitamente labrada, en la que se había representado una escena donde se podía ver a Hades, dios del inframundo, sentado en su trono en el Tártaro. Cerbero, su perro de tres cabezas, yacía a sus pies.

—Bonita alegoría, porque es justo ahí adonde pienso enviar a ese traidor —comentó Robert con los párpados entornados.

Arremetió contra la puerta, pero esta no se movió. Lo intentó de nuevo con la misma suerte. Lanzó una blasfemia y se dispuso a embestirla de nuevo.

William posó una mano en su hombro y le pidió que se hiciera a un lado. Cerró los ojos un segundo y la puerta emitió cinco chasquidos, el número de pasadores que la mantenían cerrada.

Robert desnudó sus colmillos con una sonrisa que rezumaba peligro. Empujó las pesadas hojas con fuerza y estas cedieron. El impacto resquebrajó la piedra de las paredes. Sus ojos se posaron de inmediato en Marcelo, que los esperaba empuñando una espada y la mirada enloquecida. Tenía el pelo revuelto y la ropa mal puesta, como si acabara de vestirse a toda prisa y sin prestar atención.

A su espalda, una joven vampira se escondía desnuda entre el cabecero de la cama y la pared.

—¡Tú, fuera! —le ordenó Robert.

Ella no se lo pensó dos veces y salió corriendo.

Entonces Robert dio unos cuantos pasos hacia Marcelo, al tiempo que hacía girar la daga en su mano. Se inclinó con una reverencia exagerada y rio burlón.

—Mi señor, tenemos que hablar.

Marcelo dejó caer el arma, derrotado por la situación. Sin embargo, continuaba mostrándose engreído y soberbio.

—¿Me has traído una ofrenda, siervo?

—Sí, lo cierto es que sí. Pero siento decirte que no es la que esperas. —Robert chasqueó la lengua con disgusto—. Vamos, Marcelo, ¿de verdad creíste en algún momento que te entregaría a mi hermano?

—Nunca confié en ti, solo en tu ambición. Ya veo que me equivoqué, siempre serás un mediocre a la sombra de tu hermano. Obedeciendo a tu padre sin rechistar a cambio de nada. —Hizo una mueca de desprecio—. ¿O piensas que abdicará en tu favor? No lo hará, William es su favorito.

Robert se encogió de hombros.

—No pierdas el tiempo sembrando discordia. Yo mismo coronaré a mi hermano, si llega ese momento —dijo sin un ápice de duda en la voz. Se deshizo de la chaqueta, que había quedado destrozada tras la pelea, y luego comenzó a enrollar las mangas de la camisa—. Supongo que imaginas a qué he venido.

—No tengo la menor idea.

Robert miró a su hermano por encima del hombro con impaciencia.

—¿He sido ya lo bastante educado? —William sacudió la cabeza y con un gesto le dijo adelante. Clavó de nuevo sus ojos en Marcelo—. Ahora que tengo permiso para torturarte, te aconsejo que me hables de la profecía.

—No sé a qué te refieres.

—Sabemos que todo tu plan suicida gira en torno a una profecía. Conocemos una parte, solo queremos encontrar el resto —intervino William.

Marcelo guardó silencio y enfrentó su mirada con toda la entereza que pudo aparentar.

Robert resopló impaciente.

—¿Quién maneja los hilos? —inquirió. Al ver que Marcelo ni siquiera parpadeaba, comenzó a impacientarse—. No tengo por qué matarte, puedo desterrarte. Te largas con tu dinero y tus comodidades a un lugar muy lejano, y te quedas allí para siempre, lejos de nosotros. Solo tienes que hablar.

Marcelo dudó, como si estuviera sopesando esa posibilidad.

—¿Me das tu palabra? —preguntó al fin.

—Yo sí, te dejaremos marchar si hablas con nosotros —le aseguró William.

Marcelo le sostuvo la mirada. Asintió conforme, pero el odio que brillaba en sus ojos no desapareció. Se sentó sobre un cofre que había a los pies de la cama y dejó escapar un suspiro.

—Todo este tiempo me he limitado a seguir órdenes. No sé cómo se llama ni quién es. Se presentó aquí una noche, con regalos y promesas tentadoras. Me dijo que sabía cómo romper la maldición y que te necesitaba para lograrlo. Me habló de una profecía que había empezado a cumplirse y que parecía ser la clave de todo. —Hizo una pausa y tomó aliento—. Al principio no le creí, pero a la noche siguiente trajo con él a un joven vampiro. Se llama Adrien y es como tú, William, inmune al sol. —Miró a Robert muy serio—. Se trata del chico que puse a tu servicio. Nunca estuviste al mando, sino él.

Robert apretó los labios al recordar al joven insolente que había enviado a Heaven Falls. Había desaparecido sin más un par de meses atrás. No le dio importancia, incluso llegó a pensar que había muerto, lo que para él suponía un renegado menos del que preocuparse.

—¿Qué dice esa profecía? —le preguntó a Marcelo.

—No la recuerdo. Algo sobre verter la sangre de los elegidos en un cáliz...

—No te creo —dijo Robert al tiempo que empuñaba la daga.

William lo detuvo.

—Dice la verdad.

—¡Por supuesto que digo la verdad! Ya no tengo nada que perder. Si no me matáis vosotros, lo harán ellos —sollozó Marcelo con rabia.

—«De la semilla del primer maldito nacerán dos espíritus sedientos de sangre. Uno, heredero de la luz, y el otro, de la oscuridad. Tan poderosos que con una palabra darán vida a la muerte y muerte a la vida. Cuando la noche venza al día en su plenitud, la oscuridad dominará con sus sombras la luz. Sobre el cáliz que alimentó a la primera plaga, los espíritus derramarán su sangre mancillando la tierra sagrada, y aquellos que se ocultan en las tinieblas, caminarán bajo la estrella de fuego a salvo de las llamas» —recitó William para su hermano.

Robert le lanzó una mirada inquisitiva, y William le pidió paciencia con un gesto. Más tarde tendrían tiempo para hablar.

—Sí, eso decía —confirmó Marcelo.

—¿Cómo continúa la profecía? —lo apremió Robert.

—No lo sé. Adrien también quiso saberlo, pero aquel tipo le dijo que no necesitaba más detalles y que se limitara a cumplir con su parte.

—¿Sabes dónde está Adrien? —preguntó William.

Ese chico se había convertido en su objetivo más inmediato. Si acababa con él, todo terminaría sin consecuencias.

—Te juro que no sé dónde está. Pasó por aquí hace menos de un mes y se quedó unos días para estudiar unos libros. Pero les oí hablar en la biblioteca.

—¿A quiénes? —quiso saber Robert, intrigado por la historia.

—A Adrien y al tipo que lo dirige todo. Ese hombre aparece y desaparece a voluntad, como un fantasma. Quería que Adrien se diese prisa en encontrar el cáliz que se menciona en esa profecía, y lo amenazó.

—¿Dices que lo amenazó? —preguntó William.

—No estoy seguro, pero tengo la impresión de que ese chico no está en este asunto por propia voluntad.

—¿Tienes la impresión? —se burló Robert en un tono de desprecio.

Marcelo no se preocupaba por nada ni por nadie. Era incapaz de sentir empatía o afecto por otro ser, a excepción de Fabio, su protegido.

—No era asunto mío, así que tampoco me preocupé. Adrien se largó para encontrar esa piedra. No sé más. Bueno, sí... Dijo algo sobre...

De repente, Marcelo se llevó una mano al pecho y la otra a la garganta. Trató de hablar, pero solo pudo balbucear. Cayó al suelo y de sus oídos, nariz y boca, comenzó a brotar sangre.

Robert dio un paso atrás cuando Marcelo trató de agarrarle la pierna, suplicándole ayuda a través de su mirada.

—¿Qué le ocurre?

William aferró a su hermano por el brazo y tiró de él hacia la salida, al tiempo que sus ojos recorrían la estancia en busca de aquello que alertaba sus sentidos. Podía sentirlo en la cabeza, intentando entrar. Presionando con más y más fuerza. La marca de su pecho comenzó a calentarse.

—Tenemos que salir de aquí. ¡Ya!

Alcanzaron la puerta principal y corrieron hasta los coches aparcados en la entrada.

—¿A qué esperas? Haz tu *abracadabra* y pon uno en marcha —dijo Robert.

—¿Has perdido las llaves?

—No, he venido en taxi.

William lo miró dos veces con los ojos muy abiertos.

—¿En serio? —Robert lo fulminó con la mirada y William alzó las manos en un gesto de paz. Después señaló un descapotable—. Vale, sube.

Robert se sentó tras el volante y salió de allí disparado en cuanto William encendió el motor y abrió la verja. La villa quedó atrás en pocos segundos y se dirigieron a toda velocidad a la ciudad. Sobre ellos, el cielo nocturno era un manto negro, ya que el brillo de las estrellas había sido engullido por una capa de nubes que anunciaban tormenta. Un rayo serpenteó entre ellas, seguido de un trueno que retumbó como si dos montañas colisionaran.

—¿Sabes qué ha pasado en ese cuarto? —preguntó Robert. William asintió sin estar muy seguro, y a grandes rasgos le contó a su hermano sus sospechas—. ¿Quieres decir que eso se lo estaba haciendo un ángel?

—Sí, probablemente el arcángel que protege a ese tal Adrien. Pueden hacer esas cosas, ¿sabes? Que todo tu cuerpo arda o se transforme en polvo sin tocarte.

—Tienes que contarme todo lo que sabes. No me gusta ir por ahí sin saber a qué me enfrento.

—Ahora puedes hacerte una idea de cómo me he sentido —replicó William con frialdad.

Robert aceleró al llegar a un cruce, sin que pareciera importarle que el semáforo estuviera en rojo. Se dirigió a la parte más antigua de la ciudad.

—¿Hasta cuándo tendré que soportar tus reproches infantiles?

—¿Infantiles? —gritó William. Robert le sonrió como si acabara de darle la razón. Clavó la vista en la calle y se alborotó el pelo con la mano—. Adrien y yo formamos parte de esa profecía, somos los espíritus sedientos. Se supone que, si ambos derramamos nuestra sangre sobre ese cáliz, se romperá la maldición que obliga a los vampiros a vivir en las sombras. Es lo único que Gabriel pudo decirme.

—¿Quién es Gabriel? —curioseó Robert. William lanzó una mirada significativa al cielo—. ¿Otro ángel?

—El arcángel.

Robert golpeó el volante y soltó una carcajada nerviosa.

—Esto se pone cada vez mejor. Quiero saberlo todo.

—Anoche vine a ver a Silas. Pensaba que podría saber algo que pudiera ayudarme a resolver todo este asunto. Después estuve dando vueltas por la ciudad, hasta que unos renegados comenzaron a seguirme. Me atacaron, Gabriel apareció y los redujo a cenizas solo con mirarlos —resumió con impaciencia.

—¿Sabía quién eras?

—No, fue una coincidencia. Minutos antes yo había estado en la basílica. Él también se encontraba allí y notó mi presencia. Me siguió y tuvimos una conversación de lo más interesante.

Robert disminuyó la velocidad al llegar a su destino y aparcó en un espacio de carga y descarga paralelo a una galería de arte. Se bajó del vehículo y William lo siguió sin entretenerse. Juntos se dirigieron al callejón desde el que se accedía a los pasadizos que conducían al hogar de Silas.

—¿Qué te dijo Gabriel?

—Que formo parte de un presagio, dentro de la gran Profecía, y si mezclo mi sangre en ese cáliz con la del otro espíritu, los vampiros dejarán de estar malditos y el primer sello se romperá. Cosa que no debe pasar, porque entonces se pondrá en marcha no sé qué gran liberación.

—¿Liberación?

—No sé, es posible que esté destinado a desatar el Apocalipsis —respondió mientras echaba un vistazo por encima de su hombro para asegurarse de que nada ni nadie los seguía.

Robert le dio un puñetazo en el hombro.

—Ni siquiera tú eres tan importante. —William le sonrió de verdad por primera vez—. ¿Y no hay nada que ese Gabriel pueda hacer?

—No pueden intervenir.

—¿Y eso qué significa?

—Tienen prohibido interferir en las profecías, se cumplen y ya está.

—¿Y tú te lo crees? Hay muchas formas de intervenir sin necesidad de ensuciarse las manos. De momento, no deberías confiar en él. Puede que te esté utilizando.

Giraron a la derecha y enfilaron el callejón cubierto por arcos.

—No confío en nadie, Robert, pero tú has visto y oído lo mismo que yo. Alguien quiere que esa profecía se cumpla y Adrien es su herramienta. Si yo tengo que convertirme en el instrumento de Gabriel para que eso no ocurra, lo haré.

Robert resopló mientras abría la entrada a los pasadizos subterráneos. Una vez dentro, volvió a cerrarla y tomó una antorcha de la pared. La prendió con el mechero que llevaba en el bolsillo y se giró hacia su hermano, que lo miraba fijamente.

—¿Qué?

—¿Te estás volviendo miope? —se burló William.

—¡Muy gracioso! No me gustan las telarañas, nada más. Así me aseguro de que no se me peguen al pelo, idiota.

Avanzó por el corredor con William pisándole los talones.

—¿Y piensas hacer todo lo que te pida ese tipo sin estar seguro de a qué te expones? Puede que te esté mintiendo.

—No sería el primero, ¿verdad? —replicó William mordaz.

Adelantó a su hermano y se internó en el oscuro corredor.

Robert lo observó alejarse y suspiró. William no estaba bien, podía verlo. En ese momento era un recipiente vacío, dolido y resentido con todos. Un alma desesperada dentro de un corazón roto, que se había alejado del faro que iluminaba su camino y ahora se adentraba en un océano oscuro y tormentoso, mucho más profundo que cualquier otro en el que ya hubiera estado. Robert se sentía responsable de ese sufrimiento, pero no arrepentido. Había hecho lo que tenía que hacer para protegerlo.

Salió tras él y no tardó en darle alcance.

—Lo siento, William —su voz taladró el silencio y su eco se extendió por los muros—. Lo siento mucho. Siempre creí que hacía lo mejor para ti. Que todos hacíamos lo mejor para ti. Nunca quisimos hacerte daño.

El rostro de William se contrajo con una mueca. Se dio la vuelta con intención de soltarle una grosería, pero ni siquiera tenía ánimo para eso. Suspiró y con las manos en los bolsillos de su pantalón reclinó la espalda contra la pared, como si necesitara ese apoyo para no desplomarse.

—Me siento traicionado, Robert, por las personas que más me importan. ¿Acaso sabes lo que se siente? —Soltó el aliento de golpe—. Si desde un principio hubiera sabido la verdad, mi vida habría sido muy diferente. Te lo aseguro.

Robert lo imitó y también se apoyó contra la pared, sin dejar de estar alerta. Ahora tenía enemigos a los que no podía ver y eso le resultaba bastante inquietante.

—Yo no estoy tan seguro de eso.

William lo miró de reojo y frunció el ceño.

—¿Qué quieres decir?

—Que tú eres como eres. Tu carácter, tu forma de ser, de pensar, de sentir... ¿De verdad crees que serías diferente ahora de haber sabido la verdad? Yo pienso que no. Eres impulsivo, visceral, impaciente e inseguro. Y huyes siempre que no sabes cómo enfrentarte a tus sentimientos. —Contempló el chisporroteo de la antorcha—. Además, ya pasamos por esto cuando descubriste que éramos vampiros, y entonces no te resultaron tan horribles nuestras mentiras. ¿Y sabes qué, hermano? En mi lugar tú habrías hecho lo mismo.

—No, nadie merece vivir en una mentira.

—Somos especialistas en mentir, es la única forma de sobrevivir. Todos somos unos mentirosos, yo lo soy y tú lo eres.

—Somos hermanos, pero no me conoces.

—¿Que no te conozco? ¡Maldita sea, William! ¿Quién ha estado siempre a tu lado, protegiéndote, enseñándote a ser fuerte? Yo era el último rostro que veías antes de dormir y el primero al despertar. Quien te consolaba cuando tenías pesadillas. —Le clavó un dedo en el pecho al tiempo que buscaba su mirada esquiva—. Te avisé sobre Amelia cuando tu enamoramiento infantil no te dejaba ver su mezquindad. He sido testigo de cómo te embarcabas en cruzadas imposibles, porque nunca has sido capaz de aceptar la vida tal y como es, una mierda. Y, cuando por primera vez en tu vida eres realmente feliz, vas y lo echas todo a perder por ese complejo de héroe sacrificado que nunca te ha aportado nada bueno. No vuelvas a decirme que no te conozco.

William se quedó de piedra tras la declaración de su hermano, y una parte de él se sintió culpable por haber sido tan duro.

—Te refieres a Kate, ¿no?

—Por más que lo intento, no consigo entender qué haces aquí cuando podrías estar con esa chica.

—No soy bueno para ella.

Robert soltó una carcajada sin pizca de gracia.

—No, desde luego que no eres bueno para ella, así no. Suerte que aún nos tiene a nosotros para cuidarla.

Los ojos de William saltaron a su hermano y una llama airada prendió en su pecho.

—¡Me separé de Kate para alejarla de nosotros!

—Habla con propiedad. Te separaste de Kate para alejarla de ti y de tus miedos. Ya sabes cómo funciona. Una vez dentro, solo hay un modo de salir. Para bien o para mal, Kate está dentro, y a no ser que sepas cómo borrar su mente, cosa que dudo, se queda.

—Este mundo es peligroso para ella. Yo soy peligroso para ella... para todos.

Robert exhaló con fuerza.

—Este mundo es el único que le queda, William. ¡Abre los ojos de una maldita vez! Casi todos los vampiros que deambulan por él ya han oído su nombre, y muchos conocen su rostro. Y luego están los renegados, porque controlo a algunos pero no a todos. Puede que ellos también sepan de su existencia. —Alzó una mano y la movió con una floritura—. Y no nos olvidemos de Adrien, porque no sé si te habrás dado cuenta de que fue él quien usó a Kate como señuelo para atraerte. —William le dio la espalda con un violento sentimiento de rabia—. Veo que empiezas a entenderlo. Sin nosotros cuidando de ella, no llegará a convertirse en una viejecita adorable rodeada de gatos.

William desnudó sus colmillos y emitió un gruñido gutural.

—Nunca debí acercarme a ella.

—Ya es tarde para lamentarse, quizá deberías...

—¡No puedo volver! —gimió desesperado—. Entiende que hago esto por ella. Soy consciente de lo mucho que la he expuesto y del riesgo que corre, pero junto a mí ese peligro se triplica hasta agotar cualquier posibilidad de que sobreviva. ¿Has visto lo que le ha pasado a Marcelo?

Robert asintió. Puso una mano en el cuello de su hermano y lo atra-jo para abrazarlo.

—Tienes razón, lo siento.

William le devolvió el abrazo.

—No permitas que le pase nada malo —le suplicó.

—No lo haré. Enviaré un ejército que la proteja si es necesario.

27

Los dos hermanos esperaban impacientes en la biblioteca de Silas.

Robert se sentó en el sillón de terciopelo con manchas de tinta. Cruzó las piernas. Balanceó durante unos segundos el pie que tenía suspendido en el aire. Descruzó las piernas y se inclinó hacia delante. Tamborileó con los dedos sobre la mesa.

William le observaba desde la pared en la que se había apoyado, con los ojos entornados y los brazos cruzados sobre el pecho.

—Deberías tranquilizarte, me estás poniendo nervioso.

Robert se puso de pie y comenzó a moverse de un lado a otro de la habitación.

—Lleva una hora ahí abajo, ¿crees que encontrará algo? —En ese instante, Silas apareció con dos pergaminos de un color marrón dorado muy extraño, que parecían a punto de desintegrarse—. ¿Lo has encontrado? —preguntó impaciente.

—No estoy seguro —respondió el viejo vampiro mientras desenrollaba los pergaminos y los estiraba sobre la mesa—. ¡No los toques! —exclamó, al ver que Robert alargaba el brazo hacia ellos—. ¿Tienes idea de lo que son? Estos pergaminos pertenecen a las Crónicas Sangrientas, en ellos se recoge nuestra historia desde el principio de los tiempos. Son un tesoro, irreemplazables, y no existen copias.

—Tienen un color raro.

—Eso es porque están escritos con la sangre pura de nuestros antepasados.

—Empiezo a sentir curiosidad por lo que guardas en esas catacumbas —replicó Robert con los ojos entornados.

—No hay nada que lleve faldas o que puedas desmembrar, dudo que te interese mi pequeño museo —le espetó Silas.

El hermoso rostro de Robert se contrajo con un gesto herido y sus pupilas se dilataron, confiriéndole a sus ojos brillantes una expresión triste, de cachorrito abandonado. De repente, soltó una carcajada.

—¿Dolido con tu alumno, Silas? Sabes que soy mucho más que un mujeriego y un lunático.

—¿De qué te sirve esa maravillosa inteligencia si no la usas?

William se frotó los ojos como si le doliera la cabeza. Durante las últimas semanas habían tenido lugar una serie de acontecimientos cuyas consecuencias no podía predecir. Era posible que el mundo se desmoronara y desapareciera si no encontraban una forma de evitarlo. Y esos dos estaban enzarzados en otro de sus interminables intercambios de frases mordaces, para ver quién acababa diciendo la última palabra. Dedicó una mirada furiosa a su hermano y este se tragó con esfuerzo las palabras que estaba a punto de pronunciar.

—Silas, los pergaminos —dijo William sin mucha paciencia.

—Sí, disculpa. Creo que esto puede tener relación, escuchad. Hay muchas leyendas y mitos sobre nuestra madre. Historias que la convierten en un ser perverso, lujurioso, vengativo y sin escrúpulos, pero nada de eso es cierto. Sus virtudes la condenaron. Lilith rechazó el destino que le había sido impuesto y por ese motivo la condenaron a vagar sin refugio ni descanso en las tinieblas del mundo. A esconderse de la luz que abrasaba su cuerpo y a permanecer siempre sedienta, conservando su inmortalidad para que su sufrimiento también fuese eterno —explicó Silas con vehemencia—. Según las Crónicas, ella fue el primer vampiro, creado por los propios arcángeles. Entonces, mucho tiempo después, ella concibió. Lloró sangre por cada uno de los hijos que engendró, y su corazón se volvió oscuro, ya que todos nacían con su maldición y morían poco después. Desesperada, tomó una piedra que transformó con sus propias manos en un cáliz. Vertió en él su sangre y alimentó a sus hijos, traspasándoles sus poderes, la oscuridad y la ponzoña que habían anidado en su corazón.

»Un día, logró escapar del árido desierto que habitaba y regresó a la tierra de los hombres. La sangre de estos era dulce y poderosa, y saciaba a su progenie. Con deleite observó cómo aquellos que morían volvían a levantarse para unirse a su estirpe. Y complacida, Lilith desapareció.

—Silas dejó el pergamino sobre la mesa y contempló a los dos hermanos—. Así nacieron los primeros vampiros, puros y poderosos. Aunque más tarde la raza se debilitó con los transformados, y los primeros prácticamente desaparecieron.

William y Robert cruzaron una mirada ansiosa.

—¿Podría ser el mismo cáliz? —inquirió William.

—Es muy posible, demasiadas coincidencias para ser una casualidad —respondió Silas.

—¿Y dónde está esa cosa? —preguntó Robert.

—No lo sé.

Robert frunció el ceño y se llevó las manos a las caderas.

—¿Cómo no puedes saberlo?

—El cáliz de Lilith es un mito, una leyenda... En miles de años nadie lo ha visto nunca. Jamás pensé que fuese real. Puede que ni siquiera la historia que os acabo de contar lo sea, y al final por nuestras venas corra la sangre de Lamia o de algún demonio sumerio.

—Eres antropólogo, historiador y estudioso de nuestra historia. Tus escritos son considerados la Biblia de los vampiros. ¡Y me dices que no sabes nada!

—Déjalo, hermano —intervino William.

—¿Te haces una idea de lo que está pasando ahí fuera? —continuó Robert mientras se cernía sobre Silas—. ¿De lo que podría pasarle a él?

William se interpuso entre ellos.

—¡Te he dicho que lo dejes! —le gritó a Robert. Se volvió hacia Silas con una expresión de pesar—. Perdónale, ya sabes cómo es.

Silas asintió y empezó a enrollar los pergaminos en silencio. De repente, se detuvo. Alzó la cabeza y clavó la mirada en William.

—¡Elijah! —exclamó.

—¿Qué?

—No... no estoy seguro, pero es posible que sepa quién puede ayudaros.

—¿Quién? —preguntó Robert.

—Elijah Goldiak.

28

Kate había pasado otra noche sin dormir, y esta vez no era solo por el insomnio que sufría. Los ruiditos ahogados procedentes de la habitación de Adrien se habían prolongado hasta bien entrada la madrugada.

Con el amanecer despuntando, se levantó de la cama y se acercó a la ventana, en el mismo instante que Adrien y Gayle salían de la casa. Era la cuarta vez esa semana que la bibliotecaria pasaba la noche allí.

Una vez sobre la motocicleta, ella se abrazó a la cintura de Adrien y apoyó el rostro en su espalda. Kate sintió pena por la chica. Era tan evidente que estaba colada por él. Un sentimiento que no parecía correspondido, dada la indiferencia que él le mostraba fuera de las sábanas.

Kate frunció el ceño. Sobre Adrien colgaba una señal de peligro que brillaba como un neón. Era extraño y misterioso, y también muy atractivo, pero había algo en él que la empujaba a desconfiar.

Mientras le daba vueltas a esos pensamientos, Adrien levantó la vista hacia su ventana. El corazón le dio un vuelco y se alejó del cristal de un salto. A pesar de la altura y la cortina, tuvo la sensación de que sus ojos se habían clavado directamente en los suyos, como si hubiera sabido que estaba allí.

Se abrazó los codos con un escalofrío.

Minutos más tarde, Kate aprovechó la ausencia de su huésped para limpiar su habitación. Cambió las sábanas, dejó toallas limpias en el armario y pasó la aspiradora.

Después bajó a la cocina y preparó el desayuno.

Sentada a la mesa, masticó el último trozo de tostada mientras observaba a Alice, que pelaba unas manzanas junto a la pila. Su deterioro físico empezaba a ser evidente.

Que su abuela estaba muy enferma era ya una realidad. Las pruebas habían confirmado las primeras sospechas. Cáncer. El peso de esa palabra era insoportable. Sin embargo, pese a las pocas esperanzas que los médicos albergaban, Alice estaba dispuesta a luchar. No pensaba rendirse.

Por ese motivo, día a día, Kate hacía todo lo posible por esconder su tristeza y aparentar que se encontraba bien. Aunque por dentro se sintiera como un edificio en ruinas.

Tras recoger la cocina y tender la última colada, se quedó plantada en medio del salón sin saber qué hacer. Su teléfono móvil sonó al recibir un mensaje. Le echó un vistazo y soltó un suspiro al comprobar que era de Jill. Lo guardó de nuevo en el bolsillo.

Durante las últimas semanas, toda su vida había girado en torno a la boda de su mejor amiga y empezaba a volverse loca. Necesitaba pasar un rato a solas, sin miradas preocupadas sobre ella o frases que se quedaban a medias para evitar temas delicados. Todo el mundo la trataba como si fuese un cristal agrietado, a punto de romperse con la más mínima presión, y estaba cansada de sentirse rota.

Se asomó a la ventana. Fuera brillaba el sol y le entraron ganas de ir a nadar.

Guardó en una mochila todo lo necesario para su excursión y se adentró en el bosque. Tras un buen rato caminando por un sendero angosto, el rumor del río llegó a sus oídos. Se detuvo un momento para recuperar el aliento, y continuó zigzagueando entre la maleza hasta alcanzar la orilla.

Se paró sobre una roca plana y contempló el paisaje. Un claro rodeado de abetos, fresnos, piceas rojas y robles. A su izquierda, la cascada se derramaba sobre una pared escarpada y caía libre en una poza profunda. A la derecha, el río fluía tranquilo y sereno hacia el lago.

Danzó entre las rocas hasta una pequeña playa de guijarros y dejó su mochila en el suelo. Luego se quitó la camiseta y el pantalón corto. Se ajustó el biquini y se adentró en el agua.

Estaba helada y todo su cuerpo se sacudió con un escalofrío. Sin pensarlo demasiado, saltó hacia delante y se zambulló en la poza. Notó el agua espesa y gélida sobre la cabeza, y su piel reaccionó como si miles de agujas la atravesaran.

Durante un rato flotó boca arriba con los ojos cerrados y el sol en la cara.

Casi sin darse cuenta, lágrimas saladas comenzaron a resbalar por las esquinas de sus ojos y se mezclaron con el agua cristalina. Odiaba tanto la sensación de pérdida que la acosaba día y noche, que a veces sentía que el peso de su tristeza terminaría por asfixiarla.

William la había abandonado.

Jill pronto se iría.

Y Alice...

No estaba preparada para perderla.

Desesperada por acallar todos esos pensamientos, se sumergió en el agua.

La corriente tiró de ella y se dejó llevar, ingrávida. Abrió los ojos. La luz brillaba en la superficie con miles de destellos que fueron desapareciendo conforme se hundía. El sonido del agua a esa profundidad era relajante. Las burbujas que escapaban de su nariz explotaban sobre sus pestañas haciéndole cosquillas.

Continuó hundiéndose, mientras sus pulmones empezaban a advertir la falta de aire.

Agitó los pies para ascender y notó unas raíces enredándose en su tobillo. Lo sacudió para liberarlo y la presión aumentó. Pataleó con más fuerza, pero solo logró que sus piernas se enredaran más.

Entonces trató de aflojar el nudo con las manos. Tiró de las raíces, a pesar de que le lastimaban los dedos. No sirvió de nada. En ese punto la corriente era muy fuerte y tiraba de ella hacia el remolino que formaba la cascada, tensando el amarre.

Notó el primer síntoma de asfixia.

Su cerebro lanzó la voz de alarma.

«Respira».

El dolor en su pecho aumentó. Gritó pidiendo ayuda, pero de su boca solo salieron burbujas. Sus pulmones comenzaron a golpearle las costillas, luchando por obtener el oxígeno que ella no podía darles. Se ahogaba.

De repente, algo pesado agitó el agua por encima de su cabeza y una sombra tapó la escasa luz que se filtraba. Notó una mano alrededor de su tobillo y un fuerte tirón que le arañó la piel. Su pierna quedó libre. A continuación, un brazo le rodeó la cintura y la estrechó contra un cuerpo frío y tenso. Se vio arrastrada hacia arriba.

Emergió a la superficie y abrió la boca para recuperar el aliento. Tomó una bocanada de aire. Después otra, y comenzó a toser mientras intentaba seguir respirando. Poco a poco, fue recuperando el control, y se percató de que unos brazos la sostenían para que no volviera a hundirse.

—¿Te encuentras bien?

Esa voz...

Volvió la cabeza y se encontró con el rostro de Adrien a solo unos centímetros de distancia. Sus ojos la examinaban tras unas pestañas salpicadas de agua. Pequeños diamantes que destellaban por la luz del sol, reflejándose en sus pupilas dilatadas. Notaba sus manos en la cintura y su pecho pegado a la espalda como un muro de piedra.

Asintió en respuesta. Aún jadeaba y no podía articular palabra.

Adrien deslizó los dedos por su piel y la soltó como si quemara. Después nadó hasta la orilla.

Kate lo siguió con lentas brazadas y salió del agua con las rodillas temblando por el susto. Había estado a punto de morir ahogada.

Levantó los ojos del suelo y el corazón le dio un vuelco. Adrien la miraba de arriba abajo sin ningún pudor y una sonrisa oscura curvaba sus labios. Se obligó a seguir caminando y apartó la vista cuando él se quitó la camiseta para escurrirla.

—Gracias, no creo que hubiera podido salir sola.

—De nada.

—¿Qué hacías por aquí?

—Tomaba fotos de la cascada. Te he visto entrar en el agua y que tardabas demasiado en salir. —Se puso de nuevo la camiseta. Después tomó la toalla que sobresalía de entre las cosas de Kate y se la entregó—. ¿Seguro que estás bien?

Kate tomó la toalla y dio un paso atrás para dejar algo de espacio entre ellos.

—Sí, solo necesito que mi corazón deje de latir tan fuerte —dijo con una breve sonrisa. Los ojos de Adrien descendieron hasta su pecho—. ¿Te importaría darte la vuelta mientras me pongo ropa seca?

—Por supuesto.

Adrien le dio la espalda y fue en busca de su mochila. La abrió para asegurarse de que no había roto nada al tirarla sobre las piedras. Sacó la cámara y la revisó. Al girarla, descubrió el reflejo de Kate en la lente. Se quedó inmóvil, incapaz de apartar la mirada de sus curvas desnudas. Una persona decente lo habría hecho, pero él no lo era. Recordó la sensación de su cuerpo apretado contra el de ella mientras la sacaba del agua. La visión de sus labios temblorosos, una maldita fruta prohibida, y se excitó.

Apartó la vista y se concentró en una diminuta mariposa que sobrevolaba unas flores.

Se sentía atraído por Kate. La quería de un modo puramente físico y era un problema. Ese interés podría convertirse en el preludio a otro tipo de emociones que no podía permitirse. Resopló. Estaba jugando con fuego, y si no se andaba con cuidado, acabaría quemándose.

—Ya he terminado —dijo ella.

Adrien se puso en pie y se dio la vuelta. La miró.

—Parece que recuperas el color.

Kate tragó saliva y el rubor de sus mejillas se acentuó. Para cambiar de tema, señaló la cámara que colgaba de la mano del chico.

—¿Has hecho muchas fotos?

—Ninguna que merezca la pena.

—Seguro que no son tan malas como piensas.

Adrien sonrió y se apartó el pelo húmedo de la frente. Seguía allí parado y no entendía por qué. Solo tenía que dar media vuelta y marcharse. Alejarse de ella y los problemas. No lo hizo.

—¿No sabrás por casualidad si hay un viejo granero cerca de aquí? —preguntó.

—Hay un granero, pero está más al sur, en Cave Creek. Te has desviado bastante.

Se agachó y comenzó a recoger sus cosas.

—Al sur —susurró Adrien con las manos en las caderas. Miró al cielo y giró sobre sus talones—. ¿Y dónde está el sur?

—Por allí. —Señaló hacia la cascada.

—¿Cómo lo sabes?

—Me cuesta creer que tú no lo sepas.

—Soy un chico de ciudad —dijo él en tono divertido—. ¿Por qué no me acompañas? Así no tendrás que sentirte culpable si...

Kate sacudió la cabeza.

—¡Ah, no, esta vez no te va a funcionar! Me da igual si acabas perdido o devorado por una ardilla asesina.

—Te he salvado la vida.

—¿Intentas chantajearme?

—Si así consigo que me acompañes, sí. —Se encogió de hombros y le dedicó una sonrisa traviesa—. Aunque también podría pedírtelo educadamente.

—Podrías.

—¿Vienes conmigo, por favor?

Kate se echó a reír. Era imposible no rendirse a su encanto. Porque Adrien lo era, demasiado encantador, y lo sabía.

—De acuerdo, te acompañaré.

—¡Genial! Vamos.

Adrien se encaminó hacia los árboles como si estuviera muy seguro de la dirección a seguir.

—Eh, señor Brújula, no es por ahí —dijo Kate en tono burlón.

Él regresó sobre sus pasos.

—¿Cómo me has llamado? —Rompió a reír. La tomó de la mano y tiró de ella para que caminara a su lado—. Hay que hacer algo con tus chistes. Son malísimos.

—¡No son tan malos! —protestó Kate—. ¿Adónde vas? Ya te he dicho que no es por aquí.

—Has dicho que debíamos ir hacia el sur.

—Pero no andando. Cave Creek está muy lejos de aquí. Necesitamos mi coche.

Adrien le guiñó un ojo con aire juguetón y le quitó una ramita del pelo.

—Tengo una idea mejor.

Tras unos minutos caminando por una estrecha senda, alcanzaron un camino de tierra que dividía el bosque en dos. Un destello llamó la atención de Kate y vio la reluciente motocicleta de su inquilino aparcada bajo la sombra de un abeto. Sus pies frenaron y trataron de retroceder.

—No pienso subirme a eso.

La boca de Adrien se curvó con un gesto pícaro. Tiró de su mano y la acercó a él, más de lo que podría considerarse apropiado para dos extraños como ellos.

—Te prometo que no hay nada más seguro que montar conmigo. Además, será divertido. —Tomó el casco que colgaba del manillar y se lo colocó en la cabeza. Después le ajustó las correas y le bajó el visor—. Te queda bien.

A continuación, pasó una pierna por encima de su Harley y se acomodó en el asiento.

Kate le sostuvo la mirada y resopló molesta. Tenía la sensación de que la estaba liando. Al final, subió tras él con un movimiento torpe. Casi de inmediato, resbaló hacia delante y sus piernas rodearon las caderas de Adrien.

—Agárrate a mí.

—No creo que sea necesario —convino ella.

Adrien sonrió para sí mismo. Encendió el motor y aceleró varias veces. Soltó el freno y el embrague, y la moto salió disparada hacia delante sin previo aviso. Ella gritó y se abrazó a su cintura como si fuese un salvavidas. «Mucho mejor», pensó.

El viento hizo ondear sus ropas mientras dejaban el bosque atrás y alcanzaban la carretera. Se dirigieron al sur a toda velocidad.

Kate apenas podía contener el subidón de adrenalina que le recorría el cuerpo. El paisaje se desdibujaba a su alrededor y un viento fresco le azotaba la piel. Nunca antes había montado en moto. Le parecían peligrosas y ruidosas, pero esa impresión estaba cambiando por momentos. Cuando Adrien comenzó a virar en las curvas, pensó que el corazón se le iba a salir por la boca. No por el miedo, sino por la euforia y libertad en la que se descubrió flotando.

Aquello era como volar.

—Inclínate conmigo —le pidió él.

Kate obedeció y en la siguiente curva se inclinó con él, mientras sus brazos se aferraban con más fuerza a la parte baja de su estómago. Una sonrisa feliz apareció en su rostro y se dejó llevar. Se olvidó del peso de las preocupaciones que sentía sobre los hombros y se limitó a disfrutar.

Después de un corto tiempo, Adrien redujo la velocidad, abandonó la carretera y tomó un camino de tierra. Se detuvo bajo unos árboles.

Kate le entregó el casco y miró a su alrededor. Sus cejas se alzaron al reconocer el lugar.

—Me has mentido.

—Si no he abierto la boca —dijo él.

—Sabías perfectamente dónde se encuentra el granero.

Los labios de Adrien se curvaron con una sonrisa y le ofreció su mano. Ella, lejos de aceptarla, se cruzó de brazos y echó a andar. Lo fulminó con la mirada al pasar por su lado.

—Oye, no te enfades. Si te hubiera dicho la verdad, no habrías venido.

—Eso tenlo por seguro.

—Y te habrías perdido este viaje tan alucinante. Vamos, sé que te ha gustado.

Kate volvió la cabeza y sus miradas se encontraron. En los ojos de Adrien titilaba un destello travieso y no pudo evitar sonreír. Lograba ponerla tan nerviosa, que su corazón era incapaz de latir con normalidad cuando él se encontraba cerca.

Ascendieron por un sendero y cruzaron la última línea de árboles. El claro apareció ante ellos, donde los restos del viejo granero se mantenían en pie contra toda lógica.

Kate caminó entre la hierba alta y observó la construcción. Las puertas colgaban de unas bisagras oxidadas, que chirriaban con un sonido inquietante mecidas por el viento. En una pared lateral había un agujero enorme, como si algo lo hubiera atravesado con mucha fuerza y velocidad. Miró de cerca la madera astillada y vio unas manchas oscuras y resecas pegadas a ella. Tragó saliva. Parecía sangre seca.

Contuvo el aliento al tratar de imaginar la batalla que allí había tenido lugar. Guerreros y Cazadores luchando contra renegados. Las muertes. Los heridos. Una sensación incómoda la recorrió de arriba abajo.

Se dio la vuelta y encontró a Adrien agachado en el suelo. Lo vio tocar con las puntas de los dedos lo que parecían los restos de una hoguera y deshacer un pellizco de ceniza endurecida entre las yemas. Miró a su alrededor y comprobó que había más, al menos una veintena. Empezó a sospechar que esos eran los restos de los muertos.

—Los chicos del instituto suelen venir aquí a beber. Hacen hogueras, ponen música... No hay mucho sitios donde divertirse en un pueblo tan pequeño —dijo en voz baja, sin saber muy bien por qué estaba dando unas explicaciones que nadie le había pedido.

Adrien se puso en pie y se limpió la mano en el pantalón. Estaba serio y en su frente habían aparecido unas arruguitas.

—Pues cualquiera diría que tenéis un pirómano entre esos chicos.

Kate forzó una sonrisa.

—Todos los pueblos tienen uno, ¿no? —bromeó.

—¿Y qué más tipos raros tenéis por aquí?

Adrien dejó caer la pregunta como si nada, pero Kate notó algo extraño en su voz. Durante una décima de segundo, le pareció que sus ojos cambiaban de color. Apretó los puños. Quizá solo había sido un reflejo, la luz del sol destellando en sus iris. Y esas sensaciones que le ponían el vello de punta, podían deberse a que estaba paranoica desde que había regresado de Inglaterra, y no a que su cuerpo se hubiese convertido en un radar descubrevampiros.

—¿Incluyéndote a ti? —replicó con más brusquedad de la que pretendía.

Adrien rompió a reír.

—¿Crees que soy un tipo raro? Me han llamado muchas cosas, pero raro no.

Ella apretó los labios para frenar una sonrisa.

La risa de Adrien era bonita y contagiosa, un poco ronca, lo que también la hacía muy sexi. Le resultaba increíble cómo lograba sacarla de quicio y un segundo después parecerle el chico más adorable del mundo.

Puso los ojos en blanco.

—Deberías hacer tus fotos y no perder el tiempo. La luz va a cambiar.

Kate se dedicó a pasear bajo la sombra de los árboles sin perder de vista a Adrien. Él iba de un lado a otro, muy concentrado en la búsqueda de buenos encuadres y la luz perfecta. No tardó en darse cuenta de que era más que un simple aficionado, sabía lo que hacía.

Un crujido en el tejado la sobresaltó. Miró hacia arriba y vio a una pequeña lechuza salir volando por uno de los agujeros hasta perderse entre las ramas de los árboles. Cuando bajó la vista, Adrien había desaparecido. Se acercó al edificio y recorrió las destartaladas paredes, esperando encontrarle al doblar cada esquina.

Algo chirrió en el interior.

Entró en el granero y miró hacia arriba. El sol se colaba por las rendijas y los agujeros del techo, trazando haces luminosos que incidían en el suelo. Las vigas estaban llenas de excrementos y nidos de pájaros. Telarañas enormes cubrían los rincones y ondeaban como cortinas, agitadas por el viento que se colaba a través de las aberturas.

Dio un paso y notó que bajo su pie el suelo cedía un poco. Estaba en muy mal estado. Algunos tablones se habían resquebrajado y otros sobresalían combados. Arrugó la nariz al notar el olor a moho que desprendían unas balas de heno, apiladas bajo un altillo al que se accedía por una escalera rota.

Saltó por encima de la rueda de un carro. Los pies se le enredaron en un viejo saco y se precipitó hacia delante. De pronto, un brazo en su cintura detuvo la caída.

—Deberías ir con más ojo. No puedo pasarme el día cuidando de ti —le susurró Adrien al oído.

Kate se estremeció al sentir su aliento en la nuca y su pecho presionando su espalda. La tenía sujeta como si fuese una tenaza, y al mismo tiempo, su agarre era suave y delicado.

—No te he pedido que lo hagas —dijo sin aliento.

Él la soltó muy despacio. Después se agachó y sacó de entre el heno que cubría el suelo una horca de púas afiladas. La sopesó en su mano. Luego la lanzó contra una de las columnas que sujetaba el altillo, donde se clavó.

Kate tragó saliva al darse cuenta de lo cerca que había estado de acabar trinchada por esa cosa. Apartó la mirada de él y se movió hacia un lugar más seguro.

Adrien la observó, mientras en su cabeza una vocecita lo maldecía por haberla llevado hasta allí. ¿En qué estaba pensando? En nada, eso era evidente. En algún momento le había parecido una idea estupenda seguirla hasta el río. Salvarla de morir ahogada y después invitarla a dar un paseo en moto, para convertirla en testigo de sus indagaciones.

Demasiados errores para un solo día.

Levantó la cámara, enfocó a Kate y apretó el disparador. Otro error. Aunque a esas alturas poco le importaba.

Ella se giró de golpe y lo taladró con la mirada.

—No te he dado permiso para que hagas eso.

—¿Te importa si te hago unas fotos?

—Sí me importa.

Adrien apretó de nuevo el disparador y sonrió travieso.

—¿Sabes? No es necesario que sigas fingiendo.

—¿Fingiendo?

—Sí, simulando que no me soportas. Sé que te gusto.

—¡Tú no me gustas! ¿Qué te hace pensar que yo...?

Él volvió a disparar.

—Te pones muy mona cuando te enfadas.

—Aún no me has visto enfadada —replicó ella en tono amenazador. Gruñó y le dio la espalda para evitar que continuara lanzando fotos—. Me sacas de quicio, esa es la verdad.

—Delgada es la línea que separa al amor del odio. De hecho, no pueden existir el uno sin el otro. Odiamos lo que amamos, y nos enamoramos de lo que odiamos. Somos así de retorcidos.

Kate lo miró por encima del hombro y unas arruguitas se marcaron en su frente.

—Es la mayor tontería que he oído nunca.

—Es posible, pero sigo gustándote y vas a invitarme a cenar.

Kate se dio la vuelta con un suspiro.

—Oye, es posible que esto te funcione con otras, pero conmigo...

—Sujeta esto, por favor —la cortó él para entregarle la cámara de fotos.

Se alejó unos cuantos pasos y con el pie limpió el heno del suelo. Apartó una tabla y una trampilla quedó a la vista. A continuación, se agachó para estudiarla de cerca. Sus ojos brillaron y luego se entornaron mientras sonreía ante algo que parecía divertirle solo a él.

Se puso de pie. Se desnudó de cintura para arriba y añadió:

—Contigo tengo que ganármelo, ¿no? Me parece bien. —Kate abrió la boca para contestar, pero enmudeció cuando le lanzó su camiseta—. ¿Podrías sujetar también esto?

—¿Qué haces? —preguntó nerviosa.

—¿Seducirte? —gruñó tentador. Kate dio un paso atrás y se ruborizó—. Voy a bajar ahí para ver qué hay, y no quiero estropearla.

Tiró de la trampilla y saltó al hueco.

Kate lo sintió moverse bajo las tablas, empujando unas cosas y golpeando otras. De pronto, su voz ascendió a través de los tablones de madera.

—Entonces, ¿vas a cenar conmigo?

—No.

—¿Por qué no?

—Deberías pedírselo a Gayle. Habéis estado quedando.

Adrien se quedó quieto y miró hacia arriba. Desde esa perspectiva, las piernas de Kate parecían kilométricas. Inspiró hondo y se pasó la mano por el pelo. Había seguido quedando con Gayle, porque el sexo era una vía de escape, un desahogo que lograba aplacar, al menos durante un rato, la frustración y la rabia que sentía constantemente.

—¿Y si te digo que eso se ha acabado?

—¿Desde esta mañana que os vi escabulliros? Creo que debería cobrarte más por la habitación, tu tarifa es individual.

Adrien rompió a reír con ganas y sus ojos se encontraron con los de ella a través de una rendija.

—Lo digo en serio, eso se ha terminado.

Ella hizo un sonido de desaprobación y se alejó.

Adrien sacudió la cabeza y se concentró en lo que había venido a hacer. Dio un fuerte pisotón y partió el tablón. Apartó los trozos. Debajo apareció una losa de piedra. Se agachó y exhaló con brusquedad. Si las indicaciones del diario de los Padres Fundadores eran correctas, estaba en el sitio adecuado. Limpió el polvo con los dedos y leyó las palabras en latín grabadas en la piedra.

—¿Se puede saber qué haces ahí abajo? —preguntó ella.

—Cena conmigo.

Kate se giró de golpe, a punto de sufrir un infarto. Adrien había surgido de la nada tras ella y sus ojos la atravesaban a corta distancia.

—¿Cómo has...? —Se humedeció los labios y se recogió el pelo tras las orejas—. Escucha, aunque me lo estuvieras proponiendo en serio, la respuesta sigue siendo no.

—No te gusto.

—Yo no he dicho eso...

—Entonces, sí te gusto.

Kate se dejó llevar por un impulso impaciente y le cubrió la boca con la mano para que guardara silencio. Bajo los dedos notó su sonrisa.

—Salgo con alguien —dijo muy seria.

La sonrisa se borró de los ojos de Adrien y le apartó la mano de la cara.

—Mentira —escupió en un arrebato.

—¿Disculpa?

—Te ha dejado. Estás sola y, aunque no lo creas, es lo mejor que podría haberte pasado.

Kate dio un paso atrás, y luego otro con las piernas temblorosas.

—¿Has estado haciendo preguntas sobre mí? —inquirió. Adrien abrió la boca para contestar, pero volvió a cerrarla—. ¿Qué... qué te han dicho? —Sacudió la cabeza, tan furiosa que le costaba respirar. Le estampó sus cosas contra el estómago. Dio media vuelta y comenzó a alejarse—. ¿Sabes qué? Me da igual, no quiero saberlo. Me largo de aquí.

—Kate...

—Será mejor que recojas tus cosas y te largues de la casa lo antes posible. Te devolveré el dinero que diste por adelantado.

Adrien salió tras ella. Había metido la pata hasta el fondo. Ni siquiera sabía cómo esas palabras había salido de su boca, pero lo habían hecho. ¿Y por qué? Por un arrebato. Por un sentimiento que casi le costaba reconocer. Por celos. Oírla decir que estaba con alguien le había hecho saltar como un resorte, porque era mentira y él lo sabía.

—Kate, lo siento. No he debido decir eso. Espera, por favor...

—Déjame.

—No quería disgustarte, pero... ¡Por favor, espera!

Ella se detuvo y lo miró con lágrimas en los ojos.

—¿Qué más quieres?

—Soy idiota y no he debido decir eso. Lo siento mucho.

—Que te disculpes no cambia que te hayas metido en mi vida. Preguntando y cotilleando sobre temas privados que a nadie le importan y menos a ti. Vale, me han dejado y... ¿qué? No voy a meterme en tu cama por eso.

Adrien la miró mientras se mordía la lengua. No podía darle una explicación coherente que arreglase el problema. Porque, para empezar, ni siquiera debería haberse acercado tanto a ella. No podía decirle quién era y qué le había llevado hasta allí. Ni que sabía más cosas de las que podía imaginar sin tener que preguntarle a nadie de ese maldito pueblo.

No podía decirle nada salvo...

—Perdóname, no quería ofenderte. Me he comportado como un imbécil al presionarte de ese modo, no ha estado bien. Y si te sirve de algo, no le he preguntado a nadie sobre ti. Solo... solo he oído cosas.

—¿Qué has oído? —preguntó casi sin voz.

—Qué más da, Kate. No debe importarte lo que digan. —Se pasó la mano por el pelo y suspiró alterado—. No sé qué más decirte para que me disculpes. Me gustaría poder justificarme con una explicación que te sirva, pero no se me da muy bien...

—Hablar de ti mismo —terminó de decir ella en voz baja.

Ya había tenido esa conversación antes, pero con otra persona.

El corazón comenzó a latirle con fuerza. Paranoica o no, cabía la posibilidad. William no era el único. Existía otro como él. Y había descubierto que vivía en un mundo en el que todo era posible.

Notó que el suelo a sus pies comenzaba a dar vueltas.

—¿Te encuentras bien? Te has puesto muy pálida —se preocupó Adrien.

Kate dio un paso atrás y se abrazó a su mochila como si fuese un escudo.

—¿Qué eres?

Él se tensó y sus pupilas se dilataron.

—¿Perdona?

—¿Por qué estás aquí?

—No entiendo qué quieres decir.

—¿Estás seguro? —insistió ella, retándolo.

Adrien ladeó la cabeza y entornó los párpados.

—Estoy seguro de que, por algún motivo que desconozco, no confías en mí.

Kate clavó sus ojos en los de él. Los examinó buscando un signo, un ligero cambio, un destello que confirmara sus sospechas. Nada.

De repente, él la agarró por la muñeca y se llevó su mano al pecho. Tiró de ella y sus cuerpos chocaron.

—Solo soy un tipo raro, tú misma lo has dicho, y te prometo que puedes confiar en mí. Siento haberte hecho creer lo contrario.

Kate tragó saliva. Notaba los latidos del corazón de Adrien bajo la palma de su mano, fuertes y rápidos. También el calor de su piel, húmeda por el sudor. Reacciones muy humanas.

Apartó la mano y la cerró en un puño. Si no se relajaba, acabaría volviéndose loca.

—De acuerdo.

—¿Me dejas que te lleve a casa, por favor?

Kate lo miró una vez más a los ojos y asintió.

29

Esa misma noche, Kate se quedó sola en casa por primera vez en varios días. Alice y Martha se habían marchado temprano a su cita semanal con el club de lectura, y Adrien no había vuelto a dar señales de vida desde que la dejara en casa esa mañana.

Llenó la bañera de agua tibia y espolvoreó unas sales de baño que olían a vainilla. Después se quitó la ropa y se sumergió en el agua. Suspiró. Su cuerpo comenzó a relajarse y cerró los ojos. Todo estaba en silencio, excepto por el sonido rítmico de las gotas que caían del grifo.

A pesar de querer evitarlo a toda costa, pensó en William. Lo echaba de menos. Su voz, su risa, el azul de sus ojos, sus caricias... Simplemente todo. Y el dolor que anidaba en su pecho aumentaba a medida que se zambullía en otro recuerdo.

Salió del agua cuando ya estaba helada. Tras secarse y embadurnarse con crema hidratante, se vistió con un pantalón corto de algodón y una camiseta de tirantes. Después se recogió la melena en un moño y bajó a la cocina para prepararse un sándwich.

Sacó pan del armario, tomates y lechuga de la nevera, y las sobras de un pollo al horno. Lo dispuso todo sobre la mesa. Después, comenzó a cortar el pan en rebanadas.

—¿Sigues enfadada?

Kate levantó la vista hacia la puerta. Adrien se encontraba apoyado en el marco con expresión sombría. No respondió y continuó con su tarea, mientras una sensación incómoda se propagaba por su cuerpo. Vio por el rabillo del ojo que daba media vuelta, dispuesto a marcharse. Se sintió mal. En el fondo, él no había hecho nada tan grave como para castigarlo con tanta indiferencia.

Se aclaró la garganta.

—¿Te apetece uno de estos?

Él se detuvo y la miró por encima del hombro con una leve sonrisa.

—Sí.

—Pues ven, yo no pienso preparártelo.

La sonrisa de Adrien se hizo más amplia y entró en la cocina. Se lavó las manos en la pila y, tras secarlas con un paño, se acercó a la mesa.

—¿Te he dicho alguna vez que preparo los mejores bocadillos del mundo?

Kate le entregó el cuchillo cuando él se lo pidió con un gesto.

—Me acordaría si lo hubieras dicho.

—Pues es cierto, son alucinantes.

La miró y ella le devolvió una mirada tranquila.

Adrien terminó de rebanar el pan y después troceó el pollo. Cortó en tiras la lechuga, en rodajas el tomate, y lo alíñó todo con un poco de aceite. Sacó un par de platos de la alacena. Al pasar junto a la nevera, encendió la vieja radio que descansaba encima. La música inundó la cocina.

—¿Te importa? Este silencio me está poniendo nervioso.

Kate negó con la cabeza y apoyó la cadera en la encimera mientras lo observaba.

—¿Y de qué quieres hablar?

Él se encogió de hombros. Puso una rebanada de pan en cada plato y fue colocando encima todos los ingredientes.

—Sobre cualquier cosa, elige tema.

—¿Tienes familia?

Adrien se quedó quieto un momento, con los hombros en tensión. Respiró hondo y luego soltó el aire. Parecía que luchaba contra sí mismo, contra ella, contra todo. Levantó la vista y asintió más relajado.

—Mi madre y mi hermana, ellas son la única familia que me queda.

—¿Y dónde están?

Permaneció callado un instante.

—En un lugar de reposo.

Kate parpadeó sorprendida.

—¿Están enfermas?

—No, solo descansando. Unas vacaciones.

—¿Y has preferido venir aquí tú solo, en lugar de ir con ellas?

—Iré con ellas... en unos días —dijo en voz baja—. Antes tengo asuntos que resolver.

Hubo un silencio en el que ambos parecieron sentirse incómodos.

—¿Cuántos años tienes? —se interesó Kate.

—Más que tú —replicó él en tono divertido—. ¿Cuántos crees que tengo?

—No sabría decirlo. Tu aspecto es muy masculino y te hace parecer mayor, pero tus ojos...

Adrien se inclinó hacia delante y sus pupilas se clavaron en las de ella.

—¿Qué le pasa a mis ojos?

—Parecen los de un niño perdido.

Adrien parpadeó varias veces, contrariado, como si esas palabras le hubieran afectado a un nivel muy profundo. Después las comisuras de sus labios se elevaron.

—¿Quién sabe? Quizá tengas delante al mismísimo Peter Pan.

Kate sonrió y ladeó la cabeza para ocultar que había enrojecido. Se sentó en una de las sillas y aceptó la cerveza que Adrien sacó de la nevera.

Comenzaron a cenar en silencio, con la radio sonando de fondo.

Adrien acabó su cerveza y sacó otra de la nevera. Sin embargo, el bocadillo continuaba en el plato.

—¿No tienes hambre? —preguntó Kate.

Él negó con la cabeza y empujó el plato hacia ella.

—Cómetelo tú.

—¿Seguro?

—Seguro.

Kate no se lo pensó dos veces y tomó el sándwich, aún estaba hambrienta.

Adrien no dejó de mirarla en ningún momento. Sabía que ella aún no le había perdonado. Lo entendía, pero también le molestaba.

De repente, alargó la mano y le quitó la horquilla con la que se sujetaba el pelo. Llevaba todo el rato deseando hacer eso. La melena oscura se le desparramó sobre los hombros.

Kate dio un gritito de sorpresa y lo miró con los ojos muy abiertos.

—¿A qué ha venido eso?

—Te queda mejor suelto. Lo cierto es que no, tienes un cuello precioso. —Ladeó la cabeza y se echó a reír al verla tan colorada—. Me gusta tu pelo.

Kate le devolvió la mirada.

—¿Siempre eres así?

Adrien se levantó y llevó los platos a la pila.

—¿Así cómo?

—Pues así, impulsivo, impredecible... Bocazas.

Una carcajada masculina resonó por encima de la música.

—Si esperas que te dé las gracias por el cumplido...

Kate también rio. Lo observó desde la mesa mientras él fregaba los platos. El chico que tenía delante no se parecía en nada al que había conocido durante los últimos días. Era como si hubiese bajado la guardia y, con la caída de ese muro, también lo hubiera hecho esa máscara fría y distante, desagradable en ocasiones, que tanto rechazo le provocaba.

Su nueva personalidad le gustaba.

Fader de The Temper Trap comenzó a sonar en la radio.

—¡Me encanta esta canción! —exclamó Kate.

Adrien cerró el grifo y, al ritmo de la música, se aproximó a Kate. Ella se llevó las manos a la cara, muerta de vergüenza. La tomó por las muñecas y tiró para que se pusiera en pie.

—¡Arriba!

—No quiero bailar.

—Por supuesto que quieres —dijo él mientras la hacía girar sobre sí misma.

Con las mejillas encendidas, trató de zafarse de sus brazos.

—Esto es muy incómodo.

—¿Tú nunca te diviertes?

La atrajo hacia su pecho con un elegante giro y volvió a empujarla hacia atrás.

El corazón de Kate latía desbocado contra sus costillas, mientras él la miraba con los ojos entornados y se llevaba sus brazos al cuello. Después deslizó los dedos por sus costados, provocándole un escalofrío.

—¡Vamos, suéltate! —la voz de Adrien sonó provocadora.

Kate sonrió y se dejó llevar por la música. Movió los hombros y meció las caderas al ritmo que él iba marcando con las manos en su cintura. Sacudió la cabeza y su larga melena cobró vida.

Adrien la hizo girar y su espalda quedó pegada a su pecho.

—Se te da muy bien —dijo ella entre risas.

—¿Sorprendida?

—A simple vista pareces más patoso.

—Patoso, impulsivo, bocazas... A ti no te preocupa hundir mi autoestima, ¿verdad?

De repente, los pies de Kate se enredaron, tropezaron con los de Adrien y perdió el equilibrio.

—¡Ah!

—¡Oh, mierda! —exclamó él al resbalar.

Adrien se dio cuenta de que iba a caer sobre ella y aplastarla. La rodeó con los brazos y giró, de modo que su espalda fue lo primero que golpeó una silla. Un fuerte crujido sonó bajo su cuerpo, y Kate aterrizó sobre su pecho.

Se miraron sorprendidos y estallaron en carcajadas.

—¿Estás bien?

—Sí. Aunque creo que se me ha clavado una astilla en el trasero —respondió él.

Las carcajadas aumentaron de volumen y ninguno era capaz de moverse. Se miraron a los ojos, sonrientes y aturdidos. Con un gesto dulce e inesperado, Adrien alzó las manos y secó con los pulgares las mejillas húmedas de Kate.

Sus miradas se enredaron de nuevo. Esta vez, de un modo diferente.

Kate pensó que debería levantarse, pero por alguna razón que desconocía no era capaz mover un solo músculo. Vio cómo Adrien contenía el aliento y alzaba la cabeza despacio, con los ojos clavados en su boca y las pupilas muy dilatadas. Entreabrió los labios con un suspiro entrecortado. Iba a besarla y ella seguía sin moverse.

Un carraspeo sonó en la puerta.

Ambos levantaron la vista y se encontraron con Jill, que los miraba atónita. Se pusieron de pie como si un resorte los hubiera impulsado.

Tras dedicarle una última mirada a Kate, Adrien se disculpó entre dientes y abandonó la cocina a toda prisa.

—¿Qué estaba pasando aquí? —preguntó Jill.

—Nada.

—¿Nada? ¿Estás segura?

—Sí.

—Estabas encima de él, a punto de besarlo. ¡Yo diría que eso era algo!

Kate se recolocó la ropa con pequeños tirones y fue hasta el grifo para servirse un vaso de agua. Con los dedos crispados, apretó el cristal frío contra su mejilla caliente. La realidad había vuelto más dura que nunca.

—Puede que lo haya parecido, pero... —Sonrió sin humor—. Déjalo, no lo entenderías.

Jill se quedó con la boca abierta.

—¿Y desde cuándo se supone que no te comprendo? Soy tu mejor amiga.

—No quiero hablar de esto. Puedes pensar lo que quieras.

Fue hasta la radio y la apagó.

—Kate...

—¿Quieres un café?

Jill asintió. Apartó con el pie los restos de la silla rota y se sentó en la mesa con las piernas colgando. Observó a su amiga mientras servía dos tazas de café y le entregaba una con la mirada esquiva.

Kate apoyó la cadera en la encimera.

—¿Qué te trae aquí a estas horas?

—Es por mi despedida de soltera.

—¿Pasa algo?

—Que no va a haber despedida. Esas cosas no van conmigo, ya lo sabes —le explicó con una sonrisa—. He pensado que sería más divertido que saliéramos todos juntos de fiesta y a Evan le gusta la idea.

—Suena bien —dijo Kate con sinceridad.

—Solo seremos nosotros. Ya sabes, los Solomon al completo, Marie, Steve, tú y yo. ¿Qué te parece si lo organizamos en el Reaper's Grill?

—¿El bar de moteros que hay a las afueras?

—Es el único sitio donde nos servirán alcohol sin preguntar —soltó una carcajada espontánea y escandalosa.

Kate miró a Jill a los ojos por primera vez desde que había llegado y sonrió mientras negaba con la cabeza.

—Ese sitio es genial. ¿Cuándo quieres hacerlo?

—El próximo miércoles.

Kate asintió más animada. Quizás era lo que necesitaba, una noche de fiesta rodeada de amigos.

—De acuerdo, cuenta conmigo.

Jill le dedicó una sonrisa y dejó la taza a un lado sin haber probado el café. Se bajó de la mesa. Miró a su alrededor y sus ojos se detuvieron en la silla rota. Después, en las botellas de cerveza vacías. Kate casi podía oír los engranajes de su cabeza funcionando a toda prisa.

—¿Le habrías besado si no os hubiera interrumpido? —soltó sin poder contenerse.

—Jill...

—Oye, a mí puedes contármelo.

Kate suspiró, derrotada.

—Creo que sí. Le habría besado.

Su amiga la miró como si acabara de escaparse de un manicomio.

—¿Cuánto hace que lo conoces? ¿Una semana?

—¿Y qué importa eso?

—Importa William, ¿no?

Kate reaccionó como si la hubieran golpeado con un bate en el estómago. Se puso tensa y fulminó a Jill con la mirada.

—¿Qué acabas de decir?

Jill se encogió de hombros.

—No me malinterpretes, no te estoy juzgando. Pero hasta hace nada parecías una viuda afligida y hoy te encuentro con ese chico. Comprenderás mi asombro.

Kate forzó una sonrisa sarcástica, que no escondía el dolor que sentía en el pecho. La herida se había abierto y sangraba de nuevo.

—¿Ves por alguna parte a William? —preguntó dolida—. ¡No, porque no está! Me ha dejado, Jill, y va siendo hora de que me haga a la idea. Por lo que ni tú ni nadie tiene derecho a juzgarme.

—Kate, yo no...

—¡Me abandonó! Pero antes tuvo el valor de pedirme que continuara con mi vida. Pues es lo que trato de hacer, ¿de acuerdo?

Jill bajó la mirada, avergonzada, y asintió.

—Tienes razón, perdona.

Kate parpadeó varias veces para alejar las lágrimas e inspiró hondo.

—Me prometió que no volvería a verle. Y yo... yo necesito seguir adelante.

30

Mientras se alejaba de la casa de huéspedes, Adrien trató de acallar los pensamientos caóticos que le taladraban la cabeza. Notaba las grietas que se abrían en los muros que tanto le había costado levantar. Fisuras que se resquebrajaban un poco más, cada vez que bajaba la guardia y se permitía sentir algo bueno.

Había logrado ser inmune a cualquier sentimiento que no fuese el odio y la venganza. Las únicas emociones que podían ayudarlo a alcanzar su propósito. Alimentaba su lado perverso y cruel, y anulaba todo rastro de humanidad.

Sin embargo, esa inmoralidad estricta que tanto le había costado aceptar, estaba desdibujándose por los bordes y nadie, salvo él, tenía la culpa. Se había acercado demasiado a ella. Primero, espoleado por la curiosidad, y después por esa atracción que no lograba entender. Anhelar lo que no puedes tener es un sentimiento demasiado humano y predecible. Del mismo modo que el deseo fuerza a querer lo que nos hace sufrir. Así de estúpido es el corazón, pero él ya no tenía corazón. ¿O sí?

Aceleró el paso y en una fracción de segundo se desmaterializó. Tomó forma dentro del viejo granero, bajo las tablas del suelo. Cerró los ojos un momento, nervioso, y se agachó. A la luz de la luna que se filtraba por las rendijas, repasó con las puntas de los dedos los grabados desgastados que decoraban la losa. Eran idénticos a los dibujos que había visto en el diario de los Padres Fundadores.

Sonrió para sí mismo. Estaba convencido de que ese era el lugar.

Levantó la losa y un fuerte olor a rancio surgió del hueco. Apartó la cara del aire viciado e hizo una mueca de asco con los labios. Sin perder más tiempo, penetró en la abertura. Una escalera de piedra descendía hasta lo que parecía un sótano. Por el tipo de construcción y los materiales, aquel agujero debía de llevar allí siglos.

Distinguió unas antorchas en la pared y las prendió con un roce de su mano.

La luz cobró intensidad. Entonces pudo ver con más detalle todo lo que había allí abajo.

Dio un paso atrás y sus ojos se abrieron como platos.

Había artilugios de tortura y utensilios diseñados para infligir daño, que hasta ahora solo había visto en los libros. «Caza de brujas», las palabras acudieron a su mente y se le revolvió el estómago. Se obligó a apartar los ojos de un potro de tortura, que aún conservaba manchas oscuras en sus extremos, y estudió la habitación con detenimiento. No le extrañaba que aquel lugar estuviera tan oculto. Así solían acabar las vergüenzas del pasado, bajo tierra.

—Sádicos —murmuró para sí mismo.

Se centró en lo que le había llevado hasta ese agujero y comenzó a rebuscar. Al principio con calma, registrando de forma minuciosa todos los rincones. Miró bajo cada fardo y en las grietas tras las que se podían esconder huecos ocultos. Levantó cajas y golpeó piedras. Apartó muebles.

Golpeó la pared con el puño. Allí no había nada. No estaba.

Perdió los nervios y destrozó el lugar.

Cuando por fin se tranquilizó, regresó arriba y volvió a colocar la losa en su sitio. La cubrió con tierra y heno, y disimuló sus huellas a conciencia. Cuando terminó, nada parecía indicar que había estado allí.

Abandonó el granero sumido en la mayor tormenta interior que había experimentado nunca. Por un momento había creído de verdad que estaba allí. Todas las pruebas apuntaban en esa dirección, pero si esa cosa estuvo en ese sótano en algún momento, alguien se lo había llevado. Con los dientes apretados, maldijo al mundo y se maldijo a sí mismo. No le quedaba más remedio que volver a empezar, y el tiempo se le agotaba.

Sintió una punzada de dolor en el pecho y las alas que marcaban su piel comenzaron a arder. Hizo caso omiso de la llamada. Tenía otra cosa en mente.

Se materializó en la penumbra del pasillo y escuchó con la esperanza de que aún estuviera despierta. Le llegó su respiración profunda y pausada desde el otro lado de la habitación abuhardillada. Cerró los ojos con una punzada de decepción y se sentó en el suelo, con la espalda apoyada en la pared y las rodillas flexionadas.

Todo estaba en calma. En silencio. Cerró los ojos y disfrutó de la sensación de paz, del aroma del aire. Olía a ropa limpia, libros y vainilla. Estaba tan exhausto...

Un grito de dolor murió tras sus dientes apretados. Se llevó la mano al pecho. Lo notaba como si estuviera en llamas. La lámpara que colgaba del techo comenzó a temblar, después las paredes y por último el suelo.

Se desmaterializó allí mismo. Un instante después, sus pies se posaban en la hierba del jardín. Con una tranquilidad que no sentía, se encaminó al lugar donde aguardaba su mayor pesadilla.

Lo encontró en la orilla del lago, bajo las ramas de unos sauces que arañaban con sus ramas la superficie del agua. Pese al odio que le inspiraba, Adrien no podía evitar sentirse abrumado por su presencia, su porte hermoso y refinado. También por el ser calculador, frío y vil que jamás imaginó conocer. El mal personificado, dentro de un traje caro hecho a medida.

Adrien empezó a hablar antes de llegar a su lado:

—No había nada en ese sótano. Pero sé que está aquí, en alguna parte de este maldito pueblo, y lo encontraré.

El aire escapó de sus pulmones al sentir el impacto. Salió despedido hacia atrás y su cuerpo se estrelló contra una roca. Notó que los huesos de su cráneo crujían y durante unos segundos perdió la visión, mareado.

—¡Te he dicho que lo encontraré! —gritó con los puños apretados. Se puso en pie con dificultad—. El cáliz está aquí y lo tendrás.

El hombre se giró y sus ojos, completamente negros, lo taladraron.

—Sé que lo tendré, porque tú no descansarás hasta encontrarlo. Tienes motivos de sobra para desearlo, tantos como yo —dijo en un tono muy suave—. No te castigo por eso.

—Entonces, ¿por qué?

—Por la humana con la que juegas a las casitas.

Adrien se estremeció como si acabara de arrojarle un jarro de agua helada.

—No es lo que...

—Te estás encaprichando de la única arma que posees.

—No es un arma, no la necesitamos. El plan marcha según lo previsto, Robert Crain nos entregará a su hermano.

El hombre chasqueó la lengua con disgusto.

—Ya no hay ningún plan. Ese maldito vampiro nunca estuvo dispuesto a entregarlo, jugaba con nosotros para ganar tiempo —dijo con brusquedad—. No he tenido más remedio que intervenir y acabar con ese asunto. Por cierto, Marcelo ha muerto.

—¿Ha muerto?

—Era un cabo suelto con ganas de hablar —respondió mientras sacaba del bolsillo de su chaqueta una pitillera y la hacía girar entre los dedos. Sus ojos negros brillaron al observar a Adrien—. Mantén los pantalones en su sitio y gánate la confianza de esa chica, pronto la necesitaremos.

Esas palabras sobrecogieron a Adrien. Nunca había dudado a la hora de sacrificar a nadie para sus propósitos, pero esta vez... La idea de hacer daño a Kate entraba en conflicto con su determinación.

—Podemos dejarla fuera de esto. Haré que William acceda, te lo juro.

—No.

El hombre le dio la espalda y comenzó a alejarse.

—La dejó tirada y no ha regresado. Ni siquiera se ha molestado en volver a hablar con ella. Ni un maldito mensaje. —Al ver que continuaba ignorándolo, alzó la voz—. ¡No le importa!

—Lo averiguaremos cuando llegue el momento.

Adrien apretó los dientes con fuerza. «Ella también, no», pensó con desesperación. Echó a correr tras él, con el viento cálido de la noche azotándole la cara y rugiendo en sus tímpanos.

—Mefisto, déjame encontrar otra forma. —Se le escapó un grito de frustración al ver que lo ignoraba—. ¡Mefisto! —No era justo. Nada lo era—. ¡Padre!

Mefisto se detuvo. Muy despacio, se dio la vuelta y una sonrisa cruel se dibujó en sus labios. Entornó los ojos.

—Padre —paladeó la palabra como si estuviera degustando un buen vino—. ¿Ves como no era tan difícil decirlo? Te guste o no, eres mi único hijo y deberías estar orgulloso de poder llamarme «padre». De todo lo que heredarás algún día. —Dio unos cuantos pasos para acercarse a él—. En cuanto a esa humana, te lo advierto, no lo estropees. Ella es el camino para llegar a William y si haces o dices algo que ponga en peligro mis planes, ella pagará las consecuencias. La torturaré hasta que me suplique que la mate y no volverás a verla. ¿Está claro?

Adrien asintió sin levantar la vista del suelo. Se quedó paralizado cuando la mano de su padre se posó en su nuca y lo atrajo para depositar un beso condescendiente en su frente. De repente, lo abrazó con fuerza y Adrien se sintió invadido por una sensación de pánico descontrolado.

—Eres mi hijo, carne de mi carne y sangre de mi sangre. Cumple mis deseos y tu recompensa será inconmensurable —le susurró sin despegar los labios de su piel. Después lo soltó y se colocó los puños de la camisa con un par de tirones—. Ahora, ve y aliméntate como es debido. Puedo sentir tu debilidad.

Dicho eso, Mefisto desapareció sin más.

Adrien se quedó mirando el lugar que había ocupado su padre. Su olor aún perduraba en el aire y llenaba sus pulmones. Levantó la cabeza y se desmaterializó.

Tomó forma a las afueras de la ciudad, sobre un tejado envuelto en sombras. La puerta trasera de un club nocturno se abrió de golpe. Apareció un hombre bien vestido. Pelo engominado, ropa de marca y zapatos caros. Con su mano aferraba el brazo de una mujer y la empujaba sin miramientos, obligándola a caminar. Ella no dejaba de disculparse entre lágrimas y con la voz teñida de miedo. El hombre le gritó que se callara, pero ella estaba tan asustada que se disculpó de nuevo.

Entonces, el hombre se detuvo y la abofeteó. Ella cayó al suelo con un gemido lastimero.

Desde el tejado, Adrien escudriñó los alrededores. Nadie andaba cerca. Se puso en pie y se dejó caer. Aquel tipo volvía a levantar el brazo para pegar de nuevo a la chica.

—Yo no haría eso —siseó.

El hombre se giró sorprendido y lo miró como si no mereciera su atención.

—Métete en tus asuntos, esta conversación es privada.

Adrien levantó las cejas ante la provocación. Iba a ser un placer deshacerse de ese capullo.

Cuando el hombre alargó su brazo para agarrar a la mujer, Adrien se interpuso y lo frenó con un puñetazo que lo lanzó contra la pared. El tipo cayó al suelo con un grito y empezó a toser.

—Pero ¿qué crees que...?

—Vete. ¡Ya! —le dijo Adrien a la mujer.

Ella obedeció y echó a correr mientras musitaba un «gracias».

Entonces, Adrien puso toda su atención en el hombre que trataba de ponerse en pie. Jadeaba y se abrazaba las costillas con una expresión de dolor.

—¿Qué te pasa, tío? Solo era una estrecha... Se lo merecía por buscona.

—A ver si lo adivino... La has invitado a una copa, ella ha aceptado, habéis tonteado un poco y, cuando tú le has propuesto tirártela en el baño, la chica ha sido lista y te ha dicho que no.

—La botella de champán me ha costado cien pavos —empezó a justificarse el hombre.

Adrien inclinó la cabeza y negó con un gesto.

—No, amigo, te ha costado mucho más que cien pavos.

—¿Qué quieres decir? —inquirió el tipo con la voz entrecortada.

Dio unos cuantos pasos atrás y chocó con la pared.

—Los tipos como tú sois escoria. ¿Te gusta pegar? Adelante, prueba con alguien de tu tamaño —lo retó Adrien.

—Oye, no busco problemas, ¿vale?

—Solo tendrás una oportunidad.

—No...

—Tres.

—Tío...

—Dos.

El tipo levantó los puños y se lanzó contra él. Solo encontró aire.

—Uno —siseó Adrien tras su espalda.

Lo agarró por el pelo y tiró de su cabeza hacia atrás. Abrió la boca y desnudó los colmillos. Después los hundió en la garganta expuesta de ese imbécil. Bebió con avidez, controlando en todo momento el flujo de la sangre, percibiendo sus latidos, cada vez más lentos, más silenciosos, hasta que su corazón por fin se detuvo.

Tic... Tac...

Su último aliento no llegó a salir de sus labios, penetró en el pecho de Adrien y se extendió como una corriente eléctrica por todos y cada uno de sus nervios. Sus ojos se quedaron en blanco bajo los párpados, temblando incontrolados mientras una explosión tenía lugar en su corazón y la onda expansiva alcanzaba hasta la última célula de su cuerpo.

Cayó de rodillas y abrió los ojos. Brillaban con una luz cegadora.

De su garganta surgió un rugido poderoso y terrorífico.

El asesino estaba de vuelta.

31

Adrien tomó forma frente a la casa de huéspedes, oculto entre los árboles. Se dirigió a la puerta principal, aún con el chute de la esencia vital del humano navegando por sus venas como fuego líquido. La sensación era tan intensa, que apenas lograba contenerla bajo la piel.

El amanecer despuntaba sobre las montañas y al levantar la vista para apreciarlo, sus ojos se toparon con los de Kate, que lo miraba desde la ventana. No pensó en lo que hacía ni en las consecuencias que eso tendría tras el aviso de su padre. Solo reaccionó espoleado por un impulso.

Se dirigió a la buhardilla, subiendo los escalones de tres en tres. Empujó la puerta y su sombra ocupó el umbral. Kate se levantó de un salto de la repisa de la ventana y lo miró sorprendida. Hacía un segundo estaba abajo, y ahora...

—No puedes entrar en mi habitación así.

—¿Ibas a besarme?

—¿Disculpa?

Adrien entró en el cuarto y fue directo hacia ella, haciéndola retroceder contra la ventana.

—Anoche, en la cocina, me habrías besado si tu amiga no nos hubiera interrumpido.

Apoyó las manos en el marco y el cuerpo tembloroso de Kate quedó entre sus brazos. Clavó la mirada en su boca. Respiró hondo, como si estuviera tratando de reunir fuerzas, y volvió a mirarla a los ojos.

—No habría significado nada —susurró ella.

—Yo creo que sí, y eso te asusta.

Ella alzó la barbilla, desafiante. No se amedrentaba y esa era una de las cosas que a él le gustaban de ella, el reto constante que suponía.

—¿Qué pasa, Adrien, te has cansado de jugar con Gayle y ahora buscas otro entretenimiento?

—No me juzgues solo por lo que ves. Sé lo que piensas de mí, pero no soy como imaginas.

—¿Y cómo eres?

—Mírame a los ojos y dímelo tú —susurró.

Kate hizo lo que le pedía y sus miradas quedaron enredadas. Su corazón palpitó y acabó perdiendo el ritmo en medio de aquella prueba que no estaba segura de adónde conducía. Aun así no dejó de mirar dentro de aquellos iris oscuros, hasta que su estómago dio un vuelco con un descubrimiento.

—Te escondes tras una máscara, interpretas un papel.

—Al igual que tú —suspiró él.

—Entonces, permíteme conocerte. Deja que compruebe cómo eres en realidad y seremos amigos.

—¿Solo amigos? —Se apartó de ella y forzó una sonrisa—. Dudo de que esa realidad te guste.

—Desde que te vi la primera vez, algo me hizo mantener las distancias. No creo que estés aquí de vacaciones, ni que seas quien dices que eres, y mi instinto me pide que no confíe en ti.

Adrien soltó una risa amarga.

—Deberías hacerle caso.

—Pero mi corazón me dice que te dé una oportunidad. Adrien, he conocido a mucha gente que no era lo que aparentaba y en la que confiar podría parecer un disparate. Pocas cosas me impresionan a estas alturas.

Adrien le dio la espalda y se acercó a la mesa. Tomó la foto de William, la miró un momento y volvió a dejarla.

—¿Y quién es esa gente? —preguntó él.

—Ahora hablamos de ti. ¿Por qué no me cuentas qué te ha traído aquí de verdad?

—No tiene nada que ver contigo. Además, pronto me marcharé, ¿para qué complicar las cosas? Solo... divirtámonos.

—Así que yo no puedo saber nada sobre ti, pero tú quieres entrar en mi vida y enrollarte conmigo sin consecuencias, a pesar de que vas a marcharte.

Adrien la miró con los ojos muy abiertos y dilatados. Levantó las manos y su voz se llenó de frustración:

—Sí, quiero entrar en tu vida y enrollarme contigo sin consecuencias. Ahora mismo me muero por besarte. Y aunque no quieras admitirlo, sé que anoche estuvo a punto de pasar algo entre nosotros que complica mi situación aquí. También sé que ese tipo te ha roto el corazón. —Hizo un gesto desdeñoso hacia la fotografía de William—. El mío se consumió hace tiempo y mi alma está hecha pedazos. No sé si te has dado cuenta, pero somos el uno para el otro.

Kate se quedó helada. Le sostuvo la mirada, preguntándose qué habría tras esos ojos que la miraban con tanto sufrimiento.

Puede que no fuesen tan distintos. En ese momento, contemplando su rostro envuelto en las sombras de la habitación, tenía la impresión de que ninguno de ellos podía hacer otra cosa más que sobrevivir al siguiente día. Reconocía la angustia y la soledad. Adrien era infeliz por algún motivo que desconocía, tanto como lo era ella. Y estaba desesperado por encontrar la fórmula que aliviara su dolor, al igual que ella.

Recordó el encuentro en la cocina. Durante esos escasos minutos se había olvidado por completo de todo. Sí, en el fondo quería besarlo, comprobar qué sentiría al hacerlo. Porque cuando estaba con él, el vacío de su pecho no era tan profundo. La ausencia de William dolía un poco menos.

Sin embargo, ni siquiera pensaba intentarlo. Estaría usando a Adrien como si fuese un salvavidas con el que mantenerse a flote, y eso no era justo para ninguno de los dos. Aunque si lo hiciera, si se aferrara a él del mismo modo que él la necesitaba como ancla, tampoco haría daño a nadie, salvo a sí misma si la situación se le iba de las manos.

Su pecho se tensó mientras se acercaba a él.

Adrien la miró con asombro, pero no se movió. Sus ojos oscuros le recorrieron el rostro a la espera de su siguiente paso.

—Lo de anoche fue divertido, hasta que rompimos la silla favorita de mi abuela —dijo Kate en voz baja. Una leve sonrisa curvó sus labios—. ¡Qué demonios, eso fue lo más divertido!

Adrien también sonrió.

—Lo fue.

—Quiero que seamos amigos.

Adrien abrió la boca para contradecirla, pero solo emitió un pequeño suspiro. Como si en ese mínimo instante en el que las palabras empezaron a tomar forma, se hubiera arrepentido.

—Yo también.

Kate se puso de puntillas y lo abrazó.

Ese gesto pilló tan de sorpresa a Adrien que no fue capaz de moverse.

—Adrien...

—¿Sí?

—Todo lo que está roto puede arreglarse. Quizá no quede igual, ni funcione tan bien, pero puede salvarse.

Adrien la rodeó con sus brazos y cerró los ojos. Sabía que hablaba de su alma.

—Pareces muy segura.

—Lo estoy. No suelo equivocarme con estas cosas.

—¿Es algo así como un sexto sentido?

Kate se inclinó hacia atrás para mirarlo.

—Es mi superpoder. —Ladeó la cabeza y le sonrió. En ese instante, su estómago rugió hambriento—¡Uy!

Adrien rompió a reír.

—¿Qué tienes ahí dentro, un oso? —Ella se ruborizó y escondió la cara en su pecho—. ¿Sabías que también preparo unas crepes estupendas?

—¿En serio?

—*Oui mademoiselle.*

Kate buscó sus ojos y arqueó una ceja al percatarse de lo natural que había sonado su acento francés.

—Me encantan las crepes.

32

La hora del almuerzo llegaba a su fin y las mesas del café de Lou comenzaban a vaciarse.

Mandy recogía los platos y Lou salió de detrás del mostrador para encender el cartel luminoso del establecimiento. El cielo había cambiado su color azul de la mañana por un gris plomizo que anunciaba tormenta, y el paisaje empezaba a sumirse en una agobiante penumbra.

Kate engulló el último trozo de su tarta y dejó el tenedor en el plato con un suspiro de deleite.

Adrien la miró desde el otro lado de la mesa.

—¿Te pido otro?

—¡No, apenas quepo en los pantalones!

—¿Y qué? Te quedan bien esos mofletes de ardilla que te están saliendo.

Kate sonrió de oreja a oreja.

—¿Mofletes de ardilla?

—Es un cumplido.

—¿En qué realidad paralela? —Se le escapó una carcajada ronca—. Llevas días atiborrándome como si fuese un pavo para Acción de Gracias. En cambio, tú apenas tocas la comida.

—La culpa es tuya —dijo él con la voz áspera—. Me encanta verte comer y acabo olvidando mi propio apetito.

Forzó una sonrisa con la que trató de disimular la sed que se arremolinaba dentro de él, ansiosa y opresiva. Su maldita adicción era un castigo añadido. Intentaba controlarla, pero era como luchar contra gigantes. Imposible ganar.

Así que, cuando no podía más, elegía a sus víctimas con cuidado. Tipos violentos a los que nadie echaría de menos. Indeseables a los que eliminaba, haciendo un gran favor a la sociedad. Lo que no le dejaba libre de pecado. En alguna ocasión, la rabia y la crueldad que corría por sus venas le habían hecho perder el control y atacar a algún inocente.

—Hicimos un trato, nada de coqueteos —susurró ella.

Adrien apartó sus pensamientos y la miró.

—No estoy coqueteando.

Se miraron en silencio. Entonces, él se inclinó sobre la mesa y le guiñó un ojo con aire seductor.

—¡Dios mío, eres imposible! —exclamó Kate y le arrojó la servilleta. Él la atrapó al vuelo sin dejar de reír.

Un trueno hizo vibrar los cristales. Ambos miraron hacia la calle, justo cuando un rayo iluminaba la creciente oscuridad. Otro trueno aún más fuerte que el anterior resonó en sus oídos.

—Menuda tormenta —suspiró Kate.

Unas gotas enormes comenzaron a caer. La puerta se abrió y dos chicas del pueblo, antiguas compañeras de Kate, entraron a toda prisa en el local. Se encaminaron hacia una mesa libre, pero al percatarse de la presencia de Kate, se acercaron a saludar.

—¡Eh, hola! —dijo Carol, la más alta y morena—. No imagináis lo que se acerca, parece el fin del mundo.

—Debería buscar un lugar donde resguardar la moto —dijo Adrien, preocupado por su vehículo.

—Puedes guardarla en la parte de atrás hasta que pase la tormenta —le propuso Lou al tiempo que le lanzaba un manojo de llaves.

Adrien las atrapó al vuelo.

—Gracias.

—Tira con fuerza de la persiana, a veces se atasca.

Adrien asintió en respuesta y salió a la velocidad del rayo por la puerta principal.

Kate no le quitó la vista de encima hasta que desapareció. Luego sintió las miradas de Carol y Emma clavadas en su rostro. Les dedicó una sonrisa sin saber qué decir. Habían sido compañeras de clase durante los dos últimos cursos, pero no podía considerarlas sus amigas.

—Os vimos anoche —canturreó Carol.

Kate frunció el ceño, sin entender a qué se refería.

—También fuimos al cine —aclaró Emma.

—Ah.

—Y Tania os pilló en el parque de atracciones de Campton hace un par de noches.

—¿Nos pilló? ¿Robando la noria? —replicó Kate en tono mordaz. Ni que fuese una delincuente a la fuga.

—¡Qué divertida! Tienes que contarnos cómo lo haces, en serio. Siempre has sido una mosquita muerta...

—¡Carol! —la reprendió Emma.

—No lo digo como algo malo, ser un putón es mucho peor —se justificó Carol con los ojos en blanco—. Lo que intento decir es... ¿Cómo haces para salir con chicos así? A ver, tu anterior novio estaba buenísimo... Por cierto, no sabía que habíais roto. Pero este tío está cañón.

Kate deseó que la tierra se abriera bajo sus pies y se la tragara. Una piedra tenía más vida que ella en ese momento. Miró en derredor buscando a su salvavidas, pero él se retrasaba.

—Adrien y yo no estamos saliendo.

—¿Ah, no? —Los ojos de Carol se iluminaron—. ¿Y no podrías presentármelo?

—Supongo que sí...

Algo golpeó la puerta con fuerza y todos se giraron para ver qué ocurría. Entraron tres hombres ataviados con ropas de caza. Kate ya los había visto antes por el pueblo. Vivían a las afueras desde hacía un tiempo, en un *camping* abandonado. No eran buena gente, siempre estaban causando problemas.

Recorrieron el local con la mirada y se dirigieron a la barra.

—¡Eh, viejo! —dijo uno de ellos a Lou—. Sírvenos tequila.

Lou les dedicó su sonrisa más amable.

—Lo siento, chicos, pero aquí no tenemos bebidas tan fuertes. Además, ya estamos cerrando.

—Ahí fuera está diluviando, ¿vas a echarnos? —intervino otro de los hombres, con cara de pocos amigos.

—No, por supuesto que no —respondió Lou.

—Bien, entonces ponnos unas cervezas. Supongo que sí tendrás.

Lou asintió y corrió al mostrador. Abrió la nevera y sacó tres botellas.

—Aquí tenéis, invita la casa. —Hizo un gesto hacia las chicas, pidiéndoles que se fueran.

Las tres se levantaron despacio y, sin decir una palabra, se encaminaron a la salida.

Kate, con los ojos clavados en el suelo, iba la primera. El aire se atascó en sus pulmones, cuando uno de aquellos tipos se giró en el taburete que ocupaba y le cortó el paso con la pierna. Tenía la cara llena de marcas y las disimulaba con una espesa barba.

—¿Y adónde vais vosotras?

—Tenemos prisa, así que, si me disculpas... —acertó a decir.

—No sé... —dijo el hombre sin mover la pierna. Miró a su amigo—. ¿Tú qué dices, Chad, las disculpamos?

El tal Chad se echó a reír y miró a Carol de arriba abajo. Su boca se curvó con una sonrisa arrogante y negó con la cabeza.

—Creo que no.

—¡Vaya, qué lástima, Chad no quiere disculparos! —se rio el hombre de la cara marcada.

El tercero se limitaba a mirarlas con una sonrisa que daba bastante miedo.

—Por favor, no queremos problemas. Déjanos salir —le pidió Kate.

—Aquí nadie quiere problemas. —Se inclinó para mirarla a los ojos—. Fuera está lloviendo, y si os mojáis con tan poquita ropa, os vais a resfriar. Solo se trata de interés vecinal.

Los otros dos hombres rompieron a reír y Kate notó que se le revolvía el estómago.

—Dejad que las chicas se marchen —les pidió Lou con la voz temblorosa.

—Tú cierra el pico y saca más cervezas —habló el tercer hombre.

Kate dio un respingo y su corazón se aceleró asustado. El hombre de la cara marcada acababa de rodearle los hombros con el brazo. Olía a sudor y alcohol. Notó que las náuseas ascendían hasta su garganta.

—Venga, bebe conmigo.

—No.

La agarró por la cintura y tiró de ella para sentarla sobre él.

—Déjala —lloriqueó Emma.

La puerta se abrió de golpe y una corriente fría inundó el local.

Adrien apareció en el umbral. Entró sin prisa y la puerta se cerró a su espalda. El sonido de un cerrojo repicó sin que nadie lo tocara.

—Suéltala —dijo entre dientes.

—¿Qué? ¿Habéis oído algo? —preguntó el hombre que sujetaba a Kate.

Sus compañeros le respondieron con una sonora carcajada.

—Malditos pijos de ciudad, se creen que el mundo se hizo para ellos.

Adrien entornó los párpados y sonrió.

—Después no digas que no te avisé.

Con paso decidido acortó la distancia que los separaba, mientras los tres hombres se ponían de pie.

Carol y Emma aprovecharon el momento para salir corriendo hacia la puerta de atrás. Lou y Mandy las siguieron a toda prisa.

En cambio, Kate era incapaz de mover un solo músculo. No podía apartar la mirada de Adrien. Los ojos del chico continuaban siendo negros, pero un círculo plateado rodeaba sus iris con un brillo extraordinario. Su respiración se aceleró hasta un punto crítico, al igual que su corazón, que galopaba desbocado dentro de su pecho.

Dio un paso atrás.

Un frío helado ascendió desde el suelo y bajo sus pies crujió una fina capa de escarcha. Pero ¿qué...?

La verdad tomó forma en su mente y esta vez no eran paranoias.

Ni sus sensaciones tampoco eran alucinaciones.

Desde el principio vio algo extraño en Adrien, y con el paso de los días había ignorado ese presentimiento porque... ¡Ni siquiera estaba segura del porqué! Sin embargo, ya no podía cerrar los ojos a un hecho innegable. El chico dulce y seductor que se había convertido en su amigo, era en realidad uno de los seres más peligrosos que caminaban sobre la faz de la tierra, y, aparentemente, también su enemigo.

Uno de los hombres golpeó a Adrien con una botella en la cabeza, y otro estrelló un taburete en su espalda. No se defendió.

Kate gritó cuando el tercer hombre sacó un cuchillo de su espalda y lo apuñaló en el estómago.

El rostro de Adrien continuó impasible. Agarró la empuñadura del cuchillo y lo extrajo sin prisa. Su mirada se encontró con la de Kate y ella tuvo la sensación de que se estaba conteniendo por alguna razón. O puede que lo hiciera por no mostrarle su verdadera cara.

Bueno, ya era tarde para eso.

Los hombres se abalanzaron sobre él.

De repente, una luz blanca estalló en el local. Adrien movió una mano y Chad voló hasta estrellarse contra la pared. Otro giro y el tipo callado subió disparado al techo, rebotó con un crujido y cayó sobre una mesa con fuerza.

Después, la mirada de Adrien se clavó en el hombre de la cara marcada, que trataba de huir hacia la puerta. Con pasos largos y seguros fue hasta él. Lo aferró por el cuello y sin ningún esfuerzo lo arrastró entre las mesas. Lo alzó en el aire como si no pesara nada, mientras el tipo pataleaba y comenzaba a boquear sin aire. Lo estrelló contra el suelo y se encaramó sobre él. Desnudó los colmillos con un gruñido animal.

Kate miraba la escena boquiabierta. El miedo apenas la dejaba pensar, pero un instinto más fuerte la obligó a reaccionar. No podía dejar que Adrien llegara tan lejos.

—¡Adrien, suéltalo! Si lo matas habrá muchas cosas que explicar.

Él levantó la cabeza y ella dio un salto hacia atrás. Sus ojos irradiaban maldad, pura perversidad y otro sentimiento que no era capaz de descifrar. Dio un paso hacia él.

—¡No te acerques! —le gritó Adrien—. Márchate.

—No voy a dejarte aquí.

—Te lo suplico, vete. Tengo que hacerlo y no quiero que lo veas.

Le giró el cuello, exponiendo su vena. El tipo se había desmayado por la falta de aire.

—Si necesitas sangre, puedo conseguirla.

—No es solo la sangre, necesito su... —Dejó caer la cabeza, derrotado—. No lo entenderías.

—Solo me iré si vienes conmigo, así que tú decides —insistió ella.

Adrien la miró sin ocultar que se había quedado sin fuerzas. Se rendía a lo que era y exhaló con brusquedad.

—Lo siento, esto es más fuerte que yo.

Entreabrió los labios y un sonido ronco brotó de su garganta. Levantó la cabeza de aquel hombre, dispuesto a tomar lo que necesitaba.

Las sirenas de la policía sonaban cada vez más cerca y pronto estarían allí.

Kate miró a su alrededor, sin saber qué hacer. Vio el cuchillo clavado en el suelo y no pensó en la locura que cometía, solo en detener a Adrien. Lo agarró por el mango y lo sacó con un fuerte tirón, que casi la hizo caer de espaldas. Sin vacilar, hizo un corte en la palma de su mano.

La sangre brotó abundante y goteó en el suelo.

Adrien reaccionó como un resorte y se abalanzó sobre ella, aplastándola contra la barra. Le clavó los dedos en la muñeca y la acercó a su boca. La sangre resbalaba a lo largo del brazo y el olor a cobre y sal colmó el aire como una densa niebla. La olfateó, recreándose con placer en el acto, del mismo modo que se odiaba por hacerlo.

—Adrien, por favor —susurró ella, rezando para que él tuviera algo de humanidad después de todo. Él abrió los ojos y la miró—. Soy yo.

Poco a poco, Adrien apartó la mirada y tomó un paño de la barra. Envolvió con él la mano de Kate y presionó para detener el flujo de la herida. Le temblaban los dedos, los labios y hacía todo lo posible para evitar sus ojos.

Después le tomó el rostro con cuidado y apoyó su frente en la de ella.

—Estás completamente loca —susurró sobre sus labios antes de desaparecer.

33

Las sombras se tragaron los últimos vestigios de sol que se colaban a través de las ventanas y la habitación quedó sumida en la oscuridad.

William se levantó de la silla que había ocupado casi todo el día y se acercó a la puerta del baño. La golpeó con los nudillos.

—Es la hora —anunció.

Después tomó del suelo su bolsa de viaje y la colocó sobre la cama. Sacó un par de dagas, que guardó a su espalda, bajo la ropa.

La puerta del baño se abrió y Robert apareció desnudo de cintura para arriba.

—Una hora más ahí dentro y te despellejo —dijo enfurruñado.

—Perdonad, majestad, pero el baño era el único lugar sin ventanas.

—Podrías haber buscado un sitio más cómodo.

William le dio la espalda con los ojos en blanco.

—La próxima vez dejaré que te achicharres en una suite de lujo, ¿contento?

—Que te den.

—¿Desde cuándo eres tan quejica? —preguntó William y le dio un empujón mientras se abotonaba la camisa.

Robert le devolvió el envite y sonrió con suficiencia.

—Me gustan las comodidades.

—Me alegro de que estés aquí —confesó William en voz baja.

Se miraron en silencio.

Durante los últimos días, habían hablado mucho y la relación entre ellos sanaba deprisa sin el peso de las mentiras y los secretos.

—No tienes que hacerme la pelota. Siempre cuidaré de ti, ese es mi deber.

William se sentó en la cama e inspiró hondo.

—Lo único bueno de todo este asunto ha sido saber que nuestro lazo también es de sangre. Eres mi hermano en todas las formas posibles.

Robert guardó otro par de dagas bajo su camisa. Después sacó una botella del minibar, desenroscó el tapón y se la llevó a los labios. Hizo una mueca de asco al tragar la sangre demasiado fría y le pasó la botella a William.

—La noche que naciste fue la peor de toda mi vida —empezó a decir. Sonrió al ver el gesto de William—. Nos habíamos trasladado a Waterford, ya que no teníamos constancia de que allí hubiera vampiros. La idea era pasar desapercibidos y mantenerte oculto tras tu nacimiento.

—¿Estuviste en mi nacimiento?

Robert asintió como si no hubiera otra respuesta posible.

—El parto se complicó, venías de nalgas, y ni Sebastian ni yo sabíamos qué hacer. Naciste muerto, William. —Suspiró como si estuviera reviviendo esos momentos y le causaran el mismo dolor que entonces—. Padre te puso en mis brazos, mientras él atendía a Aileen, y yo no podía dejar de mirarte. Mi vida había perdido su sentido hacía mucho. Nada me ataba a este mundo y comenzaba a sumirme en mi propia oscuridad. Sin embargo, la noticia de tu existencia se convirtió en esperanza para mí. Eras el futuro que yo necesitaba, mi propósito en la vida, y te habías apagado antes de que pudiera conocerte.

Se acercó a la cama y se sentó con los brazos descansando en las rodillas. Prosiguió:

—Estaba a punto de amanecer. Te envolví en una manta y salí afuera. Me dirigí a la playa, decidido a esperar el sol para reunirme contigo. Te abracé muy fuerte, mientras el maldito astro despuntaba en el horizonte, y entonces abriste los ojos. Me miraste y tu boca se curvó con una sonrisa. Me salvaste la vida, William, y en ese mismo instante me juré que siempre te protegería. Desde entonces, intento cumplir esa promesa. Aunque tú no sueles ponérmelo fácil, la verdad.

William sonrió para sí mismo.

La luz de las farolas se colaba en la habitación oscura a través de las ventanas, proyectando su sombra en las paredes.

—Gracias por cuidar de mí.

Robert se limitó a posar la mano en la nuca de su hermano y atraerlo hacia sí para darle rápido un abrazo.

—Vamos a buscar a Elijah.

La vieja casona que buscaban se encontraba a las afueras de Providence, en Rhode Island.

William condujo el todoterreno por una carretera solitaria y sinuosa. Miró a través de la ventanilla, nervioso, mientras Robert tecleaba en su teléfono móvil. Se había prometido a sí mismo no regresar a Estados Unidos en mucho tiempo, pero los últimos acontecimientos le habían empujado de vuelta al otro lado del océano sin más alternativas.

Demasiado cerca de Heaven Falls.

Demasiado cerca de ella.

Mantenerse lejos de Kate había sido relativamente fácil en la otra punta del mundo. Ahora, el deseo que había silenciado pugnaba en su interior, gritando para hacerse oír como si pudiera sentir su presencia al alcance de la mano.

—¿Todo bien? —le preguntó Robert.

—Sí. ¿Estamos cerca?

—A un par de minutos.

William aminoró la velocidad y a través del parabrisas le echó un vistazo al único edificio del entorno. Un viejo caserón decrépito que había conocido tiempos mejores. Una valla de madera, con la pintura desconchada, delimitaba un jardín que debía de llevar años sin que nadie lo cuidara.

—Este lugar parece sacado de una película de terror —dijo Robert.

—Supongo que intenta disuadir a las visitas.

—O lleva muerto un siglo y su cadáver momificado forma parte de la decoración.

William rompió a reír.

—Espero que no, necesitamos su ayuda.

Permanecieron en el interior, estudiando con ojos atentos los alrededores para evitar sorpresas.

—¿Sabías que la mayor parte de renegados se encuentran en este país?

—Algo así me dijo Daniel, pero no sé de cuántos estamos hablando —respondió William.

—Ni siquiera yo conozco el número exacto, pero gracias a Amelia, casi todos ellos creen que soy su señor. Un psicópata sanguinario que traerá de vuelta para ellos los viejos tiempos. —Levantó la mirada al techo y suspiró—. No sé si tendré estómago suficiente para seguir con esta farsa, pero lo intentaré. Voy a acabar con todos ellos y tú vas a ayudarme. Traeremos a los mejores Guerreros y adiestraremos a otros. Ha llegado el momento de que la familia tome el mando en este continente, como debería haber hecho desde el principio.

—Lo haremos, cuenta conmigo —le aseguró William. Luego sacudió la cabeza y añadió—: Siempre y cuando logremos sobrevivir a los ángeles, los demonios y quién sabe a qué más.

—No serán un problema. Nos subestiman y no tienen la más remota idea de cómo las gasta un Crain cabreado —dijo mientras bajaba del coche. Se recolocó las dagas y abrió el maletero, de donde sacó una bolsa repleta de incentivos para comprar la información que necesitaban—. Bien, recapitulemos. Se supone que este tipo es una especie de fanático obsesionado con Lilith, que ha pasado sus novecientos años investigando sobre ella. Cree en la existencia del cáliz y puede que sea el único que realmente sospeche dónde se encuentra.

—A grandes rasgos, eso es lo que nos dijo Silas.

—Pues vamos.

Cruzaron la calle y sortearon las zarzas y la maleza que crecían salvajes en el jardín. Sobre sus cabezas, una ráfaga de fuerte viento agitó las ramas de los árboles. Una contraventana se había soltado de sus bisagras y golpeaba insistentemente contra la pared desconchada.

—¡Qué acogedor! —murmuró Robert, mientras llamaba a la puerta con los nudillos. Nadie respondió y volvió a insistir—. ¿Habrá salido?

—No, está ahí —dijo William en voz baja—. Noto su presencia.

Robert llamó de nuevo y no hubo respuesta. Sin apenas vacilar, dio un paso atrás y levantó la pierna para echar la puerta abajo de una patada. William lo apartó.

—¿Qué haces?

—Pues entrar.

—¿Y crees que después de irrumpir en su casa como un salvaje querrá ayudarnos?

Robert suspiró aburrido. Hizo un gesto con su mano, invitando a William a que lo intentara.

—¿Elijah? Nos envía Silas, dijo que tú podrías ayudarnos. —Silencio—. Nos aseguró que no existe nadie más con tus conocimientos y necesitamos que nos ayudes. Elijah, por favor, es importante.

—¿Qué queréis? —preguntó una voz en el idioma antiguo.

—Somos Robert y William Crain, hijos de...

—Sé quiénes sois —replicó la voz. La puerta se abrió y un anciano apareció en el umbral, escudriñándolos con desconfianza. Una sonrisa sarcástica curvó su boca—. ¿Y qué se le ha perdido a nuestros regios príncipes en estas tierras?

—Se trata de Lilith. Para ser más exactos, del cáliz de Lilith —respondió Robert, también en el idioma antiguo de los vampiros.

Tras un instante de duda, Elijah se hizo a un lado y los dejó pasar.

Los guio hasta el sótano de la casa, que había sido transformado en un búnker con paredes de acero y sistemas de seguridad. Por mobiliario, solo había un sillón, un par de sillas, una mesa y un televisor sobre un taburete. Las paredes estaban atestadas de mapas antiguos, dibujos, paneles de corcho escondidos bajo capas y capas de anotaciones, recortes y fotografías. Más libros se amontonaban en el suelo, junto a una pequeña nevera y un microondas.

—Es curioso, durante siglos se me ha considerado un loco que desperdiciaba su vida tras una quimera —dijo Elijah con una risita astuta—. Me han llegado a comparar con Arturo y su búsqueda delirante del Santo Grial. Y ahora, en menos de un mes, todos creen en ese cáliz. No sois los únicos que habéis preguntado por él.

—¿Adrien ha estado aquí? —preguntó William.

—No sé su nombre, pero fue muy amable conmigo.

Sonrió ladino y señaló la nevera.

William tiró la mochila sobre la mesa y unas bolsas de sangre se desparramaron sobre ella.

—¿Es suficiente?

—Depende. ¿Qué queréis saber?

—¿El cáliz es real, existe? —preguntó Robert.

—¡Por supuesto! Lilith alimentó a sus vástagos con él. Los vampiros de hoy no descienden de ella, pero fueron creados por sus hijos, transmitiéndoles la maldición a través de la sangre. —Movió la mano con desdén—. ¿Qué os han enseñado? Sois príncipes y algún día seréis reyes, debéis conocer la historia para poder guiar a nuestra raza.

—Por nuestras venas corre la sangre de Lilith. Nosotros somos la historia —le espetó Robert en tono soberbio—. Nuestro padre es un original.

—Necesitamos que nos digas todo lo que sabes sobre ese cáliz, por favor —intervino William.

Elijah apartó su mirada furibunda de Robert y contempló a William en silencio.

—Está bien, os diré lo que sé, pero antes quiero que me hagáis una promesa. Si lo encontráis, quiero verlo. Es la única condición.

—De acuerdo, te prometo que haré todo lo que esté en mi mano.

—Está bien, la primera pista real que tengo se remonta a los tiempos en los que un grupo de colonizadores ingleses se asentó en Virginia. En el cuaderno de viaje del barco que los trajo desde Europa, había una lista con todas las pertenencias con las que los pasajeros subieron a bordo. Uno de los peregrinos, un hombre santo, llevaba consigo un cáliz negro. Formaba parte de sus objetos para la homilía. Seguí esa pista hasta Maryland. De ahí a Massachusetts y, por fin, la búsqueda acabó en New Hampshire. Tengo constancia de alusiones a un cáliz negro en New Hampton, Plymouth y Heaven Falls.

William se estremeció al oír el último nombre.

—¿Insinúas que se encuentra en una de esas ciudades?

—He descartado New Hampton. Solo queda Plymouth y Heaven Falls. Yo no lo he encontrado, pero quizá vosotros lo consigáis. Ese cáliz existe y está en alguna parte, os lo aseguro.

—Te creemos, Elijah.

El vampiro asintió y le sostuvo la mirada.

—No me interesa saber el motivo por el que lo buscáis, es cosa vuestra. Pero si dais con él, vuestro padre debería cuidar de esa reliquia y darle el valor que merece.

—Lo haremos —dijo Robert con su sonrisa más inocente.

—¿Por qué será que no te creo? —preguntó Elijah, y no había nada suave en el modo en que lo dijo.

—Suelo dar esa impresión. Nos acompañas a la puerta, ¿por favor?

Se despidieron de Elijah y regresaron al coche.

William caminaba unos pasos por delante de su hermano. Tras sacar las llaves del bolsillo, accionó el mando a distancia y los intermitentes del todoterreno se iluminaron. Agarró la manija de la puerta y la abrió sin decir una sola palabra. Había muchas emociones haciendo estragos en su interior y tenía la cabeza llena de pensamientos e ideas, que no lograba ordenar.

—Tiene gracia, ¿verdad? El último lugar de la tierra que querrías visitar es uno de los dos pueblos donde podría hallarse el cáliz —dijo Robert divertido.

William alzó la barbilla y lo miró.

—Por eso irás tú. Alquilaremos otro coche y yo me dirigiré a Plymouth.

—Podrías ver a Kate...

—¡Deja de una vez ese tema, Robert! —replicó con un asomo de irritación—. No puedo volver a verla. Si lo hago, no seré capaz de dejarla de nuevo, ¿entiendes?

—Lo que no entiendo es por qué tendrías que dejarla.

—Merece una oportunidad y conmigo no la tendría.

Robert se encogió de hombros, dando por perdida esa conversación. William era demasiado cabezota como para hacerlo entrar en razón. No en ese momento.

—¿Y ahora qué?

—Buscaremos en bibliotecas, archivos municipales, museos... No tengo ni idea... —El timbre de su teléfono móvil lo sobresaltó. Frunció el ceño—. Solo tú tienes este número.

Robert alzó las manos.

—Pues ya ves que no soy yo.

William descolgó y guardó silencio.

—Dime que estás en Heaven Falls —exigió una voz al otro lado.

—¿Samuel?

—¿Estás en ese maldito pueblo?

—No —respondió mientras sus ojos se encontraban con los de Robert.

—¡Maldición! ¿Y dónde estás?

—En Providence. ¿Qué pasa?

Samuel tomó aliento.

—Escúchame y no hagas preguntas, no hay tiempo.

—Me estás asustando.

—Cuando escuches esto, estarás jodidamente aterrado. Van a atacar a los chicos, a todos. Esta noche, poco después de las doce.

La mano de William se cerró con fuerza sobre el teléfono.

—¿De qué hablas?

—Esa es la hora que marca el reloj que aparece en mi visión. Se encuentran en un bar de carretera, a las afueras de ese pueblo. Creo que se llama Reaper's Grill, no lo pude ver bien. ¿Lo conoces?

—No.

—Pues están allí y no logro contactar con nadie. Es como si los teléfonos hubiesen dejado de funcionar. Hay que avisarles, van a masacrarlos.

William se estremeció y un potente terror se apoderó de él.

—¿Quién va a atacarlos?

—No los había visto nunca, pero son fuertes y peligrosos. Entre ellos se hacen llamar Anakim. Llevan esa palabra tatuada en los brazos.

William se quedó de piedra. La historia que unos días antes le había relatado Silas, pasó por su mente como una película.

—¡Tiene que ser una broma!

—¿Los conoces?

—Son nefilim, Samuel, y cazan cualquier especie sobrenatural que se les ponga por delante.

—¡Debes ir hasta allí! ¡Tienes que llegar a tiempo!

William colgó el teléfono y comprobó la hora.

—¿Lo has oído? —preguntó a su hermano mientras entraba en el coche.

Robert asintió con la cabeza.

—¿Cuánto tardaremos en llegar a Heaven Falls?

—Demasiado.

34

Kate conducía deprisa bajo un cielo sin luna completamente negro, en el que las estrellas brillaban como pequeños diamantes. La carretera discurría por un bosque centenario, envuelto en montañas cuyas cimas casi siempre estaban cubiertas por nubes.

Le echó un vistazo a la hora y pisó el acelerador. No quería llegar tarde al Reaper's Grill.

Inspiró hondo para aflojar la presión que sentía en el pecho y encendió la radio, con la esperanza de que un poco de música mejorara su ánimo. No estaba de humor para una fiesta.

En su cabeza solo había espacio para Adrien y lo sucedido en el café el día anterior. Seguía conmocionada y no dejaba de hacerse preguntas. ¿Quién era realmente Adrien? ¿Hasta qué punto era peligroso? ¿Había sido sincero en algún momento o todo formaba parte de un plan? Le costaba creer que la desesperación que había encontrado bajo su arrogancia y suficiencia fuesen una mentira. Una mera actuación. Había percibido su sufrimiento y le resultaba imposible pensar que fuese capaz de fingir esa emoción.

Un fogonazo la deslumbró a través del espejo retrovisor y la sacó de sus pensamientos. Entornó los ojos y parpadeó varias veces. Un vehículo se acercaba deprisa y de forma temeraria. Su corazón le dio un vuelco al darse cuenta de quién conducía.

La motocicleta aceleró hasta situarse delante de su viejo Volkswagen y controló la marcha. Al cabo de un par de kilómetros, un intermitente a la derecha le indicó que iba a detenerse. Kate lo siguió, paró el coche y se quedó inmóvil con las manos en el volante, envuelta en oscuridad.

Trató de ignorar la voz que en su cabeza le decía que aquello no era buena idea y salió afuera.

El suelo crujió y la sombra de Adrien se movió frente a ella.

—Hola —susurró él.

—Te he llamado como un millón de veces. ¿Dónde has estado?

—Por ahí.

—Llevo todo el día sin moverme de casa por si aparecías.

—Lo sé.

—¡¿Lo sabes?! ¿Y por qué...? —Sacudió la cabeza al darse por sí misma la respuesta—. No has vuelto porque creías que te había delatado a los Solomon. Sabes lo que son.

—Sí. Los he evitado todo este tiempo, pero uno de ellos me vio por aquí hace unos meses.

—Entonces, te has arriesgado bastante al alojarte en la casa de huéspedes. —Forzó la vista, era difícil verle con tanta oscuridad—. No les he dicho nada sobre ti.

—¿Por qué no? Yo lo habría hecho.

—Pero yo no soy tú. Creo que al menos mereces la oportunidad de explicarte y yo necesito esa explicación.

—Tienes razón, la mereces.

Kate dio un paso hacia él. La oscuridad que los envolvía apenas le dejaba ver su silueta y escuchar solo su voz la ponía nerviosa.

—Debemos hablar —dijo muy seria.

—Lo sé, pero es que... —Hizo una pausa y exhaló de golpe el aire que contenían sus pulmones—. No tengo ni idea de cómo empezar.

—¿Qué te parece si yo hago preguntas y tú respondes? —Adrien no contestó, pero a ella le pareció que asentía con la cabeza—. Tú eres el vampiro al que todos están buscando desde hace meses, ¿verdad?

—Sí.

—Pero tu corazón late, yo lo sentí.

—No, Kate, no late. —Una sonrisa amarga curvó sus labios—. Se me da bien crear ilusiones.

—¿Quieres hacerme daño?

—¡No! A ti menos que a nadie.

—¿Estás aquí por William?

—Él no está aquí —respondió sin más.

—Si estuviera, ¿intentarías hacerle daño?

—No —declaró.

Porque esa era la verdad, no quería hacerle daño. Sin embargo, se lo haría si no tenía más remedio. Aunque eso no pensaba decírselo.

—Sé que William es la clave en el plan demencial para que los vampiros... —Hizo un gesto exasperado—. No necesito contarte la historia, tú ya la conoces, ¿no es así? Formas parte de ese plan, quieres su sangre, ¿cómo piensas conseguirla sin hacerle daño?

—Suponiendo que sea como dices, hay otros caminos que no requieren violencia.

—No te la dará —la voz de Kate sonó desesperada—. ¡Por Dios, Adrien! ¿Por qué estás metido en este disparate? ¿Te están obligando?

De repente, un viento helado se arremolinó a los pies de Adrien. Maldijo por lo bajo y se despeinó el pelo con frustración. Las palabras se agolpaban en su boca sin poder salir, y en ese instante odió más que nunca su vida.

Apretó los párpados con fuerza al notar las lágrimas titilando en sus ojos. Ella le hacía sentirse desnudo, como si su piel fuera transparente y sus sentimientos palpables bajo ella. Era tan absurdo que se sintiera así. El lazo emocional que había establecido con ella no tenía lógica. Porque en su interior no había cabida para otra cosa que no fuese la frialdad, incluso la crueldad de la que se alimentaba para poder sobrevivir.

Pero con ella...

Todo su mundo se estaba poniendo patas arriba.

—Ya te he dicho que no quiero hacerle daño. Eso debería bastarte.

—Pero no es suficiente...

—Esto ha sido un error —susurró frustrado.

Dio media vuelta, con intención de marcharse.

—¡Está bien! —exclamó Kate, al tiempo que lo detenía por el brazo con manos temblorosas—. Por favor, no te marches. No insistiré.

Lo soltó y se abrazó los codos nerviosa, tratando de ordenar todo lo sucedido desde... ¡Dios, parecía que hiciera una eternidad desde que los vampiros se habían cruzado en su vida!

Intentó calmarse. Adrien no era una amenaza para ella, más bien lo contrario. Si lograba llegar hasta él, si conseguía que confiara en ella, quizás encontrase el modo de parar esa locura y que nadie saliese herido.

Él se volvió despacio y Kate hizo otra pregunta:

—¿Qué pasa con los Solomon? Ellos son como una segunda familia para mí.

—Si no se cruzan en mi camino, no tienen nada que temer.

—Entonces, ¿qué haces aquí?

Adrien negó con la cabeza y su piel emitió un leve resplandor que iluminó sus rasgos.

Kate lo contempló boquiabierta. Tomó aliento y acortó la escasa distancia que los separaba.

—¿Lo tenías planeado? Me refiero a instalarte en mi casa y convertirte en mi amigo.

—¿Me consideras tu amigo?

El resplandor desapareció y quedaron de nuevo sumidos en la oscuridad.

—Estoy aquí, ¿aún lo dudas?

—Te juro que no lo planeé, la idea era mantenerme alejado. Pero la casualidad hizo que nos encontráramos en esa calle, una cosa llevó a la otra y yo quería que continuáramos hablando. Me gusta el sonido de tu voz, así que pensé que merecía la pena correr el riesgo, a pesar de lo mucho que me exponía a tus amiguitos inmortales —pronunció las últimas palabras en un tono mordaz.

—¿Te gusta mi voz?

—Entre otras muchas cosas.

Kate apretó los párpados un momento. La extraña conexión que había establecido con Adrien hacía que se sintiera culpable, como si con esa amistad estuviera traicionando a todo el mundo.

—Te creo cuando dices que no quieres hacer daño a nadie, pero será mejor que termines cuanto antes con eso que te ha traído hasta aquí y te marches. Corres peligro, Adrien. Si mis amigos te encuentran...

—¿Te preocupas por mí?

A Kate se le escapó una risa triste.

—¡Por ellos! Creo que llevan las de perder si se enfrentan a ti. Aunque también me preocupa lo que pueda sucederte. Te aprecio.

Adrien inclinó la cabeza y sus ojos brillaron.

—¿De verdad?

Kate tenía la respiración tan acelerada que le costaba articular las palabras. Respiró hondo.

—Sí. Me ha gustado pasar tiempo contigo. Eres divertido, amable y parece que siempre sabes qué decir o hacer para que me sienta bien. Confío en ti.

De nuevo, una corriente fría de aire se arremolinó a los pies de Adrien, con tanta fuerza que levantó arena y hojas.

—Pues no lo hagas. No confíes nunca en mí —gruñó él.

—¿Por qué?

—Solo ves lo que quiero mostrar, ¿entiendes? Lo que quiero que veas. No hay nada sincero en eso.

—Si intentas convencerme de que la persona que he conocido estos días solo era una ilusión, pierdes el tiempo —le aseguró convencida.

—¡Mato personas! —gritó él de repente.

Kate negó con vehemencia.

—No te creo. Ayer pudiste desangrarme. A mí y a esos tipos, y no lo hiciste.

—Aún no entiendo cómo conseguí controlarme. Tu mano, la sangre... —La sed le arañó el estómago y una risa amarga surgió de su garganta—. Están muertos.

—¿Qué?

—Los tipos de ayer. Los soltaron esta mañana, los seguí y... No volverán a molestar a nadie más. —Recorrió el rostro de Kate con la mirada—. Y mataré a otros. Es algo que no puedo evitar.

—¿Por qué?

—Porque es más fuerte que yo. ¡Lo necesito! —Se pasó unas manos temblorosas por el cabello—. Una vez que lo pruebas...

Kate recordó la conversación que mantuvo con Sebastian durante el baile.

—Alguien me habló de lo que se siente.

Adrien frunció el ceño, sorprendido.

—¿Sí?

—El placer que un vampiro siente cuando...

—¿Placer? —la interrumpió asqueado—. Quien te dijo eso debería bajarse del pedestal en que se haya subido y ver la vida real. No siento ningún placer, créeme.

—Entonces, ¿qué sientes?

—Me odio con todas mis fuerzas. Agonizo cada vez que arrebato una vida. Y aun así, vuelvo a sentir deseos de hacerlo una y otra vez. Me supera.

Kate quería llegar hasta Adrien. Encontrar una forma de acercarse a él y comprenderlo.

—¿Y cómo llegaste a esto?

—¡No me compadezcas! —susurró él entre dientes.

—No lo hago, pero me pregunto qué te empujó a probarlo la primera vez. —Dejó escapar un suspiro contenido—. Tú no eres uno de esos renegados sin escrúpulos, puedo verlo en tus ojos. Algo tuvo que ocurrir. Por favor, déjame ayudarte.

Adrien resopló, la tensión estaba haciendo estragos en él.

—¿Por qué querrías hacer algo así?

—No lo sé.

—Esa respuesta no me sirve —susurró, mientras alzaba la mano y le rozaba la mejilla con los dedos. Ella ladeó la cabeza al sentir que se ruborizaba—. ¿Por qué, Kate?

—Has llenado un vacío. Yo... yo te necesito en mi vida. Aunque no puedo darte nada a cambio y no sé si algún día podré.

Adrien la miraba a los ojos sin parpadear, como si quisiera aprendérselos de memoria. Tan cerca que hubiera podido besarla sin apenas moverse.

—Pero si él regresa, ya no me necesitarás, y entonces, ¿qué?

—Adrien, no puedo prometerte nada. No siento por ti eso que...

Una suave brisa agitó los árboles, arrastrando un murmullo.

Adrien se llevó un dedo a los labios, pidiéndole silencio.

—¿Qué pasa?

—No lo sé, pero no me gusta lo que siento —respondió él con un estremecimiento. La piel comenzó a hormiguearle con una sensación muy molesta—. Sube al coche.

La brisa arrastraba el sonido de varios vehículos que solo él podía oír. Tomó a Kate de la mano y la empujó hacia su viejo automóvil. Percibía una energía extraña en el aire. La sentía arremolinarse a su alrededor, opresiva.

—¡Sube al coche! —la apremió. Kate obedeció y entró a toda prisa—. Vas al Reaper's Grill, ¿no?

—Sí. ¿Qué sucede?

—Nada que deba preocuparte.

—Pero...

—Escucha, iré a verte más tarde y seguiremos hablando, ¿de acuerdo? Ahora vete, o los lobos empezarán a hacerte preguntas.

Kate se alejó hacia el Reaper's Grill bajo la mirada vigilante de Adrien.

A continuación, él puso en marcha su motocicleta y se incorporó a la carretera en dirección contraria, hacia esa presencia que le erizaba la piel.

Llevaba varios kilómetros recorridos cuando unos faros lo deslumbraron.

Una furgoneta doblaba la curva, seguida de otras dos. Conforme se acercaban, Adrien empezó a distinguir a sus ocupantes. Un chico rubio, de unos veintitantos años, conducía el primer furgón. Llevaba el brazo desnudo apoyado en la ventanilla y pudo ver el tatuaje que decoraba su hombro. Una corona de espinas, atravesada por una espada, en cuya hoja aparecía una inscripción.

«¡No puede ser!», pensó.

Pasó de largo y su mirada se cruzó durante un segundo con la del conductor del segundo vehículo. Salió de toda duda. Sabía que la marca de su padre lo mantenía oculto. Aun así, una presión se instaló en su pecho al sentir esos ojos sobrenaturales en él.

Adrien no creía en las coincidencias. Ese grupo estaba allí por un motivo y empezaba a sospechar cuál era.

Salió de la carretera y ocultó la motocicleta tras unos arbustos. Después cerró los ojos y buscó a través de su mente el rastro de energía, que aún era nítido. Se desmaterializó. El viento golpeó con fuerza su rostro al tomar forma sobre el techo de la segunda furgoneta. Agazapado, aguzó su oído. La palabras llegaron hasta él y fueron tomando forma. Un objetivo. Un plan. Un momento concreto...

Sus ojos se abrieron como platos y soltó una maldición.

35

Kate detuvo su coche frente al Reaper's Grill y se quedó inmóvil tras el volante, preocupada. Algo había alterado a Adrien, tanto como para detectar un asomo de miedo en su reacción. Eso la inquietaba, porque tenía la sensación de que pocas cosas podrían asustarlo. Así que, fuese lo que fuese, debía de ser importante.

De pronto, unos golpecitos sonaron en su ventanilla y dio un bote sobresaltada. Giró la cabeza y se encontró con el rostro sonriente de Marie al otro lado del cristal.

—¡Hola!

Kate paró el motor y bajó del coche.

—Hola.

—¿Por qué has tardado tanto?

Kate se encogió de hombros con una sonrisa de disculpa. Cualquier otra respuesta habría sido una mentira, y ya se sentía bastante mal ocultando todo lo que había descubierto.

La puerta del local se abrió y Shane apareció en el umbral. Al verle, su cara se iluminó con una sonrisa.

—¡Hey!

—¡Hey! —repitió él—. ¿Todo bien? Hace días que no sé nada de ti.

—¿Y de quién es la culpa?

Shane se ruborizó y sacudió la cabeza. El proyecto en el que se había embarcado ocupaba todo su tiempo. La reforma de una cabaña en el bosque, en la que se había instalado con Marie. Un sitio solo para ellos hasta que decidieran qué hacer en un futuro.

—He pedido por ti. ¿Te parece bien?

Kate asintió y fue a su encuentro con una sonrisa. Le dio un abrazo.

—Siento haberos hecho esperar.

—Tranquila, llevan un rato devorando todo lo que cae en la mesa. Y siento decirte que en su lista de prioridades, las costillas te ganan.

Kate rompió a reír y los acompañó dentro. De repente, Carter levantó ambos brazos y la saludó con un silbido que le sacó los colores. Empezó a señalar una silla libre a su lado.

—¿Me has guardado un sitio? —le preguntó mientras se sentaba entre él y Jared.

—Lo que sea por mi chica. —Le guiñó un ojo y ella rompió a reír—. ¿Me has echado de menos?

Kate puso los ojos en blanco, mucho más animada.

—¡Kate! —Los brazos de Jill la rodearon desde atrás—. ¡Cuánto me alegro de que hayas venido!

—No me lo perdería por nada del mundo, tonta.

—Este sitio es genial, ¿verdad?

Kate recorrió el lugar con la mirada y asintió.

El Reaper's Grill era una especie de institución local. Fue construido en los años cuarenta y su decoración había pasado por todas las modas posibles. Por suerte, en los ochenta, un tipo de Ontario compró el local y lo convirtió en un bar de moteros. Un auténtico santuario para los amantes de las dos ruedas. Con sus paredes decoradas con matrículas antiguas, insignias y chaquetas de cuero, era parada obligatoria para los viajeros que cruzaban el pueblo.

Kate escuchaba atenta las conversaciones y reía por los chistes y las bromas que hacían los chicos. Carter le rodeó los hombros con el brazo y señaló con la barbilla su plato.

—¿No está buena la pizza? Apenas la has probado.

—No tengo mucho apetito.

—Pues tiene una pinta estupenda. —Agarró un trozo y se lo llevó a la boca—. ¿Te importa?

Kate le dedicó una sonrisa e inspiró con brusquedad. Mirando las caras de sus amigos, el sentimiento de culpa se hizo más fuerte. ¿Y si se equivocaba sobre Adrien? ¿Y si los estaba poniendo a todos en peligro con su silencio?

De repente, su teléfono móvil sonó al recibir un mensaje. Le echó un vistazo y se puso pálida al comprobar que era de Adrien. Lo abrió con disimulo.

Adrien: Tienes que salir de ahí, ya.

Kate: ¿Por qué?

Adrien: Por favor, haz lo que te pido.

—¿Estás bien? —le preguntó Shane desde el otro lado de la mesa.

Kate levantó la cabeza de golpe, con los ojos muy abiertos.

—Creo que tengo jaqueca.

—Te conseguiré un analgésico.

—No te molestes, llevo aspirinas en el coche. Vuelvo en un momento.

Se puso en pie y salió afuera a toda prisa. Escrutó el aparcamiento y localizó la silueta de Adrien entre dos coches. Sus ojos brillaban como si estuvieran hechos con dos pedacitos de luna. Salió a su encuentro, pero ella le hizo un gesto con la mano para que se detuviera.

—¿Qué estás haciendo aquí? ¡Si ellos te descubren...!

—Tienes que venir conmigo. Hay que largarse de aquí —susurró él.

La aferró por la muñeca y tiró de ella hacia el bosque.

—¿Por qué?

—Vienen a por los lobos. Si te quedas, te matarán a ti también.

Kate notó un escalofrío que le recorría la columna.

—¿De qué estás hablando? ¿Quién viene?

—Los seres más peligrosos que puedas imaginar, y están a punto de llegar.

—¿Eso es lo que has sentido antes?

—Te lo explicaré después. Ahora tengo que sacarte de aquí —la urgió.

Adrien le rodeó la cintura con el brazo y la alzó del suelo sin ningún esfuerzo.

—Agárrate a mi cuello y cierra los ojos.

—¿Por qué?

—Puedo desvanecerme y aparecer en cualquier otro sitio con solo desearlo. Te llevo a casa.

—Pero yo no puedo hacer eso.

—Yo sí y no te pasará nada. Lo he hecho un millón de veces.

—¡No! —Comenzó a forcejear para que la soltara—. No pienso abandonarlos. Debo avisarles.

Adrien la soltó temiendo hacerle daño.

—Eso no evitará nada —masculló frustrado.

—Si tú les ayudas, sí.

—No voy a meterme en esto, ni siquiera por ti.

Sus ojos ardían a pocos centímetros de los de ella.

Kate le sostuvo la mirada, desafiante. Al ver que no cedía, dio media vuelta y se encaminó al bar.

—Bien, márchate si quieres. Son mis amigos y me quedo.

Adrien la detuvo por el brazo y emitió un sonido que ella no supo interpretar.

—Esto confirma mi idea de que estás completamente loca —masculló frente a su cara.

Maldijo por lo bajo y se dirigió al local con los dientes apretados.

La noche iba a ponerse muy fea.

—Gracias —susurró Kate con la respiración agitada.

—Dámelas más tarde, si es que salimos vivos de esta. Si no intentan matarme los lobos, lo harán los nefilim.

—¿Nefilim?

Entraron en el Reaper's de la mano. La puerta se cerró tras ellos, al tiempo que Shane levantaba la mirada de la mesa. Un gruñido brotó de su pecho como un trueno. Se puso en pie de golpe y su silla salió despedida hacia atrás. La mesa tembló con la fuerza del impulso.

—¡Hijo de puta! —bramó al tiempo que se lanzaba hacia delante.

Kate trató de interponerse entre ellos, pero Adrien se lo impidió con un rápido movimiento que la colocó tras él. Aseguró los pies en el suelo para aguantar la embestida.

Carter, que se encontraba en el extremo más cercano, consiguió agarrar a su primo en el último momento.

—¿Qué haces?

—Este es el vampiro que va tras William, y tiene a Kate —masculló.

Carter se puso pálido y todo su cuerpo se estremeció con un azote de adrenalina.

—Delante de los humanos, no —le ordenó en un susurro.

Shane lanzó una rápida mirada a su alrededor. Todos los humanos del local les miraban y el camarero había rodeado la barra dispuesto a mediar en la riña. Lanzó un gruñido y apartó las manos de Carter de su pecho. Con fingida calma, dio unos cuantos pasos hasta detenerse frente a Adrien.

—Kate, ven aquí —dijo entre dientes.

—Shane, no hay tiempo, tienes que escucharle —dijo ella intentando aproximarse, pero Adrien la mantenía sujeta con actitud protectora.

—¡Suéltala!

Los ojos de Shane ardían como oro fundido. La bestia gruñía en su pecho, luchando por liberarse.

—Suéltame, Adrien, nadie va a hacer daño a nadie —pidió Kate. Él la soltó con reticencia, sin apartar sus ojos del lobo—. Shane, tienes que confiar en mí. Alguien viene a por vosotros.

—¿De qué hablas?

—Van a atacaros, tenéis que iros todos.

—¿Quiénes van a atacar?

—Unos seres muy peligrosos.

—¿Eso te lo ha dicho él? —preguntó Shane observando con desconfianza a Adrien. Ella asintió—. ¿Me estás pidiendo que crea sus palabras sin cuestionarlas? ¿Por qué debería confiar en él?

La miró a los ojos y se culpó por no haberle prestado más atención. ¿En qué momento ese tío había llegado hasta ella? ¿Y por qué no se había dado cuenta?

—No necesito que confíes en mí. Si sigo aquí, es porque no he conseguido convencerla de que os abandone. Vosotros me importáis una mierda —intervino Adrien.

—Shane, quiere ayudar —insistió Kate.

A Shane no le pasó desapercibida la confianza que fluía entre ellos, ni la forma posesiva en que él la miraba.

—¿Desde cuándo lo conoces?

—Unas semanas.

—¿Y siempre has sabido quién era?

—No hasta ayer, pero te prometo que...

Shane levantó una mano y ella calló. Después miró a Adrien.

—Habla.

—Son un grupo de... —enmudeció con un escalofrío. Apretó los puños y una mueca contrajo su rostro—. Ya están aquí.

Por puro instinto, agarró a Kate y la alejó de la puerta.

—¿Quiénes son? —inquirió Shane

—Son nefilim. Cazadores.

—¿Y qué cazan?

—A nosotros. Lobos, vampiros, todo ser sobrenatural diferente a ellos. Hay que sacar a los humanos de aquí, tampoco están a salvo.

A partir de ese momento, todo sucedió muy deprisa.

Carter empezó a gritar a los humanos para que salieran por la puerta de atrás.

Se desató el caos y todo el mundo echó a correr sin hacer preguntas.

Adrien sacó de su espalda dos dagas de plata y buscó a Kate con la mirada. Era su única preocupación. Marie se interpuso entre ambos y le lanzó una mirada de advertencia.

—¡Kate, ven conmigo! Te sacaré de aquí con Jill.

Kate no llegó a tomar la mano que le ofrecía la vampira. Oyó el sonido de los cristales al romperse y un empujón la dejó sin aire en los pulmones. Cayó hacia atrás a la vez que sentía que algo le arañaba la sien. Dos flechas de ballesta se clavaron en una silla y una tercera entre las botellas tras la barra.

Adrien apareció a su lado y logró sujetarla antes de que se golpeara contra el suelo.

—Gracias —dijo Marie.

También la había apartado a ella de la trayectoria de las flechas.

Él ni siquiera la miró. Toda su atención se concentraba en Kate. Le giró el rostro para ver la herida. Solo era un rasguño, pero sangraba. De un tirón arrancó un trozo de su camiseta y lo colocó sobre la herida.

—Presiona un poco —susurró.

Sus ojos se habían convertido en dos llamas candentes. La visión de la sangre, más la expectativa de violencia que estaba por desatarse, hacían temblar su autocontrol.

Una nueva lluvia de flechas los obligó a lanzarse al suelo. Adrien cubrió a Kate con su cuerpo. Un segundo después, los nefilim entraban a través de puertas y ventanas.

—Tienes que llegar a la cocina y buscar la cámara frigorífica. ¡Rápido! —apremió Adrien a Kate.

Se puso de pie y enfrentó a los nefilim, haciendo girar las dagas entre los dedos.

Kate buscó con la mirada cómo llegar a la cocina. Gritó el nombre de Jill y esta le respondió desde algún punto detrás del mostrador. Gateó en esa dirección. Alguien aterrizó frente a ella, era Evan.

—Ven.

La levantó por los brazos, pero algo los embistió y Evan salió volando por los aires, mientras que ella caía de espaldas y se golpeaba contra una silla. Quedó aturdida durante unos instantes.

Por encima del estruendo, oyó a Shane gritando:

—No cambiéis, no os transforméis.

Los nefilim portaban cadenas de las que él jamás podría olvidarse.

Kate se quedó inmóvil, sobrecogida por la violencia que se había desatado.

Marie sujetaba con fuerza a uno de aquellos tipos, mientras Keyla trataba sin éxito de romperle el cuello. El nefilim logró liberarse de ellas y, con una rapidez sin igual, golpeó a Keyla en el estómago. Aferró a Marie, aplastándola contra la pared, y alzó una daga en el aire dispuesto a enterrarla en su pecho.

Shane apareció con un trozo de madera entre las manos y golpeó al nefilim hasta aturdirlo. Finalmente lo hundió como una estaca en el pecho del hombre.

—¿Qué tenemos aquí?

Kate notó que algo la agarraba por el pelo, tiraba de ella hacia arriba y le daba la vuelta.

Un chico moreno, con un rostro dulce como el de un niño, la miraba con asco. La abofeteó con la mano libre y la lanzó contra la mesa de billar.

Kate gritó aterrada, mientras él partía por la mitad uno de los tacos y lo transformaba en un par de estacas.

—En un lugar más privado, te enseñaría lo que hacemos con las que son como tú.

—¿Como yo? —replicó desafiante.

—Rameras, amantes de estos monstruos.

Kate gateó para alejarse, pero la agarró por el tobillo y tiró hacia él. Alzó el palo astillado por encima de su cabeza y ella levantó los brazos para protegerse. De repente, el chico salió volando hacia atrás y se estrelló contra la pared. Una mesa estalló en su misma dirección y varios trozos le atravesaron el pecho. Cayó muerto.

Adrien apareció a su lado y la ayudó a levantarse.

—¡Jared! —gritó Kate.

El chico se agachó, pero no a tiempo, y el extremo de una cadena se enrolló en su cuello. Los eslabones penetraron en su piel y la sangre comenzó a manar de las heridas.

Kate se lanzó hacia delante para socorrerlo, pero Adrien la detuvo.

—¡Suéltame, lo van a matar!

El vampiro maldijo en una lengua desconocida.

—¡Escóndete, por favor! —le rogó, y corrió a ayudar al pequeño de los Solomon.

Kate saltó entre los muebles rotos en dirección a la cocina. De pronto, una voz conocida la detuvo. Se volvió y sus ojos se abrieron de par en par. Mientras la imagen calaba en su retina, el mundo parecía ralentizarse a su alrededor. Su respiración se convirtió en un jadeo y el corazón empezó a latirle atropellado.

No podía ser real. Era imposible.

¡William!

Sus miradas se encontraron.

William vio la sangre que salpicaba el rostro de Kate y una fuerza desconocida se desató en su interior. ¡La habían herido! Quiso ir hasta ella. En ese mismo instante, un nefilim se levantó de entre un montón de escombros y apuntó a la chica con su ballesta.

Todo sucedió muy deprisa. Saltó hacia delante para apartarla, pero un cuerpo se materializó en su camino como un muro. Reconoció a Adrien y el miedo lo golpeó de lleno. Trató de alcanzarlo, pensando que también quería atacarla, por eso le costó entender lo que sucedía ante sus ojos.

Adrien sujetó a Kate por los brazos. Tiró de ella hacia su pecho y giró convirtiéndose en un escudo de piel y músculo que la mantuvo a salvo. Una flecha impactó en su espalda y otra en su pierna. Cayeron al suelo en un abrazo.

William sintió un golpe en el estómago y otro en las rodillas que le hizo perder el equilibrio. Se desplomó contra el suelo y dos nefilim cayeron sobre él. Mientras se defendía de sus ataques, sus ojos no perdían detalle de cada movimiento de Kate.

Adrien se levantó con ella en brazos. Sangraba de manera profusa por el pecho. La flecha lo había atravesado de lado a lado y parecía mareado.

De repente, ambos desaparecieron en el aire.

William pensó que iba a volverse loco cuando los vio desvanecerse. Gritó y una oleada de energía se dispersó a su alrededor como la onda expansiva provocada por una bomba.

Se puso de pie, derribando a todo el que se le ponía por delante. Alguien chocó contra él. Se giró blandiendo una daga y se encontró cara a cara con Adrien.

—¿Dónde está Kate?

—A salvo. —Adrien se inclinó hacia atrás para evitar una flecha—. Preocúpate de salvar a tus amigos, de ella me encargo yo.

William le lanzó una mirada asesina y arremetió contra los nefilim.

Instantes después, los intrusos se replegaban y huían.

William localizó a Adrien y se abalanzó sobre él. Lo lanzó a la calle a través de la puerta resquebrajada. Adrien no se quedó quieto y arremetió hundiendo el hombro en su estómago. Ambos rodaron por el suelo bajo la mirada estupefacta del resto.

William acertó con el puño en la mandíbula de Adrien.

—¿Dónde está? —preguntó furioso.

Adrien escupió sangre al suelo y dibujó una sonrisita burlona en sus labios. Le devolvió el puñetazo y logró encajarle otro revés en el costado.

—No te metas —gritó William a Shane, cuando este hizo ademán de interponerse.

Los dos se pusieron de pie, cansados y vapuleados, pero sin intención de frenar la discusión. Se enzarzaron en una pelea de titanes.

Kate salió del Reaper's a toda prisa, con Jill y Evan pisándole los talones.

—¡Parad ahora mismo! ¡Ya! —les gritó.

Ambos se giraron para mirarla y ese gesto le dio tiempo para colocarse entre los dos con los brazos extendidos, como si de verdad creyera que así podía frenarlos.

—Apártate, Kate, no tienes ni idea de quién es —le pidió William.

Kate cerró los ojos un instante. Oír de nuevo su voz, cómo pronunciaba su nombre, era más de lo que podía soportar esa noche. Él estaba allí, había vuelto, pero nada era como había imaginado. Lo miró a los ojos.

—Sé perfectamente quién es.

—Kate, ese tipo es un asesino —intervino Robert.

Dio un paso hacia ella, aunque se detuvo cuando le apuntó con el dedo y se acercó un poco más a Adrien como si lo protegiera.

—Sé que ha matado a algunas personas, pero era gente que lo merecía. ¡Quizá no tiene más opción!

—Déjalo estar, Kate —susurró Adrien.

—¡No te dirijas a ella! —le espetó William.

—No lo haré si ella me lo pide.

—¡Basta! —gritó Kate y con su mirada recorrió cada uno de los rostros presentes—. Escuchadme todos. Ha tenido miles de ocasiones para hacerme daño y no lo ha hecho. Al contrario, ha cuidado de mí. Ayer me salvó la vida. A mí y a todos los que estábamos en el café. Y hoy ha vuelto a hacerlo, nos ha salvado a todos. Si él no hubiera venido hasta aquí, ahora estaríamos muertos. Así que no vais a tocarle un solo pelo, se lo debemos.

Nadie contestó.

Marie, en los brazos de Shane, no apartaba los ojos de William, que miraba a Kate atónito a la par que enfadado.

Entonces, Kate se volvió hacia Adrien.

—Si lastimas a cualquiera de ellos, te juro que encontraré el modo de que lo pagues. —Él asintió una vez, suficiente—. Bien, llévame a casa, por favor.

—¡No puedes irte con él! —exclamó William.

—Así me aseguraré de que ninguno de vosotros intenta nada en su contra.

—Te lo ruego, quédate y hablemos.

Kate le sostuvo la mirada. Observó su rostro. El azul de sus ojos. La línea que unía sus labios. Se estremeció. Había soñado tantas veces con un reencuentro. Que saltaba a sus brazos y él la sujetaba con fuerza contra su pecho. Sin embargo, lo único que surgió en ese momento fue una pregunta.

—¿Por qué has vuelto? Y dime la verdad.

William la miró a los ojos en todo momento. Su boca se tensó por la determinación.

—Supe que los nefilim atacarían. Intenté contactar por teléfono, fue imposible, y no he tenido más remedio que regresar —confesó.

—No has tenido más remedio —repitió ella muy despacio. Soltó una risita carente de humor—. Si esa es la razón por la que has vuelto, creo que no tenemos nada que hablar —dijo sin ocultar su decepción.

—Kate, por favor —insistió William.

Ella le dio la espalda y se acercó a Adrien.

—Sácame de aquí —le susurró.

Adrien la rodeó con sus brazos y desaparecieron.

William gritó y saltó hacia delante, pero solo encontró una pequeña vibración en el aire y aroma de Kate desvaneciéndose. Frustrado, dio un puñetazo a un coche. Quería gritar hasta quedarse sin garganta.

Shane se acercó a él y le puso una mano en el hombro.

—¿Estás bien?

—No.

—Me alegro. —Y sin avisar, le dio un puñetazo en la cara.

—¡Shane! —exclamó Marie.

Evan agarró a su primo y lo apartó de un empujón.

—¿Qué demonios te pasa?

Robert empezó a reír con ganas.

—Alguien tenía que hacerlo.

—No, déjalo. Me lo merezco —farfulló William mientras se frotaba la mandíbula.

Decepcionado, Shane cruzó los brazos sobre el pecho.

—¿Qué más pruebas necesitas para comprender que alejarte de todo no ayuda a nadie?

—Pensaba que os protegía. Que la protegía a ella. Estoy cambiando y soy peligroso. Si algún día pierdo los estribos, si me dejo llevar...

Shane resopló por la nariz y sus ojos brillaron como dos faros amarillos.

—¡Peligroso! ¿Y cómo piensas que nos sentimos los demás? ¿Cómo crees que me siento cuando me transformo en un lobo de cien kilos con el único deseo de matar y devorar todo lo que se me pone por delante? ¿Crees que yo no tengo miedo de lo que podría hacer a los que quiero? En este momento deseo arrancarte la cabeza, pero eso no significa que vaya a hacerlo. Y te juro que hace un buen rato que perdí los estribos.

William lo miró a los ojos y sus hombros se hundieron.

—Tienes razón.

—¡Por supuesto que la tengo! Te fuiste y las cosas no han hecho más que empeorar. Querías proteger a Kate y mira qué has conseguido. Acaba de largarse en brazos del tipo que quiere verte muerto.

William se llevó las manos a la nuca y entrelazó los dedos. Miró al cielo con un sentimiento de frustración que lo ahogaba.

—Soy un estúpido —contestó.

—No hace falta que me lo jures —masculló Shane.

—Estoy disfrutando de esta conversación, en serio. Porque llevo días intentando meterle eso mismo en la cabeza —intervino Robert—. Pero creedme cuando os digo que en este momento hay cosas más importantes de las que hablar, ¿verdad, William?

William lo miró de soslayo y asintió. Aunque solo deseaba ir en busca de Kate y traerla de vuelta a su lado. Se maldijo a sí mismo por haber sido tan idiota. ¿Cómo podía haber estado tan ciego? Había perdido lo único importante y real en su vida. Y si tenía alguna posibilidad de recuperarla, acababa de desperdiciarla con la estúpida respuesta que había dado a su pregunta.

Sin embargo, Robert tenía razón. Estaban sucediendo muchas cosas. Demasiadas coincidencias como para ignorarlas. De una forma u otra, todos habían sido atraídos al mismo lugar. Heaven Falls se estaba convirtiendo en el epicentro del desastre.

Más calmado, Shane se acercó a William y le dio un ligero empujón.

—Me alegro de verte.

—¿No me odias por marcharme sin decirte nada?

—Eres mi mejor amigo. Las ganas de matarte solo me duraron un par de semanas.

William esbozó una pequeña sonrisa y le devolvió el empujón. Su rostro se oscureció de nuevo por la preocupación. Vigiló la oscuridad, como si esperara ver surgir algo de ella.

—No temas por Kate. Ese tipo no le hará daño —dijo Shane en voz baja.

—¿Cómo puedes saberlo?

—Porque le gusta. Por esa razón estaba aquí y ha luchado de nuestro lado. Ella le importa. Y no deja de ser curioso, ¿verdad? Que ambos os hayáis fijado en la misma chica.

—¿Qué quieres decir?

—Que os unen demasiadas cosas.

William sintió como si alguien acabara de atravesarle el corazón con un hierro candente.

—No me gusta lo que insinúas.

—A mí tampoco.

36

Faltaba poco para el amanecer, cuando William salió de la casa.

Apoyó las manos en la baranda del porche y volcó su peso en la débil estructura. Contempló el tupido bosque que crecía silvestre, alimentado por el arroyo que fluía a través de él. El sonido del agua entre las rocas llegaba a sus oídos como un dulce bálsamo relajante. Sin embargo, no era capaz de disfrutar de esos detalles. La sensación opresiva de su pecho se estaba convirtiendo en una oscura premonición de la que no podía desprenderse.

Cerró los ojos y la madera crujió entre sus dedos. No lograba calmarse. La mezcla de emociones que hervían en su interior amenazaba con desquiciarlo. Se sentía tan mal. Un completo idiota, incapaz de hacer nada bien.

Su hermana apareció a su lado y se reclinó contra una columna.

—Me gusta tu casa —dijo William.

Marie lo miró a los ojos y le sonrió.

—Si alguien me hubiera dicho que acabaría viviendo en una casita de cuento en medio del bosque, jamás lo habría creído. No sé, puede que en un ático en Nueva York.

Se dio la vuelta y apoyó la cadera en la barandilla. William la imitó y contemplaron la casa.

—Shane ha hecho un trabajo estupendo.

—Tendrías que haberla visto hace un mes, parecía un cobertizo. Él ha logrado convertirla en un hogar, con todas las comodidades posibles para un vampiro —dijo entre risas.

—Te va como anillo al dedo, aunque esa ropa...

Marie estiró la sudadera de Shane que llevaba puesta y soltó una carcajada.

—Prueba a caminar por este bosque con zapatos de tacón y un Chanel.

—Te he visto hacerlo —repuso William, contagiándose de su risa—. ¿Te acuerdas de esa Nochevieja en los Alpes Franceses? Cuando salimos de caza con aquella ventisca de nieve. «Nunca se sabe con quién te puedes encontrar», repetías todo el tiempo.

—No me lo recuerdes —se quejó Marie mientras se tapaba el rostro con las manos—. Esa noche perdí mi pulsera favorita y mi precioso vestido quedó destrozado. ¿De verdad soy tan presumida? —William asintió sin dejar de reír—. Fue la de mil novecientos veintitrés, ¿no?

—Mil novecientos veinticuatro.

—Prometimos que pasaríamos cada Nochevieja juntos, que las celebraríamos para no convertir ese día en una fecha maldita. —Alzó los ojos hacia él—. ¿Seguirás manteniendo tu promesa?

—Quiero hacerlo.

Se quedaron en silencio un rato, contemplando de nuevo el bosque.

—¿Cómo pensabas soportar todo esto tú solo? —exclamó Marie de repente—. Lo que Robert y tú nos habéis relatado esta noche es para volverse loco. Ángeles, ritos, profecías... Y querías cargar con todo ese peso sin ayuda.

—No quiero que os hagan daño.

—Ni yo quiero que te lo hagan a ti. —Ella se abrazó el estómago—. Me alegro de que hayas vuelto con nosotros.

—Y yo.

—Pensaba que nunca me perdonarías por haberte mentido. ¡Me he sentido tan culpable! —sollozó Marie.

William la tomó por los hombros y buscó su mirada.

—No eres culpable de nada, Marie.

—Si yo no hubiera ido a verte esa noche, tú jamás...

William le puso un dedo en los labios para hacerla callar. Sonrió y le acarició la mejilla.

—Soy yo quien debería pedirte perdón. Lo siento mucho.

Marie negó con la cabeza y lo abrazó.

—Me tenías tan preocupada. Te buscamos por todas partes...

William la meció entre sus brazos.

—No era capaz de mirarte a los ojos después de saber lo que te hice.

—Olvida eso, tú no me hiciste nada. Soy feliz, hermano. Debería darte las gracias por haberme convertido en lo que soy. De otro modo, hoy no estaría aquí. No habría vivido tantas cosas maravillosas y tampoco habría conocido a Shane.

—¿De verdad lo piensas?

—Sí. —Marie se apartó y lo miró a los ojos—. Hiciste mal en huir.

William alzó la barbilla y contempló el cielo. Sobre los árboles se intuían las primeras luces del alba.

—Lo sé, pero me sentía solo y traicionado por mi propia familia. Culpable por lo que te hice y asustado por lo que podría hacer. Pensaba que estaríais mejor sin mí.

—Pues no ha sido así, y Kate...

—Creí que la ponía a salvo —murmuró roto.

—Lo ha pasado muy mal, William. Y lo peor ha sido verla fingir que se encontraba bien. Manteniendo el tipo por todos nosotros.

Esas palabras lo destrozaron.

—Saber que le he hecho daño me resulta insoportable. ¡Y tanto sufrimiento para nada! —Marie le acarició el hombro con ternura. Él la miró a los ojos—. Esta vez sí que la he fastidiado.

—No te castigues.

—Se ha ido con él.

Marie exhaló despacio.

—Kate te quiere, William, pero ha sufrido mucho estas últimas semanas y ese chico ha sabido aprovecharse de su dolor. ¿Qué esperabas que ocurriera?

Él apretó la mandíbula.

—Sé que no lo merezco, pero quiero recuperarla.

—¡Pues díselo!

—No creo que con eso baste.

—No, pero es un comienzo.

William asintió con vehemencia. Iba a hacer lo imposible para recuperarla.

37

—¡Vamos, quita esas manos y déjame a mí! —le pidió la señora Rossdale.

Kate dio un par de tirones más a la cremallera y se rindió. Bajó los brazos y permitió que la mujer terminara de abrocharle el vestido.

—Estás preciosa. Este color hace juego con tus ojos.

—Gracias, señora Rossdale. ¿Hemos terminado ya?

—Sí, cariño. Ahora te sienta como un guante. Ya puedes quitártelo.

—Gracias, empieza a hacerse tarde.

La señora Rossdale miró el reloj que colgaba de la pared y abrió mucho los ojos.

—Tienes razón, es tardísimo. ¡Vamos, date prisa!

Kate entró en el probador y se quitó el vestido que llevaría en la ceremonia. Después esperó paciente a que lo plancharan y lo empaquetaran.

Habían pasado dos días desde el ataque de los nefilim y nadie sabía nada de ellos. Por lo que los planes seguían su curso y esa misma tarde, al anochecer, se celebraría la boda entre Evan y Jill.

Dos días sin tener noticias de Adrien. Le había pedido que se marchara y él estaba cumpliendo su deseo. No sabía de qué otro modo protegerlo.

Dos días en los que no había conseguido apartar a William de su mente. Él había regresado, sí, pero su vuelta no se debía a ella. Eso fue lo que se dijo a sí misma cuando él apareció en su puerta y se negó a verle. Cuando apagó el teléfono a la quinta llamada y bloqueó sus mensajes. Era una actitud cobarde, pero prefería esconderse. No se sentía capaz de aguantar las disculpas, las excusas y un nuevo adiós. Eso sería más de lo que podría soportar.

Sin embargo, esa tarde debía dejar a un lado la cobardía y armarse de determinación.

Jill se casaba. Era el día más importante en la vida de su mejor amiga y jamás se perdonaría estropearlo. Además, era una mujer adulta, resuelta, que estaba a punto de entrar en la Universidad. Iba a vivir sola, a cuidar de sí misma. Debía rehacerse y seguir adelante, empezando por afrontar su mayor reto, enfrentarse a William.

Abandonó la tienda con la caja del vestido bajo el brazo. Después pasó por la zapatería y recogió sus zapatos. Lo guardó todo en el coche y se dirigió a la residencia de los Solomon. Sabía que los chicos estarían en casa de Shane. Evan iba a vestirse allí para cumplir con la tradición de no ver a la novia hasta el momento de la ceremonia.

Encontró la entrada principal abierta. Se adentró en el vestíbulo y siguió las voces hasta una habitación en el primer piso. Se paró en la puerta y vio a Jill en ropa interior sentada frente a un tocador, mientras una mujer trataba de moldear su pelo corto con unas tenacillas. Sus miradas se encontraron en el espejo y Jill soltó un grito.

—¡Estás aquí!

—¡Pues claro! ¿Dónde quieres que esté? —respondió Kate sonriente.

—Creí que con él aquí...

—Ni él ni nadie es tan importante como tú. Es tu gran día, Jill, no me lo perdería por nada del mundo.

—¿Estás segura? Porque lo entendería, de verdad.

—Segurísima.

Jill le sonrió y le dio un fuerte abrazo. Juntas sacaron el vestido de la caja y lo colgaron para que no se arrugara. Después se sentaron en la repisa de la ventana, un poco apartadas del bullicio.

—¿Estás bien? —se interesó Jill.

—Sí, no te preocupes.

—No me contaste lo de Adrien.

Kate suspiró y la miró a los ojos.

—No supe quién era de verdad hasta la otra noche.

—¿Y dónde está ahora?

—No lo sé, le pedí que se marchara.

—¿De verdad? —inquirió Jill sorprendida. Kate asintió—. Creo que has hecho lo correcto. Después de todo, él... Bueno, es el enemigo.

Para Kate, sus palabras fueron como un jarro de agua fría. Estuvo a punto de pedirle que no volviera a hablar así de él. Sin embargo, se limitó a encogerse de hombros. No quería más conflictos.

—Es una forma de verlo.

Jill entrelazó las manos sobre su regazo.

—William va a quedarse. Ha vuelto a instalarse en su habitación.

Kate contuvo el aliento. Ni siquiera había considerado la posibilidad de que William pudiera quedarse, convencida de que volvería a marcharse tras la boda. No sabía cómo manejar esa información.

Forzó una gran sonrisa.

—Jill, te casas dentro de tres horas, no creo que sea el momento de hablar de eso. Deberíamos estar histéricas y buscando la forma de disimular ese grano.

—¡¿Qué grano?! —gritó Jill. Corrió al espejo y pegó su cara a él. Soltó un suspiro de alivio y se giró para fulminar a su amiga—. ¡Te mataría cuando haces eso!

Un centenar de sillas blancas, decoradas con lazos y flores, formaban un pasillo hasta el altar, instalado bajo un bonito templete de madera. Grandes velones y antorchas iluminaban con su tenue luz el jardín. Sobre el césped, más velas protegidas por búcaros de cristal proyectaban sombras titilantes.

William contemplaba distraído una de esas sombras. Llevaba varios minutos ocupando su lugar junto a Evan y los otros testigos. De pronto, se hizo el silencio y los músicos comenzaron a tocar la melodía que Jill había elegido como marcha nupcial.

William inspiró hondo y contempló el pasillo, que el séquito de damas de honor recorría en ese instante. Tras ellas, Jill avanzaba nerviosa y sonriente del brazo de su padre. Todos ocuparon sus posiciones bajo un cielo estrellado, en el que una luna creciente empezaba a intuirse.

Evan y Jill unieron sus manos, sin dejar de mirarse ni un solo segundo.

El sacerdote comenzó la ceremonia. En su breve sermón habló del amor, la fidelidad, la confianza y la complicidad. De cómo se debía aceptar al amado con sus defectos, y perdonar los errores para poder triunfar en el difícil camino que emprenden dos personas que se aman, cuando deciden unir sus vidas para siempre.

William trató de prestar atención, pero se distraía sin pretenderlo, y su mirada vagaba de un lado a otro hasta detenerse en el rostro de Kate. Después de que ella se negara a tener cualquier tipo de contacto con él, se había prometido a sí mismo dejarla en paz y hacer todo lo posible para que su presencia no la incomodase.

Sin embargo, contemplarla era algo que no podía evitar. Estaba preciosa.

La oyó suspirar, y ese sonido tuvo un efecto narcótico en él. Contuvo el aire y ni se molestó en fingir que respiraba. Tenía la sensación de que su cuerpo no era lo suficientemente grande como para contener las emociones que se agitaban en él.

Una ligera brisa, tan fría como un amanecer escarchado, agitó la hierba a su alrededor. El aire se electrificó con pequeños chasquidos. De repente, Kate alzó la vista y lo miró a los ojos, como si supiera que él era el causante del fenómeno. Eso le hizo volver a la realidad del momento y desvió la mirada hacia Evan y Jill, que en ese momento sellaban su unión con un apasionado beso.

Más tarde, Kate observaba a los invitados desde su mesa.

Se estremeció al sentir una mano fría en el hombro. Robert apareció a su lado y dejó una copa de vino blanco sobre la mesa.

—¿No bailas?

Kate le dedicó una leve sonrisa.

—No me apetece.

—¿Ni siquiera conmigo? —Hizo una mueca para darle más énfasis a su tono compungido—. ¡Vamos, no estoy acostumbrado a que me rechacen! Sabes que eso hará estragos en mi ego narcisista.

Ella no pudo evitar reír.

—Está bien, pero solo una canción.

—Para empezar, esto ni siquiera puede considerarse música —farfulló Robert, con Ariana Grande sonando de fondo.

Tomó a Kate de la mano y la condujo hasta un entarimado sobre el césped. Se inclinó con una pequeña reverencia y colocó una mano en su cintura. Luego, la hizo girar al ritmo de la melodía.

—Estás preciosa.

Kate se sonrojó y alzó la barbilla para mirarlo a los ojos. Abrió la boca para decir algo, pero su mirada se topó con la de William, que la observaba desde la mesa que compartía con Shane y Marie. Y tal y como había ocurrido otras tantas veces a lo largo de la noche, en las que sus miradas se habían cruzado, notó que el tiempo se detenía.

Intentó ignorar cuán irresistible era la atracción que sentía por él. Cuán dolorosa.

—¿Ya no somos amigos? —inquirió Robert con un suspiro.

Kate parpadeó y se obligó a prestarle atención.

—¿Por qué piensas eso?

—Llevo aquí unos días y ni siquiera me has llamado para saludarme. Hablábamos más cuando miles de kilómetros nos separaban.

—Yo podría decir lo mismo de ti.

Robert torció el gesto.

—Sí, supongo que sí. —Resopló y clavó sus ojos azules en los de ella—. Prometí que no haría esto, pero ¿qué demonios hacías con ese tipo? ¡Le antepusiste a nosotros!

—Empezaba a preguntarme cuándo comenzarían los reproches.

—No voy a regañarte. Se supone que ya eres mayorcita para saber lo que haces.

Los ojos de Kate brillaron desafiantes.

—Robert, puede que no lo creas, pero hice lo correcto. Él me salvó la vida, dos veces. Qué menos que devolverle el favor.

—¿Y no has pensado que todo podría formar parte de un plan?

Ella soltó una risita carente de humor.

—¡Menudo plan! Arriesgar el pellejo contra unos nefilim, para ayudar a aquellos que quieren verle muerto.

—Yo he hecho mayores locuras para alcanzar mis objetivos. Tú has sido testigo.

—¿A qué viene esto? ¿Habéis echado a suertes quién debía darme la charla?

De los labios de Robert brotó un leve gruñido y Kate tuvo la sensación de que estaba conteniendo un duro sermón. Una reprimenda que probablemente merecería, pero no estaba dispuesta a que nadie la regañara como a una niña que no sabe lo que es mejor para ella.

—Puedes estar tranquila. Hemos prometido respetar tus deseos. Nadie se acercará a Adrien, a menos que él cruce la línea. ¡Y lo hará, Kate, irá a por William!

Kate tragó saliva y su respiración se aceleró. En el fondo sabía que Robert tenía razón. Sin embargo, no quería perder la esperanza de que todo pudiera solucionarse por las buenas.

—Adrien no quiere hacerle daño a nadie —susurró.

Bajó la mirada, como si de repente encontrara fascinantes los botones de su camisa.

—Nosotros tampoco, pero no siempre hay alternativas.

La melodía terminó y Robert se separó de Kate con una nueva reverencia. Volvió a tomarla de la mano y la acompañó a su mesa.

—Respecto a William...

—No quiero hablar de él.

—Te ama.

—Me abandonó.

—De verdad cree que no es bueno para ti.

Kate lo miró con dureza.

—Es que no se trata de lo que crea y de lo que no, Robert. Sino de intentarlo, y él no lo ha hecho. Huyó en cuanto las cosas se pusieron difíciles.

Él alzó las cejas con desdén.

—Porque tú habrías seguido como si nada si hubieras estado en su pellejo, ¿verdad? El derecho a equivocarse no es exclusivamente humano, Kate.

Un aire frío perforó el pecho de Kate al escuchar sus palabras y sus hombros se tensaron.

Dio media vuelta y se alejó de él.

38

Jill se colocó de espaldas al grupo de chicas eufóricas. Apretó el ramo entre sus manos y, con un fuerte impulso, lo lanzó hacia atrás entre aplausos y gritos.

William aprovechó el momento para escaparse un rato de la fiesta. Tomó el sendero que descendía hasta el lago y no tardó en alcanzar la orilla. Esa noche sus aguas parecían un oscuro y profundo abismo salpicado de leves destellos que oscilaban en el suave oleaje.

Apoyó la espalda contra el tronco de un frondoso sauce y cerró los ojos. Necesitaba acallar su mente y olvidarse, al menos durante unos minutos, de la búsqueda del cáliz, de Adrien y de cómo había perdido a la persona que más quería.

Si estar separado de ella había sido horrible, tenerla tan cerca y no poder tocarla era aún peor. ¡Por Dios, los celos habían estado a punto de consumirlo mientras ella bailaba con su hermano! Si bien sabía que esa reacción instintiva era una insensatez. Primero, porque no tenía motivos para sentir celos de Robert; y segundo, porque ni siquiera tenía derecho a experimentar tal sentimiento.

Una leve perturbación en el aire agitó su conciencia. Se frotó el pecho con el pulgar. La marca comenzó a quemarle.

—Bonita ceremonia —dijo una voz a su lado.

William abrió los ojos y se encontró con la mirada plateada de Gabriel sobre él.

—¿Has cambiado de opinión?

Gabriel rio por lo bajo y enfundó las manos en los bolsillos de su elegante pantalón negro.

—No tengo intención de matarte. Con un poco de suerte, otros se ocuparán de ese menester. —William frunció el ceño con una idea y se enderezó hasta que sus rostros quedaron a la misma altura—. Vamos, ¿de verdad crees que yo envié a esos nefilim?

—¿Cómo sabes que estaba pensando eso?

—Porque puedo ver parte de tus pensamientos. Por eso estoy aquí. Te pedí que te alejaras del otro espíritu... —Se encogió de hombros con indiferencia—. O que lo mataras.

—No era el momento ni el lugar.

—He sido muy claro contigo, la profecía no puede cumplirse. ¿A qué esperas?

—Si puedes ver mis pensamientos, ya sabes cuál es la respuesta —replicó William en tono desafiante.

Había tomado la firme decisión de no confiar en nadie excepto en sí mismo.

Una furia absoluta se dibujó en la cara de Gabriel, que desapareció tras una sonrisita burlona carente de cualquier humanidad. Los pensamientos de William eran nítidos en su mente. Su determinación respecto a Adrien era un muro contra el que iba a estrellarse. De nada le servirían en ese momento las amenazas, pero la paciencia era una virtud que solía dar grandes recompensas. Al final, sabía que William haría lo que debía hacer. Él mismo se encargaría de que así fuese.

Dio un par de pasos hacia William.

—Busca ese cáliz y destrúyelo —le ordenó mientras desaparecía en la oscuridad.

William volvió a reclinarse contra el árbol y la frustración lo inundó como un río que amenazaba con desbordarse. Se sentía acorralado. No importaba qué dirección tomara, nunca sería la correcta. Del mismo modo que sus decisiones tampoco lo serían. Siempre habría consecuencias que alguien tendría que pagar.

Apoyó la cabeza en el tronco y cerró los ojos.

La olió incluso antes de oír sus pasos. Se acercaba por el sendero con paso vacilante por culpa de los altos tacones de sus zapatos. Estaba nerviosa, con el corazón acelerado y la respiración agitada. Podía sentirlo en las vibraciones que llegaban hasta él a través del aire.

Ella pasó a menos de dos metros del sauce y se acercó a la orilla sin percatarse de su presencia.

Se quedó inmóvil y callado, y la observó con un nudo en la garganta que lo ahogaba. Su piel estaba más pálida de lo habitual. El maquillaje prácticamente le había desaparecido y sus mejillas se veían coloreadas por un rubor natural. Era preciosa.

Kate contempló el agua ensimismada. Cerró los ojos y una leve sonrisa curvó sus labios, agradecida por el silencio que reinaba en ese lugar. Estaba que se subía por las paredes y deseaba, con todas sus fuerzas, que la fiesta terminara cuanto antes para poder volver a casa, meterse en la cama y olvidarse de todo.

Una extraña sensación de inquietud hizo que se diera la vuelta.

Unos ojos de un azul misterioso brillaron y luego se cerraron.

Kate contuvo la respiración y el corazón comenzó a latirle muy rápido. La visión de William la dejó sin palabras. Tenía la ancha espalda apoyada contra el árbol y las manos enfundadas en los bolsillos, una pierna descansaba en el suelo y el pie de la otra sobre el tronco.

A pesar del tiempo que llevaban separados, Kate se dio cuenta de que sus sentimientos por él no habían hecho otra cosa más que crecer. Así que tuvo que recordarse una vez más que él no había regresado por ella. Si no hubiera sido por los nefilim, aún estaría quién sabe dónde.

Hizo el ademán de retirarse.

—No es necesario que te marches por mí. Yo ya me iba —dijo él.

Se puso derecho y la miró con miedo, tristeza y un millón de dudas. Ella le dio la espalda, y ese gesto le dolió más que cualquier golpe que hubiera recibido antes. Apretó los labios y tomó el sendero de vuelta a la casa.

Kate parpadeó varias veces. Le ardían los ojos. Le quemaban las lágrimas que se negaba a derramar. Y el nudo que le cerraba la garganta era tan doloroso que se asustó. Se estremeció con un escalofrío y se abrazó el estómago.

En ese instante, notó la suave tela de una americana cubriendo su espalda. Unas manos se posaron en sus hombros y descendieron muy despacio por sus brazos, hasta que rompieron el contacto bruscamente a la altura de los codos.

En la larga pausa que siguió, ninguno de los dos dijo nada. Ella permaneció inmóvil con los párpados apretados y él con los ojos fijos en su nuca. En la curva de su cuello. En el arco de sus hombros.

—Habla conmigo, por favor —susurró William.

Kate tembló al notar su aliento. Sentía el corazón como si fuese un globo de cristal que estuviera lleno de aire y a punto de explotar en un millón de pedacitos. Muy despacio, se dio la vuelta. Exhaló un suspiro trémulo. Alzó los ojos y se encontró con su mirada brillante y ansiosa.

—He tardado más de ciento cincuenta años en encontrarte y solo he necesitado unos días para perderte —dijo él con una amarga ironía.

—No me perdiste, me dejaste —replicó medio enfadada.

—Entiendes por qué lo hice, ¿verdad?

—Estabas asustado, cansado, decepcionado, resentido...

—Sí —susurró sin aliento.

—Y elegiste el camino fácil —terció ella sin disimular la rabia que sentía.

—¿Fácil? Dejarte es lo más duro que he hecho nunca, pero estaba convencido de que así te protegería, y no dudé. Que estés a salvo es lo único importante para mí y haré lo que sea necesario para conseguirlo.

—Como volver a marcharte.

William sacudió la cabeza.

—No voy a marcharme.

—¿Por qué?

—Porque no quiero pasar un solo día más sin verte. Te he hecho daño y entiendo que quieras evitarme... A pesar de que dijiste que me esperarías —le recordó con un deje de disgusto mientras se revolvía el pelo con la mano.

El comentario sacudió a Kate como un latigazo. Se puso rígida y lo miró a los ojos con severidad.

—Aquí, el único que no cumple sus promesas eres tú. No habrá vuelta atrás, será para siempre, todo o nada, ¿recuerdas esas palabras? —le espetó irritada—. Yo he cumplido. Cada día que amanecía esperaba tu regreso. Si llamaban a la puerta, rezaba para encontrarte al otro lado. Esperaba verte al doblar cada esquina y, cuando por fin regresas, yo no soy el motivo. He tenido que asumir la realidad, lo nuestro se terminó.

—¿Que tú no eres el motivo? Cuando supe que los nefilim iban a atacaros, solo podía pensar en ti. ¡Jamás he tenido tanto miedo! Por eso no tuve más remedio que romper mi promesa de que jamás volverías a verme, y regresar.

—Tratas de darle la vuelta.

—¡No! Escucha, Kate, no tengo excusa, pero te alejé porque me aterrorizaba hacerte daño algún día. Eso deberías entenderlo.

—¡Pues no lo entiendo! Lo que hiciste estuvo mal y fue estúpido. No puedes tomar tú solo decisiones que nos incumben a ambos, por muy nobles que creas que son tus razones —replicó exasperada y su enfado se arremolinó en el aire.

William podía percibirlo sobre su piel, pequeñas vibraciones que le erizaban el vello. La tomó de las manos, esperando que lo rechazara, pero ella simplemente las dejó inertes entre sus dedos.

—Te quiero, eres lo más importante en mi vida. Esa es la única razón.

—Pero sigues teniendo miedo —musitó ella.

—Ya no. He tardado en darme cuenta, pero ahora sé que jamás podría lastimarte. No importa en qué acabe transformándome, hasta mi yo mezquino es incapaz de vivir sin ti. Los dos te necesitamos viva y sana para sobrevivir. Por eso necesito pedirte algo... —Dejó escapar un suspiro entrecortado—. Puedes ignorarme. No me perdones si es lo que deseas. Si no quieres volver a hablarme, también lo entenderé. Pero deja que siga cerca de ti, lo justo para ver que estás bien. No te molestaré, ni siquiera tendrás que verme. Te lo ruego. ¿Me dejarás?

Kate asintió y tuvo que cerrar los ojos para contener las lágrimas.

—Gracias. —Se obligó a soltar sus manos—. Será mejor que me marche, no deseo incomodarte más.

Echó un vistazo a su alrededor con inquietud y sus sentidos no percibieron ninguna presencia extraña. Luego miró a Kate una vez más y sus labios se curvaron con una leve sonrisa. Ella estaba arrugando la nariz de esa forma que a él le parecía tan graciosa. Dio media vuelta y se encaminó de regreso a la fiesta con los hombros hundidos. Abatido.

Kate se quedó mirando cómo se alejaba. Y en ese instante, su corazón de cristal se hizo añicos. Quizá fuese débil y estúpida, pero sucumbir a lo que deseaba era menos doloroso que resistirse; y estaba tan cansada de sufrir.

—¡William! —lo llamó.

Él se detuvo y giró sobre sus talones.

—¿Sí?

Kate echó a correr hacia él, saltó y se abrazó a su cuello.

William tardó un momento en procesar lo que estaba ocurriendo. El cuerpo de Kate se estremeció mientras lo atraía hacia sí con más fuerza. Un gemido derrotado murió en su cuello y notó el calor de su aliento extendiéndose por su piel. Entonces, la rodeó con los brazos y la apretó contra su pecho.

—No vuelvas a hacerme algo así nunca más, ¿me oyes? —dijo Kate al borde del llanto—. ¡Jamás en la vida vuelvas a hacerme algo así!

—¿Eso quiere decir que...?

—Que vas a tener que portarte muy bien si quieres que te perdone.

William la dejó en el suelo y una oleada de placer lo recorrió al oír sus palabras. Le tomó el rostro entre las manos y la miró a los ojos. Cómo había echado de menos esos iris tan verdes. Sin poder esperar más, se inclinó y la besó en los labios. Un gemido escapó de su boca al sentir de nuevo su sabor.

La apretó contra su cuerpo, absorbiendo el calor de su piel, bebiéndose sus labios. Cada vez más hambriento, ardiente y salvaje. Nada le parecía lo bastante cerca. Amor y deseo corrían por sus venas. Lujuria al sentir sus suaves caderas saliendo al encuentro de las suyas.

Un ligero carraspeo les trajo de vuelta a la realidad. Shane se encontraba en el sendero y hacía todo lo posible para mirar a cualquier parte que no fuesen ellos abrazados.

—No me odiéis por interrumpiros, pero Jill y Evan están a punto de marcharse y quieren despedirse de vosotros. —Soltó una risita divertida y se acarició la nuca—. Por cierto, Marie os pilló hace rato y se lo está contando a todos. Las apuestas van diez a uno a que te perdona después de patearte el culo —le dijo a William.

Kate se echó a reír y escondió el rostro en el pecho de William. Ambos permanecieron quietos mientras Shane daba media vuelta y regresaba a la fiesta.

—Deberíamos volver —susurró ella.

—Deberíamos.

Kate lo tomó de la mano y tiró de él hacia el sendero. Un suave apretón en los dedos la retuvo. Sus ojos se encontraron con los de William. Notó el calor y el anhelo que despertaba en su piel. Su ángel oscuro. El pulso que le palpitaba en la garganta se disparó cuando él la atrajo de nuevo a su cuerpo.

—Pero aún no —le susurró él al oído con una energía inquieta que chisporroteaba entre ellos.

¿Quién podía resistirse a eso? A sus dedos enrollando la falda de su vestido hacia arriba. A la promesa de su mirada grave, ávida. A esos labios que buscaban la entrada a su boca. Ella no podía.

39

—Me habría encantado ver a Jill vestida de blanco —dijo Alice.

—Estaba preciosa, como una princesa. ¡Y tan feliz! —comentó Kate mientras se ponía unos calcetines.

Alice tomó el vestido y lo colgó de una percha tras la puerta.

—Debería haber ido, conozco a esa niña desde que era un bebé.

—Sabes que no debes exponerte. Podrías coger una gripe o algo más serio y tendrían que hospitalizarte —replicó Kate mientras guardaba la corona de flores en un cajón de la cómoda.

—Lo sé, cariño —suspiró con una triste sonrisa—. ¿Quieres un consejo? No envejezcas. Mantente siempre joven y sana.

—No digas eso, abuela. Vas a ponerte bien, estoy segura.

Alice le acarició la mejilla.

—Es tarde, ambas deberíamos dormir. Mañana toca madrugar.

Kate resopló.

—No hay un solo huésped, ¿por qué no te relajas y descansas sin más?

—Tienes razón, debería convertirme en una señora ociosa y despreocupada.

—Pues sí, deberías descubrir qué se siente.

Alice le dedicó una sonrisa traviesa.

—Lo haré en cuanto tú prepares tus maletas y salgas de aquí echando chispas a esa universidad. —Sacudió la cabeza—. Kate, las clases han empezado y sigues aquí.

—No te preocupes por eso, ¿vale? Aún tengo tiempo.

—Que te quedes no hará que mi enfermedad mejore. Yo ya he recorrido mi camino, cariño. Ahora tú debes recorrer el tuyo sin preocuparte por mí.

Kate bajó la mirada con un nudo en la garganta.

—No me gusta que digas esas cosas.

—Ni a mí que no me hayas contado todos los cotilleos de la boda.

Kate se echó a reír. Así eran las cosas con su abuela. Odiaba los dramas y no soportaba despertar lástima en otras personas, y mucho menos en su propia familia.

—Mañana te contaré hasta el último detalle, prometido.

Alice le dedicó una sonrisa. La besó en la frente y cerró la puerta al salir.

Kate esperó inmóvil. Cuando estuvo segura de que su abuela ya estaba en su habitación, apagó las luces, corrió a la ventana y la abrió. Una décima de segundo después, William se colaba en el cuarto y la abrazaba muy fuerte.

—Te he echado de menos —susurró él.

—¡Si apenas has estado un ratito ahí fuera!

—Me ha parecido una eternidad.

Una sonrisa pícara curvó sus labios y se dejó caer en la cama.

Kate se tumbó a su lado y lo miró. Aún le costaba creer que hubiese vuelto, que siguieran juntos. Que fuese a quedarse. Su teléfono móvil vibró un par de veces en la mesita. Le echó un vistazo y encontró un mensaje de Jill. Lo abrió.

—Jill quiere saber si es delito asesinar sobre aguas internacionales a la azafata que coquetea con Evan. —Miró a William—. ¿Lo es?

—Supongo que sí.

Kate frunció el ceño y tecleó una respuesta. Volvió a dejar el teléfono en la mesita. William abrió los brazos y ella se acomodó con la cabeza sobre su pecho.

—¿Qué le has contestado? —curioseó William.

—Que la empuje afuera del avión cuando nadie esté mirando, técnicamente no sería un asesinato. Se consideraría una desaparición, creo.

William soltó una carcajada tan fuerte que Kate se vio obligada a taparle la boca para que no despertara a su abuela. Él le mordisqueó la palma de la mano.

—¿Desde cuándo tienes esa mente tan perversa?

—Creo que debería olvidarme de los programas de Netflix sobre asesinatos. —Lo besó en el hombro y sonrió al pensar en su amiga—. De luna de miel por África, quién lo diría. Imagino a Jill en muchos lugares, pero ¿de safari? ¡Si cree que los ratones son una especie peligrosa!

—Bueno, se ha casado con Evan, dudo que a estas alturas los leones le parezcan muy fieros —le hizo notar él bastante divertido, y añadió—: Además, África es un continente fascinante. Todo el mundo debería visitarlo al menos una vez en la vida.

Kate se incorporó sobre el codo.

—¿Has estado en África?

—En dos ocasiones, pero hace mucho tiempo.

—¿Y dónde has estado estas últimas semanas? —preguntó algo insegura.

William alzó la barbilla y contempló el techo. Sus ojos brillaban con un intenso color azul, y Kate comprobó fascinada que un halo plateado los rodeaba. Eso era nuevo.

—Buscando respuestas —musitó él.

—¿Y las has encontrado?

—Más de las que necesitaba. —Guardó silencio unos segundos y de forma distraída comenzó a acariciar el brazo de Kate, dibujando círculos con los dedos—. Ya sé quién soy y por qué existo, y es peor de lo que esperaba.

—¿Qué quieres decir?

—Existe una profecía.

William trató de resumirle las últimas semanas, pero sin omitir nada. Le habló de los días que había pasado en Roma investigando, de la aparición de Gabriel y la muerte de Marcelo. Ella debía saber lo que estaba en juego. Lo que podría pasar y a qué se estaba exponiendo al volver a estar juntos. Eran un equipo y esa idea lo aterraba tanto como lo hacía feliz. El mundo podría ponerse patas arriba si una sola gota de su sangre tocaba ese cáliz, y ella debía ser consciente de esa realidad.

—Es tan sobrecogedor —susurró impresionada.

—Haré todo lo necesario para que nada de eso ocurra. Lo que haga falta.

Kate se sentó sobre las sábanas y se abrazó las rodillas.

—Y si ese hombre es un arcángel de verdad, ¿por qué no hace nada?

—Asegura que no puede intervenir. Y aunque pudiera, no confío en él. —La miró a los ojos muy serio—. No me fío de nadie, y tú no deberías confiar en Adrien. No sé por qué motivo tú y él... —Se puso de pie y se acercó a la ventana. Se había prometido a sí mismo no mencionar ese tema, pero no pudo contenerse—. No sé qué te habrá dicho para conseguir que te pongas de su parte, pero no puedes creerle sin más.

—Yo no estoy de su parte, pero tampoco en su contra. Me salvó la vida, William, dos veces, y se lo agradezco.

—¡Y yo, por eso aún...! —Iba a decir que por eso aún no estaba muerto, pero lo pensó mejor—. Kate, ese tipo es muy peligroso.

Ella suspiró apenada.

—Puede que no lo entiendas... ¡Dios, ni siquiera yo logro entenderlo! —Se llevó las manos al rostro y se puso de pie—. No creo que Adrien quiera hacerle daño a nadie. Tiene remordimientos. Debe de haber algo bueno dentro de él para sentirlos. Además, hay cosas que no se pueden fingir. Llámalo intuición o como quieras, pero yo he pasado tiempo con él y he visto un lado bueno.

—Kate, ¿has oído algo de lo que te he dicho? Adrien está aquí porque busca el cáliz, y lo quiere para romper la maldición de los vampiros. Solo puede lograrlo con mi sangre. Junta las piezas y verás cómo encajan. —Hizo una pausa y se pasó la mano por la cara, frustrado—. Incluso si alguien lo estuviera obligando a hacer todo esto, no cambia nada. Él quiere que la profecía se cumpla y yo debo evitarlo. No voy a arriesgarme a ver qué pasará después.

—¿Y si no tiene que pasar nada? Yo puedo conseguir que Adrien hable contigo y tú... Tú puedes convencerle para que no siga adelante. Hazle ver todo lo que está en juego.

Un músculo de la mandíbula de William se tensó mientras la miraba.

—Me sorprende tu preocupación por él y esa confianza ciega que demuestras, para el poco tiempo que le conoces.

Los celos estaban abriendo un agujero en su pecho tal y como lo haría una pequeña gota de ácido a través de su piel. Le dio la espalda y apoyó las manos en el marco de la ventana. Contempló el exterior sin ver nada que no fuese la luz roja que nublaba su vista.

Kate se acercó a él.

—¿Crees que siento algo por él? —Lo obligó a darse la vuelta y que la mirara—. ¡No! Yo solo te quiero a ti, ¿me oyes? Solo a ti y nunca podría haber nadie más.

William tragó saliva y la ira fue desapareciendo de su cuerpo mientras la miraba. Era tan transparente a sus ojos, que albergar dudas sobre sus sentimientos le hacían parecer idiota. La abrazó.

—Lo siento.

—No te disculpes. A partir de ahora arreglaremos así nuestros problemas, hablando. Nada de salir corriendo.

William dejó escapar una risita y apoyó la barbilla sobre su cabeza.

Se quedaron así, abrazados e inmóviles durante un rato. Hasta que Kate se estremeció y contuvo un bostezo. No quería dormir, sino permanecer consciente dentro de ese refugio para siempre. Sin embargo, su cuerpo no parecía dispuesto a obedecerla y comenzó a sentir los párpados muy pesados.

—Vamos, es hora de dormir —susurró William al tiempo que la tomaba en brazos.

La dejó sobre la cama y la arropó. Le acarició el cabello mientras observaba cómo su respiración se ralentizaba y se sintió completamente vulnerable. Iba a tener que acostumbrarse a esa sensación. Cuando creyó que estaba dormida, se puso en pie.

—No te vayas —musitó ella.

—No me iré —dijo él mientras se tumbaba a su lado.

40

A la mañana siguiente, Kate despertó sola en su habitación. En la almohada encontró una nota en la que William solo había escrito dos palabras, pero que le llenaron el estómago de mariposas. «Te quiero».

Se dio una ducha rápida y engulló media docena de tortitas como si llevara hambrienta una semana. Recogió la cocina y salió de la casa sin hacer ruido para no despertar a Alice, que había vuelto a quedarse dormida en el sofá.

Le sorprendió encontrar el vehículo de William aparcado frente a la casa.

Quizás alguno de los Solomon había venido a buscarle.

Se dirigió a su viejo coche y una maldición escapó de su boca al percatarse de que una de las ruedas traseras se había pinchado. Resopló, sin saber qué hacer. Debía ir hasta el pueblo sin falta.

Le dio una patada a la llanta y escuchó un golpecito sobre el capó. Se asomó con cuidado por si era una ardilla, las de la zona no eran muy amables, y lo que vio fue la llave del todoterreno. William debía de haberla dejado allí para ella.

Miró el vehículo, tan grande que parecía un tanque, y después la llave. Tomó aliento. No tenía otra opción.

Subió a bordo y, tras tomarse un par de minutos para familiarizarse con todos los botones, testigos y pantallas, puso el motor en marcha.

—Vamos allá —se dijo a sí misma con las manos en el volante.

Una hora más tarde, abandonaba la consulta del doctor Anderson y se dirigía a la farmacia con una decena de recetas bajo el brazo. Alice necesitaba cada vez más medicación. Nuevos tratamientos que costaban una verdadera fortuna. Sin contar las facturas del hospital.

Se encontraban en la ruina más absoluta.

—¿Cómo está Alice? —le preguntó el señor Ryss tras el mostrador.

—Mucho mejor, gracias.

—Me alegro, tu abuela es una mujer muy fuerte. Se recuperará —dijo el hombre. Kate asintió y volvió a sonreír agradecida—. Bien, iré a buscar todo esto. Solo será un momento.

Kate esperó paciente a que el señor Ryss regresara de la trastienda. Le entregó una bolsita repleta de medicamentos. Después tecleó en la caja registradora y puso un tíquet sobre el mostrador. Kate parpadeó atónita al ver la cifra y el mundo entero se le vino encima. Sacó su cartera del bolso, pese a que estaba segura de que no disponía de todo ese dinero. Tomó la tarjeta de crédito con un nudo en el estómago.

—Tenga. —El señor Ryss pasó la tarjeta y se la devolvió con una sonrisa. Kate alzó las cejas—. Un momento, ¿ha podido cobrarlo?

—Sí.

—¿Todo?

—Sí, ¿hay algún problema? —preguntó el hombre, algo contrariado.

—No estoy segura —susurró para sí misma.

Nada más salir a la calle, buscó un cajero y comprobó el saldo de su cuenta. Se quedó sin respiración.

—¡Voy a matarlo! —susurró—. Lenta y dolorosamente.

Salió disparada hacia el lugar donde había aparcado el coche. Mientras caminaba por la acera, rebuscó con la mano libre en el bolso. Atrapó el teléfono con la habilidad de un contorsionista y marcó el número de William.

—Te echo de menos —dijo él al otro lado.

Kate sonrió mientras el corazón le daba un vuelco. Iba a responder que ella también le echaba de menos, pero se obligó a recordar cuál era el motivo de la llamada.

—Pienso devolverte hasta el último centavo —dijo muy seria y le pareció oír que él se reía.

—No lo he dudado en ningún momento.

—¿Por qué lo has hecho?

Hubo una pausa al otro lado, en la que solo se oía el ruido de un tráfico intenso de fondo.

—Sé que no está bien, pero... Esta mañana vi las facturas que había en tu escritorio, los extractos y el aviso de tu seguro.

Kate inspiró hondo y notó un calor sofocante en las mejillas.

—También has visto eso.

—Ya no tienes que preocuparte.

El cuerpo de Kate se tensó.

—¿No habrás pagado también el seguro? —preguntó avergonzada—. No puedes hacer eso por mí, William. Soy muy capaz de solucionar mis asuntos.

William sonrió mientras la imaginaba con el ceño fruncido y dando pisotones por la calle.

—Sé que eres muy capaz, pero no lo he hecho por ti, sino por Alice. Merece los mejores cuidados, ¿no crees?

Kate dejó escapar un suspiro de derrota, William había acertado en su punto débil con una precisión milimétrica.

—Sí, pero...

—No hay nada de malo en dejar que las personas que nos quieren nos ayuden. Me lo enseñaste tú.

Kate sonrió y sacudió la cabeza. ¿Qué podía decir a eso? Seguir rechazando su ayuda le hacía parecer la bruja mala del cuento.

—Tenías cada palabra pensada, ¿verdad?

William rompió a reír.

—¿Nos vemos luego?

—Sí.

Kate colgó el teléfono con una gran sonrisa. Bajó la mirada para guardarlo en el bolso y, de repente, chocó contra alguien. Cayó al suelo como un trapo.

—¡Cuánto lo siento! ¿Estás bien?

Kate miró a la chica que se arrodillaba a su lado. Parecía una muñeca de enormes ojos marrones y piel perfecta, con una melena negra que le rozaba los hombros y tan recta como el flequillo que le cubría las cejas.

Se frotó el brazo e hizo una mueca al moverlo.

—Creo que sí —respondió. Frunció el ceño al ver sus cosas desparramadas por el suelo—. ¡Vaya!

—Lo siento mucho. Deja que te ayude con eso —le pidió la chica.

Segundos después, le entregaba su bolso con todas sus pertenencias dentro.

—Gracias.

—¿Gracias? Pero ¡si casi te mato!

Kate le dedicó una sonrisa.

—Tranquila, estoy bien.

Se miró el codo, donde sentía un ligero escozor. Se había arañado la piel y le sangraba un poco.

—¡Estás herida!

—No es nada, solo un rasguño.

—Puedo llevarte a un hospital... Si me dices dónde hay uno.

Kate empezó a reír. La chica parecía muy agobiada por el incidente, pero no había sido para tanto.

—De verdad, no es nada.

—De acuerdo. —Sonrió y se llevó una mano al pecho—. No debería ir tan distraída por la calle.

—Yo tampoco iba atenta, lo siento.

Se miraron y rieron juntas.

—Oye, ya que estamos hablando, quizá puedas ayudarme —empezó a decir la desconocida. Kate asintió, animándola a que continuara—. Verás, estoy de vacaciones con mi novio y me preguntaba si conoces algún sitio tranquilo donde poder montar una tienda de campaña sin llamar mucho la atención. Ya sabes lo tiquismiquis que se ponen los guardabosques con las zonas de acampada y no tenemos mucha pasta, así que... Bueno, ya me entiendes.

Kate ladeó la cabeza con curiosidad. Le ofreció una sonrisa, dispuesta a ayudarla.

—¿Eso que tienes es un mapa?

La chica se palpó el bolsillo trasero del pantalón, donde sobresalía un folleto.

—Sí, es de la zona. Lo acabo de birlar de la oficina de turismo.

Kate tomó el mapa y lo desplegó sobre el capó de un coche. Lo giró un par de veces para orientarse y después lo estudió. Marcó un punto con el dedo.

—Aquí, ¿ves la cascada?

—Sí.

—La orilla es tan ancha que parece una playa, y se puede llegar fácilmente a través de este camino forestal. Siempre y cuando no esté embarrado, pero hace días que no llueve —explicó mientras señalaba la línea que marcaba la senda—. No creo que allí os pillen.

—Parece que conoces bien la zona.

—Suelo ir bastante por allí, es un lugar precioso.

La chica dobló el plano y se lo guardó de nuevo en el bolsillo.

—Gracias.

—De nada —dijo Kate—. Espero que tu novio y tú lo paséis bien en Heaven Falls.

—Seguro que sí.

Se sostuvieron la mirada un instante, y luego cada una siguió su camino.

41

William regresó a casa de los Solomon para devolverle el coche a Daniel. Se detuvo frente al garaje y se quedó allí quieto, con el motor en marcha y las manos en el volante. Dejó caer la cabeza hacia atrás, cansado. No había encontrado nada sobre un cáliz de piedra en la biblioteca y tampoco en el archivo histórico, donde se guardaban todos los documentos relacionados con los primeros colonos.

Las opciones se agotaban y el camino se estrechaba conduciéndolo a un único punto.

Su teléfono sonó en el salpicadero. Lo tomó y sonrió al ver un mensaje de Kate en la pantalla. Lo abrió. Mientras lo leía, su cuerpo se estremeció como si lo hubieran golpeado con un látigo. Dio marcha atrás a toda prisa y giró de vuelta a la carretera. Los neumáticos derraparon al acelerar, levantando una nube de tierra y polvo.

Condujo como un loco sin importarle que estuviera rompiendo diez leyes distintas.

Frenó en un apartadero de la carretera y saltó del vehículo.

Se adentró en el bosque corriendo. Subió la colina y alcanzó el desfiladero. Se impulsó hacia delante y llegó al otro lado de la garganta. Continuó corriendo, con la sensación de que estaba tardando una eternidad. Atajó a través del espeso bosque hasta localizar de nuevo el cauce del río y lo siguió, esquivando las rocas resbaladizas. Llegó a la parte superior de la cascada y saltó los treinta metros de caída que lo separaban de la playa que formaba el remanso del río.

—¡Kate! —gritó—. ¡Kate!

Inspiró en busca de un rastro conocido, pero lo único que percibió fue un extraño olor a gas.

—¡Kate!

Nadie respondió y tampoco encontró señales de que ella hubiese estado allí.

Todo era demasiado raro y empezó a ponerse muy nervioso. El mensaje decía que no se encontraba bien. Se había mareado y necesitaba que fuese a buscarla a la cascada, donde estaba haciendo fotos.

Dejó de moverse y miró su teléfono, ¿por qué un mensaje y no una llamada?

Si se trataba de una broma, iban a tener una conversación muy seria sobre lo que era gracioso y lo que no. Solo que Kate no solía actuar de ese modo. De repente, el aire se agitó con una leve vibración y Adrien apareció a su lado. Se miraron atónitos. Adrien echó mano a las dagas que ocultaba bajo la ropa.

William gruñó al darse cuenta de que había olvidado las suyas en el coche.

—¿En serio me has tendido una trampa, usándola a ella como señuelo? Sabía que podías caer bajo, pero ¿tanto? —le escupió Adrien con desdén.

—¿Esto es cosa tuya?

—¿Cosa mía? ¿De qué hablas?

William fue hacia él sin importarle que estuviera armado.

—¿Dónde está Kate?

Adrien parpadeó confundido y sacudió la cabeza.

—Un momento, ¿por qué estás aquí?

—Te mataré como le hayas hecho algo.

—Espera —le pidió mientras lo frenaba con una mano—. ¿Tú también has recibido un mensaje de ella?

William se quedó inmóvil y lo evaluó con la mirada. El desconcierto que expresaba el rostro de Adrien parecía genuino. Ambos se pusieron en guardia y miraron a su alrededor.

—Esto no me gusta —masculló William, al tiempo que sacaba su teléfono del bolsillo y marcaba el número de Kate.

—¿A qué huele? —inquirió Adrien e hizo una mueca de asco.

—Creo que alguien intenta confundirnos para que no notemos su presencia —respondió con el teléfono en la oreja.

El primer timbre sonó entre la maleza. El segundo repicó en el aire. El tercero a los pies de William, antes de que el teléfono de Kate se estrellara contra el suelo. Levantaron la vista del aparato y contemplaron al grupo de personas que acababa de surgir de entre los árboles.

—Anakim —farfulló Adrien con una sonrisa indolente—. Son tan idiotas como para haber vuelto.

—Yo creo que no llegaron a irse.

William se agachó y tomó el teléfono de Kate entre sus dedos.

—¿Qué habéis hecho con ella?

—Miradlos, solo son bestias sin cerebro, tan fáciles de engañar —dijo el nefilim que, por su posición, parecía liderarlos.

—No te lo volveré a preguntar: ¿dónde está?

—Ella... ella está bien —respondió una mujer.

Adrien inclinó la cabeza para localizarla y se encontró con unos ojos enormes y oscuros, enmarcados por una melena negra hasta los hombros y un flequillo que le cubría las cejas.

—¡Cállate! —le ordenó el nefilim.

Ella bajó la vista y dio un paso atrás.

El líder habló de nuevo:

—Llevamos días observándoos. No parecéis simples vampiros, ¿qué sois?

—Según tú, bestias sin cerebro, y pienso hacer que te tragues cada palabra —replicó Adrien.

—Admito que sois fuertes y vuestras habilidades sorprenden, pero nunca fallamos dos veces. En realidad me importa una mierda lo que seáis. Mi misión es limpiar este mundo de criaturas como vosotros, y eso es lo que vamos a hacer. Sin vuestra presencia, los lobos serán como cucarachas bajo mi bota, y al anochecer este pueblo volverá a ser un lugar puro.

—¿Esa es tu táctica, divide y vencerás? —le preguntó William con una sonrisa torcida.

Contabilizó de nuevo el número de nefilim. Había once, sin contar a la chica que había hablado. Aunque dudaba de que ella fuese un problema, parecía muy asustada.

El nefilim sonrió y le apuntó con una ballesta.

—O lo hacemos juntos o no saldremos de aquí —dijo William para que solo Adrien lo oyera.

Adrien le tendió una de sus dagas como respuesta. Se miraron y ambos asintieron.

De repente, los nefilim atacaron.

William evitó por los pelos un par de flechas y un cuchillo directo a su corazón. Parpadeó impresionado, eran muy rápidos y agresivos. Se lanzó hacia delante y alcanzó a uno de ellos. Con un movimiento vertiginoso le partió el cuello, con mucho más esfuerzo del que habría imaginado. Los nefilim parecían hechos de acero.

Todos se movían a una velocidad que ningún mortal alcanzaría jamás.

De pronto, William cayó al suelo con dos de ellos encima. No muy lejos, Adrien se las arreglaba bastante bien. Su habilidad para desvanecerse y aparecer a su antojo le daba una gran ventaja.

William dio un codazo a uno de sus atacantes en la cara y se deshizo del otro al lograr atravesarle el muslo con la daga. Se puso de pie y otro nefilim se le encaramó a la espalda. Se lo quitó de encima y con una patada lo lanzó contra la pared de roca por la que descendía la cascada, provocando un desprendimiento.

Se giró y una flecha le acertó en el hombro. Ni siquiera la había visto venir. Otra se hundió en su costado. Trastabilló, debilitado por momentos. El metal estaba embadurnado con belladona y acónito, las únicas sustancias que podían noquear a un vampiro, si se lograba administrar una cantidad importante.

La visión se le nubló un instante y no vio al nefilim que corría hacia él con un cuchillo enorme repleto de símbolos extraños. De pronto, notó que cada célula de su cuerpo se deshacía y cómo volvía a solidificarse un instante después al otro lado del arroyo. Parpadeó y se encontró con el rostro de Adrien a pocos centímetros de su cara, sosteniéndolo de pie contra un árbol.

—¡Maldita sea, no me digas que no sabes saltar! —masculló Adrien.

Le sujetó el hombro con una mano y con la otra le sacó la flecha de un tirón.

—¿Saltar?

Apretó los dientes cuando Adrien le arrancó el astil del costado.

—Desvanecerte, aparecer en otro lugar —explicó. William negó con la cabeza—. *Jumper*, ¿has visto la película?

—¿Qué tiene eso que ver?

Uno de los nefilim los descubrió y dio la voz de alarma. Empezaron a cruzar el arroyo y Adrien tuvo que volver a «saltar» con William. Ese esfuerzo extra lo estaba debilitando.

—¿La has visto o no?

—Sí, la he visto —respondió William más recuperado.

—Por eso lo llamo «saltar», por la película. ¿Recuerdas cómo lo hacía el protagonista? —no esperó a que le respondiera—. Visualiza el lugar e imagina que tu cuerpo vuela hasta allí como partículas arrastradas por el aire. Después, salta. ¡Joder! —aulló al sentir una flecha desgarrar su muslo.

La arrancó con un grito de furia. Se le doblaron las rodillas, pero William lo sostuvo. Se miraron como si compartieran un pensamiento divertido.

Los nefilim se acercaban y habían perdido las dagas. William intentó lo que Adrien le había dicho. Visualizó la otra orilla del arroyo, donde una daga destellaba bajo el sol, y deseó estar allí. No pasó nada. Lo intentó de nuevo y esta vez se movió. Cayó al suelo desde una gran altura y se golpeó contra las piedras. Adrien se le vino encima desde el aire.

—Vale, ahora solo tienes que aprender a aterrizar —resopló Adrien.

William sonrió satisfecho y, por un momento, se sintió cercano a Adrien, como si estuviera con un amigo. Se obligó a recordar que no lo era.

—Quedan cuatro —informó William.

Adrien asintió y sacudió la cabeza para despejarse.

—Pues vamos allá.

Espalda contra espalda, contemplaron la masacre que habían provocado. Solo se oía el rumor del agua y el canto de las aves. El aire volvía a oler a pino y a tierra húmeda.

—Hay que deshacerse de los cuerpos —dijo Adrien.

—Son muchos para una hoguera, llamaríamos la atención.

—Pues tendremos que correr el riesgo, a no ser que tengas otra idea.

—El arroyo serpentea por una gruta a la que los humanos solo podrían descender con equipos de espeleología, y está prohibido. Podríamos dejarlos allí hasta que encontremos otro lugar —sugirió William.

—Vale —aceptó Adrien y se agachó para arrastrar el primer cadáver.

Un movimiento entre los árboles los alertó. Se miraron un segundo y echaron a correr. La chica nefilim se alejaba en dirección a las cuevas.

William la interceptó, cortándole el paso, y cuando ella se giró para huir en sentido contrario, Adrien se materializó en su camino.

—¿Adónde crees que vas?

—Yo no quería venir... —empezó a decir ella—. Me obligaron.

—¿Te obligaron? —la cuestionó William.

—Os lo juro. Ellos me fuerzan a acompañarles, pero no he matado a ningún mons... —enmudeció.

—¿Monstruo? —terminó de decir Adrien. Un destello airado cruzó por sus ojos—. ¿Qué te hace creer que tú no lo eres?

—Lo siento, no quería decir eso. T. J. siempre os llama así —empezó a justificarse—. No comparto lo que hacen. Yo ni siquiera sabía que era medio ángel hasta que ellos me encontraron.

Adrien miró a William.

—No podemos dejar que se vaya, traerá a otros.

—¡No lo haré, te lo juro! —exclamó con vehemencia—. Yo protegí a vuestra amiga. Ellos la querían en persona para que os hiciera venir, pero yo le robé el teléfono y les convencí de que usaran los mensajes. Ella está bien gracias a mí.

Un leve clic sonó en el aire. Los tres se giraron hacia el ruido y vieron al jefe de los nefilim apoyado contra un árbol a varios metros de distancia. Apenas se mantenía derecho, pero le quedaba fuerza suficiente para levantar la ballesta y apretar el gatillo.

William apartó a la chica de la trayectoria de la primera flecha. La segunda le pasó rozando la oreja. Adrien se desvaneció y tomó forma tras el hombre. Lo sujetó por el pelo y le rebanó el cuello.

—La chica se ha escapado —le informó William cuando regresó.

—¿Y esperas que me lo crea? Tus debilidades van a matarte un día —replicó mordaz.

Se sentó sobre una roca, agotado. William lo imitó y hundió la cabeza entre las rodillas. El esfuerzo de la lucha y regenerarse de tantas heridas los había debilitado mucho.

—¿Una tregua? —preguntó Adrien. William levantó la cabeza con lentitud y clavó sus ojos azules en él—. Porque estoy destrozado y creo que sería una estupidez malgastar fuerzas intentando matarnos ahora. —William asintió y se recostó sin apartar la mirada de Adrien—. Bien, tregua entonces. ¿Te apetece un trago?

42

Adrien tomó la botella de tequila y los dos vasos que el camarero había colocado sobre la barra, y se dirigió a la mesa. Llenó su vaso hasta el borde y se lo bebió de un trago, mientras William seguía hablando por teléfono. Cuando este colgó, llenó ambos vasos y empujó uno hacia su acompañante.

—¿Está bien? —preguntó.

—Yo creo que ni siquiera se ha dado cuenta de que ha perdido el móvil —respondió William.

—¿Sabe que estás conmigo?

—Me ha preguntado dónde me encontraba y le he dicho la verdad.

—¿Y cuánto crees que tardará en aparecer?

William no pudo evitar sonreír. Él se hacía la misma pregunta. Le había pedido que lo esperara en casa, pero la conocía como para saber que no iba a hacerle caso.

—Tiene mi coche, no creo que mucho —respondió. Hizo girar la bebida entre sus manos—. Antes, allí arriba... Por un segundo pensé que había sido cosa suya. Una encerrona para que habláramos.

—No se habría arriesgado a dejarnos solos.

William se inclinó sobre la mesa y lo taladró con unos ojos tan fríos como el hielo.

—Ella y yo estamos juntos de nuevo. Quiero que la dejes en paz.

—No pienso molestarla, y no porque tú lo digas. Ella me pidió que me alejara —confesó en voz baja—. Pero en cuanto Kate lo quiera o tú la fastidies de nuevo, estaré con los brazos abiertos para recibirla.

—Eso no pasará.

—¿Es lo que te repites cada noche para vivir tranquilo?

William soltó una risita sin pizca de humor y clavó sus ojos en los de él.

—Kate se obceca en ver solo el lado bueno de la gente, aunque este no exista. Por eso se empeña en protegerte, piensa que acabarás haciendo lo correcto. Yo sé que no.

—Debe de molestarte mucho que se preocupe por mí.

—Kate se preocupa por todo el mundo, ella es así. Cree en ti. Piensa que no serás capaz de seguir adelante. Aunque tú y yo sabemos que está equivocada, ¿no es así? Te conozco, no vas a detenerte.

Adrien se enderezó en la silla y apretó los puños.

—Tú no me conoces. No sabes nada de mí —masculló con rabia.

—Sé que tu padre debe de ser uno de los Oscuros, un arcángel, y que tu madre es una descendiente de Lilith. También que tu nacimiento solo se debe a una profecía. Tú mismo lo dijiste, no somos iguales, pero solo porque pertenecemos a bandos distintos. Por lo demás, somos como dos gotas de agua. Y si tu empeño en que se cumpla esa profecía es tan firme como el mío en evitarlo, no te detendrás.

Adrien se repantigó en la silla sin demostrar ninguna emoción.

—Así que ya conoces toda la historia. Y lo has averiguado tú solito. ¡Bien por William!

—¿Cómo lo averiguaste tú? ¿O siempre has sabido quién eras?

—Eso es algo que a ti no te importa.

—Entonces, dime por qué lo haces.

—Eso tampoco te importa.

—Yo pienso que lo haces por miedo y creo que es a tu padre a quien temes. Te está obligando a cumplir la profecía, ¿verdad?

—Estás empezando a cabrearme y no te conviene.

William sonrió e hizo una mueca desdeñosa.

—Lo de tomar una copa juntos fue idea tuya.

—Sí, tomar una copa, nada de hablar, y tú pareces una cotorra. —Se inclinó amenazador sobre la mesa—. Deja de intentar parecer mi amigo. No lo somos.

—Pero podríamos serlo. Vamos, mira a tu alrededor. Somos diferentes a todos, estamos solos. Esta tregua podría convertirse en un acuerdo para siempre. Podemos cambiar las cosas, Adrien.

—Esto nunca ha sido una tregua. —Soltó una carcajada al ver que William se ponía tenso y apretaba los puños—. Tranquilo, no voy a saltarte encima. Los dos sabemos que no puedo matarte porque te necesito vivo, y si tú no has intentado matarme todavía, supongo que será porque le habrás prometido a Kate que no lo harías. Y mantendrás esa promesa siempre y cuando encuentres el cáliz antes que yo y puedas destruirlo. Si no lo hallas, vendrás a por mí sin dudar.

—No tiene por qué ser así. El destino somos nosotros, no ellos. Nunca tendrán el control, lo tenemos tú y yo. Si destruimos el cáliz, todo terminará con él y sin consecuencias para nadie.

—Sin consecuencias —repitió con una nota burlona en la voz—. ¿De verdad te crees lo que acabas de decir?

William resopló exasperado.

—Me niego a pensar que no controlo mi vida.

—No la controlas, otros lo hacen. Rebélate cuantas veces quieras, no importa, siempre volverás a este punto. —Se inclinó sobre la mesa y observó a William con el ceño fruncido—. Has dicho «ellos», así que no estamos hablando únicamente de mi padre. ¿Quién te controla a ti?

—Nadie.

—Ya, hasta que encuentren tu punto débil.

—¿Como han hecho contigo? Kate tiene el presentimiento de que no actúas por voluntad propia, y Marcelo insinuó algo parecido. Si es así, puedo ayudarte.

—¡No necesito tu ayuda ni la de nadie! —masculló con rabia, y la mesa crujió bajo su mano.

—Lo que pretendes no está bien y lo sabes. Si la maldición se rompe, los renegados sembrarán el caos en pocas semanas. Habrá una guerra.

—¿Y crees que me importa? No pierdas el tiempo buscando mi lado bueno, no lo tengo.

—No te creo.

—¿No? ¿Ves a todos esos humanos? —preguntó Adrien al tiempo que con un gesto de su mano abarcaba el local—. Para mí no son nada, una fuente de alimento. Desangrarlos hasta la muerte solo me costaría unos minutos y disfrutaría. Aunque en este momento me conformo con romperles el cuello. ¿Sabes cuánto me llevaría eso? Un instante, y no podrías detenerme. Podemos jugar si quieres. ¿A cuántos crees que mataré mientras tú parpadeas?

La puerta se abrió de golpe y Kate entró trastabillando con la respiración agitada. Con la mirada recorrió las mesas y no tardó en dar con ellos.

—¿Por qué no le dices eso a ella? Estoy deseando que me libere de mi promesa —musitó William.

Adrien lo fulminó con la mirada y se obligó a relajarse. Eran la rabia y el descontrol quienes habían hablado.

—¡Hola! —los saludó Kate mientras ocupaba una silla junto a William. Se percató de la ropa rota y sucia, y de los restos de sangre que habían intentado disimular—. ¿Os habéis peleado?

—¡No! —respondió William a toda prisa.

—¿En serio? Porque parece todo lo contrario.

—No le he puesto un dedo encima —replicó Adrien y le dedicó a William una sonrisa burlona—. Es más, le he salvado el pellejo. Deberías darme las gracias.

—Después de ti. Conservas la cabeza gracias a mí —comentó William en el mismo tono.

—Sí, seguro.

—No impresionas a nadie con esa actitud.

—Dejadlo ya, por favor —intervino Kate—. ¿Vais a contarme qué os ha pasado?

William la tomó de la mano.

—Creíamos que los nefilim se habían marchado, pero no era así. Han estado observándonos. Uno de ellos te ha robado el teléfono.

Sacó el móvil de su bolsillo y lo puso sobre la mesa. Se había roto por el golpe.

Kate lo miró alucinada e inconscientemente tocó su bolso como si esperara encontrarlo allí.

—¿Quién? ¿Cuándo?

—Una chica alta y morena. Más o menos de tu misma edad.

—He tropezado con ella esta mañana —recordó casi sin voz.

—Pues te quitó el teléfono y lo utilizaron para enviarme un mensaje en el que pedías ayuda.

—Yo también lo recibí —indicó Adrien.

—Nos han tendido una emboscada. Debieron de darse cuenta de que nosotros somos distintos. Su plan era eliminarnos primero y así poder llegar fácilmente a los demás —le explicó William.

—¿Y qué ha pasado con ellos?

—Que están muertos —respondió Adrien.

—¿La chica también? —quiso saber Kate.

—Ha escapado —declaró William.

Adrien resopló y se echó hacia atrás en la silla.

Kate tomó su teléfono de la mesa y lo sostuvo entre los dedos.

—Os han llevado hasta la cascada, ¿verdad? Ha sido muy lista y yo... ni siquiera me he dado cuenta.

—No podías saberlo —dijo William.

—La chica parece todo un angelito con esos ojos tan grandes. Era imposible sospechar de alguien así —comentó Adrien. Se pasó la mano por la mandíbula y miró a William—. Y como ha escapado, tendremos que estar atentos por si trae a más de sus amiguitos hasta nosotros.

—No volverá —replicó William sin paciencia. Se puso en pie y le tendió su mano a Kate—. Es tarde.

Ella también se puso en pie y miró a Adrien.

—Cuídate, ¿vale?

Él se encogió de hombros y bajó la mirada a su vaso.

Kate y William se dirigieron a la salida en silencio. Al alcanzar la puerta, ella se detuvo.

—¿Puedes esperar un momento?

—Kate, no.

—Solo será un segundo.

Fue hasta la barra, donde Adrien acababa de pedir otra botella al camarero.

—¿No crees que ya has bebido bastante?

Él la miró de soslayo y se llevó el vaso a los labios.

—No, terminar el día ebrio me parece un plan estupendo. ¿Has olvidado algo?

Ella le mostró una pequeña sonrisa.

—Gracias por ir a buscarme. Creíste que necesitaba tu ayuda y acudiste sin dudar, a pesar de lo que te dije.

—Bueno, soy como uno de esos perros vagabundos de los que cuesta deshacerse cuando les acaricias la cabeza —repuso él, mientras hacía girar el vaso entre sus dedos.

Kate perdió el color.

—No digas eso, por favor.

—¿Te incomoda? Pues no lo siento.

—Lo que pienso sobre ti no ha cambiado, pero no está bien que nos comportemos como amigos cuando es imposible que podamos serlo. No quiero ser el motivo por el que alguien acabe herido.

Adrien soltó una risita grave.

—Tranquila, lo he sabido desde el principio. Una vez que él volviera, tú saldrías corriendo a sus brazos.

Kate exhaló el aire de sus pulmones y se dio la vuelta para marcharse. Se detuvo.

—¿Por qué me usaron los nefilim para atraerte? Entiendo que me hayan podido ver con William, sin embargo tú...

Él se movió inquieto y se pasó una mano por el pelo con disgusto.

—Si me estaban vigilando, puede que me hayan visto de paso por tu casa alguna vez.

—¿De paso?

Adrien bufó como un felino arisco.

—Vale, merodeando —confesó mortificado e hizo un gesto casi imperceptible hacia William—. No me fío de él, y necesito saber que estás bien.

—Jamás me haría daño.

—¡Ya te lo ha hecho y no te ha visto sufrir como yo! —Entrecerró los ojos, dolido—. Él nunca está cuando lo necesitas, yo sí. ¿Ya le has contado lo que pasó en el río? Estás viva porque yo cuidaba de ti, ¿qué ha hecho él? Abandonarte cada vez que las cosas se ponen difíciles —dijo con rabia y su única intención era que William lo oyera.

Kate enmudeció. Dio un paso atrás con el rostro desencajado y él la sujetó por la muñeca, arrepentido.

—Lo siento, no quise decirlo.

En el aire vibró un gruñido. Adrien se puso tenso y clavó sus ojos en William, que venía directo hacia ellos sin importarle quién estuviera en su camino.

De pronto, una melena rizada y castaña se interpuso entre ellos.

—¡Adrien! —gritó Gayle emocionada. Se abrazó a su cuello—. ¡Vaya, qué sorpresa! No sabía que seguías por aquí.

—He decidido quedarme un poco más.

—Te envié un par de mensajes y, como no contestaste, pensé que te habrías marchado.

—Yo nunca me iría sin despedirme —dijo Adrien sin mirarla. Sus ojos estaban fijos en Kate e ignoraba de forma premeditada a William—. ¿Qué tal estás?

—Bien, he venido a cenar con unas amigas. ¿Te apetece unirte a nosotras? —Se percató de la presencia de Kate y se ruborizó—. Ah, hola, no te había visto.

—Hola.

—También hay sitio para ti y tu novio, si os apetece.

Adrien se puso en pie y colocó su brazo alrededor de la cintura de Gayle.

—Ellos ya se iban —dijo sin ninguna emoción.

Cuando William y Kate salieron del bar, ya estaba anocheciendo y la oscuridad jugaba con las últimas luces de la puesta sobre los árboles. La brisa era fresca y agitaba sus hojas con un suave balanceo que extendía su rumor, oleada tras oleada.

Pese a la aparente tranquilidad, William no dejaba de escudriñar todo el espacio que divisaban sus ojos, alerta. Era imposible relajarse en ese sitio, que parecía haberse convertido en el epicentro de todos los desastres sobrenaturales: vampiros, hombres lobo, ángeles y nefilim. Empezaba a preguntarse quién más acabaría llegando a ese pueblo atraído por la «magia» del lugar.

—¿Quieres que vaya delante? —preguntó Kate.

William asintió muy serio.

Cada uno subió a un coche y condujeron hasta la casa de huéspedes.

Antes de que Kate pudiera quitar la llave del contacto, él ya estaba a su lado, abriendo la portezuela y ayudándola a salir con demasiadas prisas.

—¿Qué demonios pasó en el río?

Kate cerró los ojos un instante y suspiró.

—Nada.

—¡No me mientas, Kate!

—No te estoy mintiendo.

—Entonces, no me ocultes cosas. ¿Qué pasó en el río? —insistió.

—Fui a nadar...

—¿Y? —Le puso un dedo bajo la barbilla para que lo mirara—. Cuéntamelo.

—Se me enredaron los pies en unas raíces y estuve a punto de ahogarme. Faltó poco. Adrien me sacó. Solo eso.

—Solo eso —repitió él y compuso una mueca—. Estuviste a punto de morir y dices que fue solo eso. Si te hubiera pasado algo, yo...

—Pero estoy bien.

—No te merezco. Desde que te conozco no he hecho otra cosa que complicarte la vida. Él tiene razón, nunca estoy cuando me necesitas.

—¡Eso no es cierto! —Él empezó a negar con la cabeza. Kate le tomó el rostro entre las manos y lo obligó a mirarla—. No puedes culparte por todo lo que me ocurra. Si mañana me atropella un coche, me atraganto o resbalo en el baño, ¿también será culpa tuya?

—Sí, si no estoy contigo para evitarlo.

—¿Te das cuenta de que es imposible que lo controles todo? Y no puedes culparte por ello o acabarás volviéndote loco. Tienes que asumir que puede acabarse mañana y no será culpa tuya.

—No puedo perderte, ni ahora ni nunca.

Ella le sonrió. Se puso de puntillas y lo besó en los labios. Después lo abrazó con un nudo en la garganta que no la dejaba respirar.

—Eso también debes asumirlo.

43

Adrien terminó de vestirse mientras observaba el cuerpo desnudo de Gayle sobre la cama. Tenía algunos cardenales en la cintura y en el hombro, menos daños de los que esperaba para el tipo de encuentro que habían tenido. Sin tiempo para los besos, las caricias o las palabras bonitas que no habría podido darle.

Solo había sido sexo en el sentido más estricto de la palabra. Un intercambio de placer, del que esta vez ni siquiera había disfrutado. La idea de clavar los colmillos en cada una de las arterias de su cuerpo había dominado la velada.

Se desmaterializó con las botas en la mano. Cuando tomó forma en el salón de la cabaña que había ocupado, las lanzó contra la pared, sin importarle que se llevaran por delante la lámpara que reposaba sobre el aparador. Cogió una botella de bourbon y una taza de loza, y se dejó caer en el sillón frente a la chimenea. La primera llama surgió con un fogonazo y la madera comenzó a crepitar bajo unas llamas sobrenaturales que la consumían con rapidez.

Llenó la taza de bourbon hasta arriba.

Sintió su presencia antes de que la marca le abrasara la piel. Eso le hizo sonreír.

Cada vez era más fuerte y se aferraba a la esperanza de que un día su poder se igualaría al de él. Y cuando ese momento llegara, uno de los dos iría al infierno para siempre.

Alzó la taza por encima de su hombro y unos dedos largos rozaron los suyos al cogerla. Sin molestarse en saludar, bebió un trago directamente de la botella. No se inmutó al ver cómo la taza se transformaba en un vaso de cristal de Bohemia, elegante y ostentoso. A su padre le gustaba lo mejor.

Mefisto ocupó otro sillón y observó el fuego en silencio.

—Bonito lugar —dijo al cabo de un rato, paseando la mirada por la habitación en penumbra—. Demasiado sencillo para mi gusto, pero es acogedor. A tu madre le gustaría.

Adrien le lanzó una mirada asesina y dio otro trago a la botella.

—Pierdes el tiempo. Estoy borracho y pienso seguir bebiendo hasta que consiga olvidarme de que existes.

—Te deseo suerte.

—¿Por qué no te largas?

—¡Vamos, haz un esfuerzo! ¿Tanto te cuesta pasar una velada tranquila con tu padre? Podríamos charlar de tus cosas. Por lo que sé, los últimos días han estado llenos de sorpresas. —Soltó una carcajada al ver la expresión colérica de Adrien—. Lo cierto es que me ha sorprendido que T. J. intentara mataros de nuevo.

La botella explotó en las manos de Adrien al escuchar el nombre del nefilim en los labios de su padre.

—Los enviaste tú. —Se puso de pie con un feo corte en la mano que sangraba de forma profusa—. ¿Por qué? ¿Disfrutas complicándome la vida? ¿O es otra de tus brillantes ideas para que me convierta en el perfecto asesino?

—Paladín —lo corrigió Mefisto.

—¿Qué?

—Un perfecto paladín, mi guerrero. No un asesino. Eso podría serlo cualquiera.

—¿Por qué? Si me hubieran matado, ahora no tendrías plan para tu profecía. Aunque bien visto, debería haber dejado que acabaran conmigo.

—No seas melodramático. Todo ha salido mal por tu culpa. La idea era que los nefilim acabaran con los lobos. Eso haría venir a William hasta aquí y, con ellos muertos, sería más vulnerable. Pero tú decidiste jugar al héroe que quiere impresionar a la chica y lo echaste todo a perder. Lo de esta mañana era de esperar, los Anakim no se rinden fácilmente. Aunque no hay de qué lamentarse. Todo ha salido bien, ¿no es cierto?

—¡Podrían haberla matado! —bramó Adrien, abalanzándose sobre él.

Mefisto fue más rápido. Se puso de pie, lo aferró por el cuello y lo estrelló contra la pared sin aflojar el agarre.

—Estás agotando mi paciencia, el tiempo se acaba. Haz lo que tienes que hacer y hazlo ya —siseó como una serpiente.

Las llamas se reflejaban en sus ojos completamente negros confiriéndole un aspecto de pesadilla.

—Lo haré, pero a mi manera. Ella se queda al margen y no es negociable —replicó Adrien con la voz entrecortada.

El rostro de Mefisto pareció desdibujarse por la ira. Miró a su hijo y le colocó la mano libre en la cabeza. Clavó los dedos en su cráneo con fuerza.

—Creo que necesitas ver algo que te recuerde tus prioridades.

Las imágenes se sucedieron en la mente de Adrien como una secuencia de diapositivas. Con cada una, él palidecía y se debilitaba más. El dolor, el sufrimiento y la forma en la que gritaban su nombre era desgarradora. Su aspecto frágil y demacrado le rompía el corazón.

Entonces, Mefisto lo soltó y cayó al suelo como un trapo. Se arrastró hasta una esquina y se quedó allí, abrazándose las rodillas.

—Mis deseos son tus deseos, ¿no es cierto? —preguntó Mefisto. Adrien asintió—. Bien, queda muy poco para el eclipse. Cuando ocurra, quiero que lo tengas todo preparado. —Se agachó frente a su hijo y le acarició el pelo—. Vamos, a mí tampoco me gusta tener que llegar a este extremo. Entiendo lo que sientes por esa humana. Es hermosa y su cuerpo haría pecar al más casto. Pero ella es su único punto débil.

Se puso de pie y miró a Adrien con algo parecido a la ternura. Se recompuso la camisa y tomó el vaso de bourbon para apurarlo de un trago.

—Busca a Salma —dijo antes de salir por la puerta.

Una vez fuera, Mefisto llenó sus pulmones con el aire que envolvía la noche. Cerró los ojos y escuchó. El bosque rezumaba vida por todas partes. Silbó por lo bajo una melodía y una sonrisa astuta curvó su boca al comprobar cómo hasta el último insecto enmudecía.

Sacó un cigarrillo de su pitillera y lo encendió con un leve soplo de aliento. Luego dio una larga calada, aspirando hasta que su pecho se llenó por completo. Soltó el humo muy despacio y se deleitó con el olor a especias de su tabaco turco.

Le echó un vistazo a su reloj. Hora de tomar el almuerzo.

El maître lo acompañó hasta la mejor mesa. Aún era temprano, por lo que el Guy Savoy de París apenas tenía clientes. Se acomodó en la silla y el camarero le entregó la carta.

—*Merci.* —Le echó un vistazo al menú y no tardó en decidir—. Tomaré pato asado con nabos confitados. La ternera con espinacas y champiñones rebozados. Y de beber... un Château Mouton Rothschild.

—¿Algún año en particular?

—Cosecha del 92.

—Muy buena elección.

El camarero se alejó tras una leve reverencia.

Mefisto contempló con indiferencia el anillo de ónice negro de su dedo. Levantó la vista con pereza y le dedicó una sonrisa mordaz a su inesperado visitante.

—¡Vaya, el mundo es un pañuelo! Aunque no debería sorprenderme. Los postres aquí son deliciosos y tú siempre has preferido los sabores dulces, ¿no es así, hermano?

Gabriel forzó una sonrisa y estudió a Mefisto mientras este jugueteaba con los cubiertos.

—Cuesta encontrarte —dijo mientras se sentaba a la mesa.

—Es evidente que esta vez me he descuidado.

—¿Sabes por qué he venido?

El camarero se acercó y descorchó una botella de vino. Sirvió un poco en la copa de Mefisto y le preguntó:

—¿El señor va a acompañarle?

—Por supuesto, sírvale.

El camarero obedeció. Después se alejó con mucha discreción.

Mefisto tomó su copa y agitó el vino con suavidad, después aspiró los matices de su aroma.

—Es exquisito. —Miró a Gabriel—. ¿Por qué brindamos?

—Lo que pretendes es una locura.

—Nunca he estado muy cuerdo, todos lo sabemos. Aunque te juro que no sé de qué me hablas, la verdad.

—No dejaré que lo hagas.

—¿El qué? —preguntó con un mohín inocente—. Nuestras estúpidas leyes nos mantienen atados de pies y manos. El mundo es de los humanos y nosotros debemos limitarnos a nuestros asuntos. No podemos intervenir en este paraíso —dijo con un gesto de sus brazos con el que parecía abarcar el mundo entero—. Así que yo me dedico a disfrutar de los placeres banales y nada más.

Gabriel se reclinó en la silla, sin apartar la mirada de Mefisto.

—Conozco tu juego y también sé jugar.

—Oh, mi querido hermano, siempre viendo sombras donde únicamente brilla la luz.

Se llevó la copa a los labios.

—No permitiré que esa profecía se cumpla.

Mefisto se detuvo. Miró la marca de sus labios en el cristal y dejó la copa en la mesa con extrema lentitud. Entrelazó las manos bajo su barbilla y clavó la mirada en Gabriel.

—¿Profecía?

—Vamos, no hace falta que disimules. Siempre has sido demasiado arrogante como para no hacer alarde de tu inteligencia. ¿Cómo supiste del presagio?

Mefisto suspiró. Sus ojos ardían mientras miraban fijamente a Gabriel.

—Los profetas no son tan especiales como creéis. Son simples humanos, y los humanos suelen equivocarse. Hacen cosas estúpidas como escribir diarios en los que anotan todo aquello que les viene a la cabeza, y después ni siquiera saben esconderlos bien. Resumiendo, mi gratitud se la debo a la divina providencia —dijo en tono mordaz.

—Y ahora estás intentando que se cumpla. —Mefisto guardó silencio y una sonrisa cruel desfiguró su hermosa boca—. ¿Por qué?

La expresión indiferente de Mefisto se transformó en odio.

La luces comenzaron a parpadear, los muebles se movían como si un terremoto los estuviera zarandeando, pero nadie parecía darse cuenta porque todos los humanos del local estaban inmóviles. El tiempo se había detenido por obra de Gabriel, en un intento por protegerlos de la ira de Mefisto.

—¿Que por qué? Suponiendo que estés en lo cierto, ya sabes por qué. Aunque, para tu tranquilidad, te diré que no estoy confabulando contra nadie. Hice una promesa y la estoy cumpliendo.

—¿Al igual que cumpliste tu promesa de lealtad? La palabra de un traidor no tiene valor.

Mefisto golpeó la mesa con los puños.

—Solo le debo lealtad a él. Vosotros perdisteis mi favor cuando elegisteis amar a los humanos más que a nosotros. La familia es lo primero, Gabriel, y un hermano debe estar por encima de esos primates, débiles y lloricas. Lo contrario es una humillación difícil de perdonar —masculló.

—Al igual que la desobediencia.

—Estoy cansado de sermones. Esta conversación me aburre.

Apuró el vino de su copa y volvió a llenarla.

—Sé que los espíritus se encuentran entre los hombres. La profecía está en marcha y tú intentas que se cumpla —dijo Gabriel.

Mefisto sacó su pitillera y encendió un cigarrillo.

—¿Tienes pruebas? Es una acusación muy seria.

—Las tendré. No dejaré que te salgas con la tuya.

—Pierdes el tiempo, hermano, las profecías se cumplen. Siempre lo han hecho sin necesidad de nuestra intervención.

—Esta no, por mucho que te empeñes —terció Gabriel con tanta seguridad que sonó como una sentencia. De repente, una idea caló en su mente—. Es tu hijo, ¿verdad? Buscaste una descendiente de Lilith y la dejaste embarazada, forzando así la profecía —lo acusó.

Se puso en pie asqueado e indignado.

—Yacer con una mujer no rompe ninguna norma, Gabriel. Deberías probarlo, es muy placentero.

Gabriel lo fulminó con la mirada y dio media vuelta, dispuesto a marcharse, pero se detuvo un instante y miró a Mefisto por encima del hombro.

—Tengo una curiosidad. ¿Cómo supiste lo del hijo de Leinae?

Mefisto rompió a reír.

—Estás perdiendo facultades, hermano. Tantos siglos ocioso no son buenos. No hay que ser un lince para darse cuenta de que un vampiro inmune al sol es mucho más de lo que aparenta, sobre todo si conoces cierta profecía —respondió, y rio con más fuerza.

—Cometerás un error, Mefisto, y yo estaré allí para descubrirte —dijo Gabriel.

Se dirigió a la salida sin mirar ni una sola vez atrás. Cuando cruzó el umbral, todo el restaurante volvió a la vida.

44

—¿Adónde vamos? —preguntó Kate.

William no contestó, pero le dedicó tal sonrisa que a ella le flaquearon las piernas. Doblaron la esquina y serpentearon entre las personas que hacían cola frente a la taquilla del cine. Él se detuvo al final de la larga fila y ella miró a su alrededor intentando averiguar de qué iba aquello.

—¿Cine?

—Sí —respondió él, al tiempo que se inclinaba para darle un beso en los labios.

—¿Y has decidido que vengamos al cine porque...?

—Porque esto es una cita. Nuestra primera cita —reveló con una sonrisa—. Nunca hemos tenido una de verdad.

—Cita —repitió Kate.

—Sí, ya sabes, refrescos, palomitas, te cogeré de la mano en la oscuridad. Luego te invitaré a cenar, te compraré flores...

—Espera un momento, ¿esto es lo que tú entiendes por una cita de verdad?

—Haré como que no he oído ese tonito —replicó él, fingiendo ofenderse.

Kate empezó a reír con ganas y lo abrazó por la cintura.

—Es que has descrito las citas que tenía con quince años. Ahora, no sé, una cena con velas en un lugar romántico me parece más apropiado, incita a otras cosas —le explicó en voz baja y seductora.

—Me estás hundiendo —repuso él con el ceño fruncido.

Kate se mordió el labio y puso su mirada más inocente. En realidad, el gesto de William era de lo más adorable.

—¿Cómo eran las citas cuando, ya sabes, antes de que tú...?

William asintió al darse cuenta de a qué se refería. La abrazó y bajó la mirada hasta sus ojos.

—Bueno, cuando te gustaba una chica, primero debías pedir permiso a su familia para poder verla y pasar tiempo con ella. Si la joven en cuestión accedía y sus padres apoyaban esa relación, se fijaba un día y una hora para la visita.

—¿Y qué hacíais?

—Pues solíamos dar paseos interminables por largos jardines, y estiradas meriendas de té y pastas. Siempre en compañía de las criadas e institutrices que cuidaban de la virtud de la joven.

Kate sonrió de oreja a oreja.

—¡Oh, Dios, dime que entonces vestías como Fitzwilliam Darcy!

—Odiaba esas chaquetas tan rígidas.

—Seguro que estabas muy sexi.

William se echó a reír y volvió a besarla. Un ligero carraspeo los interrumpió. La chica que vendía las entradas los miraba con una sonrisa poco natural, mientras señalaba con un gesto a la gente que esperaba tras ellos.

Al salir del cine, vieron varios carteles que anunciaban la llegada de una feria al pueblo. Se habían instalado en una explanada a las afueras, con ocasión del festival musical de finales de verano.

—¿Te apetece ir? —preguntó William.

—Sí, podría ser divertido.

Aparcaron el coche a un lado de la carretera y se dirigieron caminando hasta la entrada, donde un cartel, del que colgaban un montón de farolillos, les daba la bienvenida.

Las casetas se distribuían entre las atracciones, iluminadas por centenares de bombillas fluorescentes y banderines de muchos colores, puestos de helados y de perritos calientes. Un mago, ataviado con una capa y una chistera, hacía trucos con pañuelos ante un público que aplaudía boquiabierto. Cuando Kate pasó junto a él, el mago estiró la mano y sacó una bonita flor de entre su pelo, que le entregó con una floritura de su brazo. Ella sonrió y aceptó la flor con una leve reverencia.

—¡Es genial! —exclamó mientras lo miraba todo con los ojos muy abiertos.

—Parece sacada de los años cincuenta, ¿verdad?

—No sé, dímelo tú —se burló Kate entre risas.

William puso los ojos en blanco y la siguió arrastrado por su mano.

Un grupo de jovencitas aguardaba su turno frente a la carpa de una pitonisa. El cartel de la entrada aseguraba que podía predecir el futuro a través de su bola de cristal y de las cartas del tarot. También que sus conjuros de amor eran infalibles.

Un poco más adelante, entre una caseta de tiro y un puesto de palomitas, una chica hacía fotos divertidas a los visitantes. Tenía varios fondos de cartón con distintas escenas y un perchero repleto de disfraces y complementos entre los que elegir.

—¿Os hago una foto? ¡Seguro que queréis un recuerdo de esta noche! —La chica les salió al paso—. ¡Solo son cinco dólares!

Kate dio un paso atrás cuando la joven agitó una cámara Polaroid ante su cara, con una enorme y suplicante sonrisa. Jill y ella siempre se habían burlado de esas cosas. Hacerse una foto ridícula junto al chico que te gusta, delante de un mural con corazones o querubines alados, no era su idea de cómo recordar una cita. Al final, esas fotografías acababan convirtiéndose en una pesadilla de la que no sabías cómo deshacerte, porque siempre salías con cara de idiota, bizca o con la boca abierta.

Pero William no debía de pensar lo mismo, porque sacó de su bolsillo un billete de cinco dólares y se lo entregó.

—¡Estupendo! —exclamó la chica—. Podéis elegir entre una noche de luna llena en El Cairo, atardecer en las playas de Santa Mónica, el barrio francés de Nueva Orleans, los bosques otoñales de Vermont, primavera en París bajo la torre Eiffel...

Les fue mostrando los lienzos que tenía apoyados en una furgoneta de color verde pistacho, cubierta de pegatinas.

—¿Cuál te gusta? —le susurró William.

—No puedo creer que vayamos a hacer esto.

—¡Será divertido!

—No pienso disfrazarme.

William rompió a reír y miró a la muchacha.

—¿Cuál nos aconsejas?

—Mi favorito es el barrio francés.

—Pues el barrio francés —convino él.

La chica se apresuró a colocar el fondo sobre un par de caballetes de madera. Después les indicó dónde debían colocarse. Kate se dejó rodear por el brazo de William e inspiró hondo. Notaba la piel ardiendo y estaba segura de que sus mejillas debían de brillar como un semáforo en rojo.

—¿Listos? ¡Sonreíd! —Apretó el disparador. Unos segundos después, agitaba la instantánea y se perdía en el interior de su furgoneta—. Solo tardaré un minuto.

Ellos rompieron a reír. La mirada de Kate voló hasta un puesto donde vendían buñuelos dulces y la boca se le hizo agua.

—¿Te apetecen? —le preguntó William. Ella asintió—. De acuerdo, espera aquí. Enseguida vuelvo.

Kate lo observó mientras se alejaba serpenteando entre la gente y la emoción se arremolinó en su pecho. No entendía cómo él había llegado a importarle tanto. Lo quería con su mente, su cuerpo y su alma, y ese sentimiento lograba sobrepasarla.

De repente, notó que algo le rodeaba la muñeca y apretaba con mucha fuerza. Soltó una queja y al darse la vuelta se encontró con una mujer mayor ataviada con un turbante rojo y una túnica azul noche. La miraba con los ojos desorbitados, enmarcados por un maquillaje brillante y exagerado.

Sus dedos nudosos se clavaron en la piel de Kate.

—Aléjate del demonio de ojos rojos.

—¿Qué hace? Suélteme.

—Te quitará lo más valioso que posees. Te arrebatará la luz.

—Me hace daño —protestó Kate.

La chica de las fotografías salió de la furgoneta. Al ver lo que ocurría, corrió hasta ellas.

—¿Qué estás haciendo, Salma?

—Tiene que escucharme, corre peligro. —Miró a Kate a los ojos—. Debes alejarte del demonio de ojos rojos.

—¡Suélteme, por favor! —le rogó Kate a la mujer, notaba los huesos crujir bajo su mano.

—¡Salma, suéltala, le haces daño! —gritó la chica.

De pronto, William apareció envuelto en una corriente de aire frío. Agarró a la mujer y la empujó hacia atrás.

—No la toques —le ordenó entre dientes. Se giró hacia Kate, preocupado—. ¿Estás bien? ¿Qué ha pasado?

—Estoy bien —respondió mientras se masajeaba la muñeca—. No sé qué le pasa. Se ha puesto a decirme unas cosas muy extrañas.

—Pero ¿qué demonios te pasa, Salma? —le preguntó la chica de las fotos con disgusto.

La mujer no contestó. El color había abandonado su cara y miraba a William sin parpadear. Parecía que había visto un fantasma.

—Lamia, lamia, lamia... —comenzó a susurrar. Movió las manos en el aire, como si trazara símbolos.

William rodeó con su brazo la cintura de Kate y la instó a caminar de prisa.

—Vámonos de aquí —le susurró.

—¡Esperad! —exclamó la chica—. Os dejáis esto.

Le entregó a Kate la foto que les había tomado minutos antes, pegada a una cartulina roja y con un lacito en el margen superior para poder colgarla.

—Gracias.

—Siento mucho lo que ha pasado con Salma. Os aseguro que es inofensiva y buena persona. Quizá le haya afectado respirar tanto incienso —les explicó un poco abochornada.

—Kate —la urgió William.

Se dejó arrastrar por él. Caminaba tan deprisa que le costaba seguirle el paso.

—Esa mujer se ha asustado al verte y te ha llamado «lamia», ¿qué significa?

—Lamia, Lamian, Lamiae... Distintas lenguas, una sola palabra. Significa «vampiro».

—Entonces, ¿sabe quién eres? ¡¿Cómo es posible?!

—No lo sé. No había visto nunca a esa mujer.

—¿Y si empieza a gritar que hay vampiros en Heaven Falls?

—¿Una pitonisa de feria con esas pintas? Pensarán que está loca o que quiere llamar la atención.

—Entonces, ¡es de verdad una adivina! Tiene el don de la clarividencia.

—Sería la primera que conozco que no es una farsante. También es posible que solo tenga una percepción excepcional y pueda ver más allá de lo que muestra nuestra apariencia.

Llegaron al coche y William se palpó los bolsillos en busca de las llaves.

—Yo creo que puede ver cosas. Antes de que aparecieras, no dejaba de repetirme que me alejara del demonio de ojos rojos —dijo Kate.

—¿Qué?

—Creo que no quería hacerme daño ni asustarme. Quería prevenirme.

—¿Demonio de ojos rojos? —resopló disgustado.

—Sí.

La mirada de William relampagueó con un destello carmesí y torció el gesto.

—¿Insinúas que trataba de prevenirte sobre mí?

Kate apretó los labios para no reírse. En realidad, la situación era bastante divertida, salvo por el mal rato que la mujer le había hecho pasar. Probablemente había visto algo sobre su futuro. Uno del que William formaba parte. Su vampiro favorito.

—Olvidemos el tema.

Hundió el rostro en su pecho e inspiró su maravilloso olor. Se dejó acunar por la agradable sensación de sus brazos estrechándola muy fuerte. Notó que él inspiraba con fuerza y que no volvía a relajarse. Alzó la barbilla y sus ojos se encontraron.

—¿Estás bien? —le preguntó.

William sonrió.

—Hay algo que quiero enseñarte.

—¿Qué? —preguntó curiosa.

Él sacó un pañuelo de su bolsillo y se lo mostró. Su sonrisa se hizo más amplia y traviesa.

—Date la vuelta.

Kate arqueó las cejas.

—¿Ahora es cuando me confiesas tus perversiones y quieres atarme? —William sacudió la cabeza, muerto de risa, y con un gesto de la mano la animó a que se diera la vuelta—. De acuerdo. Aunque por tu bien, espero que no estés tramando nada raro.

Se giró y bajó los párpados cuando él le colocó el pañuelo sobre los ojos.

—¿Confías en mí?

Kate se estremeció al notar su aliento en el cuello y asintió con el corazón latiendo muy deprisa. Dejó que la ayudara a subir al coche y que luego le pusiera el cinturón. Estaba nerviosa y su pecho temblaba al ritmo de su respiración.

El vehículo se puso en marcha y ella no pudo hacer otra cosa salvo esperar a ver qué ocurría a continuación. Sin el sentido de la vista para guiarse, no tardó en perder la noción del tiempo y la distancia. Finalmente, se detuvieron.

—No te muevas aún —le pidió él.

—De acuerdo.

William salió del todoterreno, lo rodeó y abrió la puerta. La ayudó a bajar con mucho cuidado. Nada más poner los pies en el suelo, ella intentó quitarse el pañuelo. William la detuvo.

—Todavía no, espera un poco más —le pidió mientras la tomaba en brazos y comenzaba a andar.

—¿Dónde estamos?

—Pronto lo verás.

Un búho pasó ululando sobre sus cabezas y ella se agitó sobresaltada. Una ligera brisa sopló haciendo que las hojas de los árboles se mecieran con un sonido suave. El rumor del agua rompiendo contra las rocas llegó hasta sus oídos con nitidez.

—Estamos en el bosque —susurró Kate.

William la dejó en el suelo. Deslizó las manos por sus brazos y la atrajo hacia él para que su espalda descansara contra su pecho. Bajó la cabeza y le rozó con los labios un lado del cuello.

—Quítatelo.

Kate obedeció. Parpadeó varias veces para aclarar su visión borrosa y miró al frente.

La luz de la luna incidía directamente sobre una casa de piedra y madera, y se reflejaba en los grandes ventanales. Tenía un aspecto de ensueño que encogía el estómago.

—¿Por qué me has traído aquí?

—¿Te gusta? —susurró él.

—Claro que me gusta, es preciosa.

—Pues ahora es nuestra. Bueno... solo la he alquilado, pero puede ser nuestra si tú quieres.

Kate se volvió para mirarlo. Intentaba entender qué lógica había llevado a William a alquilar esa casa y todas las opciones que se le ocurrían hacían que le temblaran las rodillas.

—No te sigo —dijo con la voz entrecortada.

—Voy a quedarme aquí, contigo. Quiero estar donde tú estés.

—¿Lo dices en serio?

—Muy en serio, y por eso necesito un espacio para mí. Para nosotros. Un lugar donde podamos estar solos y tener intimidad. En casa de los Solomon no es que haya mucha. —Kate sonrió de oreja a oreja. Él le devolvió la sonrisa y le tomó el rostro entre las manos—. Me encantaría que trajeras tus cosas y te mudaras conmigo. A ver, sé que tienes la Universidad y de lunes a viernes estarás fuera, pero los fines de semana podrías regresar aquí.

Inspiró y bajó la mirada con timidez.

—Me encanta que te pongas tan nervioso.

—¿Eso es un sí?

—Eso es un primero quiero asegurarme de que a Alice le parece bien.

William le acarició las mejillas con los pulgares.

—Lo comprendo. Yo también quiero su aprobación —dijo bajito. Después le recorrió la cara con los ojos—. ¿Quieres verla por dentro?

—Sí, por favor.

William le entregó una llave y ella la empuñó con manos temblorosas. La giró en la cerradura y la puerta se abrió con un ligero clic. Contuvo el aliento mientras entraba directamente a un enorme salón. Olía a madera y a... nuevo. De repente, decenas de velas prendieron y Kate pudo verlo todo con más claridad. Era un espacio abierto y diáfano, de paredes blancas y maderas claras.

—No habrá electricidad hasta mañana. Vendrá un técnico a primera hora.

—No importa, me gusta la luz de las velas.

Giró sobre sí misma y contempló los techos altos y los grandes ventanales, a través de los que se podía ver el bosque en toda su extensión. A su derecha estaba la cocina, amueblada y con electrodomésticos. A la izquierda se abría un pasillo con puertas a ambos lados que terminaba en una pared de cristal. La casa estaba diseñada para aprovechar hasta el último rayo de sol.

—¿Está toda amueblada? —se interesó.

—Sí, aunque el dueño no tiene ningún problema en retirarlos si decidimos poner otros.

Kate se paseó por la sala sin dejar de sonreír. Le gustaba todo lo que veía. Se dirigió a la escalera y la subió sin prisa. Un pasillo se abría a su derecha y otro a su izquierda, y ambos discurrían hasta unirse en el lado opuesto del hueco que formaba la escalera. Más velas prendieron sobre los muebles.

William subió tras Kate. Una vez arriba, apoyó la espalda en la pared y se limitó a observar cómo ella entraba y salía de cada estancia con una expresión curiosa. Cuando desapareció en el interior de la habitación principal, la siguió.

La encontró inmóvil en medio del dormitorio, iluminada por la luz de la luna que entraba a través de la ventana. La necesidad de tocarla se convirtió en un dolor físico en su pecho. Se acercó y la abrazó por la cintura. Frente a ellos se encontraba una cama enorme, repleta de almohadones, flanqueada por unas mesitas de noche a juego con el resto de muebles.

—Es demasiado —susurró Kate.

—No lo es.

—Llevas décadas sin establecerte en ninguna parte. Nunca has estado más de un par de meses en un mismo sitio... ¿De verdad crees que podrás quedarte aquí y ser feliz?

William la hizo girar entre sus brazos y la miró a los ojos. Tragó saliva y sacó de su bolsillo una cajita pequeña forrada con terciopelo negro y el logo de una joyería grabado en la tapa. La abrió muy despacio, casi con miedo.

Kate se quedó muda al ver el anillo que contenía. Parpadeó varias veces y el corazón se le aceleró, golpeándole las costillas con fuerza.

—¿Qué es eso?

William tomó el anillo. Un bonito aro de platino con un zafiro engarzado. Discreto y elegante. Y lo deslizó en el dedo de Kate.

—Esto es una promesa. Te prometo que cuando todo este asunto de la profecía termine y dejen de acosarnos tantos peligros, tú y yo tendremos una vida normal. Aquí o en cualquier otra parte, eso me da igual, pero juntos. —Se inclinó y depositó un beso en sus labios, un pequeño roce, como de plumas—. Y un día, cuando te hayas graduado en la Universidad y hayas hecho un millón de cosas divertidas, interesantes y maravillosas, cuando sientas que has cumplido tus aspiraciones y sueños, estaré esperando a que me elijas para pasar juntos todos y cada uno de tus días.

Kate se limpió una lágrima que resbalaba por la mejilla y sorbió por la nariz. Apoyó las manos en su pecho y alzó la barbilla hacia él. La expresión de su cara era feliz.

—Es muy bonito todo lo que has dicho —dijo con una risa rota por la emoción. Vio en sus ojos lo mucho que la quería, tanto como ella a él—. Yo te prometo que no tendrás que esperarme mucho, porque te elijo para pasar todos esos días juntos, siempre lo haré.

Enredó los dedos en su pelo y lo atrajo hacia sí. Después lo besó, apretándose contra su cuerpo. William la rodeó con sus brazos y sus caderas salieron al encuentro de las de ella.

El beso se volvió más ardiente, más carnal. Sus lenguas se enredaron y una ola de excitación se extendió por sus cuerpos.

Kate deslizó las manos por su fuerte espalda, bajo la camiseta, y ascendió hasta los hombros, mientras arrastraba la prenda consigo. Se la quitó de un tirón y luego recorrió con las puntas de los dedos el contorno de su clavícula y la silueta de su marca. Posó los labios entre las dos alas y él se estremeció. Le encantaba que su tacto le afectara de ese modo.

Muy despacio, él la fue desvistiendo. La piel de Kate se erizaba allí donde él colocaba sus manos. Vibraba donde posaba sus labios. De pronto, la levantó en el aire como si no pesara nada. Ella jadeó, se sujetó a sus hombros y le rodeó las caderas con las piernas. Le costaba respirar. Una mano se enredó en su pelo y le hizo bajar la cabeza. La besó.

Su espalda aterrizó en la cama y una fracción de segundo después él estaba sobre ella. La miró y una de las comisuras de sus labios se elevó con una media sonrisa, tan arrogante como sexi. El deseo la atravesó, mezclándose con algo mucho más profundo. El corazón le latía desbocado y estaba tan excitada que tomar aliento le parecía una pérdida de tiempo.

William besó y tocó cada parte de su cuerpo, como si fuera un tesoro que acabara de descubrir, haciéndola sentir hermosa y adorada. Se exploraron durante mucho tiempo, conociéndose un poco más, conectando a través de las sensaciones. Deslizó una mano bajo su muslo y le levantó un poco la pierna. Poco a poco entró en ella y el corazón de Kate se aceleró de forma salvaje cuando sus miradas se encontraron. Alzó las caderas hacia él y jadeó mientras lo rodeaba.

William apoyó su frente sobre la de ella y empujó de nuevo. Solo podía pensar en las sensaciones que lo recorrían y en que, después de todo, ella lo quería. No había dejado de hacerlo. No merecía ese regalo, pero no pensaba renunciar a él. Sería digno de ella.

Se contemplaron mientras se mecían. Lentamente al principio, buscando el ritmo perfecto y encontrándolo. Suaves gemidos llenaron la habitación. Después, solo quedó descontrol, impulsos y un ascenso salvaje hasta alcanzar la cima. Tocar el cielo con los dedos y perder el miedo. Susurros bajo la luz de la luna y promesas.

Que ojalá pudieran cumplir.

45

La chica de las fotos terminó de guardar sus cosas en la parte trasera de la furgoneta. Era bastante tarde y estaba muy cansada. Se apoyó en la puerta trasera y contempló el cielo mientras reprimía un bostezo. A continuación, sacó del bolsillo trasero de sus pantalones una cajetilla de tabaco y otra de cerillas, y prendió un cigarrillo.

La primera calada le supo a gloria y la segunda le dio hambre. Se moría por una taza de café y un bocadillo, pero decidió esperar a que Salma terminara de recoger. Desde el incidente con esa pareja, se comportaba de un modo extraño.

—¡Deja de mirarme así! —le espetó Salma.

Arrodillada en el suelo, trataba de doblar la lona de su carpa.

—¿Cómo?

—Como si estuviera loca.

—¿Y no lo estás?

Salma la fulminó con la mirada.

—No.

—Pues hace un rato...

—Solo me he confundido, ¿de acuerdo? No es nada de lo que debas preocuparte.

—Ya sabes que puedes hablar conmigo de lo que sea.

Salma apretó los dientes y alisó con más fuerza de la necesaria las arrugas de la lona.

—¿Sabes? Deberías ir a cenar algo. Ese chico que trabaja en la caseta de tiro ha decidido dar el primer paso, te está esperando.

—¡Lo dices para que te deje en paz!

—Es posible, pero también puede que sea verdad. Llevas semanas intentando que se fije en ti. ¿Vas a perder la oportunidad si estoy en lo cierto?

La chica miró fijamente a Salma. Luego la apuntó con el dedo a modo de aviso. Porque si todo aquello era una patraña, más tarde iban a tener unas palabras.

Subió a la furgoneta y se marchó.

Salma continuó doblando la lona. Una tarea que parecía imposible, porque las manos no dejaban de temblarle. El vampiro había aparecido, aunque no como sucedía en sus visiones. Ni siquiera se parecía físicamente. Sin embargo, con la chica sí había acertado. Los mismos ojos y el mismo cabello.

Se apartó el pelo de la cara y se tomó unos segundos para pensar. Había más detalles que no encajaban. El vampiro había acudido para protegerla y no a hacerle daño. También había visto cómo se comportaban el uno con el otro. La intimidad de sus gestos, la confianza en sus miradas. Estaba segura de que había algo entre ellos.

Frunció los labios con una mueca de asco, era una abominación.

Se masajeó la frente. Empezaba a dolerle la cabeza con tantos pensamientos incoherentes. No por los monstruos. Sabía desde niña que existían y que lo más sensato era evitarlos. Le preocupaba que se había equivocado por primera vez en su vida.

¿Sería por la edad? Envejecer era algo para lo que no estaba preparada.

Llevó la lona hasta la caja de la camioneta y la colocó junto a todo el atrezo que utilizaba para sus sesiones. De repente, todo se oscureció. Tuvo que agarrarse al vehículo para no caer, y se preparó como pudo para recibir la nueva visión sin vomitar. Abrió los ojos de golpe. Lo que acababa de ver era el presente, en ese mismo instante y...

Miró por encima de su hombro y palideció.

Echó a correr hacia la cafetería que había en la entrada. Gritó pidiendo ayuda, pero un cuerpo apareció de la nada en su camino y chocó contra él. Rebotó hacia atrás y cayó al suelo. Empezó a arrastrarse sobre el trasero, ayudándose con las manos y los pies para ir más rápido.

Volvió a gritar, pero el sonido enmudeció cuando una mano le rodeó la garganta y la levantó sin esfuerzo. No podía respirar y trató de aflojar el agarre mientras sus ojos se clavaban en los del vampiro. Él se inclinó sobre su oído.

—Si te mueves, te rompo el cuello —le susurró—. ¿Queda claro?

Salma asintió con vehemencia. Necesitaba aire y tomó una bocanada en cuanto la soltó. Después miró el rostro del vampiro. El mismo de su visión. Sus ojos negros la atravesaban como los de un animal salvaje al acecho, a la espera del más mínimo movimiento para atacar.

—Si me matas, no podré darte lo que necesitas.

Adrien gruñó contrariado y ladeó la cabeza para estudiar a la mujer. Mefisto solo le había dado su nombre, haciendo honor a su regla de no intervenir, así que del resto había tenido que ocuparse él, como siempre.

Una ciudad, un nombre, un número, una palabra...

Mefisto dejaba caer la pista con descuido, y Adrien debía romperse la cabeza hasta hallar la conexión que acabaría conduciéndole al siguiente paso. Por suerte, esta vez había sido relativamente fácil. En cuanto descubrió que era una adivina, supo que todo se reducía a una pregunta. La que pondría fin a su pesadilla.

Oyó a dos hombres acercarse.

—Es cierto, a ti no puedo matarte, pero a ellos sí. Sabes lo que soy y lo que podría hacerles.

La soltó y relajó la postura, como si solo estuviera hablando con una amiga.

—Salma, ¿todo bien? —preguntó uno de los hombres al pasar junto a ellos.

Ella guardó silencio, atrapada bajo la mirada de Adrien, que sonreía con una mueca siniestra.

—Sí, solo es un cliente de última hora.

Los hombres continuaron caminando. En cuanto se alejaron, Adrien tomó a Salma por el codo y la arrastró hacia la oscuridad, lejos de miradas indiscretas. La empujó contra un árbol, arrinconándola con su cuerpo hasta convertirse en una jaula de la que era imposible escapar.

—Soy todo oídos.

—Solo hablaré si me prometes que no me harás daño.

—Que vivas o no, dependerá de la información que puedas darme.

Ella tragó saliva y se frotó el codo, allí donde él le había clavado los dedos.

—No sé dónde está ese cáliz que buscas.

Adrien abrió los ojos, sorprendido. En verdad aquella mujer era lo que decía ser.

—Se supone que tú lo ves todo —masculló—. No te creo.

—Mira, no funciona así. A veces no tengo las respuestas y cuando aparecen pueden estar incompletas. Casi siempre, solo apuntan a un camino que no sé dónde acabará. Pero cuando veo algo, por pequeño que sea, es cierto. Y si no lo veo, también.

Adrien la sujetó por el cuello y con el pulgar la obligó a alzar la cabeza. Su garganta quedó expuesta. Él bajó la vista hasta el pulso que galopaba bajo su piel y desnudó los colmillos.

—No me interesan tus trucos. ¿Dónde está escondido el cáliz?

—No lo sé, lo juro —respondió muerta de miedo—. En mis visiones no aparece. Solo te veo a ti buscándolo.

—¿Y qué ves en esas visiones exactamente?

—Te veo hablando con un hombre. Un anciano. Él sabe dónde está el cáliz.

Adrien la soltó despacio.

—Continúa.

—Solo sé que se llama Ben, Ben Graham. Vive en una casa blanca con el tejado oscuro y jardineras con hortensias en las ventanas. Cerca hay un parque y una especie de jardín botánico —explicó nerviosa—. No sé nada más. Lo juro.

Adrien la miró fijamente, mientras decidía si le estaba contando la verdad o solo trataba de ganar tiempo. No podía saberlo con seguridad, así que tendría que jugarse esa carta.

—Si me mientes, te buscaré. Te encontraré y después te convertiré en uno de los míos, solo por el simple placer de ver cómo te achicharras al sol. ¿Lo has entendido?

Salma tragó saliva.

—¿No vas a matarme?

—No, de momento. Pero si lo que me has dicho no me sirve...

Sus ojos se iluminaron con un destello carmesí y se desvaneció en el aire.

Salma se dejó caer hasta el suelo. Las piernas le temblaban y notaba el sabor salado de las lágrimas en los labios. Se frotó la cara y trató de respirar con normalidad. De repente, todo quedó de nuevo a oscuras y las náuseas le estrujaron el estómago. Otra visión hizo que sus ojos se pusieran blancos.

Entre sollozos, musitó:

—El fin se acerca y el mal se alzará.

46

William le ofreció su brazo a Alice y juntos caminaron hasta la sombra del roble, que cubría una gran parte del jardín. Se sentaron en el banco y contemplaron el lago. La tarde era fresca y Alice se cubrió los hombros con el chal que colgaba de sus brazos.

Una bandada de gansos sobrevoló sus cabezas y se posaron sobre las aguas cristalinas.

William los observó mientras buscaba el modo de iniciar la conversación.

—Me gustaría hablar contigo... sobre Kate —dijo en voz baja. Ella asintió—. Verás... yo...

—¿Por qué no lo sueltas y ya está? He visto el anillo, era bastante difícil no fijarse en él.

William sonrió y la miró a los ojos.

—No es lo que parece —dudó y chasqueó la lengua—. ¡Sí que lo es! Alice, sé que Kate es aún muy joven y no tengo intención de robarle su juventud comprometiéndola a...

Alice se echó a reír con ganas.

—¡Ambos sois muy jóvenes! Hablas como si llevaras el peso de toda una vida sobre los hombros. Relájate.

—Tienes razón. Lo que intento decir es que... —Se humedeció los labios—. Quiero a Kate y deseo pasar mi vida con ella, pero también quiero que sea feliz y disfrute de la vida que ahora le toca vivir. Que vaya a la Universidad, se gradúe, viaje y sume experiencias que la ayuden a conocerse.

—Eso me parece muy bonito, William. Es lo que siempre he deseado para ella.

—Ese anillo no es una petición de matrimonio. Sé que no es el momento para algo así. Aunque sí es una promesa. Voy a cuidarla siempre y trataré por todos los medios de hacerla feliz.

Ella le tomó la mano con un gesto maternal.

—Gracias. Mi nieta es muy afortunada por tenerte en su vida.

—Hay algo más que quiero decirle.

—¿De qué se trata?

—He alquilado una casa aquí, en Heaven Falls, y le he pedido a Kate que se mude conmigo cuando esté preparada. No dará ese paso sin estar segura de que te parece bien, es importante para ella y también para mí.

Alice suspiró y contempló el lago.

—Creo que es una buena idea que se mude contigo. No quiero que se quede sola, y menos ahora. —Cruzaron una mirada y ella sonrió con tristeza—. Cariño, me estoy muriendo. El tratamiento no funciona y me queda muy poco tiempo. No le he dicho nada a Kate y quiero que siga así.

William le apretó la mano y se giró hacia ella.

—¿Cuánto tiempo?

—Meses, semanas, días —dijo con los ojos llenos de lágrimas.

William maldijo para sí mismo. Sabía que estaba enferma, no tenía posibilidades de recuperarse, pero inconscientemente no quería reconocerlo.

—Podemos buscar otros médicos. Te conseguiré a los mejores e iremos adonde sea necesario.

Ella le hizo callar con un susurro.

—Ya no está en manos de los médicos, créeme. Por eso me hace tan feliz esta noticia. Me tranquiliza saber que no va a estar sola. ¡Prométeme que podrá contar siempre contigo!

—Te lo prometo —dijo él con un nudo en el estómago.

Alice asintió agradecida y se recostó sobre el banco. Observó el paisaje con una sonrisa en los labios y su mano aún sobre la de William.

—¿Puedo pedirte un favor?

—Lo que sea —le aseguró él.

—Desde hace un par de décadas, todos los años se celebra en Heaven Falls una fiesta benéfica, en la que se recaudan fondos para el pueblo. Este año se destinarán a arreglar el tejado del local donde se guardan las carrozas para los desfiles. Quedó destrozado tras las lluvias de primavera —le explicó con voz rasposa. Se detuvo con un fuerte golpe de tos. Inspiró hondo y añadió—: Yo suelo colaborar con la decoración. Tengo una habitación repleta de guirnaldas, farolillos y antorchas, pero este año no me encuentro con fuerzas. ¿Te importaría venir el viernes y llevarlo todo a casa de los Stanford?

—Claro que no, haré lo que me pidas.

—Gracias, cariño. Ahora, si te parece bien, quedémonos aquí un rato. Es mi rincón favorito desde que era niña.

William asintió y apretó su mano.

—Todo el tiempo que quieras.

47

Adrien llevaba días rondando por la zona y ni rastro del tal Ben Graham. Su casa estaba cerrada a cal y canto, había correo en el buzón y las flores del porche empezaban a marchitarse. Supo por una vecina cotilla que el señor Graham solía ausentarse unos cuantos días todos los veranos, aunque desconocía el motivo de esas ausencias.

Comenzaba a desesperarse. Si la adivina estaba en lo cierto, ese hombre era el único que podía darle una pista sobre la ubicación del cáliz, y no tenía ni idea de por dónde empezar a buscarlo.

Miró su reloj y sintió una punzada de hambre. Estaba sediento y esa inquietud hacía estragos en su autocontrol. Desde que desangró a los tres tipos que irrumpieron en el café, había hecho todo lo posible por no atacar a nadie. Cada vez que sentía ese deseo enfermizo, la cara de Kate aparecía en su mente como un antídoto contra el que empezaba a inmunizarse.

Le llegó el chirrido de una puerta al abrirse y el olor a sangre fresca se coló en su nariz. Una chica apareció en la acera con un perrito muy pequeño, al que llevaba sujeto por una correa y que se negaba a caminar. Ella se sacó el dedo de la boca y lo miró con atención.

—Esta vez te has pasado, Perla. Me has mordido. —Una gota roja y brillante apareció en la yema del dedo—. ¿Ves lo que has hecho?

La chica levantó la vista y se encontró con Adrien a pocos pasos. Le dedicó una sonrisa y él se la devolvió.

—¿Estás bien?

—Sí —respondió ella entre risas—. Solo ha sido un mordisquito. Perla tiene un carácter horrible, pero es tan mona.

Adrien le lanzó una mirada indiferente a la bola de pelo que no dejaba de gruñirle.

—Sí, muy mona.

La chica se llevó el dedo sangrante a la boca y succionó.

Los colmillos de Adrien se alargaron y una punzada de lujuria le hizo estremecerse bajo los pantalones. Esa parte de su cuerpo tenía la mala costumbre de pensar por su cuenta y en el momento más inapropiado.

—¿Vives por aquí? —se interesó la chica.

—No.

Ella entornó los ojos y se mordió el labio inferior con un gesto seductor.

—Qué pena.

Pasó caminando junto a él y se dirigió al parque que había al final de la calle. Adrien sonrió y pensó en lo fácil que sería seguirla y aceptar la invitación implícita en esas dos palabras.

—Bienvenido, Ben, ¿cómo ha ido su viaje? —preguntó una mujer a poca distancia.

—Maravilloso, gracias.

Adrien giró la cabeza a tal velocidad, que un humano se habría partido el cuello. Estudió al hombre con atención y solo vio un tipo corriente. Cruzó la calle a su encuentro, demasiado nervioso como para ser prudente.

—Deje que le ayude con eso.

El tal Ben se sobresaltó al oír su voz tan cerca y levantó la cabeza del maletero.

Adrien aprovechó el momento y tomó el equipaje que estaba descargando con gran esfuerzo.

—No es necesario, muchacho.

—No se preocupe, no es ninguna molestia. —Su boca se curvó con una sonrisa inocente.

Ben se encaminó a su casa con las llaves en la mano. Abrió la puerta y se hizo a un lado para que Adrien pudiera pasar.

—¿Dónde las pongo?

—Junto a la escalera, por favor.

Dejó las maletas en el suelo y miró a su alrededor con curiosidad. La decoración parecía muy antigua, al igual que los muebles. Daba la sensación de que cada cosa tenía su lugar y no se habían movido en décadas. Salvo un sillón desgastado, cubierto por una manta, y una mesita junto a la ventana, en la que descansaban un montón de periódicos y libros.

—Gracias, muchacho, mi espalda ya no es la que era.

—Ha sido un placer.

—Si puedo hacer algo por ti...

Adrien se encogió de hombros.

—¿Le importaría darme un vaso de agua, por favor?

—¡Por supuesto, pasa!

Ben se dirigió a la cocina y Adrien aprovechó para echar un vistazo a la calle. Después cerró la puerta. Estiró el cuello para ver el salón e hizo lo mismo con el pequeño cuarto al otro lado del pasillo. No parecía que allí viviera nadie más.

Ben apareció con un vaso de agua fría.

—Ten. No recuerdo haberte visto antes. ¿Eres de por aquí?

—No, señor, estoy en Heaven Falls por trabajo.

—¿Y qué clase de trabajo? Si no es indiscreción.

—De investigación. Reúno información sobre los primeros colonos que habitaron estas tierras. Me centro sobre todo en las comunidades religiosas que se formaron y en su crecimiento. Cómo funcionaban y se administraban. Las riquezas que acumularon, qué ha sido de todos esos tesoros. Un poco de historia. No hay que olvidarla.

Ben asintió convencido por su explicación.

—La historia es importante, muchacho. Me parece muy interesante lo que haces. ¿Y cómo lo llevas?

Adrien hizo una mueca con los labios.

—No muy bien. Lo que he encontrado en la biblioteca y en los archivos no me sirve. Yo busco esas historias que no están escritas. Leyendas que todo el mundo conoce, pero que nadie sabe si son ciertas. Por ejemplo, hay quien dice que en este pueblo se torturaba a las brujas y que en alguna parte debe de haber restos de esas cámaras de tortura.

—Sí, yo también he oído esas historias, pero nadie ha encontrado nada.

—Y usted, ¿sabe algo que pueda servirme?

—Me temo que no. Lo mío no es la historia, hijo. Soy fotógrafo jubilado.

Adrien forzó una sonrisa. Si no lograba sacarle nada, tendría que tomar medidas más drásticas. Dejó el vaso intacto sobre una consola junto a la escalera y sus ojos volaron hasta una fotografía. El estómago le dio un vuelco. En la imagen aparecía Ben, junto a una Kate muy sonriente. Ella vestía una toga azul y un birrete, y mostraba a la cámara un diploma.

—¿Es su nieta? —preguntó con voz ronca.

Ben miró la fotografía y su cara se iluminó con una sonrisa.

—No, pero la quiero como si lo fuera. La conozco desde el mismo día que nació. Su madre fue mi mejor ayudante en el periódico, y la hija que nunca tuve.

Adrien enmudeció de repente. Tomó la fotografía con manos temblorosas y la miró con más atención.

—¿Dónde se hizo? Parece el museo, pero no reconozco esa sala.

—Porque no está en el museo, muchacho. Esa sala se encuentra en el instituto de Heaven Falls. El edificio fue construido sobre una vieja iglesia, que acabó consumida por el fuego hace siglos. Durante las obras, los trabajadores encontraron una cripta con objetos que pertenecieron a los primeros colonos. Reliquias de poco valor.

—¿Y por qué se guardan en el instituto?

—El alcalde en esa época pensó que sería una buena idea exponer allí algunas de las piezas. Acercar a los estudiantes la historia de este pueblo. Tengo decenas de imágenes sobre ese hallazgo —explicó. Dejó la foto en su lugar y observó con curiosidad a Adrien—. ¿Te interesa para tu trabajo?

Adrien suspiró, aunque sonó más como un sollozo. Se pasó las manos por el rostro y asintió.

—Sí, más de lo que imagina. Gracias.

—Me alegra haberte ayudado.

—Debo marcharme, pero... Gracias, de verdad.

Adrien abandonó la casa como una exhalación. Aún no daba crédito a su buena suerte.

Por fin estaba cerca.

Por fin sería libre.

48

William volvió a colocar el diario dentro de la urna de cristal y se desmaterializó. Tomó forma en el exterior, tras el museo, en el callejón donde se encontraba la zona de carga y descarga, y la entrada para empleados.

Caminó de vuelta a la avenida principal y cruzó la calle hasta el lugar donde Shane le esperaba dentro del todoterreno.

—¿Algún problema? —preguntó Shane.

—Nadie ha notado que faltaba. —Miró la pantalla del portátil que su amigo tenía sobre las piernas—. ¿Has encontrado algo?

—Es posible, el único lugar que encaja con la información de ese diario es el terreno donde se levanta el viejo granero de Cave Creek. Tiene que ser allí.

—Vale, pues vamos a comprobarlo.

Shane le pasó el portátil, puso el motor en marcha y encendió los faros. Después condujo a las afueras del pueblo.

Empezaba a amanecer cuando llegaron al prado donde se alzaba el granero. Durante un par de minutos, contemplaron inmóviles el lugar. Ninguno había regresado allí desde la noche en la que se enfrentaron a los renegados y los recuerdos continuaban siendo dolorosos.

La hierba había crecido y les cubría las rodillas, menos en los puntos donde habían ardido los cuerpos. Era como si esos trozos de tierra hubieran quedado malditos. Ni siquiera la lluvia había borrado el color grisáceo de las cenizas pegadas a la tierra.

No tardaron en encontrar la trampilla.

Shane la levantó y al dejarla caer contra el suelo se separó de los goznes. Se colaron por la abertura y estudiaron cada palmo del suelo.

—¡Aquí! —exclamó William mientras se arrodillaba—. La han ocultado a propósito.

Empezó a apartar tierra con las manos, y dejó al descubierto una losa de piedra con símbolos y palabras grabadas en la superficie. La levantó sin apenas esfuerzo y se coló en el hueco húmedo y oscuro.

Shane lo siguió. Arrugó la nariz al respirar el aire.

William levantó la mano y las antorchas en las paredes prendieron. Bajo la luz de las llamas, recorrió el sótano con la mirada. Todo estaba revuelto. Había muebles volcados y objetos hechos añicos contra el suelo.

—¿Eso es un potro de tortura? —inquirió Shane con los ojos muy abiertos—. ¡Dios, aquí desmembraban a la gente! Es asqueroso.

—Otra cruzada en nombre de la fe —masculló William. Apartó de una patada un fardo de tela y estudió las huellas de botas sobre el polvo—. Adrien ya ha estado aquí.

—Y por cómo ha quedado este sitio, no encontró lo que buscaba.

—¿Crees que se ha ido con las manos vacías? —preguntó William.

—Mira esta destrucción... Ese tío perdió los nervios.

—Tenemos que encontrarlo antes que él.

Salieron del sótano sin molestarse en volver a ocultarlo y abandonaron el granero.

William caminaba deprisa, tan furioso que pensó que comenzaría a echar chispas por los dedos. Se frotó las manos contra los pantalones para aliviar la quemazón, pero solo logró agravarla; y para más irritación, volvía a zumbarle la cabeza.

—¿Y ahora qué? —preguntó Shane.

—Ya no sé dónde más buscar.

No corría ni un ápice de brisa. Sin embargo, la hierba se agitó a su alrededor, azotada por un remolino de aire frío.

—Puede que Carter y tu hermano hayan encontrado algo en Plymouth —comentó Shane.

—Ese viaje era innecesario. Adrien está aquí, por lo que el cáliz también.

—Pero todo apunta a que él tampoco lo tiene, así que estamos en tablas.

—No lo sabemos con seguridad —masculló.

—Vamos, William, si lo tuviera en su poder ya habría venido a por ti. La última pieza, ¿no?

William no respondió y continuó caminando, agobiado por una sensación de fracaso aplastante. Había agotado todas las posibilidades. No sabía dónde más buscar y se quedaba sin opciones.

Solo un camino se abría ante él.

Uno que había evitado desde su llegada a Heaven Falls.

Debía encontrar a Adrien y matarlo.

Después ya buscaría el modo de que Kate entendiera que no había otra alternativa.

Parpadeó varias veces y resopló. Notaba como si miles de aristas afiladas penetraran en su cerebro y lo diseccionaran a golpes.

—A veces pienso en cómo sería mi vida con Marie si esa maldición no existiera —dijo Shane casi sin voz.

William se detuvo y miró a su amigo.

—No es posible. Sabes cuál es el precio.

—Lo sé, y no pretendo que te cuestiones nada, de verdad. Jamás te haría algo así. Haces lo correcto, pero... —se encogió de hombros y esbozó una leve sonrisa— hay tantas cosas que nunca podremos compartir.

—¡Shane, no me hagas esto! —le rogó William—. ¡Yo la convertí! Fui yo quien la condenó a vivir en la oscuridad. ¿Crees que no he pensado en dejar que esa maldita profecía se cumpla para compensarla? Y no solo a ella. Pienso en mis padres, mi hermano y en los vampiros que conozco y respetan la vida humana. Todos ellos merecen liberarse de la maldición. Pero ¿a qué precio?

—Demasiado alto, lo sé.

—No tenemos idea de cuáles serán las consecuencias. —Se llevó las manos a las sienes. El dolor de cabeza apenas le dejaba hablar—. ¿Y si no compensa? ¿Y si el precio a pagar es mortal? ¿Te arriesgarías a perder lo que tienes ahora?

Shane tragó saliva, incómodo y avergonzado.

—Solo son pensamientos, no puedo evitarlos y eres la única persona con quien puedo compartirlos.

William apretó los párpados. Unos puntos brillantes habían aparecido en sus retinas y no lograba ver nada salvo molestos destellos.

—¡Ojalá supiera qué es lo correcto! —alzó las manos agobiado.

De repente, algo escapó de entre sus dedos. Una fuerza extraña. Como la onda expansiva provocada por una explosión, y Shane salió volando por los aires. Se estrelló contra el suelo con un golpe seco que lo dejó sin aire en los pulmones.

Durante un instante, William se quedó inmóvil, intentando entender qué acababa de pasar.

Se miró las manos, atónito. Esa cosa había salido de él.

Al levantar la vista, vio a Shane en el suelo. Echó a correr y cayó de rodillas junto a su amigo.

—¿Estás bien?

Shane tosió y trató de sentarse.

—Creo que tengo el brazo roto.

—¡Lo siento mucho!

—¿Has sido tú?

William exhaló con brusquedad y su voz sonó teñida de precaución:

—Creo que sí. No lo sé, parece que ha salido de mi mano sin más.

Shane volvió a toser, tras lo que escupió un poco de sangre. Sacudió la cabeza y sonrió a su amigo.

—Tranquilo, estoy bien. Solo necesito un momento para recuperarme.

William se sentó a su lado y hundió la cabeza entre las rodillas. Su cuerpo temblaba por el susto. Aunque ese miedo no tenía nada que ver con la explosión en sí. Ya había asumido que los cambios en su cuerpo continuarían y la posibilidad de convertirse en un arma de destrucción existía dada su naturaleza. Ese miedo surgía de lo más profundo de su ser al pensar que la próxima vez que algo así sucediera, podría acabar matando a alguien.

Necesitaba saber de qué era capaz. Qué cosas podía hacer y aprender a controlarlas. Pero no tenía ni idea de cómo lograrlo sin pedir ayuda.

49

—¡Hola! —gritó Kate al abrir la puerta principal. Dejó las llaves sobre la mesa—. William, ¿estás aquí?

No recibió respuesta. Aunque no debía de andar muy lejos, ya que el todoterreno estaba aparcado en la entrada y el maletero abierto con unas cajas en el interior.

Cruzó la cocina y salió al jardín trasero.

—¡William! —insistió.

El aire se agitó con una especie de onda expansiva, que retumbó dentro de su pecho como si estuviera hueco. A continuación, notó otra ola invisible sacudiéndola, seguida de un estruendo en el interior del bosque. Caminó en esa dirección y unos minutos más tarde alcanzaba la orilla del arroyo.

Lo siguió corriente arriba.

Al doblar un recodo, encontró a William de espaldas a ella. Un viento se levantó. Él estiró el brazo con la palma abierta y una fuerza invisible salió disparada de ella, sacudiendo ramas y troncos a su paso hasta impactar contra una roca al otro lado del arroyo. Una luz blanquecina bajó por su brazo y se concentró en sus dedos. Otro golpe de energía se estrelló contra el peñasco. Explotó con un fuerte crujido y se rompió en un millón de trozos.

—Empecé a hacerlo esta mañana —dijo él en voz baja mientras se contemplaba las manos.

Kate se acercó despacio y se detuvo a pocos centímetros de él.

—¿Cómo?

—No lo sé, solo... pasó. —La miró a los ojos—. Pero casi mato a Shane.

—¿Está bien? —preguntó preocupada.

—Sí.

Kate miró a su alrededor, preocupada.

—Deberías tener cuidado. Si alguien te ve hacer estas cosas, no habría forma de explicarlo.

William le rodeó la cintura con los brazos y la atrajo hasta que sus cuerpos quedaron pegados.

—Me gusta que te preocupes por mí —la besó en los labios—, pero necesito saber cómo funciona y aprender a controlarlo. Cuanto más fuerte sea, más posibilidades tendré de ganarle.

Kate sabía que se refería a Adrien.

—No has encontrado nada en ese diario, ¿verdad?

—El diario nos ha conducido a una cripta bajo el granero de Cave Creek. La han abierto hace poco y estoy seguro de que ha sido él. Puede que haya encontrado el cáliz.

—¿En el granero? Yo fui allí con Adrien poco después de que llegara al pueblo. Estuvo rebuscando bajo las tablas del suelo.

Las facciones de William se endurecieron.

—No me lo habías contado.

—Porque no le di importancia —le aseguró ella en tono de disculpa—. Fue días antes de que tú regresaras.

—¿Sabes si sacó algo de la cripta?

Ella negó, un poco incómoda por la tensión que se había instalado entre ellos.

—No en ese momento, aunque tampoco creo que allí hubiera nada. No parecía muy contento, la verdad. —Hubo un momento de silencio en el que ella lo miró a los ojos—. No quiero que te hagan daño. En realidad, no deseo que nadie sufra, William. ¡Nadie!

Él le acarició la mejilla y luego la abrazó contra su pecho.

—Yo tampoco quiero, pero... —susurró y la meció entre sus brazos— me quedo sin opciones. Ya no sé dónde más buscar y no puedo permitir que sea Adrien quien lo encuentre. Debes entenderlo. Necesito que comprendas que es el único modo.

—Pero Adrien cuenta con una ventaja que tú no tienes. —Él arrugó la frente con un gesto interrogante—. Se alimenta de humanos, lo hace directamente de su vena hasta que mueren. Sé que eso hace imparable a un vampiro.

—Es cierto, pero la esencia vital no deja de ser un veneno que acaba destruyendo a todo el que la toma. Es oscuridad y locura, no hay mente que sobreviva a eso. Además, muerto no les sirvo.

En la cara de William se dibujó una pequeña sonrisa y agachó la cabeza. La besó. Sus labios eran dulces y suaves sobre los de ella. Con la mano le acarició la mejilla, luego la nuca, y después la enredó en su larga melena oscura.

Kate cerró los ojos, empapándose de la calidez de su boca. Algunas partes de su cuerpo comenzaron a cosquillear, como pequeñas chispas bailando sobre su piel.

—¡Qué escena tan adorable!

Se separaron de golpe y William se giró hacia la voz que acababa de interrumpirlos. Por puro instinto, adelantó su posición y ocultó a Kate tras su espalda.

Gabriel se acercó a ellos con una sonrisa. Ataviado con un pantalón blanco y una camisa del mismo color, caminaba con aire refinado y altivo.

—¿Quién es? —musitó Kate.

—Gabriel.

—Hola, hermano —saludó el arcángel.

William se cruzó de brazos y paseó la mirada por su rostro.

—No somos hermanos.

—Tienes razón, eres hijo de mi hermana. Eso te convierte en mi... ¿sobrino? Bueno, da igual, eres uno de nosotros. Salvo por el deseo de sangre y esa oscuridad que rodea tu alma, nada te diferencia de mí.

William puso los ojos en blanco, Gabriel hablaba de sí mismo como si fuese la inocencia personificada, nada más lejos de la realidad. El arcángel ladeó la cabeza y le dedicó una sonrisa a Kate. Extendió la mano hacia ella, invitándola a acercarse.

—Será mejor que regreses a casa, yo iré en un momento —le pidió William a Kate.

El arcángel soltó una risita divertida.

—Vamos, William, solo quiero conocerla. Aunque es como si ya lo hiciera, ocupa casi todos tus pensamientos. —Entornó los párpados y movió la mano hacia ella—. Ven.

Kate dio unos cuantos pasos inseguros y colocó su mano sobre la de Gabriel. Un estremecimiento le recorrió el cuerpo y una presencia penetró en su mente. Se relajó de golpe y percibió en el ambiente cosas que un segundo antes no estaban allí. Olía a tarta de manzana, a ceras de colores como las que utilizaba en el colegio, a la colonia de su padre, al suavizante para la ropa que usaba su madre, a la crema de manos de Alice...

Sonrió. Se sentía bien y segura. Nada malo la acechaba y era una sensación tan reconfortante.

Entonces, Gabriel apartó la mano y todo se desvaneció. Abrió los ojos, sorprendida, pero la mirada de Gabriel sobre ella lo era aún más. Parecía desconcertado.

—No cruzaste, me pregunto por qué.

—¿Cruzar? ¿Adónde? —preguntó Kate.

Gabriel le dedicó una sonrisa condescendiente y contempló los destrozos que William había provocado.

—Tus habilidades aumentan con rapidez, eso está bien. Sigue practicando hasta que no necesites pensar en tus poderes para usarlos.

—Es difícil no pensar. Debo concentrarme tanto para llegar hasta ellos, que dejo de prestar atención a lo que me rodea y me vuelvo vulnerable.

—Sigues dudando de ti mismo. Acepta lo que eres y verás cómo fluyen —lo sermoneó Gabriel.

Chasqueó los dedos y una llama apareció flotando en el aire. La tomó en la palma de la mano y la llama creció hasta convertirse en una bola del tamaño de una pelota de tenis. Movió la mano y la esfera candente se transformó en una potente llamarada que envolvió un pino solitario. El árbol comenzó a arder sin control. El crepitar de las llamas se extendió como un eco por el valle.

De repente, el fuego se apagó tan rápido como había aparecido y solo quedó humo y un fuerte olor a madera quemada.

Gabriel se giró hacia William.

—Puedes hacer cualquier cosa que te propongas, manipular hasta el último átomo creado por la mano de Dios. Deja de odiar lo que eres. Si crees que eres débil, lo serás. Si piensas que eres un monstruo, en eso te convertirás. Eres un ser superior y así debes sentirte.

William le sostuvo la mirada.

—Creía que castigabais la soberbia.

Gabriel curvó los labios con una sonrisa maliciosa.

—El orgullo en un ser divino no es pecado, es innato y constata una verdad. —Inspiró hondo y alzó su mano. Una lengua de fuego tomó forma en ella, para después convertirse en hielo—. Prueba.

William tragó saliva y levantó su brazo. Imaginó la llama. Deseó que apareciera. Nada, salvo ese maldito dolor de cabeza.

—No puedo.

—Porque sigues pensando —dijo Gabriel.

De repente, se movió muy rápido y agarró a Kate por el cuello. Ella ahogó un gemido al notar sus fríos dedos en la piel. William saltó hacia delante, pero una fuerza invisible lo frenó.

—Suéltala.

—¿Y si yo fuese un Oscuro, William? O peor aún, uno de sus demonios, hambriento de carne dulce y joven como la de tu amada, ¿también pensarías que no puedes? La matarán, mancillarán su cuerpo, desgarrarán su piel y roerán sus huesos, una y otra vez, prolongando ese infierno.

William intentaba moverse por todos los medios, si bien su cuerpo parecía un bloque de piedra. Miró a Kate y la mano de Gabriel alrededor de su cuello. Las llamas azuladas y frías que surgían de sus dedos y lamían la piel humana. Entonces, algo cambió en su interior. Un zumbido bajo se instaló en su cabeza y dejó de doler. Sus ojos se transformaron en dos océanos de plata. Gritó y todo su cuerpo quedó envuelto en llamas. Serpientes de fuego que serpenteaban y se enroscaban a su alrededor.

Bajó la mirada y observó fascinado su propio cuerpo.

Gabriel soltó a Kate y le acarició la mejilla con una disculpa. Luego se acercó a William, como lo haría un padre orgulloso por los logros de su vástago.

—No dejas de sorprenderme. Bien hecho. —Lo miró a los ojos y la amabilidad desapareció de su rostro—. Ahora, haz lo que tienes que hacer. Acepta que no todo el mundo puede salvarse, y menos si conspira contra nosotros. Sé quién es el padre del otro espíritu y no imaginas lo peligroso que es. Detén la profecía. Mata a Adrien, y hazlo ya.

Kate no podía moverse, ni siquiera hablar, demasiado impresionada por lo que acababa de oír. Se suponía que Gabriel debía de ser bueno y justo, era un arcángel, pero estaba hablando de asesinar a sangre fría.

Miró a William a los ojos y le rogó en silencio que no se rindiera. Ese era el camino fácil, pero no por ello el acertado si implicaba que otros muriesen.

—Solo si no tengo más remedio —dijo él.

Gabriel dio un paso atrás enfadado.

—Te arrepentirás de esta decisión.

—No, si aún puedo encontrar el cáliz.

—No hay más ciego que el que no quiere ver, William. Y tú eres dos veces ciego. Primero, porque no quieres asumir que tu victoria depende de si Adrien vive o muere, y, segundo, porque lo que buscas nunca ha estado oculto.

Dio media vuelta con intención de marcharse.

William lo siguió y le cortó el paso.

—¿Sabes dónde está el cáliz? ¿Está aquí? Venga, necesito un poco de ayuda. —Gabriel no contestó y se limitó a sostenerle la mirada sin ninguna emoción—. Lo olvidaba, no puedes intervenir.

—Abre los ojos y mira a tu alrededor, más allá de ella. —Hizo un gesto hacia Kate—. ¿Podrás cargar con todas las almas que vas a sacrificar? ¿La mirarás igual después?

William le sostuvo la mirada, incapaz de responder. Sus palabras se abrían paso a través de su pecho con la letalidad de una daga afilada. Tomó a Kate de la mano y se alejó del arroyo, de vuelta a la casa. Caminaba deprisa, maldiciendo para sí mismo en una lengua que no sabía que conocía. Por más que intentaba convencerse de lo contrario, sabía que Gabriel estaba en lo cierto. Esa certeza viajaba con él desde el instante que supo que la profecía hablaba de Adrien y él. Uno de los dos debía desaparecer para que no pudiera cumplirse.

—¿Vas a hacer lo que te ha dicho? —preguntó Kate con la voz entrecortada.

—No quiero hablar de esto ahora.

—¡Os están usando a los dos! En alguna otra parte, uno de esos ángeles estará provocando a Adrien para que vaya a por ti. ¿No lo ves?

—No sigas, por favor.

—Sé que Adrien no quiere nada de esto, y tú tampoco quieres. Busquemos alternativas.

—¡Kate! —gritó. Respiró hondo. Una inspiración. Dos. Tres. Intentó hablar de una forma más calmada—. No quedan alternativas. He intentado cumplir la promesa que te hice y creer que Adrien es otra víctima en esta locura, pero se acabó. Si no logro encontrar ese cáliz en los próximos días, Adrien puede darse por muerto. Vas a tener que elegir: o él o yo.

Kate lo miró con lágrimas en los ojos y después contempló el anillo que llevaba en el dedo.

—Siempre tú —respondió.

50

—¿Te importa recordarme qué tengo yo que ver con una fiesta benéfica y las familias fundadoras de este pueblo? —preguntó Shane.

William puso los ojos en blanco. Su amigo no había dejado de refunfuñar durante todo el trayecto.

—Le estamos haciendo un favor a Alice. Entregaremos las cajas que llevamos en el maletero y echaremos una mano. ¿Lo harás por mí? —le preguntó con voz aguda y seductora.

Después le lanzó un besito.

Shane le mostró los dientes con un gruñido y William rompió a reír.

Llegaron a un desvío, dejaron atrás la carretera y tomaron un camino asfaltado. Unos tres kilómetros más adelante, el camino terminaba a los pies de una verja, abierta de par en par, por la que no paraba de entrar y salir gente.

Aparcaron frente a una construcción blanca de estilo sureño, con grandes columnas dóricas, rodeada de árboles centenarios, arbustos decorativos y rosales de muchos colores.

La señora Stanford salió a recibirlos.

—Hola, vosotros debéis de ser los chicos de mi querida Alice. Gracias por venir a ayudar.

—Es un placer —respondió William.

Al ver que Shane no decía nada, le dio un codazo en las costillas.

—Sí, eso —farfulló el chico.

Dos horas más tarde, tras montar carpas, mesas y sillas; revisar bombillas y colocar antorchas decorativas por todo el jardín, la señora Stanford les pidió un último favor. La siguieron hasta el salón principal de la casa y allí cargaron con unas cuantas cajas, repletas de objetos de un gran valor sentimental y económico, que la mujer quería guardar en la biblioteca para evitar que pudieran romperse durante la fiesta.

—Podéis colocarlas ahí, junto a esa librería. Así nadie tropezará con ellas —dijo la señora Stanford—. No sé cómo agradeceros todo lo que habéis hecho. El jardín ha quedado precioso.

—Ha sido un placer ayudar —respondió William.

Dejó la última caja en el suelo y sonrió a la mujer, que parecía encantada de tenerles allí.

—Espero que la fiesta sea todo un éxito y haya muchas donaciones —dijo ella.

—Bueno, ya sabe que puede contar con nuestra aportación.

—Mucho más que generosa, William. La Asociación de Descendientes de las Familias Fundadoras y yo te lo agradecemos enormemente. Por cierto, antes de que se me olvide, tomad. —Sacó de su bolsillo unas gafas de cartón con un filtro oscuro—. Son para ver el eclipse de la próxima semana, un detallito sin importancia. Nos reuniremos en el jardín para observarlo y estáis invitados, por supuesto.

William le dedicó una sonrisa, que de golpe quedó congelada en su rostro. Cruzó la biblioteca a toda prisa y se detuvo frente a la pared. Observó con atención las fotos enmarcadas que colgaban sobre el papel pintado. Algunas eran muy antiguas y no tenían buena calidad. Notó que sus rodillas cedían y tuvo que apoyarse en un mueble.

—¿Conoce este lugar? —preguntó con una calma que estaba muy lejos de sentir.

La señora Stanford se acercó y miró la foto que William señalaba.

—¡Sí, es la sala de trofeos del instituto! Un pequeño museo donde se guardan todos los trofeos conseguidos por el equipo de fútbol y el de natación. También los premios de ciencias y el literario estatal. El instituto lo ha ganado tres años consecutivos —explicó ella con una gran sonrisa.

William señaló un punto en la fotografía más grande.

—Pero esta pieza de aquí no es un trofeo.

La señora Stanford se acercó un poco más. Luego sacó unas gafas del bolsillo de su vestido. Se las puso haciendo un mohín con la nariz y miró detenidamente la fotografía.

—No, por supuesto que no. Esas son las joyas de nuestro pequeño museo. —Se quitó las gafas y contempló a los chicos, encantada de haber encontrado a dos oyentes tan interesados en la historia del instituto que dirigía—. Cuando se construyó el edificio, durante las excavaciones apareció una cripta con objetos que pertenecieron a nuestros padres fundadores. El Ayuntamiento, junto con la Asociación de Descendientes de las Familias Fundadoras, decidió crear en el instituto un pequeño museo que albergara todos esos objetos. Por desgracia, hace años que ninguno de nuestros estudiantes se interesa por esa habitación y permanece cerrada. El único que entra allí es el conserje.

William se revolvió el pelo. Lanzó una mirada significativa a Shane y no pudo evitar sonreír. Le costaba creer que un simple golpe de suerte le hubiera llevado hasta él.

Salieron de la casa a toda prisa y se dirigieron al coche.

—Falta una hora para que acaben las clases —dijo Shane.

—Esperaremos.

William sacó su teléfono móvil del bolsillo y marcó el número de Kate.

—Lo he encontrado —dijo en cuanto oyó su voz al otro lado.

Kate dejó en el suelo la caja con bulbos de tulipanes que había comprado y apretó con fuerza el teléfono.

—¿Te refieres a...?

—Sí.

—¿Dónde?

—En el instituto, en la sala de trofeos.

Kate se sentó en el borde de una jardinera y se frotó la nuca. Su corazón se había puesto a mil y la respiración le silbaba en la garganta. No podía creer que hubiese estado allí durante tanto tiempo, delante de sus propias narices, y que no recordase haberlo visto. Una sonrisa amarga se encaramó a sus labios. Se sentía culpable, aunque una voz en su cabeza le decía que no debía. Hizo un esfuerzo por apartar ese pensamiento y centrarse en ese instante.

—¿Qué puedo hacer?

—Nada —respondió William—. En un rato acaban las clases. Cuando hayan cerrado, iré con Shane y lo sacaré de allí. Después buscaremos el modo de destruirlo y que nadie pueda encontrarlo.

Kate notó las lágrimas brotando bajo sus pestañas.

Se había terminado. Esa cosa nefasta desaparecería y nadie tendría que sufrir por su culpa.

Sollozó aliviada. Su vida y decisiones no estaban escritas por una fuerza divina que manejaba los hilos a su antojo. Del mismo modo que ninguna profecía o presagio dictaba el destino del mundo y los que habitaban en él. Podía cambiarse, incluso detenerse, si se ponía el empeño suficiente.

—Ten cuidado —susurró.

—No temas por nada. Pronto habrá acabado.

Kate colgó el teléfono. Se puso en pie y llevó los bulbos al jardín trasero con manos temblorosas.

Seguir actuando con normalidad le parecía imposible, pero ¿qué otra cosa podía hacer?

Volvió al coche, tomó del maletero un saco de sustrato para plantas y regresó. Se arrodilló en el césped y comenzó a cavar el trozo de tierra que había acotado para las flores.

Un sentimiento de euforia comenzaba a calentarle el pecho. Un hormigueo extraño que la obligaba a sonreír sin parar. Se pasó una mano por la nuca para secar el sudor que ya le escurría por el cuello.

Se le erizó la piel y un escalofrío le recorrió la espalda. Notó que alguien la estaba observando y se volvió. Sus ojos se encontraron con los de Adrien, a muy poca distancia de donde ella se encontraba.

—¿Qué haces aquí? —le preguntó mientras se ponía en pie.

Adrien se fijó en el anillo que llevaba en la mano y una sombra cayó sobre sus facciones. Luego contempló la casa con indiferencia.

—Supongo que debería felicitarte —convino. Alzó un hombro, como si estuviera aburrido—. Pero no voy a hacerlo.

Las mejillas de Kate enrojecieron.

—Deberías marcharte, no es seguro que te dejes ver por aquí.

—¿Te sigues preocupando por mí?

—Nunca he dejado de hacerlo. Eres mi amigo.

—La última vez que nos vimos, dijiste que no podíamos ser amigos.

—Dije que no deberíamos comportarnos como amigos, cuando es evidente que no podemos serlo. No que no quisiera ser tu amiga. —Hizo una pausa y la atmósfera entre ellos se volvió más densa, como si estuvieran encerrados en una habitación que se encogía—. A pesar de todo lo que sé sobre ti, no puedo verte de otra forma —le confesó.

—Deberías.

—No eres tan malo como quieres hacer creer y debe de haberte ocurrido algo terrible para que lleves esta vida.

Adrien esbozó una leve sonrisa cargada de desdén.

—Puede que al principio fuese así, aunque ya no estoy tan seguro. Quizá siempre he sido así, un monstruo latente... Hasta que alguien lo despertó y le quitó las cadenas.

El corazón de Kate se precipitó hacia su estómago y su latido palpitó con fuerza contra su diafragma. ¿Adrien se estaba abriendo a ella?

—¿Y quién lo despertó? —se atrevió a preguntar.

—¿De verdad quieres saberlo?

—Sí.

—Puede que sea lo justo —susurró como si hablara consigo mismo—. Sí, tienes derecho a saberlo, pero no hablaré contigo aquí. —Extendió el brazo hacia ella y le ofreció su mano con la palma hacia arriba—. ¿Vienes?

Kate lo miró a los ojos y vio en su mirada un intenso anhelo. No un deseo ardiente, sexual. Era otro tipo de impaciencia, escondida al fondo de sus pupilas. Contuvo el aliento, confiando en que, al margen de todo lo que había sucedido, él nunca le haría ningún daño.

Posó su mano sobre la de él y asintió con una pequeña sonrisa.

De repente, Adrien le rodeó la cintura con ambos brazos y se desmaterializó.

Kate notó cómo todas sus moléculas se separaban, se desvanecían en una especie de corriente rápida y brillante, y volvían a tomar forma como si fuesen pequeños imanes atrayéndose entre sí hasta formar un puzle. Su cuerpo.

Abrió los ojos en cuanto sintió el suelo bajo los pies y el reflejo del sol destellando sobre el agua la cegó. Parpadeó varias veces. Se encontraban a orillas del lago, al norte de las montañas, dentro de la reserva natural.

—¿No había un lugar más apartado en el que hablar? —preguntó con un tonito mordaz.

Él aún la mantenía sujeta por la cintura. Colocó las manos en su pecho y ejerció una leve presión. Casi con reticencia, la soltó.

—Es tan bueno como cualquier otro.

Kate elevó la vista al cielo y se apartó el pelo de la cara. El sol se encontraba en lo más alto y calentaba con fuerza. Buscó la sombra de los árboles, donde el ambiente era más fresco y oscuro. Adrien la siguió con la mirada. Tenía una expresión cansada, como si en su mente hubiera algún tipo de conflicto que requería un gran esfuerzo de concentración por su parte. El silencio y sus ojos penetrantes la estaban poniendo nerviosa.

—¿Quién eres en realidad? —preguntó con un nudo en el estómago.

—Mi nombre es Adrien Dumont. Nací en 1925 en El Havre, en la región de Normandía, al norte de Francia.

—Creo que eres el vampiro más joven que conozco —dijo ella con una pequeña sonrisa.

—Y el más guapo, no lo olvides —bromeó, pero su voz sonó amarga.

—Háblame de ti.

—Siempre he sabido que mi madre era descendiente de Lilith y que nací de su vientre como cualquier bebé humano. De hecho, durante muchos años, mientras crecía y me convertía en un hombre, siempre creímos que lo era... Humano, quiero decir.

—¿Cómo se llama tu madre?

—Ariadna.

—Es un nombre precioso —dijo con el pulso acelerado. Tragó saliva antes de formular la siguiente pregunta—. ¿Y qué hay de tu padre?

Adrien apartó la mirada y tomó aliento.

—Mi madre nunca me contó gran cosa sobre él. Lo conoció en París. Por aquel entonces, ella vivía en la ciudad y todas las noches se escapaba de su aquelarre para colarse en el Louvre y pasear por sus salas. Le encanta el arte, ¿sabes? Sobre todo la pintura, y en especial la italiana. Artistas como Caravaggio, Tiziano, Guido Reni, Tiepolo... son sus favoritos. Una de esas noches, mi padre se le acercó. Ella lo describía como un hombre muy guapo, elegante y refinado. Inteligente y buen conversador. No había nada que no supiera, ni lugar que no hubiese visitado. Conocía infinidad de lenguas. Le dijo a mi madre que la quería en todas y cada una de ellas, y acabó enamorándose perdidamente de él.

Adrien se quedó callado con la vista clavada en el suelo.

—¿Y qué pasó? —inquirió Kate.

—Mi madre siempre supo que era un ser diferente, y cuando le preguntaba sobre su naturaleza, él la seducía con el misterio y nunca respondía. Llegó un momento en el que a ella dejó de importarle quién fuese. La trataba como a una princesa, la colmaba de regalos y atenciones, y mi madre siempre ha sido un espíritu romántico. Hasta que un día, él desapareció.

—¿Sin más?

—Sin más. Poco después, ella se dio cuenta de que estaba embarazada e intentó buscarlo. Pero no tenía un nombre, y mucho menos un apellido o una dirección en la que poder encontrarlo y decirle que esperaba un hijo suyo. Meses después, yo vine al mundo. Un niño humano creciendo en un aquelarre de vampiros, temiendo a los de su propia especie y llamando «familia» a los que se alimentaban de ellos, ¿te imaginas?

—Pero nunca fuiste humano realmente.

—No, es verdad. Solo lo parecía. —Inspiró hondo y se tomó un momento para ordenar sus ideas—. Recuerdo que, pese a todo, era feliz. Me sentía querido dentro de la pequeña familia que formábamos. Tiempo después, cuando yo aún era un niño, encontramos a Cecil y sentí que mi vida se completaba.

Kate lo observaba sin parpadear, pendiente de cada palabra que pronunciaba.

—¿Quién es Cecil?

—Mi hermana. La encontraron en las cloacas. Un renegado la había transformado y después la abandonó a su suerte. Aún lloraba la pérdida de su familia a manos de ese asesino cuando la acogimos. Mi madre se ocupó de ella y, poco a poco, se convirtió en mi hermana. —Sonrió para sí mismo como si rememorara algo gracioso—. Haría cualquier cosa por ella.

—La familia es importante.

Adrien asintió con ojos brillantes.

—Años más tarde, un grupo de Anakim llegó a la ciudad. Cecil y yo nos topamos con ellos en una de nuestras salidas. Nos encantaba correr por la playa cuando el sol se ponía. Ellos nos descubrieron y debieron de pensar que se trataba de una vampira persiguiendo a un joven humano, porque se lanzaron a por ella y a mí me ignoraron. No recuerdo qué pasó después, solo sé lo que Cecil me contó. Al ver que la atacaban, algo despertó dentro de mí. Destrocé a esos desgraciados con mis propias manos y dientes. Probé la sangre y perdí el conocimiento. Días después, desperté convertido en vampiro. Mi corazón estaba muerto, y solo podía pensar en la sangre. Fue horrible. Aceptaba a los vampiros, eran mi familia, pero convertirme en uno... No estaba preparado para eso. No quería esa vida.

Kate se acercó a él y le acarició el brazo en un débil intento de consolarlo. Parecía tan abatido.

—Lo siento mucho, Adrien. Ni siquiera puedo imaginar qué se debe de sentir.

Él la miró a los ojos y su rostro se ensombreció.

—Con el tiempo acepté mi destino y también que era diferente a los demás vampiros. Era un bicho raro. Siempre lo había sido y siempre lo sería.

—No eres un bicho raro, solo diferente, y ya conoces el motivo.

—Ahora sí, pero entonces no, y llegué a creer que me había vuelto loco. Un día perdí a alguien que me importaba mucho. Creo que ese fue el detonante. Empecé a cambiar. Me sentía extraño y hacía cosas imposibles e inexplicables para un vampiro. Entonces apareció él...

—¿Te refieres a tu padre?

—Mefisto, la mano derecha de Lucifer. El infierno debería llevar su nombre —masculló con rabia. Kate se llevó ambas manos a la cintura y se abrazó el estómago con un estremecimiento—. Me arrebató a mi madre y a Cecil. Las arrancó de mi lado a la fuerza y después me hizo una oferta. Para recuperarlas con vida, debía participar en su juego. ¡Con toda esa mierda del «no puedo intervenir», casi ha conseguido que me vuelva loco! —exclamó exasperado—. Una pista tras otra. Señales imposibles de encontrar, hasta que por fin pude averiguar qué quería. Me negué muchas veces. No era capaz de cumplir sus órdenes, porque, cada vez que lo hacía, perdía una parte de mi alma. Pero entonces él se cabreaba y ellas pagaban las consecuencias. —Los ojos se le llenaron de lágrimas—. He hecho cosas horribles, de las que no sé si me arrepiento. Cosas que me han hecho fuerte, pero que han ido anulando mis emociones. Era la única forma de poder llegar al final y soportar toda esta basura.

—No te tortures por algo que te obligaron a hacer, no tenías alternativa. Y tus emociones siguen ahí, Adrien. Las he visto. Tú no eres un cascarón vacío.

—Podría enumerarte todas las muertes que pesan sobre mí y seguirías creyendo que tengo salvación, ¿verdad?

—Me niego a pensar de otro modo. —Lo miró afligida—. Adrien, por favor, deja que te ayudemos. Esta historia aún puede acabar bien si confías en nosotros. Rescataremos a tu familia.

Adrien exhaló con impaciencia.

—¿Piensas que William y su manada de lobos podrían vencer a mi padre? Kate, el infierno no es un lugar, Mefisto es el infierno. Solo recuperaré a mi madre y a mi hermana si le doy lo que quiere, y eso haré. Me ganaré su confianza. Después, cuando ellas estén a salvo, seré yo quien se encargue de él. Solo yo. ¡Necesito verle sufrir! —siseó furioso.

Una ráfaga de aire helado los envolvió y Kate levantó la mano para protegerse los ojos. Contempló el rostro fiero y hermoso de Adrien. Sentía su pena, y esa emoción tan intensa aplastaba su propio corazón. La conmovía.

—Adrien, no podrás darle a tu padre lo que quiere. William ha encontrado el cáliz y va a destruirlo. Acepta la ayuda que te ofrezco, por favor.

—El cáliz ya no está en el instituto. Lo tengo yo —dijo como si nada.

Kate palideció.

—No es verdad.

—¿Ah, no? ¿Y cómo sé que estaba allí? En una vitrina en la sala de trofeos, para ser más exacto.

Ella dio un paso atrás con la espalda rígida. De repente, una luz de alarma se encendió en su cerebro. No mentía, tenía el cáliz. Una idea empezó a tomar forma en su mente.

—No te dará su sangre.

—Lo hará. ¿Quieres saber por qué? Porque somos iguales, y cuando deba elegir, será egoísta y escogerá aquello que ama sin que le importe lo que pueda ocurrirle al resto del mundo. Tal y como yo estoy haciendo ahora, Kate. He hecho mi elección y va a destrozarme.

—¿Y qué elección es esa?

Una triste sonrisa curvó los labios de Adrien.

—Eres tan cálida y estás tan llena de vida.

—Contéstame.

—Lo siento mucho. Te juro que he hecho todo lo posible para evitarlo.

—Adrien, por favor, evitar ¿qué? —le exigió con el rostro crispado por un mal presentimiento que no dejaba de crecer.

—No me odies —le rogó él.

Desnudó los colmillos con un gesto de dolor.

El corazón de Kate dio un vuelco violento y le arrancó dos lágrimas ardientes. Ya no tenía dudas sobre lo que se proponía. Un plan demencial que no podía salir bien de ningún modo.

—No, por favor, no. Adrien, no lo hagas.

—No tengo otra opción. Es la única forma de recuperar a mi familia.

—Te lo suplico, por favor.

—Debes entenderlo, las matará —susurró con el rostro desencajado por una infinita desesperación—. En cambio, para ti será un nuevo comienzo. Si cuando la maldición se rompa el mundo cambia, tú serás el depredador y no la presa. Estarás a salvo.

—¡Por favor, te lo ruego! Jamás podré vivir así, no lo soportaré.

—No es tan malo —dijo él a modo de consuelo.

Kate empezó a caminar hacia atrás. Un miedo atroz se extendía por su cuerpo y le robaba el color a su piel.

—¿De verdad crees que William romperá la maldición por mí? No lo hará —le gritó.

—Te salvará.

—Me lo arrebatarás todo. ¡Maldito seas, Adrien, yo también tengo una familia!

Los ojos de Adrien se volvieron fríos y su rostro se transformó en una máscara inexpresiva.

—Habrá otra vida, te acostumbrarás —replicó tajante. Kate dio media vuelta y echó a correr—. Que huyas solo retrasará lo inevitable.

Kate sabía que tenía razón, acabaría atrapándola, pero era incapaz de detenerse. Su instinto de supervivencia era demasiado fuerte. Se lanzó a una carrera frenética, impulsada por la adrenalina que le corría por las venas. Lloraba de rabia y frustración. Sin embargo, era mucho peor la humillación que sentía. El desprecio hacia sí misma por haber confiado en él cuando todos le habían pedido que no lo hiciera.

Adrien surgió de la nada en su camino, y Kate frenó en seco.

—Así será más doloroso para los dos —dijo él en tono cansado. Ella echó a correr en dirección contraria—. Kate, hazme caso, necesitaré de toda mi concentración para detenerme a tiempo.

—Y si no, ¿qué? ¿Me matarás como a todos los demás?

—No quiero hacerte daño —gritó para que lo oyera.

—Pues deja que me vaya —chilló ella con voz trémula.

—No puedo hacerlo.

Kate dio un respingo al sentir su aliento en el oído. Entonces, todo ocurrió muy deprisa. Él la sujetó por los hombros y la tiró de espaldas contra el suelo. Su cuerpo rebotó contra un manto de musgo, húmedo y resbaladizo. Trató de moverse, pero Adrien la inmovilizó con su peso. Lo golpeó en el pecho con los puños.

—¡Para! —le gritó él mientras le sujetaba los brazos por encima de la cabeza.

—Por favor, Adrien, por favor...

Lo miró a los ojos y entonces lo vio. La determinación haciendo añicos su mirada sobre ella. El hielo congelando su expresión. La crueldad que desfiguraba sus labios. Solo un detalle desentonaba en medio de esa máscara de piedra: una lágrima brillante deslizándose por su mejilla.

Adrien le sostuvo la mirada. Sus ojos cambiaron hasta ser rojos, un color que se extendía bajo sus pestañas como una gota de tinta. Sus dientes se alargaron y suplicó, sin saber muy bien a quién, poder detenerse a tiempo.

Siseó como una cobra y hundió los colmillos en su cuello, justo debajo de la mandíbula, desgarrando la vena. Comenzó a beber, succionando su sangre hacia sus entrañas con tanta rapidez que no tardaría en drenarla por completo. Gimió una vez al recrearse en su sabor, y ese sonido fue lo que hizo que se detuviera a tiempo. La repulsa hacia sí mismo por estar disfrutando algo que debería odiar.

Se apartó de ella y la miró. Su rostro había perdido el color y una línea blanca dibujaba sus labios. Casi no respiraba y su corazón amenazaba con detenerse de un momento a otro. Solo tenía unos pocos segundos.

Sacó de su espalda la daga que siempre llevaba encima y hundió el filo en su muñeca. Hizo un corte profundo y la sangre brotó a ambos lados de la hoja. Con la otra mano tomó el rostro de Kate y presionó con los dedos bajo sus mejillas para que abriera la boca. Después acercó la muñeca al hueco que formaban sus labios y apretó. Ya no había vuelta atrás.

51

No estaba allí.

Los ojos de William centellearon con furia. Inspiró hondo y se frotó la cara con ambas manos. Convirtió su puño en un ariete y lo estrelló contra la vitrina, que prácticamente se desintegró por el golpe. Todos los objetos que ocupaban los estantes cayeron al suelo con un fuerte estruendo. Con la mandíbula apretada, contempló el agujero que sus nudillos habían dejado en la pared.

No albergaba la más mínima duda de quién lo tenía. Había vuelto a adelantarse, otra vez, y también la última. Adrien conocía la profecía y había robado el cáliz, ahora solo necesitaba su sangre para cumplirla y no tardaría en ir a por él. Bien, ¿para qué hacerle esperar? Pensaba ir a su encuentro con una daga en cada mano.

Se desmaterializó y volvió a tomar forma a un par de calles del instituto, en el jardín de una casa abandonada. Se dirigió al lugar donde Shane le esperaba con el coche. Sus pasos resonaban furiosos contra el asfalto.

Shane, que se encontraba apoyado en el parachoques delantero, se enderezó en cuanto lo vio aparecer y frunció el ceño al fijarse en sus manos vacías.

—Se nos ha adelantado —dijo William con una expresión mortífera.

—¿Y cómo lo ha averiguado?

—No lo sé, pero va un paso por delante y debo estar alerta.

—¿Y ahora qué?

William se masajeó el pecho con una sensación incómoda.

—Tengo que ir a casa y hablar con Kate. Después pienso encontrar a Adrien y poner fin a esta historia.

Shane asintió.

—De acuerdo, pasa a buscarme en cuanto estés listo.

William le puso la mano en el hombro y le dio un ligero apretón. Shane se había convertido en un gran apoyo para él. No tenía pelos en la lengua a la hora de decirle lo que pensaba, ni tampoco dudaba en darle un buen puñetazo si creía que lo necesitaba. Era su amigo y también el ancla que lo mantenía con los pies en la tierra.

Era afortunado por poder contar con él.

Tras despedirse de Shane, condujo hasta su nueva casa, inquieto y enfadado. Adrien tenía el cáliz y él se sentía culpable por habérselo servido en bandeja al no haber movido un solo dedo en su contra. Había cedido a todas y cada una de las súplicas de Kate, y esa debilidad que sentía por ella los había puesto a todos en peligro. No debería haberlo hecho. Sin embargo, su conciencia necesitaba compensarla por haberla abandonado, y había dejado que su corazón tomara el control de una situación que solo podía tratarse con una mente fría.

Aparcó junto al coche de Kate y volvió a frotarse el pecho antes de bajar. Notaba un peso extraño sobre las costillas. Frunció el ceño al ver la puerta del maletero abierta. La cerró al paso y se dirigió a la puerta principal.

—¿Kate?

No contestó.

La casa estaba en silencio. No se oía ningún ruido que indicara que ella se encontraba allí. Fue hasta la cocina y vio la puerta que daba al jardín abierta. Salió afuera y en el césped descubrió unos guantes, herramientas de jardinería, plantas y un saco de sustrato.

—¿Kate?

Nada. Miró a su alrededor y divisó su bolso sobre la mesa de la cocina.

Empezó a inquietarse.

—¿Kate? —gritó con más fuerza.

Sacó su teléfono móvil del bolsillo y marcó su número. Al otro lado de la línea sonó un tono, dos, tres... Maldijo cuando saltó el contestador. Inspiró hondo y notó un ligero rastro de su perfume. De repente, su olfato captó otra nota, una que le costó reconocer.

Sus ojos destellaron con un brillo airado. Kate no estaba allí y un mal presentimiento se apoderó de él. Miró de nuevo su teléfono y marcó otra vez su número. Cerró los ojos y extendió sus sentidos, mientras en su cabeza no dejaba de repetir la misma cantinela.

—Soy un maldito ángel, puedo hacerlo. Puedo hacerlo.

De pronto, su oído captó una leve vibración. El eco muy lejano de un timbre. Se desmaterializó en el acto y se dejó guiar por esa reverberación.

Gritó su nombre en cuanto sus pies se posaron en el suelo.

Miró a su alrededor. No reconocía el lugar.

El bosque era muy espeso y lóbrego en esa zona. Los árboles se alzaban una decena de metros sobre su cabeza y las ramas tejían una cúpula por la que se filtraba la luz del sol, formando pequeños haces brillantes.

Volvió a marcar el número de teléfono de Kate y escuchó. Percibió un sonido conocido que provenía del sur. Echó a correr en esa dirección. No se detuvo cuando llegó a un precipicio, sino que aceleró el ritmo y se lanzó al vacío con la temeridad de un suicida. Sus pies se hundieron en la tierra al aterrizar y continuó moviéndose.

Escuchó de nuevo y todo su cuerpo se tensó.

Un corazón.

Una respiración.

Era ella.

Voló entre la maleza. La percibía mucho más cerca.

La vio a lo lejos. Caminaba con esfuerzo por un estrecho sendero, apoyándose en los árboles para no desplomarse.

—¡Kate! —su voz resonó como un trueno en medio del bosque.

Kate levantó la cabeza y el movimiento la desequilibró. Cayó al suelo. William llegó hasta ella y el olor a sangre y muerte inundó sus fosas nasales. Deslizó un brazo bajo sus hombros y trató de incorporarla con cuidado. Ella gimió y su cabeza cayó hacia atrás.

El alma de William se partió en un millón de trocitos al reparar en la herida de su cuello. Con dedos temblorosos apartó los mechones que se le habían pegado a la piel y ya no tuvo dudas. Era la mordedura de

409

un vampiro. Miró su rostro y vio la sangre que le oscurecía los labios y el hilillo seco que brotaba de una de sus comisuras. Eso solo podía significar una cosa.

Las garras del horror se apoderaron de él y su cerebro trató de procesar lo que estaba ocurriendo.

Apretó los párpados y un sollozo escapó de su garganta.

—Todo irá bien —le dijo, besándola en la frente.

Negó con la cabeza, como si así pudiera ahuyentar el miedo y armarse de valor.

Kate se enfriaba con demasiada rapidez. Su respiración se debilitaba y también su corazón. Ya no podía hacer nada por ella. La sangre del vampiro corría por sus venas, arrancándola de las garras de la muerte, pero conduciéndola a otro estado mucho peor.

La transición estaba en marcha.

Dejó los lamentos a un lado y comenzó a rezar para que sobreviviera a la transformación.

No podía perderla. No iba a perderla.

De repente, Kate empezó a convulsionar.

William deslizó el otro brazo bajo sus rodillas y se puso en pie. La apretó contra su cuerpo y se desmaterializó.

Le flaquearon las fuerzas y tuvo que tomar forma a unos pocos kilómetros de la casa. Echó a correr con ella acunada contra su pecho. Kate abrió mucho los ojos y empezó a toser como si se estuviera ahogando. Se llevó una mano al cuello, después trató de enfocar la mirada en sus dedos y sollozó al verlos manchados de sangre.

—Will... —articuló.

—Saldrás de esta, te lo prometo. Yo cuidaré de ti.

Kate empezó a gritar y unas manchas rojas aparecieron en su rostro. Su piel reaccionaba al sol. Su transición iba muy deprisa. Divisó la casa a lo lejos y corrió hacia ella con toda su alma. Empujó la puerta con su mente y entró sin detenerse hasta alcanzar el sótano. El único lugar sin ventanas.

Se desplomó en el suelo y la abrazó con fuerza, meciéndola contra su pecho.

Al cabo de unos minutos, ella gritó de nuevo con los ojos muy abiertos. Empezó a retorcerse, entre gemidos y ruidos ahogados mientras se llevaba las manos al pecho y la garganta.

William supo que sus pulmones estaban colapsando. Se asfixiaba. Su cuerpo se agitó con espasmos y temblores descontrolados. La abrazó con desesperación y, llorando como un niño, lanzó una mirada suplicante hacia arriba. Rogó en silencio soportar aquella agonía por ella, pero nadie respondió.

Nadie acudió.

Nadie le escuchó.

El corazón de Kate se detuvo. Y la desesperación de William se transformó en furia, mientras los gritos de la mujer que amaba retumbaban en las paredes.

—Aguanta. Pronto dejará de doler, te lo prometo.

Tiempo después, William se dejó caer exhausto contra la pared. Kate había dejado de gritar y convulsionar, y ahora su cuerpo, inmóvil y frío, yacía entre sus brazos. Le colocó una mano en el pecho, sobre el corazón, y no notó nada. Parpadeó para alejar las lágrimas. Nunca más volvería a escuchar su latido. Tampoco su suave respiración, ni el calor de su piel desnuda sobre la de él.

La acomodó contra su pecho y la miró con atención. Una punzada de miedo le encogió el estómago. No había ningún signo de vida en ella. ¿Y si estaba realmente muerta? ¿Y si no había superado la transformación? No podía saberlo con seguridad y esa incertidumbre lo estaba destrozando.

Volvió a mecerla, tal y como había hecho durante horas, y el tiempo continuó pasando.

Llegó otro amanecer.

William contempló la pared y parpadeó varias veces. El cansancio estaba haciendo mella en él. Necesitaba dormitar, y también alimentarse, pero no pensaba moverse de allí hasta que ella despertara.

De pronto, todos sus sentidos reaccionaron ante una presencia inesperada. Un nuevo olor llenó la habitación y el cuerpo entre sus brazos tembló.

Kate recuperó la conciencia de golpe.

Abrió la boca para tomar aire, aunque no sirvió de nada, sus pulmones no funcionaban. Se expandían, pero no procesaban el aire.

«No puedo respirar», pensó aterrada.

No sabía dónde estaba, ni recordaba nada de nada. Solo sentía un miedo profundo y un nombre palpitando en su cerebro.

—William.

—Estoy aquí.

Abrió los ojos. Su visión era turbia, no podía ver más que sombras.

El dolor explotó de golpe dentro de su cuerpo y un grito agónico brotó de su garganta. Estaba ardiendo. Se quemaba por dentro. El fuego le mordía los huesos y los músculos, consumía cada molécula. Llevó las manos a su pecho y desgarró la ropa. Comenzó a arañarse la piel, frenética.

Necesitaba acabar con ese tormento.

Un golpe de tos la obligó a doblarse hacia delante. Unas manos la sostuvieron. Notaba la garganta tan áspera y seca como si hubiera tragado arena. Volvió a abrir los ojos, mientras un violento temblor la sacudía de arriba abajo.

Parpadeó para aclarar su visión y se obligó a concentrarse en lo que tenía alrededor.

Reconoció el sótano de la casa en la que había comenzado a instalarse con William.

¡William!

Separó los labios para gritar su nombre, pero de su garganta solo surgió un sonido ronco.

—Tranquila, todo va bien. Lo has conseguido.

Kate ladeó la cabeza y miró hacia arriba. Su mirada se encontró con la de él. La abrazaba contra su pecho y le sonrió con tanto amor que el corazón le dio un vuelco. Vaciló un momento. No, su corazón no se había movido. Ni se había acelerado hasta palpitar desbocado, tal y como solía hacer. No latía.

Comenzó a recordar. El bosque, Adrien... ¡Él la había mordido!

Se llevó una mano al cuello, pero no notó ninguna herida ni marca.

—Dime que sigo siendo yo —susurró en un tono ronco.

—Sigues siendo tú.

Kate movió la garganta como si tragara. Los dedos le temblaban cuando los extendió hacia él con un brillo de esperanza en la mirada.

—¿Aún soy humana?

William le sostuvo la mirada y le sonrió con una tristeza cuyo peso aún no podía soportar.

—No.

Un gemido lastimero brotó del pecho de Kate, que acabó transformándose en un llanto seco. Su mundo se había roto en mil pedazos y no había forma de volver a unirlos. Estaba viviendo una pesadilla. Había perdido la vida e iba a perderse a sí misma, porque no podría soportarlo. No había consuelo.

Quiso morir. Desaparecer de verdad.

Los brazos de William la sostenían, pero en ese instante hasta su contacto le parecía horrible y trató de apartarlo. De repente, otra oleada de dolor y fuego la sacudió.

—Duele. Duele mucho —gritó.

—Lo sé.

—Quiero que pare. Haz que pare.

William le colocó la mano en la mejilla y le inclinó el rostro para que lo mirara.

—Dejará de doler en cuanto te alimentes.

—¿Me alimente? ¿Te refieres a...?

—Necesitas sangre.

—¡No! No puedo hacer eso.

—No hay otra opción. Irá a peor si no bebes —le aseguró. Ella empezó a negar con la cabeza y se tapó los oídos. La sujetó por las muñecas para que lo escuchara—. Notas la garganta tan seca que crees haber comido arena y sientes fuego bajo la piel. Como si ríos de acero fundido recorrieran tus terminaciones nerviosas. Son tus venas secándose, Kate. Apenas tienes sangre circulando por ellas y tu cuerpo la absorbe muy rápido para recuperarse de la transición. Tienes que beber o no sobrevivirás ni dos días.

—Yo no quería esto, no ahora... ni en mucho tiempo —gimoteó.

—Lo sé, y lo siento de veras, pero ya no hay vuelta atrás. Debes hacerlo.

Alargó la mano y cogió un termo de metal que Marie le había llevado. Lo destapó y lo acercó a los labios de Kate con cuidado.

—No —sollozó mientras se apartaba de él y pegaba la espalda a la pared.

Sentía el cuerpo tenso, tembloroso, como si pequeñas réplicas lo sacudieran después de haber sufrido una descarga eléctrica de alto voltaje.

William se arrodilló frente a ella y la miró a los ojos.

—Kate, por favor. No puedo perderte.

Ella le sostuvo la mirada, haciendo todo lo posible para ignorar el olor que emanaba del termo. Un aroma dulce y tibio que le agitó el estómago y acrecentó el tormento que palpitaba bajo su piel. La tentación se impuso y bajó los ojos. Las encías le palpitaban. Notó una presión incómoda en la superior y sus colmillos alargarse. Los rozó con la lengua.

Algo empezó a despertar dentro de ella, una sensación más animal que humana a la que le costaba resistirse. Que ganaba terreno y se imponía autoritaria.

—Bebe —le ordenó William.

Ella le lanzó una mirada inquieta y él asintió con vehemencia, animándola.

Kate tomó el termo y se lo llevó a los labios. Tras un momento de duda, cerró los ojos y sorbió. La sangre penetró en su boca y el olor a cobre caliente y sal le inundó el olfato. Después su lengua registró un sabor tan intenso y exquisito que la hizo gemir de placer. Toda resistencia desapareció de su conciencia. Bebió con avidez y, a cada trago que daba, el dolor iba disminuyendo. Pronto fue reemplazado por una sensación de calor y somnolencia tan agradable que suspiró. Se lamió los labios con ansia.

—Más —pidió con los ojos brillantes como ascuas.

52

William se sentó en la cama. Estaba agotado y sediento. Había evitado tomar sangre, por si Kate la necesitaba, y no sabía cuánto tiempo más aguantaría sin alimentarse. Esperaba que el envío urgente que su padre le había prometido llegara al día siguiente. Los pequeños robos de Keyla en el hospital apenas servían para sustentar a un vampiro, y en ese momento el número ya ascendía a cinco.

Se recostó en la cama y tuvo una amplia visión del baño a través de la puerta entreabierta. La mampara de la ducha se abrió y Kate salió envuelta en una nube de vapor. Se acercó al espejo desnuda y se miró, mientras un charco de agua se formaba a sus pies. Se tocó las mejillas con las puntas de los dedos. Se inclinó sobre el lavabo para ver más de cerca sus ojos y después elevó el labio para estudiar sus colmillos.

Mientras la observaba, no pudo evitar excitarse. Era hermosa de pies a cabeza. E inmortal. Pese a todo, una parte de él no podía dejar de pensar en ello y se sentía mal y culpable por hacerlo con cierto regocijo. ¿Eso le convertía en un monstruo egoísta? Probablemente sí, pero no dejaba de ser un vampiro, una criatura nacida de una maldición creada por magia oscura. Era lo que era y la idea de tener a Kate para siempre llenaba su vida de esperanza.

Se levantó y fue hasta ella. Se colocó a su espalda y la observó en el espejo.

—No importa cuánto te mires, seguirás siendo preciosa. Más aún, si eso es posible.

El reflejo de Kate le devolvió la mirada con escepticismo.

—Mis ojos son... ¿violetas? ¿A cuántas personas conoces con un color como este?

—Lo que yo decía: preciosa y única. Tus ojos recuperarán su color habitual.

Se inclinó y depositó un beso en su hombro. Luego enredó la mano en su melena y la apartó mientras recorría con los labios la línea de su cuello. Aspiró su olor y no sintió sed ni dolor. El impulso de hundir los dientes en su cuello seguía allí, pero no tenía nada que ver con beberse hasta la última gota de su sangre. Era otra cosa, igual de primaria, pero mucho más obscena y que ahora podía sentir sin ningún freno ni distracción.

Deslizó la mano por su cintura y le acarició el estómago, sin dejar de saborear, mordisquear y succionar su piel. Ella dejó escapar un gemido que lo atravesó, al tiempo que su espalda se arqueaba y su trasero se pegaba a él. Siseó y la perforó con sus ojos azules en el espejo. Ella le sostuvo la mirada y le dedicó la sonrisa más erótica que había visto nunca.

William elevó las comisuras de sus labios con un gesto arrogante y sexi. Los músculos de la parte baja de su estómago se tensaron cuando ella soltó un jadeo ahogado y se impulsó hacia atrás con las caderas, buscándolo. El deseo lo atravesó y las emociones crecieron en su pecho más vivas que nunca.

Sin apenas paciencia, se quitó la camiseta, desabrochó sus pantalones y tiró de ellos hacia abajo. Le separó las piernas y se hundió en su cuerpo con un gemido. Una descarga de energía le recorrió la columna. Pegó el pecho a su espalda y la abrazó con fuerza.

—Eres perfecta —dijo en su oído.

Kate gimió en respuesta. Un sonido ahogado y tenso que lo excitó mucho más. Se retiró un poco y volvió a sumergirse en su interior. Entregándose por completo. Dejándose marcar por su aroma. Ambos temblaron al sentirse de un modo tan profundo.

William comenzó a moverse, meciendo las caderas, balanceándose hacia atrás y hacia delante. Primero despacio, en círculos, mientras pequeñas espirales de placer se enroscaban en su vientre y se extendían hacia la parte baja de su espalda.

Alzó los ojos y su mirada intensa quedó enredada con la de Kate en el espejo. La besó en el cuello y en la mandíbula, y mordisqueó el lóbulo de su oreja. Deslizó las manos por su cuerpo y alcanzó el hueco entre sus piernas, lo que le arrancó un gemido de placer. Se estremeció ante ese sonido y sus caderas aumentaron el ritmo. Un movimiento enloquecido, insuficiente y desmedido, todo al mismo tiempo.

Su cuerpo se tensó cuando ella alcanzó la cima y comenzó a temblar a su alrededor. Sus músculos se tensaban y ondulaban, y le tocó a él gemir su nombre. De repente, el placer estalló en su interior y fue devastador. Invadió cada célula de su cuerpo y se extendió en sensuales palpitaciones que bloquearon todos sus sentidos.

Tuvo que aferrarse con ambas manos al lavabo para no desplomarse sobre ella. La besó en la espalda y sus miradas volvieron a encontrarse.

Kate soltó una risita traviesa y William sonrió contra su piel al darse cuenta de que ella aún quería más.

Más.

Adoraba esa palabra en sus labios.

—Necesito salir, no soporto estar aquí encerrada. Este... este sótano me ahoga.

William la miró desde el sillón en el que llevaba sentado las últimas ocho horas. Dejó el libro en el reposabrazos y suspiró.

—Podrás subir en una hora. El sol ya se está poniendo y entonces será seguro que te muevas por la casa.

Kate se detuvo frente a él con los brazos en jarras y una mirada asesina.

William la miró de arriba abajo y tuvo que morderse el labio para no sonreír. Parecía que iba a saltarle encima de un momento a otro, y esta vez no sería para otra sesión de sexo.

Él mejor que nadie entendía por lo que ella estaba pasando. Los sentimientos tan intensos que experimentaba, los cambios de humor tan drásticos que la volvían loca la mayor parte del tiempo. Vivía en una montaña rusa, llena de subidas y bajadas, en la que sus emociones estallaban como pompas de jabón con el más mínimo roce. En la que una línea muy fina separaba la alegría de la tristeza. La risa del llanto. El amor del odio.

—¿Subir? ¿Quieres decir que esta noche tampoco podré salir afuera? —inquirió enfurruñada.

—Saldremos a la terraza y tomaremos el aire, nada más. Poco a poco, Kate.

—¿Por qué?

—Primero debes familiarizarte con la persona que eres ahora, con tus sensaciones y tu cuerpo. Has cambiado en muchos aspectos y debes acostumbrarte a esos cambios.

—Quiero salir de esta casa y de este maldito bosque —protestó sin dejar de moverse de un lado a otro.

William se puso en pie y se encaminó a la escalera.

—Te traeré más sangre. Quizás así te calmes.

Ella lo detuvo por el brazo y negó con la cabeza.

—No creo que deba beber tanto. Si quiero aprender a controlar la sed, necesito sentirla y soportarla, ¿no?

—Aún es pronto para eso.

—Sé que puedo hacerlo.

—No se trata solo de la sed. Hay otras sensaciones que debes controlar primero. Emociones que, si estás hambrienta, te serán más difíciles de manejar. Mírate, estás muy alterada.

—¡Porque me han convertido en un jodido vampiro! —gritó histérica—. ¿Y a qué esperas para decirme «Te lo dije»? Debes de estar deseándolo, ya que tú tenías razón y yo no. Me dijiste que no confiara en él y lo hice. ¡Felicidades!

La expresión de William se oscureció y se quedó en silencio. Ese horrible silencio que sacude la conciencia. Ella supo de inmediato que había llegado demasiado lejos. El enfado dio paso a la culpabilidad, y el arrepentimiento brilló en sus ojos. ¿Por qué había dicho esas cosas? Ella no era tan mezquina.

—Lo siento, no quería decir eso.

Cruzó el espacio que los separaba y lo abrazó. Él estaba en lo cierto, era incapaz de lidiar con sus emociones. Completamente incapaz. La sepultaban ahogándola bajo una gruesa capa de frustración que no la dejaba pensar. Se guiaba por impulsos que desdibujaban su nueva realidad.

William inspiró hondo y la rodeó con sus brazos. Le acarició la espalda para consolarla; y también para consolarse él.

—No pasa nada.

—Solo quiero ver a mi abuela —gimoteó.

—Lo entiendo, pero tienes que confiar en mí. No estás lista para relacionarte con humanos. Ya no eres uno de ellos, ¿entiendes? Tú eres el cazador y ellos las presas. Está en tu naturaleza darles caza y alimentarte. No importa a quién tengas delante, sentirás su corazón latiendo, el murmullo de la sangre corriendo por sus venas y el fuego de la sed torturándote para que lo sacies. Sé de lo que hablo —susurró con la imagen de Marie en su mente—. Es nuestro instinto. Requiere tiempo dominarlo y, aun así, nunca serás completamente inmune. Por lo que también debes saber cuándo retirarte para no hacer daño a nadie.

—¿De verdad crees que atacaría a Alice?

—¿Quieres correr ese riesgo para averiguarlo?

—No —respondió ella con el rostro escondido en su pecho—. ¿Qué le diremos para que no se preocupe?

—Cree que tienes gripe. Marie la ha convencido de que es mejor que te quedes aquí unos días, para no arriesgarnos a que enferme con su sistema inmunitario tan débil. Eso nos da un par de semanas, después ya veremos.

Kate cerró los ojos y lo abrazó más fuerte.

William continuó acariciándole la espalda. Bajó la barbilla para mirarla y sonrió. Sus bonitos párpados estaban cerrados y unas largas pestañas se expandían sobre la parte superior de sus mejillas.

—El sol se ha puesto, ¿quieres subir?

Ella asintió.

William la tomó de la mano y subieron la escalera en silencio. Arriba todo estaba oscuro y él se apresuró a encender algunas luces. Después abrió la puerta de la terraza para que el aire fresco entrara. Se giró hacia Kate, que lo miraba inmóvil desde el centro de la cocina, como si no supiera muy bien qué hacer.

—Ven.

Ella fue a su encuentro y juntos salieron afuera. El cielo se extendía sobre sus cabezas como un manto de ónice en el que las estrellas brillaban dando forma a las constelaciones. Todo el bosque estaba tranquilo, en calma, sumido en una especie de letargo hipnótico.

William cerró los ojos e inspiró. El olor de Kate había cambiado. No era del todo diferente, pero sí más intenso, y hacía que su estómago se agitara con un millón de mariposas revoloteando descontroladas en su interior.

Ella se puso tensa de repente.

—¿Qué ocurre? —preguntó él.

—¿Tú también lo oyes?

—¿El qué?

—Todos esos sonidos. Los ruidos, los golpes. Ese repiqueteo y los susurros.

Se llevó las manos a la cabeza y presionó sus sienes, sobrepasada por los estímulos.

William escuchó, tratando de identificar esos sonidos. Sonrió y la estrechó con fuerza para que se sintiera mejor.

—¿Oyes ese *pum pum*? Parece el latido de un animal pequeño, probablemente el de algún ratón entre las plantas. Ese rumor que se extiende es una bandada de pájaros batiendo sus alas. El repiqueteo es del grifo que hay en el garaje, aún no he tenido tiempo de arreglarlo. Y los susurros solo son las hojas de los árboles agitadas por la brisa.

—¿Puedo oír el corazón de un ratón desde aquí?

—Sí.

—¡Vaya! Es tan... —vaciló buscando las palabras.

—¿Abrumador e increíble?

Kate rompió a reír.

—Sí. —Un velo de tristeza apagó su risa. Alzó la cabeza y contempló el cielo—. No hay colores en la noche. No hay amarillos, ni azules, ni rojos... No hay luz.

—Kate, solo tú puedes lograr que esta nueva vida merezca la pena. Yo puedo ayudarte, pero debes ser tú quien encuentre motivos.

Ella le sonrió con desánimo y volvió a contemplar la oscuridad.

—Tienes razón. ¿Sabes? Creo que voy a terminar de plantar esas flores.

—Me parece una idea estupenda. Yo me desharé de esas ramas caídas, puede que vengan bien para la chimenea.

Kate se miró los brazos y se dio cuenta de que apenas notaba la temperatura del aire.

—¿Los vampiros también tenemos frío?

—No como los humanos, pero sí. Cuando nos alimentamos, la temperatura de nuestro cuerpo sube, y baja cuando nos debilitamos.

—Y dormimos —afirmó al recordar que él ya le había dicho algo al respecto.

—No lo necesitarás con la misma frecuencia, pero dormirás.

Kate frunció el ceño, pensativa. Después esbozó una pequeña sonrisa y se arrodilló junto a las macetas y los bulbos de tulipanes que quedaron olvidados tras su encuentro con Adrien. Apretó los dientes, su recuerdo le hacía querer romper cosas.

Al cabo de un rato, William había amontonado todas las ramas junto a un tocón y las cortaba con un hacha para apilarlas en la leñera. Kate continuaba distraída con su tarea.

—¡Hola! —saludó Shane al doblar la esquina de la casa con una caja de espuma en los brazos.

Miró a Kate y se alegró de verla en el exterior con tan buen aspecto. William le hizo un gesto de bienvenida con la cabeza.

—¡Hola, Shane! —exclamó ella, contenta de verle. Se puso en pie y fue a su encuentro—. ¿Y Marie?

—Vendrá en un rato, y amenaza con traer una de esas películas románticas en las que siempre llueve. Si algún día me encuentro con ese Tom Hiddleston en persona, le daré un mordisco, te lo juro.

Kate rompió a reír y volvió a arrodillarse en el suelo.

—A mí me gustan.

Él le guiñó un ojo y después miró a William. Alzó la caja un poco.

—Acaba de llegar. ¿Dónde quieres que la ponga?

—Ven, por ahora usaré la nevera. Pero tendré que buscar un sitio un poco más discreto.

Entraron en la cocina y Shane dejó la caja sobre la mesa. Rompió los precintos y quitó la tapa. Un montón de bolsas de sangre quedaron a la vista.

—Con esto tendréis para dos o tres semanas.

William las contempló y tragó saliva, más hambriento de lo que parecía. Después abrió la nevera y las fue colocando en los estantes. La última la desgarró con los dientes y sirvió la mitad en un vaso. Empezó a beber sin apartar los ojos de Kate.

—¿Cómo lo lleva? —se interesó Shane.

Fuera sonó un gruñido y el crujido de algo al romperse.

—No sé para qué me molesto. De noche no se abrirán —protestó Kate.

Arrancó las flores con sus pétalos cerrados y las tiró lejos. Entró en la cocina como una flecha y desapareció camino de la sala. La oyeron subir las escaleras a toda prisa y dar un portazo. Algo de cristal se estrelló contra el suelo.

—Ahí tienes la respuesta —dijo William con un suspiro, y apuró la sangre de su vaso. Se sirvió el resto y salió afuera—. Temo que acabe consumiéndose si no logra adaptarse.

—Se acostumbrará, ya lo verás.

—Tiene claustrofobia, ¿lo sabías? —Shane negó con la cabeza—. Parece un animal enjaulado en ese sótano.

—Podemos buscar una manera de sellar la casa durante el día, contraventanas de acero sobre rieles que puedan cerrarse de forma automática con un temporizador. Eso le dará espacio.

—¿Crees que se podría hacer? —preguntó William esperanzado.

—Déjamelo a mí.

—De acuerdo, aunque eso solo hará la jaula un poco más grande.

Una sonrisa pequeña curvó los labios de Shane.

—¿Y tú qué tal estás?

—Bien.

—Que mal mientes.

William se encogió de hombros.

—No quiero pensar. Intento no hacerlo, porque ahora solo debo centrarme en Kate, pero no dejo de imaginar todas las formas posibles de asesinar a Adrien. Te juro que voy a arrancarle el corazón con mis propias manos —masculló airado. Tomó aliento para serenarse—. ¿Sabéis algo de él?

—No, es como si se lo hubiera tragado la tierra, pero no dejaremos de buscar. Vamos a encontrarlo. —Se frotó una oreja, pensativo—. ¿Por qué crees que lo hizo?

La mirada perdida de William sobre los árboles parecía severa y desolada.

—Algo trama, pero no sé qué. Le he dado muchas vueltas y no termino de ver la jugada. Si quería usar a Kate contra mí, podría habérsela llevado sin más.

—¿Es posible que solo perdiera el control?

—No lo sé, y Kate no recuerda nada de lo que le dijo.

Shane cruzó los brazos a la altura del pecho. Le preocupaba la seguridad de William y tanta incertidumbre le ponía nervioso. Su amigo era el objetivo de un plan siniestro que aún no lograba entender.

—Ya tiene el cáliz, y todos sabemos lo que aún necesita, ¿a qué está esperando?

Al pensar en esa pregunta, William se tensó como la cuerda de un violín. Apretó la mandíbula.

—Supongo que pronto lo sabremos.

53

Kate leyó el último párrafo del libro y lo cerró. Lo colocó sobre el que había leído el día anterior. A ese ritmo, iba a necesitar toda una biblioteca. Miró a su alrededor, buscando qué hacer. Pensó en recortar y pegar más fotografías en el álbum que estaba montando y se arrepintió de inmediato. No tenía ánimo para contemplar paisajes bajo el sol, días de instituto y recuerdos de cosas que no podría volver a disfrutar.

Se quedó sentada con la mirada perdida en la pared.

Conforme avanzaban las horas, más deprimida se sentía. Había telefoneado a Alice a media mañana. Conversaron un ratito y al despedirse, cuando le preguntó de nuevo si se tomaba los antigripales y comía bien, estuvo a punto de contarle la verdad.

Se sentía fatal por tener que mentirle. William insistía en que una mentira piadosa no era una mentira en sí, pero ella no lograba verlo de ese modo. Por ahora, se sentía como una sucia embustera.

Miró su reloj y gruñó. Quedaba una eternidad para que anocheciera.

Empezó a andar de una esquina a otra, mirándose los pies para ignorar el techo y las paredes que se cernían sobre ella. No lograba acostumbrarse a estar encerrada. Superaba las horas a duras penas y todo el mérito era de William, que no la dejaba sola ni un segundo.

Pero esa mañana lo había convencido para que saliera. Llevaba días posponiendo sus obligaciones y aún tenía que recoger algunas de sus cosas de casa de los Solomon.

Cerró los ojos e intentó relajarse. Al cabo de unos minutos, suspiró frustrada. El silencio había dejado de existir en su vida. Infinidad de sonidos vibraban en el aire. En el jardín algún animal olisqueaba las plantas, probablemente un conejo. Los pájaros piaban en el tejado. Había partes de la casa que no dejaban de crujir. Incluso percibía la corriente eléctrica viajando por los cables, un chisporroteo continuo que la ponía de los nervios.

Sobre su cabeza, sonaron unos pasos. Miró hacia arriba y vio una araña de largas patas correteando por el techo. Pensó que era asquerosa, con todas esas patitas peludas y el cuerpo regordete. ¿Cuánta sangre podría contener en ese abdomen?

Apretó los párpados con fuerza.

¿De verdad había pensado eso?

Buscó el termo, necesitaba beber. Al menos, eso la tranquilizaría un rato.

—¡No, no, no...! —susurró al comprobar que no quedaba ni una gota.

Ahora no era capaz de pensar en otra cosa. Necesitaba beber. Le dolía el estómago. Tenía la garganta seca...

Contempló los peldaños. Vaciló unos segundos y se lanzó escaleras arriba. Abrió la puerta un poco y la luz le taladró los ojos. Tras unos segundos para habituarse a tanta claridad, salió afuera y se pegó a la pared. Desde allí veía la sala. La distancia hasta la cocina era muy grande y haces de luz se colaban a través de las ventanas, convirtiendo la habitación en una trampa mortal.

Pensó qué hacer. Si tenía cuidado, podría evitar los rayos de sol y llegar hasta la nevera.

Se pegó a la pared todo lo que pudo y avanzó de puntillas como si recorriera el borde de un precipicio. Dobló la primera esquina y se agachó para pasar bajo un rayo de sol que rebotaba en la pared. Gateó tras el sofá. Desde allí habría unos cinco metros hasta la puerta de la cocina y esa zona estaba en penumbra. Se puso de pie con una sonrisa de triunfo en los labios.

Sin embargo, un sexto sentido la urgía a que regresara al sótano.

Aunque la nevera estaba tan cerca...

Aceleró el paso y de inmediato se detuvo, mirando a su alrededor. Asustada comprobó que las sombras se aclaraban. Entonces comprendió lo que estaba a punto de ocurrir. En el cielo había nubes que ocultaban el sol y se estaban moviendo.

La primera trazada le dio de lleno en el brazo. Al principio se sorprendió al no sentir nada. Luego el dolor brotó sin piedad y su piel comenzó a echar humo. Se tiró al suelo con un grito de terror y se arrastró hacia el sótano. Un alarido agónico escapó de su garganta cuando otro rayo de sol tocó su pierna.

Logró alcanzar la puerta y se lanzó por el hueco.

Una vez abajo, se revisó la piel. Tenía unas ampollas horribles y le dolían mucho. Gimió asustada. Había sido una experiencia aterradora y empezó a comprender lo letal que el día era para ella. Morir abrasada debía de ser la peor de las muertes.

Se tumbó en el suelo, cansada y hambrienta.

De pronto, sus sentidos reaccionaron. Se puso de pie. Alguien se acercaba a la casa. Podía oír con total nitidez la gravilla crujiendo bajo el peso de los pies y una respiración acelerada. El timbre de la puerta principal sonó un segundo después.

—Kate, ¿estás ahí?

Se le doblaron las rodillas al reconocer la voz de Jill. Su mejor amiga había regresado y... ¡No podía entrar de ninguna manera, no podía acercarse a ella!

Jill no sabía nada de su nueva situación. Todos habían guardado silencio para no estropearles la luna de miel y evitar que regresaran.

Los pasos se alejaron de la puerta principal y rodearon la casa.

—Vete, por favor —dijo para sí misma.

Era una recién convertida, sin apenas control de sí misma y estaba sedienta. Aún no se había puesto a prueba cerca de un humano y no quería que esa primera vez fuese con Jill.

La puerta corredera de la cocina se abrió.

—Kate, ¿dónde estás? —canturreó Jill a pleno pulmón y Kate pensó que iban a reventarle los tímpanos.

¿Desde cuándo tenía esa voz tan aguda? Guardó silencio. Con suerte, pensaría que no había nadie.

—Vamos, tu abuela me ha dicho que estás con gripe. ¡Madre mía, esta casa es una pasada! —exclamó desde el salón—. ¿Estás en el baño? No me importa, voy a subir.

Kate dio un paso atrás y sin querer pisó el termo, que rodó por el suelo con un ruido metálico.

—Nena, ¿estás ahí abajo?

—Sí, pero no bajes —contestó nerviosa.

—¿Qué? ¿Eso es lo primero que me dices después de tanto tiempo sin vernos? ¿Ni un «me alegro de verte» o «te he echado de menos»? —Empezó a descender la escalera—. A ti te pasa algo.

—Jill, por favor, no bajes. Lo digo en serio —le advirtió con voz temblorosa—. De acuerdo, sí que pasa algo, pero ahora no puedo contártelo. ¡No bajes! —le ordenó cuando vio sus pies aparecer.

—¿Qué pasa, Kate? Me estás preocupando —dijo Jill desde el último peldaño.

Kate le dio la espalda y se refugió en una esquina. Se cubrió el rostro con las manos para no oler la sangre de su amiga, pero su aroma se había apoderado de todo el sótano en un instante.

—Cariño, ¿qué haces aquí a oscuras? —preguntó Jill sin apartar los ojos de ella.

—¿Cuándo has llegado?

—Hace unos minutos, ni siquiera he pasado por casa. Le he pedido a Evan que me dejara en el camino. No podía esperar a verte.

—¿Evan también está aquí? —preguntó esperanzada.

—No, ha ido a deshacer el equipaje —respondió mientras daba unos pocos pasos—. ¿Por qué te escondes de mí? ¿Qué te pasa?

—¡Nada! —gritó Kate y la apartó de un empujón.

Jill salió despedida hacia atrás y se estrelló contra unas cajas. Cayó al suelo con un grito de dolor.

Kate se giró horrorizada por lo que acababa de hacer. Ni siquiera era consciente de haberse movido. Corrió a su lado y la sujetó por los brazos para ayudarla a sentarse.

—¿Estás bien? No sé qué me ha pasado. Yo jamás te haría... —sus ojos se posaron en un arañazo en el brazo de su amiga— daño.

Cerró los ojos e inspiró el olor de la sangre fresca. Acercó el rostro a la herida y volvió a inspirar. La boca se le hizo agua. Tragó saliva y notó presión en la encía superior. Abrió los ojos, teñidos de violeta, y miró a

Jill con una sonrisa que mostraba un atisbo de sus diminutos colmillos. El gesto tranquilizador de un depredador antes de abalanzarse sobre su presa.

—¡Dios mío, eres un...!

Kate le puso un dedo en los labios y siseó para hacerla callar. Miró fascinada cómo resbalaba la sangre por su brazo. Notó el ansia que esa visión le provocaba. Necesitaba calmar el fuego que le estrujaba el estómago. Abrió la boca.

Jill reaccionó y trató de apartar el brazo. Había aprendido bastante sobre vampiros como para saber qué le ocurría a Kate. Sintió que se le rompía el corazón al mirarla. Su amiga no. Ella no.

—Kate, suéltame —le ordenó en tono autoritario—. Suéltame el brazo.

—No puedo, no aguanto más. Te dije que no bajaras —susurró afligida.

—Kate, tú no quieres hacerme daño.

—No puedo controlarlo. No tienes idea de lo que se siente. De lo mucho que duele.

De repente, una ráfaga de aire frío congeló el sótano.

William apareció tras Kate y la agarró por la cintura. Ella empezó a forcejear. Golpeando con brazos y piernas para alcanzar lo que el cuerpo le pedía. Temiendo que se zafara, él no tuvo más remedio que estamparla contra la pared y sujetarla por el cuello con una mano.

—¡Para!

—¡Déjame! —gritó ella fuera de sí.

William la aplastó con su cuerpo para inmovilizarla por completo.

—Tú eres más fuerte que todo esto. Eres la persona más fuerte que conozco —le dijo William al oído.

—No lo soy. Déjame llegar hasta ella, solo será un poquito.

—Escúchame, cariño, no dejes que te domine. No mires la sangre, sino a Jill. Mírala a ella. Es tu amiga y no quieres hacerle daño. —Ella persistía en zafarse, y él le gritó mientras la zarandeaba—: ¡Maldita sea, Kate, nunca podrías perdonártelo! Yo lo sé, y tú también.

Kate dejó de forcejear. Parpadeó varias veces como si despertara de un mal sueño y clavó sus ojos en los de William. Se abrazó a él con todas sus fuerzas.

—Lo siento. Lo siento mucho. Yo no quería... —se le atragantaron las palabras y hundió el rostro en el pecho de William—. Soy horrible.

Jill se levantó del suelo con esfuerzo, magullada por el golpe.

—Tú no eres horrible. Somos hermanas. Juntas pase lo que pase, ¿recuerdas?

Kate negó despacio con la cabeza.

—Ya no soy la misma.

—Sí lo eres. Para mí sigues siendo la de siempre.

Se inclinó hacia un lado para intentar verle el rostro, pero Kate continuaba escondida en el pecho de William.

—Será mejor que subas a lavarte, yo iré en un minuto —le dijo él.

Jill subió la escalera y se dirigió a la cocina. Abrió el grifo con manos temblorosas, colocó el brazo bajo el chorro de agua y lavó los restos de sangre. Luego secó la herida con un paño limpio que encontró en un cajón.

Las lágrimas nublaron su visión y un nudo muy apretado en la garganta le dificultaba respirar.

No podía quitarse de la cabeza la imagen de Kate olfateando su sangre, el extraño color de sus ojos y los colmillos que había visto tras sus labios.

¿Qué demonios había pasado en su ausencia? ¿Y por qué nadie le había dicho nada?

Oyó pasos acercándose y se apresuró a secarse las lágrimas.

William entró en la cocina y se sentó en una silla. Suspiró abatido. Apoyó los codos en la mesa y escondió el rostro entre las manos. Le estaba costando mantener la compostura y no hundirse en el abismo que se abría en su interior tras la transformación de Kate. Había estado tan cerca de perderla, otra vez. Si hubiera atacado a Jill...

Se echó hacia atrás en la silla y miró a la chica.

—¿Estás bien?

—No te preocupes por mí. ¿Qué tal está Kate?

—Asustada por lo que podría haber pasado. Lo siento, Jill. Ha sido culpa mía, no debí dejarla sola.

—No es culpa de nadie, solo ha sido un accidente. Por eso no vamos a contar lo que ha pasado, ¿de acuerdo? Me he caído de vuelta a casa, nada más.

—¿Piensas mentirle a Evan?

—Los Solomon son lo que son y Kate ahora es... ya sabes. Todo ese rollo del pacto...

William asintió agradecido.

—Quizá debería llevármela lejos de aquí hasta que no sea tan peligrosa.

—¿Y adónde? ¿A Alaska? —preguntó Jill. No estaba de acuerdo con esa idea.

William sonrió sin humor.

—Es una opción, allí no vive mucha gente. —Se pasó los dedos por el pelo, angustiado—. Es que no sé si estoy cuidando bien de ella.

Jill también se sentó a la mesa.

—No creo que me hubiera mordido. Ella es incapaz de dañar a nadie por muy vampira que sea ahora.

—No sé, puede que esto que ha pasado contigo la ayude. Ha estado demasiado cerca y lo sabe. Tiene miedo.

Jill soltó una retahíla de improperios.

—Ha sido Adrien, ¿verdad? Él le ha hecho esto. —William arqueó las cejas y ella añadió—: No me mires así, jamás pensaría que has sido tú. Y ese tipo nunca me ha dado buena espina.

—Ha sido él.

—¿Por qué?

William se puso en pie. Se acercó a la puerta corredera y miró afuera.

—Tengo mis sospechas. Creo que piensa que romperé la maldición por ella.

—¿Y lo harás?

—Kate no me lo perdonaría si lo hiciera —respondió con una lúgubre sonrisa.

Habían tenido esa conversación una decena de veces y ella siempre la zanjaba de la misma forma. «Lo hecho, hecho está, y no sabemos qué consecuencias puede acarrear cumplir la profecía», decía sin vacilar.

—¿De verdad sería tan malo que esa profecía se cumpliera?

William empujó la puerta para que el aire fresco aliviara el ambiente recargado. Se quedó allí parado, contemplando el sol. En pocas horas anochecería y Kate podría salir de su encierro.

—Los renegados no son estúpidos, por eso se alimentan de vosotros sin llamar la atención, ¿y sabes cuál es el motivo principal? —Jill negó con la cabeza—. Que son vulnerables durante el día, un blanco fácil. Si dejaran de serlo, nada les detendría. Ya has visto cómo son, Jill, ¿imaginas a cientos y cientos de ellos en las calles?

Jill tragó saliva y asintió.

—Creo que puedo hacerme una idea.

—No puedo permitir que pase.

54

Kate sonrió, la hierba húmeda bajo los pies descalzos le hacía cosquillas en los dedos. Caminó por el jardín con los ojos cerrados. Olía a barro, madera y un aroma dulzón parecido al sirope, que provenía de las hojas de los árboles.

Ya no volvería a probar el sirope. Le encantaba comerlo con los dedos hasta acabar tan pringosa que el tarro se le quedaba pegado a las manos.

Ahora, al recordarlo, su estómago se agitaba con náuseas.

Se sentó con las piernas cruzadas y empezó a juguetear con las briznas de hierba. No lograba deshacerse de los pensamientos tristes. Las cosas que había perdido, las que ya no haría, las que no conocería.

Contempló el cielo. Pronto habría luna llena, una esfera brillante en el firmamento, y eso sería lo más parecido al sol que vería nunca.

En verdad los ángeles eran crueles. William no dejaba de repetirlo la noche que descubrió que él era, en parte, uno de ellos. Aunque en ese momento había pensado que era el enfado con su madre el que hablaba, ahora sabía que estaba en lo cierto. Era cruel maldecir a alguien privándolo del sol, arrebatarle la luz que daba vida y hacía crecer las cosas. Sumir a un ser en la oscuridad era el peor castigo posible y ella no había hecho nada para merecerlo.

Entonces, ¿por qué los ángeles permitían que continuara así? Porque no les importaba.

Inspiró hondo. A pesar de no necesitar el aire, simular que respiraba la tranquilizaba. Había visto a William hacerlo muchas veces cuando se ponía nervioso. Era curioso cómo su cuerpo se resistía a perder ciertos hábitos, esos movimientos mecánicos que se hacen sin pensar al estar vivo. Si William la acariciaba, su respiración se disparaba hasta convertirse en un jadeo, como cuando estaba viva. El cuerpo tenía sus propios recuerdos.

Abrió los ojos de golpe.

—¿Piensas quedarte ahí toda la noche? —preguntó en tono seductor.

Oyó que reía por lo bajo. Un segundo después, William se sentaba tras ella, rodeándola con sus piernas y brazos.

—¿Qué haces aquí tan quieta?

—Escuchar, ahora puedo distinguir muchos sonidos. Puedo separarlos y saber qué o quién los hace, a qué distancia... Hasta la hierba me susurra.

—¿Y qué te cuenta?

—Que me quieres.

—Entonces hazle caso, sabe lo que dice —susurró con una suave risa.

William le apartó el pelo de la nuca y la besó en el cuello, después tras la oreja.

—¿Te arrepientes?

—¿A qué te refieres? —inquirió Kate.

—A nosotros.

—¿Por qué iba a arrepentirme?

—Sé que no estás bien, puedo verlo. Ya no ríes como antes, estás triste y callada. —Apoyó la barbilla en su hombro y entrelazó los dedos con los de ella—. No estabas preparada para esto, te supera, y tengo miedo de que acabes culpándome a mí.

Kate se quedó perpleja y empezó a negar con la cabeza.

—Tú no tienes la culpa, no pienses eso.

—Él te hizo esto por mí, Kate —replicó con amargura.

Ella se dio la vuelta entre sus brazos y lo miró a los ojos.

—Asumí el riesgo cuando supe quién eras y decidí estar contigo.

—Pero en aquel momento no eras del todo consciente de dónde te estabas metiendo.

—Puede que no. —Le puso las manos a ambos lados del cuello y sonrió—. Pero cuando regresaste sí lo sabía y aun así volví a tu lado.

William le acarició las mejillas.

—Porque eres una inconsciente —convino con una sonrisa.

—Sí, una inconsciente que te quiere.

—¿De verdad?

—¡Sí, no seas tonto! Ha sido Adrien quien me ha hecho esto, no tú, y pagará por ello. ¡Quiero que pague!

—Lo hará.

Se miraron en silencio.

Kate sonrió de oreja a oreja y enredó sus dedos en el pelo revuelto de William. Le encantaba hacerlo. Tanto como perderse en sus ojos azules, iluminados por ese halo plateado que a veces llegaba a deslumbrarla. Inclinó la cabeza para tener un mejor acceso a sus labios.

—Hay algo que no puedes posponer más —dijo él.

Kate dio un respingo hacia atrás.

—¡No!

Sabía a qué se refería, llevaban días hablando de ello.

—Antes o después tendrás que hacerlo. Y mejor ahora que no cuando de verdad lo necesites y no sepas cómo.

—Prefiero seguir bebiendo de un vaso. No voy a ser capaz de morder a un pobre animal que no me ha hecho nada —repuso muy tensa.

—Kate, no seas niña, por favor. No siempre habrá un vaso de sangre humana esperándote en la nevera. Tendrás que recurrir a la caza. Además, te ayudará a aliviar la tensión que sientes cuando estás cerca de los humanos. Más vale cazar un ciervo que al cartero.

Pretendía que fuera una broma, pero a Kate no le hizo ninguna gracia.

—Está bien, pero no me gusta.

William volvió a sujetarla por la cintura.

—Sé que suena cruel, pero espera a probarlo para decir eso.

Kate se arrodilló junto al arroyo y hundió las manos en el agua clara y fría. Las colocó a modo de cuenco y se lavó los restos de sangre del rostro. Después miró con atención su reflejo en el espejo que formaba el remanso. Los ojos brillaban como ascuas y la adrenalina aún recorría su cuerpo haciéndola temblar. Pensó en lo que acababa de pasar, sin estar muy segura de cómo se sentía.

Agazapada entre la maleza había observado al animal, con una mezcla de horror y fascinación.

Después, su instinto había tomado el control. Libre de culpa y miedo, había bebido de su cuerpo caliente. La sangre no sabía tan bien como la humana, ni tampoco la saciaba de la misma forma. Sin embargo, cazar ese animal había sido excitante y ya no sentía el deseo imperioso de abalanzarse sobre todo lo que se movía.

Alzó la vista de su reflejo y contempló a William en lo alto de la cascada. Cómo levantaba los brazos por encima de la cabeza y saltaba hacia el agua, formando con su cuerpo un arco perfecto. La zambullida apenas agitó la superficie y en pocos segundos quedó en calma, como un lienzo inanimado.

Se puso en pie y lo buscó con la mirada. De pronto, surgió a pocos metros de donde ella se encontraba. Parecía un dios del mar. La camiseta se le había pegado al torso, marcando cada una de sus líneas. El pelo le chorreaba por la frente y lo apartó con una sacudida. Era guapo a rabiar y hacía que todo su cuerpo ardiera con solo una mirada. Esa mirada en particular que ahora iluminaba su rostro.

Kate sonrió cuando él le tendió la mano, y no se lo pensó. Saltó a sus brazos con tanto ímpetu que lo tiró de espaldas y ambos cayeron al agua. Empezaron a reír a carcajadas, mientras nadaban abrazados.

—Lo has hecho muy bien. Rápida y silenciosa como la brisa.

Ella le rodeó el cuello con los brazos.

—Tengo al mejor maestro.

—¿Ah, sí?

—Sí —susurró con deleite.

—Aún me quedan unas cuantas cosas bajo la manga. —La sonrisa que apareció en su rostro era absolutamente pecaminosa—. ¿Quieres que te las enseñe?

Kate se mordió el labio a modo de respuesta y hundió la mano en el agua.

William contuvo el aliento y un gruñido vibró en su pecho al notar el roce de sus dedos. Alzó las cejas y la miró. En su cara apareció una expresión muy sexi. Se desmaterializó llevándola consigo y tomó forma sobre la hierba húmeda. Se colocó encima de ella. Poco a poco, bajó la cabeza y atrapó su labio inferior con los dientes. Gimió en su boca sin mucha paciencia. La deseaba.

Recorrió su mentón con pequeños besos. Descendió por su cuello, resbaló entre sus pechos y alcanzó su estómago. Alzó la cabeza para mirarla un segundo, y después dibujó su ombligo con la punta de la lengua, mientras sus dedos se perdían entre sus muslos provocando una deliciosa tortura.

—Me encanta tu cuerpo —susurró con un apetito innegable en la mirada—. No sabes cuánto.

—Pues demuéstramelo —le exigió ella impaciente.

William soltó un jadeo y una oleada de lujuria se extendió por su cuerpo. Una maravillosa, loca y exquisita excitación. Su pecho vibró con un gruñido. Le quitó los pantalones cortos y el top. Después hizo lo mismo con su camiseta, llevó las manos hasta sus vaqueros y se deshizo de ellos. La miró desde arriba con la mandíbula y los labios apretados. Contenido.

—No tienes que ser dulce. No quiero que lo seas —le indicó ella con la voz entrecortada.

—Oh, Kate. Kate... —dijo su nombre como si estuviera pronunciando una plegaria.

Le rodeó las rodillas con las manos y llevó sus piernas hasta sus caderas. Entró en ella sin avisar y le arrancó un grito que recogió entre sus labios.

—Es maravilloso —dijo él.

—¿Qué?

—Que nos entendamos tan bien. Es tan jodidamente perfecto.

Kate sonrió sobre sus labios. Se arqueó y él alcanzó ese punto especial en su interior. Gimió y los movimientos de William se volvieron más febriles.

Y no fue dulce.

Ni tranquilo.

Solo deseo en estado puro.

Desenfreno y hambre.

Ansia de piel.

De besos frenéticos.

Embestidas profundas y abrazos húmedos.

Sus caderas impactaron una última vez y sus cuerpos explotaron de un modo crudo y devastador. El calor los envolvió como una suave manta, mientras se estremecían el uno contra el otro, y el mundo desapareció para ellos durante ese preciado éxtasis.

55

William volvió a materializarse en el jardín con Kate entre sus brazos. Se estremeció cuando ella le mordisqueó el cuello. Enredó la mano en su larga melena y la atrajo para darle otro beso. No se cansaba de besarla, sentirla, saborearla.

—¿Dónde estabais? Llevo dos horas intentando localizaros.

Ambos se giraron hacia Jill, que se encontraba de pie junto a la puerta. Iban tan absortos en sus juegos, que no se habían percatado de su presencia.

A Kate se le escapó una risa floja.

—Fuimos de caza, Kate necesita aprender —respondió William.

Jill se cruzó de brazos y su respiración se aceleró por momentos. Miró a su amiga con expresión sombría. Un mal presentimiento se adueñó de Kate.

—¿Qué pasa?

—Es Alice, está en el hospital.

—¿Qué le ocurre?

Jill sacudió la cabeza. Un gesto descorazonador.

Kate notó que se ahogaba. El pánico la golpeó de lleno en el pecho y durante un segundo no pudo reaccionar.

—Tengo que ir con ella —le dijo a William—. Por favor.

Él asintió. La abrazó y se desvanecieron en el aire.

De la mano atravesaron la entrada de Urgencias y corrieron al mostrador de admisiones, donde una enfermera atendía el teléfono.

—Busco a Alice Lowell, la han traído hace un par de horas. Su médico es el doctor Anderson —dijo Kate con la voz entrecortada.

La mujer hizo un gesto con la mano para que esperara.

Kate la miró con inquina y un gruñido escapó de su garganta. Se lanzó hacia delante con intención de partirle el cuello, pero William la detuvo a tiempo.

—No —masculló para que solo ella pudiera oírle—. Debes calmarte o no podrás estar aquí.

—¡Kate!

Keyla corría por el pasillo hacia ellos.

—¿Dónde está?

—En la tercera planta, en cuidados intensivos. Venid por aquí.

Tomaron el ascensor y subieron. Una vez que las puertas se abrieron, Keyla los guio por una red de pasillos hasta el ala del hospital donde Alice se encontraba ingresada. Kate se sintió desfallecer cuando vio a las personas que esperaban frente a la puerta de la habitación. Estaban todos, a excepción de Daniel, Rachel, Jerome y los niños, que no regresarían de su viaje a Canadá hasta finales de septiembre.

—¿Tan mal está? —le preguntó a Keyla, sin poder apartar los ojos de Marie, que en ese momento consolaba a Martha con un abrazo.

Keyla se detuvo y la miró a los ojos.

—Deberías prepararte para lo peor.

Kate se llevó las manos a la boca para detener un sollozo.

Cuando entró en la habitación, el pánico la atacó de nuevo. Alice se encontraba sobre una cama flanqueada por dos barreras y un montón de monitores que emitían distintos pitidos. Tenía un tubo en la boca que la ayudaba a respirar y vías en ambos brazos por las que no dejaban de administrarle medicación.

Una enfermera apuntaba algo en unas hojas que colgaban de la cama y levantó la vista hacia ella por encima de sus gafas.

—Tú debes de ser Kate. No dejaba de preguntar por ti antes de que la sedaran.

—¿Está sedada?

—Es lo mejor para ella. La morfina ya no la alivia.

Kate asintió sin apartar la mirada del rostro de su abuela.

—Puedes acercarte —le dijo la enfermera—. Tómale la mano, sabrá que estás aquí.

Kate se aproximó muy despacio e hizo lo que la enfermera había dicho. Tomó la mano de su abuela. Al sentir la calidez de su piel, su cuerpo se alteró. Se obligó a relajarse y concentró toda su voluntad en mantener bajo control sus impulsos.

—¿Cómo está?

—La han estabilizado. El médico vendrá en un rato y podrás hablar con él —respondió la enfermera. Se dirigió a la puerta, pero se detuvo antes de salir—. Kate, ¿tienes más familia?

—Sí, una hermana.

—Deberías avisarla.

Kate notó que se le rompía el corazón.

—De acuerdo —susurró.

—Estaré en el mostrador que hay al final del pasillo. Llámame si me necesitas.

—Gracias.

Horas más tarde, la situación no había cambiado. El médico había sido directo en ese sentido. Alice no iba a mejorar, su tiempo se acababa y no se podía hacer nada más.

Kate suspiró y apoyó la frente sobre la mano de Alice. Después se la llevó a la cara y la rozó con la mejilla. Podía oír perfectamente los latidos de su viejo corazón, lentos y desacompasados. Tenía que concentrarse con todas sus fuerzas para no distraerse con el murmullo de su sangre. Por un momento, se odió a sí misma con rabia. A pesar de la situación, ese maldito deseo seguía presente en su interior.

—Kate. —William posó una mano en su hombro—. Está a punto de amanecer, debemos marcharnos. Además, necesitas alimentarte. En este lugar el olor a sangre no lo disimula ni el desinfectante. No es seguro.

—No voy a dejarla sola.

—Kate, por favor.

—Se está muriendo y voy a quedarme.

William se revolvió el pelo, exasperado.

—¡Quieres mirar a tu alrededor! —exclamó en un tono más duro de lo que pretendía—. Hay ventanas por todas partes, hasta en el pasillo. Este hospital parece un maldito solárium.

Kate se lo quedó mirando disgustada.

—¡Es mi abuela! Me crio como una madre.

William se arrodilló a su lado y la tomó de las manos.

—Yo me quedaré a su lado —convino muy serio. Kate empezó a negar con la cabeza y sus ojos se tornaron de color violeta—. Le prometí a Alice que cuidaría de ti y voy a cumplir mi promesa. Puedes elegir: o te vas a casa y dejas que yo la acompañe, o te llevo a la fuerza y me quedo contigo para que no hagas ninguna tontería. Tú decides.

—¿Me estás amenazando?

—Intento que entres en razón.

No quería ser tan duro, y menos en aquellas circunstancias, pero ella no estaba dispuesta a razonar y amanecería en menos de una hora.

—Te obligaré si es necesario —le advirtió él.

Kate se levantó de la silla con ganas de abofetearlo, pero su ira no parecía afectarle en lo más mínimo. Se inclinó sobre su abuela con un nudo muy apretado en la garganta y la besó en la mejilla.

—Te quiero. Te quiero muchísimo —le susurró.

Se giró hacia William y le lanzó una mirada desafiante.

—Puede que en el fondo sí te culpe de todo esto —dijo con una voz tan fría como el hielo.

Después salió al pasillo y de dirigió a los ascensores sin despedirse ni mirar atrás.

Robert y Marie la siguieron.

William se asomó a la ventana. Se apoyó en el marco y el metal cedió bajo la presión de sus dedos. Fuera, Kate cruzaba el aparcamiento y abría de un tirón la puerta del todoterreno. Nunca la había visto tan enfadada y dolida. Pero ¿qué otra cosa podía hacer?

Shane se paró a su lado y lo miró de soslayo.

—No lo ha dicho en serio. Está asustada, nada más.

—La estoy perdiendo.

—No digas tonterías, Kate te quiere. Va a perder a su abuela y tiene miedo. Siempre se ha ocupado de todo sin ayuda de nadie y ahora no puede hacer otra cosa que cruzarse de brazos y esconderse. Es lógico que reaccione así.

—Y yo soy el único responsable de que se encuentre en esta situación. Si acaba odiándome, lo tendré bien merecido.

—No va a odiarte. Es fuerte, superará todo esto.

—Sé que es fuerte, pero todos tenemos un límite. ¿Qué más crees que podrá aguantar?

Shane guardó silencio. No sabía qué contestar, porque una parte de él sabía que William tenía razón. Todo el mundo aguanta hasta cierto punto, y Kate estaba pasando por demasiadas cosas en muy poco tiempo. Era imposible que pudiera asimilarlas todas y en algún momento llegaría a su límite.

—Mira, puede que acabe tocando fondo, todos lo hemos hecho. Pero eso no significa que vayas a perderla. Piensa en todo lo que tú soportarías por ella y ahí tendrás la respuesta a tu pregunta. Ella te quiere, tanto como tú a ella.

William sonrió para sí mismo y tomó aliento. Miró a Shane de reojo.

—Marie está haciendo milagros contigo.

—¡Que te den!

De repente, todos los monitores de la habitación de Alice comenzaron a sonar.

56

William se arrodilló junto a Kate, sin que le importara que el impecable traje negro que vestía pudiera estropearse. Le colocó un mechón de pelo detrás de la oreja y le acarició la mejilla con el dorso de la mano. Llevaba horas sin moverse de ese rincón, con la mirada perdida y sin decir una sola palabra.

No había reaccionado a la visita de Marie. Tampoco a la de Jill. Ni siquiera su mejor amiga había logrado despertarla del trance en el que se había sumido tras la muerte de Alice.

Saber que no podría asistir al funeral había hecho que se encerrara aún más en sí misma.

—¿Necesitas alguna cosa antes de que me marche? —le preguntó en voz baja. Ella ni parpadeó—. Kate, por favor, háblame. Aunque sea para decirme que me odias.

La contempló, suplicando en silencio alguna reacción, por pequeña que fuera. Nada.

Se puso en pie y se frotó las sienes.

—Volveré en cuanto acabe —dijo mientras se dirigía a la escalera.

Subió sin mirar atrás, luchando contra el deseo cada vez más fuerte de quedarse con ella a pesar de que había prometido ocuparse del funeral. Ella lo había amenazado con escaparse si no lo hacía personalmente, o si alguien intentaba hacerle compañía. Quería estar sola y había sido muy tajante en ese sentido.

—No te odio —susurró Kate en cuanto la puerta se cerró.

Se hizo un ovillo en el sillón y lloró sin lágrimas y en silencio la muerte de Alice. Cómo le dolía saber que no volvería a verla, que en los últimos meses apenas le había dedicado el tiempo que se merecía. Pese a saber que estaba enferma, había sido tan ilusa como para creer que seguiría siempre ahí, con ella.

Pensó en William y un gemido de desamparo escapó de su garganta. Lo había estado castigando con su silencio e indiferencia, tratando de culparlo por todas las cosas horribles que le habían sucedido. No lo lograba. William estaba tan dentro de ella como su propio corazón, y jamás podría sentir por él otra cosa que no fuese amor.

Deprimida, se puso en pie y comenzó a rondar por la habitación como un felino enjaulado.

De pronto, notó un tirón en el pecho. Un presentimiento que se enroscaba en sus costillas.

Se puso tensa y miró hacia arriba. No sabía cómo, pero estaba segura de que se encontraba allí. Podía sentirlo en su cabeza, como si por alguna extraña razón estuvieran conectados.

Un impulso violento se apoderó de ella y abandonó el sótano.

Desde el pasillo en penumbra observó la planta baja. El sol descendía por el oeste y la entrada principal daba al este, por lo que esa zona se encontraba a la sombra.

No lo pensó. Se encaminó a la puerta con los puños apretados y la abrió de un tirón.

La claridad de la tarde la deslumbró por un momento. Parpadeó varias veces y entonces lo vio, frente a ella, a solo unos pocos metros de distancia. Su rostro parecía el de un fantasma, pálido y demacrado, con unas profundas ojeras que oscurecían sus ojos hasta convertirlos en dos pozos negros. Todos los recuerdos, los buenos y los malos, la golpearon como un tsunami.

—No me queda nada que puedas quitarme, así que vete por donde has venido.

Adrien hizo una mueca de dolor y apretó los párpados un segundo.

—Siento mucho lo de Alice, quería que lo supieras.

—¡No pronuncies su nombre! No tienes derecho a hacerlo. —Él apartó la mirada—. No he podido pasar sus últimas horas con ella. Ahora la están enterrando en ese maldito cementerio y yo estoy aquí sin poder despedirla. ¡Y todo por tu culpa! —le gritó—. Te odio, Adrien. Te odio con todas mis fuerzas y lo haré mientras viva. Que gracias a ti será para siempre.

Adrien sollozó sin darse cuenta y parpadeó repetidamente. Le dolía tanto verla así.

—Kate, apenas consigo vivir sabiendo lo que te he hecho.

—¡Me alegro! —le espetó—. Ahora márchate, no soporto tenerte delante.

—Nunca quise hacerte sufrir, tú me...

—¡No te atrevas! No mientas diciendo que te importo, porque eso no es cierto. Me has engañado y me has utilizado. —Apretó los puños con ganas de estamparle uno en su cara—. William no descansará hasta dar contigo y te matará. Yo misma le he suplicado que lo haga.

—Toda esta locura terminará en pocas horas, entonces tú misma podrás acabar conmigo. Es lo único que puedo ofrecerte para compensar el daño que te estoy haciendo.

Kate notó un vuelco en el estómago y tragó saliva.

—¿Qué has querido decir con eso? ¿A qué has venido realmente, Adrien?

—A decirte que lo siento. Necesito disculparme, aunque no solucione nada.

—Dime la verdad. ¿Qué haces aquí?

El miedo y la desconfianza le hicieron dar un paso atrás. Un mal pálpito empezó a estrujarle el pecho. Él la miró en silencio, mientras su rostro desaparecía tras una máscara dura y fría.

—He venido a por ti.

Kate giró sobre sus talones a la velocidad del rayo y corrió hacia las escaleras del sótano. Antes de que pudiera rozar la puerta, Adrien la agarró por la cintura y la levantó del suelo. La apretó contra su pecho con tanta fuerza que le crujieron los huesos y todo se desvaneció a su alrededor.

En cuanto sus pies tocaron el suelo de nuevo, comenzó a forcejear para que la soltara. Le pateó las espinillas y le golpeó las costillas con los codos. Gritó, se retorció entre sus brazos y volvió a gritar, hasta que se dio cuenta de que no iba a lograr nada salvo acabar exhausta. Finalmente se dio por vencida y se quedó quieta. Entonces, Adrien la soltó.

Se volvió hacia él y lo abofeteó con todas sus fuerzas. El golpe restalló contra las paredes.

Adrien se masajeó la mandíbula y dejó escapar el aire por la nariz.

—¿Has terminado? —masculló entre dientes. Vio venir otra bofetada, pero no hizo nada para esquivarla. Se pasó la lengua por los labios y saboreó su propia sangre—. ¿Mejor?

Kate alzó la mano, dispuesta a pegarle de nuevo.

Él fue más rápido. La sujetó por la muñeca y la estampó contra la pared. Con la otra mano rodeó su cuello y pegó su boca a la de ella con un gruñido.

—Para de una vez.

Kate lo apartó de un empujón y se limpió los labios con el dorso de la mano. Se cruzó de brazos sin acobardarse. Si las miradas matasen, Adrien habría caído fulminado en ese mismo instante. Apartó la vista cuando él se quitó la camisa rota y manchada de sangre, y la arrojó al fuego que ardía en la chimenea. Le sorprendió que la tuviera encendida, pero no dijo nada al respecto.

Observó la habitación con detenimiento. Las paredes y el techo eran de piedra y madera, al igual que los muebles, de estilo rústico. Era una cabaña, probablemente de las que se alquilaban a los turistas. Había muchas en la zona.

Las contraventanas estaban cerradas, por lo que no podía calcular la posición del sol ni la hora. Sus ojos volaron a la puerta principal y se fijó en la claridad que se colaba bajo ella. La luz tenía un tono anaranjado, por lo que la tarde debía de estar avanzada.

Escuchó con atención.

Las ramas crujían, los pájaros piaban en el tejado, un animal roía corteza muy cerca. Se encontraban en algún punto en las montañas, y debía de ser un lugar apartado y de difícil acceso, para que Adrien se hubiera ocultado allí.

Apostaría cualquier cosa a que la cabaña estaba situada en uno de los valles montañosos de la reserva natural. En un bosque de árboles grandes y tupidos, que apenas dejaban pasar el sol.

Inspiró. Olía a humedad y hojas podridas. A oscuridad.

Corrió hacia la puerta, incluso antes de estar segura de si era buena idea o una completa y peligrosa locura. Tiró del picaporte y se precipitó afuera sin dudar. Luego corrió entre la penumbra del bosque con los ojos entornados por el exceso de luz.

Al principio, no sintió nada. Creía estar a salvo bajo la apretada bóveda que formaban las copas de los árboles sobre su cabeza, y pensó que solo debía mantenerse oculta bajo ella, evitando a Adrien hasta que anocheciera por completo. Entonces, podría huir.

El viento comenzó a soplar de repente y las hojas silbaron con un sonido estremecedor. Violentas rachas de aire, que abrían agujeros enormes por los que se colaban los rayos del sol. Hermosos haces de luz, letales para un vampiro.

El primero incidió en su espalda como una trazadora.

Un grito desesperado escapó de sus labios. Sentía la piel como si un ácido corrosivo la estuviera disolviendo. Profirió un alarido desgarrador, cuando el sol le tocó la cara. La cubrió con las manos y estas también se quemaron. Durante un larguísimo instante, fue consciente de que era el final. No había dónde esconderse ni adónde ir.

Cayó al suelo entre convulsiones y lo último que vio fue una sombra cerniéndose sobre ella.

Adrien dejó a Kate en el suelo y abrió el grifo de la bañera. Corrió a la cocina y sacó todo el hielo que había en el congelador. Alabó su empeño por caer muerto gracias a un coma etílico y regresó al baño. Vació las bolsas en el agua fría y retornó a la cocina. En la nevera aún guardaba unas bolsas de sangre y tomó dos.

Levantó a Kate del suelo y con mucho cuidado la metió en la bañera. Estaba muy mal, con el rostro desfigurado por las quemaduras y el cuerpo lleno de ampollas, a las que se habían adherido parte de sus ropas. La sostuvo con un brazo y vertió agua helada sobre su cara para bajarle la temperatura.

Tomó las bolsas de sangre. Tras un par de intentos, se dio cuenta de que no iba a poder sujetarla dentro del agua y alimentarla al mismo tiempo.

—Vale —dijo para sí mismo.

Se quitó las botas con un par de sacudidas y se metió en la bañera con Kate. La colocó de espaldas sobre su cuerpo y con la mano libre y la ayuda de sus dientes rasgó la primera bolsa. Le abrió la boca y comenzó a verter la sangre entre sus labios. Lanzó contra la pared la bolsa vacía y tomó la segunda. Empezaba a asustarse. Ella no despertaba ni intentaba tragar.

Continuó derramando sangre dentro de su boca.

De pronto, Kate gimoteó y comenzó a temblar.

—Eso es. Vamos, regresa. —Sonrió aliviado al ver que reaccionaba y tragaba—. Así, sigue bebiendo.

En pocos segundos vació toda la bolsa y sus quemaduras comenzaron a sanar. Kate se agitó con un gruñido afligido, intentando exprimir el plástico. Necesitaba más. Adrien trató de levantarse, pero ella se quejaba cada vez que le rozaba una herida. Pensó en desvanecerse, aunque lo descartó de inmediato porque podría ser muy brusco.

Mientras seguía pensando, Kate gimió y se giró sobre él con los ojos cerrados. Adrien se tensó cuando ella recorrió con la nariz la base de su cuello. De pronto, sin apenas tiempo a entender lo que estaba pasando, Kate se sentó a horcajadas sobre él y le clavó los colmillos directamente en la vena.

La sorpresa fue tan grande que en un principio no reaccionó. Entonces sintió el impulso de empujarla y quitársela de encima. La sangre de vampiro no era buena para otro vampiro, tenía el mismo efecto que para un humano beber leche cortada, era asquerosa y te hacía enfermar.

La agarró por los hombros y forcejeó para apartarla, pero ella se zafó con la facilidad de un pez resbaladizo. Se abrazó a su cuello y continuó bebiendo.

Adrien la miró de reojo. Su sangre parecía sentarle bien. La piel recuperaba su color, incluso brillaba en las mejillas. Se obligó a relajarse y le apartó el pelo de la cara. Que bebiera de él le provocaba una sensación extraña, placentera a la par que incómoda, porque se sentía vulnerable.

De repente, Kate abrió los ojos y saltó hacia atrás, salpicando con brazos y piernas. Salió de la bañera a trompicones.

—¿Qué estás haciendo? —le gritó.

—¿Que qué estoy haciendo? Eras tú la que intentaba dejarme seco.

Kate se pasó la mano por los labios y vio la sangre en sus dedos. Desconcertada, dio un paso atrás. Adrien salió de la bañera chorreando. Por su pecho desnudo corría un hilillo de sangre del que Kate no podía apartar la mirada.

—Te he mordido... —musitó abrumada.

—No importa, estabas débil y la necesitabas.

—¿Un vampiro puede beber de otro?

—No, pero yo soy algo más que un vampiro. Mi sangre es distinta. Quizá por eso te sienta bien.

Kate se miró los brazos y corrió al espejo para ver su rostro. Su piel estaba perfecta y no le dolía. De hecho, se sentía maravillosa, fuerte y despierta como nunca.

—Eso que has hecho ha sido una estupidez —dijo él enfadado.

Resopló y fue hacia ella sin dejar de maldecir.

Kate retrocedió hasta chocar contra un armario e intentó resistirse cuando la agarró por el codo y la arrastró hasta el salón.

—Si no me hubieras secuestrado, no tendría que escapar.

Lanzó una mirada a la puerta.

Adrien siguió su mirada y puso los ojos en blanco.

—¿Piensas intentarlo otra vez? Adelante, puede que esta vez no llegue a tiempo. —Fue al dormitorio y un segundo después regresó con un pantalón de algodón y una camiseta—. Ten, ponte esto. Tu ropa está destrozada.

Kate agarró las prendas y dio media vuelta para ir al baño.

—Vístete aquí —le ordenó él—. No pienso perderte de vista.

—¡No voy a desnudarme mientras me miras!

Él gruñó disgustado y le dio la espalda.

—¿Está bien así?

Kate se cambió de ropa y le lanzó las prendas mojadas. Él las atrapó al vuelo. Luego las arrojó al fuego y crepitó con una columna de humo.

—¿Por qué la tienes encendida? Estamos en septiembre.

—Suele cambiar de color cuando él se acerca. Lo descubrí hace poco —respondió.

Apoyó las manos sobre la chimenea y su espalda se tensó, marcando cada uno de sus músculos.

—¿Él? ¿Te refieres a tu padre? —Adrien no respondió y Kate lo miró con una mezcla de pena y recelo—. ¿Qué hora es?

—¿Quieres saber cuánto falta para que anochezca?

Ella guardó un silencio incómodo.

Adrien se masajeó el rostro, frustrado, y con las manos en las caderas se volvió para enfrentarla.

—Mira, está en tu mano hacer que esto sea fácil o difícil. —Señaló un sillón frente al fuego—. Puedes sentarte ahí y no hacer otra tontería, o puedes obligarme a usar eso.

Apuntó a un rincón en el que ella no había reparado.

Kate miró la pared y sus ojos se abrieron como platos. Había cadenas sujetas por argollas a la pared de piedra.

—¿Vas a atarme?

—Solo si me obligas.

—Soy un vampiro gracias a ti, ¿recuerdas? Unas cadenas no van a retenerme —replicó con aires de suficiencia.

Adrien sonrió y dio unos cuantos pasos hacia ella. Las llamas a su espalda parecían un halo brillante que rodeaba su cuerpo y hacían que su piel desnuda brillara de una forma insólita. Dio otro paso y su rostro quedó envuelto en sombras. Tenía un aspecto sobrecogedor.

—Esas te retendrán. ¿Sabes de qué están hechas? De lo mismo que esto. —Tomó una daga de la repisa de la chimenea—. Una aleación de plata, rodio y polvo de diamante, con acónito y belladona.

Kate se maldijo por no haber descubierto esa daga.

—¿Y?

—¿Nadie te ha contado aún cuáles son tus puntos débiles? Es lo primero que un vampiro debe aprender —comentó en tono indiferente. Kate se puso tensa y tragó saliva—. Ya veo que no. —Se acercó a la pared y agarró una de las cadenas. Le dio un tirón y la soltó de golpe con un siseo. Una profunda laceración cruzaba la palma de su mano—. Provocan una peligrosa reacción en seres como nosotros. Suele infligir heridas muy difíciles de sanar, que pueden matarte si no te regeneras a tiempo.

Kate miró su mano herida y negó con la cabeza.

—¡Y pensar que te consideraba mi amigo! —Soltó una risita amarga—. ¡Maldito estúpido! ¿De verdad piensas que William vendrá corriendo hasta aquí y te dará su sangre para que me dejes libre? No lo hará. No romperá la maldición por mí, porque prefiero vivir en la oscuridad toda mi vida, a dejar que un solo renegado campe a sus anchas por el mundo, y él lo sabe.

Adrien la miró como si de pronto estuviera cargando con algo muy pesado en su interior.

—No es tu libertad lo que está en juego, Kate. William ofrecerá su sangre, porque su otra opción será una urna con tus cenizas.

57

—Va a matarnos —masculló Carter.

Se movía de un lado a otro como un león enjaulado.

—Si mata a alguien, será a nosotros. Estábamos vigilando —replicó Jared.

—¿Estáis seguros? —preguntó Carter.

—¡Maldita sea, sí! —exclamó Shane—. Ni un solo rastro se aleja de esta casa, no ha salido.

—Pero tampoco está dentro —gritó Carter a su vez.

—Ya está bien —intervino Jared. Puso una mano sobre el hombro de su hermano para tranquilizarlo—. Te hemos llamado porque estás al mando hasta que papá vuelva. Así que, dinos... ¿Qué hacemos? Porque el funeral terminó hace unos minutos.

Carter soltó una risa amarga y miró a su primo con un destello dorado en los ojos.

—Llámalo.

Shane asintió con un suspiro y sacó su móvil. Se alejó unos pasos y comenzó a hablar.

Empezó a oírse un ligero tintineo de cristales vibrando y los tres miraron hacia la casa. La temperatura comenzó a descender. De repente, el suelo tembló bajo sus pies y una fría explosión de aire surgió de la casa.

William apareció en la puerta con el rostro desencajado.

—¡¿Como que no está?! —gritó. Carter se encogió de hombros—. ¿Y adónde demonios ha ido a plena luz del día?

—¿Crees que si lo supiera estaría aquí parado como un imbécil? —replicó Shane.

—¿Oléis eso? —inquirió Jared—. Antes no lo he notado, pero ahora...

Miró hacia la casa.

William siguió su mirada. Inhaló y llenó sus pulmones con una profunda inspiración. Entonces lo percibió, un resto muy leve en el aire, pero allí estaba, inconfundible.

—¡Joder, no!

Horas después, William continuaba hecho una furia. Su ánimo empeoraba conforme pasaba el tiempo y no encontraba ninguna pista sobre el paradero de Kate. Había rastreado cada palmo del terreno en muchos kilómetros a la redonda y nada. Sabía que era un esfuerzo inútil, porque Adrien podría habérsela llevado muy lejos.

Miró su reflejo en el río. Su rostro se asemejaba al de un espectro demoníaco, poseído por un frenesí vengativo al que no sabía cómo dar rienda suelta. Golpeó el agua con la mano y miró al cielo. No quería recurrir a él. Lo había evitado todo este tiempo, pero ¿qué más podía hacer? Estaba desesperado.

Se puso en pie y apretó los puños.

—¡Gabriel! —gritó con todas sus fuerzas—. ¡Gabriel!

Un segundo. Dos. Tres... Nada.

—¡Gabriel! —insistió con más ganas—. ¿Quieres que te implore? Bien, lo haré. —Se arrodilló junto a la orilla del río—. Te lo suplico, ayúdame.

Un fuerte viento comenzó a soplar, arrastrando consigo un murmullo grave y profundo. De pronto, empezó a nevar bajo un cielo despejado en el que el amanecer despuntaba. William parpadeó para alejar los copos que se adherían a sus pestañas. Entonces, un resplandor cegador surgió de la nada y una figura tomó forma ante sus ojos.

Gabriel posó sus pies descalzos en el suelo, ataviado tan solo con unos pantalones negros que hacían juego con sus alas. Las batió un par de veces y se plegaron hasta desaparecer por completo. Clavó sus ojos plateados en William y lo contempló con un atisbo de afecto.

Aunque de inmediato se tornaron fríos y distantes.

—Te lo advertí. Te dije que lo mataras cuando aún disponías de tiempo.

—Dime dónde está y lo haré. Te lo juro.

—Jurar en vano es pecado. Además, no sé dónde está. —Se golpeó el pecho con los dedos para recordarle la marca—. No puedo percibirlo, ¿recuerdas?

William se puso en pie.

—Tiene a Kate.

—Lo sé, es lo único que puedo ver en tu mente. Olvídate de ella, ya es tarde. El tiempo se ha agotado.

—¿Qué quieres decir?

Gabriel sonrió de un modo siniestro y recitó parte de la profecía:

—«Cuando la noche venza al día en su plenitud, la oscuridad dominará con sus sombras la luz». ¿Qué significa eso, William?

—No lo sé.

—Piensa.

—No. Lo. Sé.

Gabriel resopló exasperado.

—¿Qué ocurrirá hoy a mediodía? ¿Qué fenómeno encogerá en unas horas el corazón de un hombre supersticioso?

La mente de William se iluminó como un faro. Hacía semanas que todo el mundo hablaba de ello. Incluso se habían organizado concentraciones para observarlo.

Se sintió tan estúpido por no haberlo relacionado.

—¡El eclipse! —susurró.

—Exacto. Cuando la noche venza al día en su plenitud, el tiempo de la profecía se cumplirá. Ha llegado el momento de que demuestres de qué lado estás.

—Estoy contigo. Acabaré con Adrien. Su sangre se derramará, pero no donde él imagina.

Gabriel lanzó un gritó de frustración y la tierra tembló bajo sus pies.

—¡Sigues sin entenderlo! Desaparece. Márchate. Vete donde nadie pueda encontrarte y no vuelvas hasta que ese eclipse haya terminado. Es la única forma de acabar con esto.

—¿Y qué pasa con Kate? La matará si deja de servirle. O lo hará por venganza.

—Olvídate de ella, no puede salvarse. Una vida a cambio de muchas es un precio justo —respondió el arcángel con indiferencia.

William palideció. Gabriel le estaba pidiendo que huyera, que buscara un lugar donde esconderse y sacrificara a Kate. Bajó los ojos y apretó los dientes. Una miríada de sentimientos hormigueaban bajo su piel y una mirada febril iluminó su expresión. La rabia sobrepasó al resto de las emociones, era como lava por sus venas.

—No.

Gabriel entornó los párpados y su rostro encolerizado se transformó en una máscara de piedra.

—¿Qué has dicho?

—He dicho que no.

Gabriel frunció el ceño y su cuerpo empezó a difuminarse, tomando de nuevo una apariencia traslúcida, mortalmente hermosa bajo los rayos del sol.

—¡No me desafíes!

—¿Y qué harás? Nada. No puedes intervenir —dijo William sin ninguna emoción.

De repente, cayó de rodillas y se llevó las manos al pecho. Un dolor agudo e insoportable explotó en su interior, mientras Gabriel caminaba a su alrededor con tanta calma que parecía que solo daba un paseo.

Se desplomó y se hizo un ovillo en el suelo. Sus ojos se llenaron de lágrimas y la boca de sangre. El dolor crecía en su pecho, se propagaba por sus miembros, pero William se negaba a sucumbir. Le había prometido a Kate que no volvería a marcharse, que nunca más la dejaría, y debía cumplir su promesa. Una insoportable angustia se extendió por su pecho, eclipsando el dolor físico que lo corroía. No podía dejarla a su suerte.

—¿Por qué no te rindes? —preguntó Gabriel con un suspiro. William logró ponerse de rodillas—. Deja de luchar y obedece. Entiende que lo que está en juego es demasiado importante. Ella será sacrificada, pero puedo conseguir que su alma no descienda al infierno. Así podréis reencontraros cuando tus días en este mundo terminen.

William reaccionó a sus palabras. Poco a poco se puso en pie. Inspiró y espiró. Tomó aire y lo exhaló de nuevo, concentrándose en ese único movimiento. Se puso derecho y cerró los ojos. Notó un zumbido dentro de su cabeza y en ese momento le pareció el sonido más maravilloso del mundo. La vibración cobró fuerza y su cuerpo se fue calentando hasta que pensó que acabaría estallando en llamas. Pero no ocurrió, su cabeza se despejó de repente y una energía pura cobró vida en su interior.

Luz blanquecina surgió de sus manos, ascendió por sus brazos y envolvió su cuerpo. Abrió los párpados y clavó sus ojos en Gabriel. El arcángel lo miró sorprendido, y el dique que contenía todo el poder de William se rompió. Extendió los brazos a ambos lados de su cuerpo y una corriente de aire comenzó a girar a su alrededor como un ciclón. Gritó desatado y una explosión invisible surgió de su interior. La onda expansiva inclinó los árboles, quebró rocas y evaporó parte del agua del arroyo, sucedida de más réplicas.

Su corazón quedó libre de la garra de Gabriel.

—¡Impresionante! Demasiado poder para alguien que solo piensa en sí mismo. Todo un desperdicio —dijo el arcángel. Sonrió cuando dos serpientes de fuego se enroscaron en los brazos de William. A su alrededor, unas sombras oscuras se movían con vida propia. El chico aprendía rápido—. Eso no es necesario, no vamos a enfrentarnos. No en este momento —puntualizó.

William le sostuvo la mirada sin parpadear. No se fiaba de él.

Gabriel suspiró decepcionado. Sus alas se desplegaron y empezaron a batir. Se alzó del suelo un par de metros.

—He intentado guiarte hacia el lado correcto, pero tú has tomado una decisión y yo no puedo obligarte a nada que no desees. Mis leyes me lo impiden —puso tanto desprecio como pudo en su voz—. Crees que puedes lograrlo. Evitar la profecía y salvar a todo el mundo. Yo no apostaría por eso ni el alma más corrupta. —Hizo un ruidito de desdén—. No tienes ni idea del precio que este mundo pagará por tu debilidad.

Miró una última vez a William y desapareció con el mismo resplandor cegador con el que había aparecido.

58

Shane miró de reojo a William. Llevaban horas inmóviles en la terraza de la nueva casa de su amigo.

—Así que este es el plan, esperar —dijo pasados unos minutos.

Alzó la vista al cielo y contempló el eclipse. Pronto el sol quedaría oculto y todo se sumiría en una extraña oscuridad.

William asintió sin apartar los ojos del cielo.

Shane se despeinó el pelo con nerviosismo y resopló.

—Oye..., el sol está a punto de ocultarse, ¿no has pensado que quizá no aparezca? —Dio un respingo cuando William ladeó la cabeza y lo fulminó con la mirada. Pero tenía que decirlo, la idea lo estaba carcomiendo desde hacía rato—. ¿Y si pasa de la profecía? ¿Y si lo único que quiere es a Kate? Seguro que lo has pensado.

William se puso derecho y miró a su amigo a los ojos.

—Convirtió a Kate para que la viera sufrir, con la única intención de doblegarme y que aceptara romper la maldición por ella. Ahora se la ha llevado para usarla como señuelo. Llamará.

—¿Y si no lo hace?

—Lo hará.

—Pero no puedes estar seguro de eso.

El sol se ocultó por completo y la oscuridad se lo tragó todo. William alzó la vista al cielo y, en ese preciso instante, su teléfono móvil sonó con un mensaje. Lo abrió y su mandíbula se tensó con un tic. Los hermanos Solomon aparecieron tras él.

—Están en Saint Mary —anunció.

—Vale, ¿cómo lo hacemos? —preguntó Carter.

—Vosotros no vais a hacer nada —contestó William mientras entraba en la cocina y sacaba un par de dagas de una bolsa sobre la mesa.

—No puedes ir solo —saltó Shane.

William abrió la nevera y agarró una bolsa de sangre.

—Necesitas ayuda contra ese tío. ¿Y si no sale como esperas? —insistió Carter.

—William, por favor —le pidió Evan.

Él negó con la cabeza y una expresión de disculpa oscureció su rostro.

—Esta vez no.

Se desmaterializó.

Saint Mary era una antigua iglesia, de paredes de piedra y pequeñas ventanas, situada en un extremo de la ciudad. A su espalda, un viejo cementerio con esculturas cubiertas de musgo, mausoleos abandonados y lápidas ocultas entre la maleza le daba un aspecto siniestro al conjunto.

Hacía décadas que en su interior no se realizaba ningún oficio. La amplitud y las comodidades de Saint Paul, construida apenas treinta años antes, la habían relegado a simple monumento turístico. Ya, ni eso.

William tomó forma frente a la puerta principal. Lo había intentado dentro, pero algún tipo de fuerza se lo había impedido como si lo repeliera.

Escudriñó los alrededores. Todo estaba desierto y sumido en una inquietante oscuridad, dilatada por los árboles y los setos que rodeaban el terreno del edificio. Miró al sol. El astro era ahora un orbe oscuro, rodeado por un halo brillante de un color rojo como la sangre.

Cerró los ojos un instante y trató de calmar los nervios que le estrujaban el estómago. Debía concentrarse y no vacilar ante lo que pudiera encontrar entre esas paredes que se levantaban funestas sobre él.

Decidido a recuperar a Kate, empujó las pesadas puertas y entró.

Se le doblaron las rodillas y el pánico le hizo crispar los dedos. Tras el altar, Kate colgaba suspendida de unas cadenas, rodeada de vidrieras con dibujos multicolores que parecían cobrar vida con la luz danzante de las velas votivas. Y sobre su cabeza, un óculo se abría en la cúpula como una puerta al infierno.

El plan de Adrien tomó forma ante sus ojos como si él mismo lo hubiera diseñado y se dio cuenta de lo mucho que se había equivocado con él. No había contemplado la posibilidad de que estuviera dispuesto a destruirla. Esa era la ventaja con la que contaba. Había visto como la miraba. Cómo había arriesgado su vida para ayudarla y protegerla. Ella le importaba y, aun así, la tenía colgada de esas cadenas cómo si fuese un animal para un sacrificio.

Empezó a hervirle la sangre y una rabia desconocida estalló dentro de él, intensa y violenta.

Kate abrió los ojos y vio a William delante de las puertas.

—¡No! ¡Vete de aquí! ¡Márchate! —le gritó con voz ronca.

Él ignoró su ruego y corrió en su auxilio. Chocó contra un muro invisible y el impacto hizo que volara por los aires hasta estrellarse contra las puertas, que crujieron en sus goznes.

—¡Debes irte! —chilló Kate.

—Pero no se irá, ¿verdad que no, William?

Adrien surgió de un lateral envuelto en sombras. En una mano portaba el cáliz de piedra y en la otra una brillante daga ceremonial. Dejó el cáliz sobre el altar y rodeó el tabernáculo hasta colocarse frente a él.

—Suéltala —le pidió William.

El eclipse no duraría para siempre y el sol caería sobre ella.

—No podría aunque quisiera —respondió Adrien. Hizo girar la daga en el aire y la agarró por la punta. Estiró el brazo, ofreciéndole la empuñadura—. Podrás soltarla tú mismo si aceptas esto.

William miró a Kate. Ella sacudía la cabeza con vehemencia, rechazando esa opción.

—No le hagas caso —dijo Adrien—. Es demasiado benévola y sus emociones le nublan el juicio.

William cerró los ojos y la energía de su cuerpo crepitó a su alrededor. No sabía si serviría, pero iba a intentarlo. Deseó que el cielo se cubriera de nubes. Invocó con todas sus fuerzas una gran tormenta y proyectó en esa idea todo su poder. Fuera aulló el viento y sacudió el tejado. Un trueno retumbó sobre sus cabezas. Nubes oscuras comenzaron a cubrir el cielo.

Pero con la misma rapidez que aparecieron, se disiparon.

—Eso no va a funcionar. Tú la invocarás y yo la detendré, y solo perderemos el tiempo —dijo Adrien sin mucha paciencia. Agitó la daga—. Tómala.

William apretó los dientes y entornó los ojos. Sus brazos prendieron y lanzó una llamarada contra él. De la mano de Adrien brotó otra corriente de fuego y ambas chocaron con un crujido que se notó en las paredes. William cayó de espaldas, pero no se detuvo. Desde el suelo lanzó otra lengua de fuego.

Adrien la atrapó y la absorbió. Después, una bola de luz tomó forma entre sus manos y la arrojó contra William con rabia. Le acertó en el pecho y volvió a derribarlo.

William se levantó con esfuerzo, mientras se sujetaba las costillas con el brazo. Inspiró un par de veces y saltó hacia delante. Adrien lo sujetó por el cuello y le dio un puñetazo en la mandíbula. William logró soltarse y cayó de espaldas. Levantó los brazos para detener una patada, pero sus reflejos fueron demasiado lentos y la bota de Adrien aterrizó en su estómago.

—¡Por favor, parad! —les gritó Kate.

Una mueca de dolor contrajo su rostro. Cada vez que se movía, las cadenas se hundían en su piel.

—Detente, soy mucho más fuerte que tú. No puedes vencerme —masculló Adrien, bloqueando otro de sus ataques.

—Puede que seas más fuerte, pero yo tengo una motivación. Tú en cambio...

Logró rodear con su brazo el cuello de Adrien y apretó con fuerza, luchando por mantener el equilibrio. Adrien le clavó el codo en el costado, con la otra mano lo sujetó por el hombro y le hizo volar por encima de su cabeza.

—No eres el único con un motivo.

—¿Esperas que me trague esa historia que le contaste a ella? A ti no te importa nadie.

Las pupilas de Adrien se dilataron y sus ojos se volvieron completamente negros. Golpeó con una pierna el pecho de William y lo estampó contra la pared. La piedra se agrietó y una nube de polvo se extendió a su alrededor. Lo agarró por el pelo y trató de arrastrarlo hasta el altar.

William logró reunir el poder suficiente para desvanecerse. Adrien se volvió con las manos vacías y él aprovechó ese instante para aparecer a su espalda con una daga en cada mano. No fue lo bastante rápido y solo pudo arañarle con el filo.

Adrien se llevó la mano al cuello y observó la sangre en sus dedos. Solo era un rasguño. Suficiente para cabrearle.

—¿No querías sangre? —le espetó William.

—¿Prefieres hacer chistes a salvar a tu novia? El tiempo se agota. —Rodó sobre sí mismo para evitar otra estocada y con un giro de muñeca clavó su daga en el brazo de William. La sangre goteó sobre el suelo polvoriento—. Ofrécesela al cáliz por voluntad propia y podrás recuperarla sana.

Continuaron enzarzados en su batalla, sin darse cuenta de que el interior de la iglesia comenzaba a iluminarse con un arco iris de luz. Los colores titilantes de las vidrieras se reflejaban en las paredes. Las sombras se retiraban empujadas por su mayor enemigo.

Un grito desgarrado les hizo detenerse. Se volvieron hacia el altar y el pánico se dibujó en sus caras. Kate miraba aterrada hacia el suelo, mientras encogía las piernas e intentaba elevarse. Las cadenas herían sus brazos al hacer fuerza hacia arriba y volvía a caer con todo su peso.

Tenues rayos de luz penetraban a través de las ventanas, a la altura de donde colgaban sus pies. El eclipse llegaba a su fin y pronto el sol aparecería sobre su cabeza.

William corrió hacia ella, pero Adrien le bloqueó el paso, empuñando su daga.

—Deja que la baje, se queda sin tiempo.

—Entrega lo que necesito y los dos os iréis a casa.

—¡Maldita sea, Adrien! ¿No te das cuenta de lo que pasará después?

—¿Y qué pasará? ¿Que los renegados serán libres y camparán a sus anchas? Los mataremos a todos. ¿Que los humanos descubrirán nuestra existencia? ¿Y a mí qué? Recuperaré a mi familia y tú... tú tendrás a Kate.

—¿Y si no se trata solo de los renegados? ¿Y si esto es el principio de algo mucho peor?

Adrien se encogió de hombros e hizo una mueca de desprecio.

William lanzó una mirada angustiada a Kate. La sangre que brotaba de sus muñecas le resbalaba por los brazos y empapaba sus ropas. El miedo lo inundó y también un pensamiento egoísta. No podía perderla.

No podía dejarla morir. ¿A cambio de qué realmente? ¿Y por quién?

Ella intuyó sus pensamientos. Clavó su mirada en él y comenzó a negar con la cabeza.

—Vete —le suplicó. Gimió al sentir una creciente claridad sobre ella y el calor del sol que empezaba a brillar—. Vete, no quiero que lo veas. Márchate, por favor.

El semblante de William se endureció con un gesto de determinación.

«Al infierno con todo», pensó.

Miró a Adrien a los ojos. Después le arrebató la daga y saltó por encima de él hasta el altar. Empuñó la daga y estiró el brazo sobre el cáliz.

—¡No! —chilló Kate.

En ese instante, el sol le rozó las manos y un aullido de dolor escapó de su garganta.

—¡Espera! —gritó Adrien, deteniendo la mano de William—. Debemos hacerlo al mismo tiempo.

William asintió y sus miradas se encontraron.

—Ahora —susurró Adrien con un agradecimiento infinito en la voz.

El filo de las dagas cortó la piel y la sangre brotó profusa de las heridas. Goteó sobre el cáliz y en pocos segundos el líquido rebosó, empapó el altar y resbaló sobre la piedra.

La primera gota tocó el suelo.

De pronto, los muros comenzaron a temblar y una nube de polvo se desprendió del techo. El aire se volvió denso y pegajoso. Un estruendo se extendió bajo sus pies y a lo largo de las paredes, cobrando fuerza por momentos.

—¿Qué está pasando? —preguntó William.

Parecía que el edificio se iba a derrumbar en cualquier momento.

—No lo sé.

El olor a quemado colmó sus sentidos y vieron que los marcos de las ventanas habían empezado a arder. El suelo se deformaba creando olas y de las grietas surgía un hedor insoportable. Entonces, la luz del sol inundó de golpe toda la iglesia, con un fulgor que les obligó a cerrar los ojos.

Kate gritó.

Soltaron las dagas y corrieron en su auxilio sin apenas ver nada.

—¡Sujétala, yo la soltaré! —gritó Adrien.

En cuanto William sostuvo las piernas de Kate, él tiró con fuerza de la estaca de acero que anclaba las cadenas a la pared y el cuerpo de la chica cayó.

William la atrapó entre sus brazos y a tientas logró quitarle las cadenas de las muñecas. Después la abrazó contra su pecho.

—¡Kate! —la llamó angustiado al sentir su cuerpo inmóvil y flácido.

Se levantó con ella en brazos y buscó donde ocultarla, pero el sol iluminaba hasta el último rincón. Giró sobre sí mismo, desesperado. Entonces, la intensidad de la luz disminuyó y pudo verla. Su pálida piel estaba intacta y fría, brillante bajo esa claridad sobrenatural.

Soltó un suspiro entrecortado, sin apenas dar crédito a lo que veía.

La profecía era cierta, habían roto la maldición.

—¿Está bien? —preguntó Adrien.

William abrió la boca para mandarlo al infierno, pero Kate empezó a gritar y saltó de su regazo. Se pegó a la pared como si quisiera fundirse con la piedra. Miró aterrorizada el sol.

—Tranquila, no puede hacerte daño —le susurró William. Ella parpadeó sin llegar a comprender lo que él decía—. ¿Lo ves? Era verdad, ha funcionado.

Kate estudió sus brazos, bañados por el sol. Los giró para asegurarse de que su piel seguía fresca y dio unos cuantos pasos hasta colocarse bajo el enorme haz de luz que proyectaba un agujero en el tejado. Nada. Ni dolor. Ni fuego. Absolutamente nada.

Sus ojos se posaron en Adrien. El impulso nació en su pecho como una explosión. Fue a su encuentro y lo abofeteó con fuerza.

Él se limitó a sostenerle la mirada. Se merecía eso y mucho más.

—Déjalo, Kate. No merece la pena —dijo William.

Ella se volvió y también lo abofeteó.

—Pero...

¡Plas, plas, plas, plas...!

Mefisto recorría el pasillo central sin dejar de aplaudir y riendo a carcajadas.

—Me encanta esta chica —ronroneó con malicia.

William tiró de Kate y la colocó tras él, interponiéndose entre Mefisto y ella.

—Déjala en paz —masculló Adrien.

Los ojos negros de Mefisto se detuvieron en su hijo. El parecido era tan innegable.

—¿Ya no la quieres para ti? —Alzó las cejas y sonrió—. Pensaba que querrías quedártela. —Hizo un gesto despreocupado con la mano y señaló a William—. Si es por él, no te preocupes. Será como aplastar un insecto.

Adrien se colocó entre Mefisto y William, y abrió los brazos como si así pudiera protegerlos.

—Olvídate de ellos, solo hay una cosa que quiero —replicó desafiante—. He cumplido mi parte. Ahora cumple tú la tuya.

Mefisto hizo una ligera venia y suspiró.

—Me he acostumbrado a su compañía. Las echaré de menos. —Sonrió con malicia al ver cómo su hijo apretaba los puños. Sabía lo que estaba pensando. Sentía su miedo y la desconfianza—. ¡Oh, no te preocupes, siempre cumplo mi palabra! También mantengo mis ofertas. A mi lado lo tendrías todo, hijo.

—Solo las quiero a ellas, devuélvemelas.

Mefisto gruñó desencantado.

—Mi virtud es la paciencia, sé esperar.

Después chasqueó los dedos.

Para Adrien, el mundo se paró en ese preciso momento. Junto a las puertas, salidas de la nada, aparecieron su madre y su hermana. Corrió hacia ellas.

—¡Madre, Cecil!

—¡Adrien!

Los tres se fundieron en un abrazo.

—¿Estáis bien? —les preguntó. Sollozó al abrazarlas contra su pecho—. Creía que no volvería a veros.

Lanzó una mirada a su padre, como si necesitara asegurarse de que no intentaría llevárselas de nuevo.

—Estaremos en contacto —dijo Mefisto a su hijo. Se volvió hacia William—. Sin rencores, ¿de acuerdo? Ha sido un placer conoceros. —Hizo el ademán de marcharse, pero se detuvo con un dedo en alto—. Por cierto, si ves a Gabriel, dile que no hay nada que pueda hacer. Es época de cambios, lo quieran o no.

Su hermoso rostro se contrajo con una sonrisa siniestra. Luego, desapareció.

William abrazó a Kate con toda su alma.

—No debiste hacerlo. Lo que ocurra a partir de ahora solo será culpa nuestra —dijo ella con una mezcla de decepción e indignación.

Él suspiró a medias.

—No podía sacrificarte. ¿Tú habrías dejado que yo lo hiciera?

—¡No! Pero estamos hablando de mí, yo...

—Tú eres lo único que me importa. Sin ti, no tengo motivos para seguir adelante. —Se llevó sus manos al pecho y las cubrió con las suyas.

—¿Y ahora qué?

—Asumo lo que he hecho y voy a arreglarlo.

—Lo que dije antes iba en serio —replicó Adrien tras ellos. William alzó el puño y él añadió—: Pégame si eso te hace sentir mejor. Podríamos pelearnos hasta mañana y no cambiaría nada. Pero yo tengo otra idea.

—¿Cuál?

Adrien lanzó una mirada fugaz a su madre y a su hermana. Seguían allí, no eran un sueño.

—Puede que me haya convertido en un monstruo...

—Tú no eres ningún monstruo —repuso Kate.

Miraba a las dos mujeres con lástima. Parecían tan asustadas.

—No pensabas eso hace un rato.

—Ahora que las veo, no puedo odiarte por lo que has hecho. Yo habría actuado de la misma forma.

Adrien se revolvió el pelo con la mano, todavía inquieto, y clavó sus ojos en William.

—No tenemos que fingir que somos amigos. Ni siquiera que nos soportamos. Pero si unimos fuerzas, los renegados no serán un problema. ¿Qué dices?

William guardó silencio y miró por encima de Adrien a las dos mujeres.

—No mentías —convino muy serio.

—No —respondió—. Hace mucho que se las llevó y he hecho lo que debía para recuperarlas. Ahora tú puedes entenderlo.

William estrechó a Kate contra su pecho. Sí, podía comprenderlo. Él mismo había ocupado ese lugar y había sacrificado el mundo entero para recuperar lo que más quería. En el fondo, eran más parecidos de lo que podría admitir jamás.

—Me gustaría conocerlas —dijo Kate con una sonrisa insegura—, parecen tan... perdidas.

Adrien también sonrió, y se volvió hacia ellas.

—Madre, Cecil.

Las invitó a acercarse con un gesto. Ellas vacilaron y, en lugar de avanzar, se pegaron a la pared sin apartar la vista de los haces de luz que las rodeaban.

—Aún tienen miedo. Les cuesta creer que el sol no les hará daño —susurró Adrien.

Kate se soltó del abrazo de William y se acercó a ellas.

—Hola, mi nombre es Kate. —Hizo una pausa, considerando lo que iba a decir—. Soy... soy una amiga de Adrien.

—Mi nombre es Cecil, y ella es mi madre, Ariadna —respondió la mujer más joven.

—¿De verdad el sol no nos lastimará? —preguntó Ariadna.

Miraba fijamente un rayo brillante que tocaba el suelo.

—No —respondió Kate con una gran sonrisa. Alargó el brazo y atravesó el haz de luz—. ¿Lo ves? Ya no debes tenerle miedo.

Poco a poco, Ariadna extendió la palma de su mano. El sol tocó las puntas de sus dedos. Miró a Kate a los ojos y sonrió.

—Es precioso.

—Sí que lo es.

59

Kate abrió los ojos y contempló la vasta extensión de cielo azul que alcanzaba su mirada.

De pronto, se sintió incómoda. Culpable. Una parte de ella se alegraba de que la maldición se hubiera roto. La otra esperaba con temor las consecuencias de ese acto desafiante.

Se preguntó si en ese mismo instante alguien desde arriba la estaría observando de la misma forma que ella escrutaba el cielo. Acusándola en silencio de haber provocado el mayor de los desastres. Aunque aún desconocía cuán terrible sería; o si de verdad, habría algo que temer.

Los ángeles habían demostrado que no eran de fiar. Jugaban bajo sus propias reglas, cambiándolas a su capricho y según sus intereses. Por lo que esos seres celestiales, de supuesta bondad y pureza infinita, podían haber estado mintiendo desde el primer momento, usándolos como peones de un juego que desconocían.

Esos pensamientos la sumían en una brutal incertidumbre. El futuro la asustaba y temía por todos los que amaba.

De nuevo cerró los ojos y apartó de su mente los malos presagios.

Alargó la mano y rozó con la yema de los dedos la piedra caliente de la lápida. Recreó la imagen de Alice y sus labios se curvaron, devolviéndole la sonrisa.

«Siempre te echaré de menos», pensó. Se llevó una mano al pecho, atesorando en su interior toda una vida de recuerdos.

Notó una ráfaga de aire fresco y su pelo revoloteó sobre su cara. Permaneció quieta, disfrutando de la paz que sentía cada vez que él aparecía a su lado.

—Sabía que estarías aquí —dijo William.

Se tumbó a su lado y entrelazó sus dedos con los de ella.

Kate abrió los ojos y lo miró.

—No pareces contento, ¿qué ocurre?

Él frunció el ceño y se frotó el pecho.

—Las alas han desaparecido.

—¿Y qué crees que significa eso?

—No lo sé. Supongo que ya no necesita mantenerme oculto.

—¿Y ahora te convierte en un cartel de neón? —replicó ella, consciente de que William ya no poseía protección alguna que lo mantuviera oculto a los ojos de otros ángeles.

—Gabriel no me debe nada. Lo he traicionado. Que me quite la marca es menos de lo que esperaba.

—¿Y qué esperabas?

—Bueno, me sorprende que no se haya presentado para matarme.

—Aún —musitó Kate con un estremecimiento.

—Aún —suspiró él—. La última vez fui capaz de hacerle frente. No le temo.

Kate se acurrucó en su pecho.

—Puede que el precio a pagar por mí sea demasiado alto.

—Deja de darle vueltas. No importa cuántas veces pudiera volver atrás, haría exactamente lo mismo.

—¿Y ahora qué?

William la estrechó contra su cuerpo.

—Solo han pasado tres días. Puede que los renegados aún no hayan descubierto que ahora son inmunes al sol, pero lo harán. Y pienso borrarlos de la faz de la tierra antes de que causen un daño irreparable.

—Y yo te ayudaré. —William sonrió con condescendencia y la besó en la coronilla—. ¡Lo digo en serio! Iré contigo adonde tú vayas, ¿está claro?

—Sí —respondió contra su pelo—. Pero ahora solo tengo un único viaje en mente.

—¿Un viaje?

—Hay algo que no pienso posponer más. —Se puso en pie y le ofreció su mano—. ¿Vienes conmigo?

Kate dio un salto y se encaramó a su cuerpo con las piernas rodeándole la cintura.

—Me encanta esto.

William se echó a reír y se desvaneció con ella. Segundos después, volvían a tomar forma.

—Aquí es.

Kate abrió los ojos muy despacio. Recorrió con la mirada la extensa planicie que se extendía entre un frondoso bosque y el océano oscuro. Se detuvo en una casa abandonada, que en otro tiempo debió de ser la más bonita de la zona. Las contraventanas desvencijadas colgaban de los goznes y batían con fuerza contra las ventanas de cristales rotos.

El porche se había inclinado hacia un lado y parte se había desplomado sobre una maraña de rosales y zarzas, que crecían salvajes cubriendo la fachada. Pudo distinguir también los restos de un establo.

—¿Dónde estamos?

William tragó saliva y la cogió de la mano.

—Aquí es donde comenzó mi infierno. Ya va siendo hora de terminar con él.

—¿Aquí es donde vivías con Amelia? —preguntó ella con los ojos como platos—. ¿Tan lejos?

—Este sitio está lleno de recuerdos. En ese bosque vi a Daniel por primera vez. Siempre andaba de un lado para otro, husmeando donde no debía. Un día, un alud de piedras lo sepultó. Por suerte yo le encontré, así fue como nos conocimos. —Hizo una pausa y contempló la estructura de madera, que apenas se sostenía—. Meses después, fue él quien me salvó la vida dentro de esa casa.

Kate contempló las ruinas.

—No es necesario que hables de ello.

—Amelia saltó por ese acantilado, mientras huía de mí. —Señaló el lugar donde la tierra se terminaba de forma abrupta.

—Tú no eres responsable de lo que ella hizo después de que la transformaras.

—Ahora lo sé. Por eso debo dejar atrás el pasado y pensar solo en el futuro.

Se alejó de ella unos pasos. Separó los brazos del cuerpo y un leve resplandor iluminó su piel. Dos lenguas de fuego azul surgieron de sus manos. Se enroscaron en sus brazos como cariñosas serpientes y sisearon.

—¿Qué vas a hacer? —preguntó ella.

—Dicen que el fuego purifica.

Dos llamaradas cruzaron el aire y prendieron la madera. La brisa alimentó el fuego, que se extendía con rapidez a través de la maleza seca. En pocos segundos, la casa quedó envuelta en llamas.

Kate abrazó a William por la cintura y observó cómo el incendio consumía las paredes.

—¿Te sientes mejor?

—Sí. —Se dio la vuelta entre sus brazos y le tomó el rostro—. Quiero hacerte feliz.

—Ya me haces feliz.

—Mientes fatal —rio él.

Kate inspiró hondo y apoyó las manos en su pecho.

—Solo hace unos meses que te conozco y ya hemos pasado por muchas cosas. Unas buenas y otras muy malas. —Él hizo una mueca de dolor y trató de apartar la mirada. Ella se lo impidió con una mano en la mejilla—. Pero no cambiaría nada, si eso borrara este momento. Te quiero muchísimo.

William recorrió su rostro con ojos brillantes. Deslizó una mano por su cuello y rodeó su nuca con un gesto posesivo. Colocó la otra en su cintura y con un leve tirón la pegó a su cuerpo. La besó. Un beso lento, sin prisas, como si tuviera todo el tiempo del mundo, y ella se perdió en esos labios.

—Estaría toda la eternidad besándote —dijo él con voz ronca.

Ella abrió los ojos y un destello violeta los iluminó.

—Tenemos todo ese tiempo.

Se puso de puntillas y atrapó su boca entre los labios con ganas de más. Sus lenguas se enredaron exigentes, mientras se exploraban impacientes. Pequeños jadeos. Roces. Caricias. Manos que se perdían bajo la ropa.

Sentir de nuevo el sol en la piel desnuda era tan maravilloso.

Notar su calor mientras sus cuerpos encajaban y se unían hasta convertirse en uno solo.

Movimientos acelerados, frenéticos, hasta perder el ritmo.

Sus nombres escurriéndose de los labios.

Espirales de placer que se arremolinaban bajo la piel.

Sí, la eternidad pintaba muy bien.

Tras ellos, la casa terminó de consumirse y quedó reducida a un montón de brillantes ascuas.

Una fuerte brisa comenzó a soplar, meciendo con violentas sacudidas la hierba. Empezó a arremolinarse en torno a los rescoldos y arrastró las cenizas hacia el mar.

William contempló aquel espacio vacío mientras abrazaba a Kate con fuerza.

No quería pensar en lo que estaba por venir.

Solo quería centrarse en el presente.

En el ahora.

Porque, pese a la inmortalidad que podían tocar con los dedos, solo tenían el ahora.

60

Gabriel suspiró con placer al sentir la suave arena del desierto bajo los pies. Un océano de granos plateados que se extendía más allá de lo que su vista podía alcanzar. Alzó la mirada y contempló la luna llena. El astro flotaba en medio de un cielo negro como el ónice.

Alargó el brazo y colocó la mano de forma que parecía sostener la brillante esfera sobre sus dedos. Un gesto cursi para un guerrero, pero él nunca había tenido problemas a la hora de mostrar su debilidad por las cosas hermosas. El mundo era bello y su expresión se tornó triste al pensar que podría desaparecer.

—Siempre has sido un romántico —dijo una voz tras él.

Gabriel se encogió de hombros.

—Échale la culpa a Julia Roberts.

Mefisto sonrió y se colocó a su lado.

—El mundo nunca debió pertenecerles. Era nuestro.

—Sabes que eso no es cierto. Padre lo creó para ellos y nuestra misión siempre ha sido la de velar por sus almas. Guiarlos desde el corazón.

Mefisto rio entre dientes.

—Lo que tú digas. La verdad es que no estoy aquí para discutir sobre esas cuestiones. ¡Me aburren! —Se dio la vuelta para mirar a su hermano—. Tengo un mensaje para Miguel.

—¿Y por qué no se lo das tú mismo?

—Tú y yo siempre nos hemos entendido bien.

Gabriel sonrió y lo miró a los ojos por primera vez.

—Es lo que tiene ser emisarios acatando órdenes, une tanto como la sangre —replicó con sarcasmo.

—Yo no acato órdenes.

—No, tú sirves a un demente.

Mefisto apretó los puños y forzó una sonrisa.

—Dile a Miguel que no hay nada que pueda hacer para detenernos. Se acabó la tregua. El juego está en marcha y esta vez la ventaja es nuestra. Una a una las puertas se abrirán y él regresará más poderoso que nunca. Siempre ha sido el más fuerte.

—Si tú lo dices.

Mefisto sacó la pitillera del bolsillo de su chaqueta y tomó un cigarrillo. Lo sostuvo entre sus labios y lo prendió con una llama sobrenatural. Aspiró una bocanada y soltó el humo sin prisa.

—Los hombres no tienen futuro ni esperanza, Gabriel. Su ocaso se acerca y va siendo hora de liberar el mundo de su presencia. —Extendió los brazos como si abarcara con ellos todo el paisaje—. Este jardín nos pertenece y vamos a recuperarlo.

—Si vencéis, cosa que dudo —replicó Gabriel con voz firme—. Ya lo habéis intentado, tantas veces que he perdido la cuenta, y siempre habéis fracasado. Dudo de que esta vez sea diferente a las demás.

—Sabes que lo es, puedo sentir tu incertidumbre. Venceremos y no dudaré a la hora de levantar mi espada contra ti, hermano. —Mefisto le dio vueltas a su cigarrillo entre los dedos y se concentró en la punta encendida—. Gabriel, aún puedes elegir el bando correcto. Únete a mí.

—Jamás.

—Cada día que pasa sois menos, estáis en desventaja. —Sonrió con malicia al ver la mirada desconcertada de Gabriel—. Ah, ¿no lo sabías? Uriel os ha abandonado. Parece que la balanza se inclina a nuestro favor.

Gabriel dio un paso atrás, impulsado por la sorpresa de esa revelación.

—¿Uriel?

Mefisto dio una profunda calada y apuró el cigarrillo. Lo hizo desaparecer entre sus dedos mientras expulsaba el humo.

—Piénsalo, Gabriel. Morir por otros no te hace mejor, solo estúpido —dijo antes de desvanecerse.

¿TE GUSTÓ ESTE LIBRO?

escríbenos y
cuéntanos tu opinión en

f /Sellotitania   🐦 /@Titania_ed

📷 /titania.ed

#SíSoyRomántica

Ecosistema digital

Floqq
Complementa tu lectura con un curso o webinar y sigue aprendiendo.
Floqq.com

Amabook
Accede a la compra de todas nuestras novedades en diferentes formatos: papel, digital, audiolibro y/o suscripción.
www.amabook.com

Redes sociales
Sigue toda nuestra actividad. Facebook, Twitter, YouTube, Instagram.

EDICIONES URANO